Amach As Ucht Na Sliabh

IMLEABHAR 1

Cnuasach béaloidis a chruinnigh daltaí
sna Scoileanna Náisiúnta i bParóiste
Ghaoth Dobhair faoi Scéim na Scol 1937-'38

Eagarthóir: Dónall P. Ó Baoill

Cumann Staire agus Seanchais Ghaoth Dobhair i gcomhar
le Comharchumann Forbartha Ghaoth Dobhair a d'fhoilsigh.

IARTHUAISCEART THÍR CHONAILL

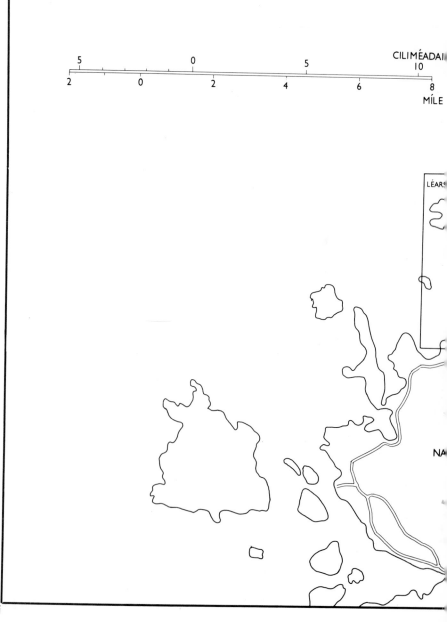

CILIMÉADA[
10

5   0   5

2   0   2   4   6   8

MÍLE

LÉAR

NA

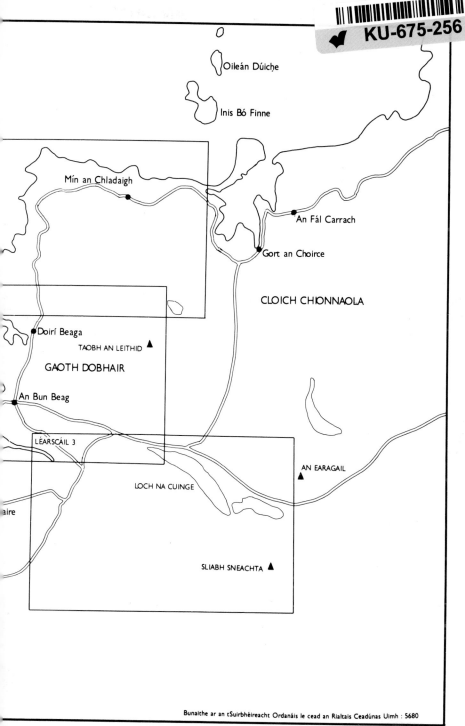

Oileán Dúiche

Inis Bó Finne

Mín an Chladaigh

An Fál Carrach

Gort an Choirce

CLOICH CHIONNAOLA

Doirí Beaga

TAOBH AN LEITHID ▲

GAOTH DOBHAIR

An Bun Beag

LÉARSCÁIL 3

AN EARAGAIL ▲

LOCH NA CUINGE

aire

SLIABH SNEACHTA ▲

Bunaithe ar an tSuirbhéireacht Ordanáis le cead an Rialtais Ceadúnas Uimh : 5680

An Chéad Chló 1992

© Dónall P. Ó Baoill

ISBN o 951927418 (Bog)
0 951927442 (Crua)
o 951927434 (An tSraith - Bog)
o 951927469 (An tSraith - Crua)

Donegal Democrat, Béal Átha Seanaigh, Co. Dhún na nGall.

BUÍOCHAS

Is iomaí duine a chuidigh liom ó thosaigh mé ar Amach As Ucht Na Sliabh a chur in eagar. Ba mhaith liom go speisialta mar sin mo bhuíochas a ghabháil leo seo a leanas as a dtacaíocht agus as a gcomhoibriú.

(i) Gabhaim buíochas le Roinn Bhéaloideas Éireann agus leis an Ollamh Bo Almqvist as cead a thabhairt dom úsáid a bhain as lámhscríbhinní atá anois ar sábháil i gColáiste na hOllscoile, Baile Átha Cliath. Gabhaim buíochas fosta leis an Ollamh Séamas Ó Catháin a chuir gach treoir orm uair ar bith ar iarr mé a chuidiú agus le Bairbre Ní Fhloinn a rinne cóipeanna dom agus a sheiceáil ábhar dom ó am go chéile. Is le Roinn Bhéaloideas Éireann an cóipcheart ar bhunábhair théacsanna an leabhair seo.

(ii) Gabhaim buíochas le Cumann Staire agus Seanchais Ghaoth Dobhair i gcomhar le Coiste Forbartha Ghaoth Dobhair a d'iarr orm a ghabháil i mbun na hoibre seo ar mholadh a tháinig uaim féin. Chuidigh An Coiste Forbartha tríd scéimeanna a bhí faoina gcúram na chéad dréachtaí de chuid de na scéalta a chlóscríobh. Chuidigh an dá choiste chomh maith liom eolas a chruinniú faoi na scoláirí agus faoi na seanchaithe atá luaite sa leabhar, chomh maith le grianghraif a fháil nuair ab fhéidir sin.

(iii) Gabhaim buíochas le Cití Nic Giolla Bhríde, le Séamas Mac Giolla Bhríde, le Tónaí Mac Aodha agus Máire Mhic Niallais, leis an Dr. Bearnard Ó Dubhthaigh a chuidigh liom ar mhórán dóigheanna agus go háirithe trí eolas a chur ar fáil dom.

(iv) Gabhaim buíochas leis an Donegal Democrat a rinne an clóchur dúinn agus le Paddy McLoone nach maireann agus le Charles McGlone a chaith go deas linn i gcónaí.

(v) Bheirim buíochas do na daoine a thug grianghraif dúinn le cur ar fud an leabhair. Cuirfidh siad gnaoi agus maise uirthi. Gabhaim buíochas fosta le hOifig na Suirbhéireachta Ordanáis a rinne na léarscáileanna dúinn agus le Dónall MacGiolla Easpaig as Oifig na Logainmneacha den tSuirbhéireacht a chuir treoir agus comhairle orainn faoi na léarscáileanna céanna.

(vi) Ar deireadh mo bhuíochas do na páistí scoile sin agus dá gcuid múinteoirí sa bhliain 1938 agus amanna isteach i 1939.

Daofa sin agus do mhuintir Ghaoth Dobhair i ngach áit a bhfuil siad is ceart an leabhar seo a thoirbhirt.

Dónall P. Ó Baoill,
Eagarthóir,
Gaoth Dobhair, Fómhar, 1992.

CLAR ÁBHAIR

LÉARÁIDÍ

NODA

AMDC: Ó Cathain S., Uí Sheighin C, A Mhuintir Dhú Chaocháin, Labhraígí Feasta! Cló Chonamara, 1988.

ÁPD: Diarmuid Ó Laoghaire, S.J., *Ár bPaidreacha Dúchais,* Baile Átha Claith 1975.

AT: *Uimhir* agus *Ainm* na dtíopanna in Antti Aarne and Stith Thompson, *The Types of the Folktale,* Helsinki 1961 (FF Communications No. 184).

CBÉ: *Cnùasach Bhéaloideas Éireann .i.* Bailiúchán na Scol agus Príomhbhailiúchán Lámhscríbhinní Roinn Bhéaloideas Éireann, An Coláiste Ollscoile, Baile Átha Cliath.

CMT: *Circular to Managers and Teachers of National Schools: Scheme for the Collection and Preservation of Folklore and Oral Tradition. Imlitir 9137.*

HIF: Seán Ó Súilleabháin, *A Handbook of Irish Folklore,* Dublin 1942, athchló Detroit 1970.

LSÍC: Séamus Ó Duilearga, *Leabhar Sheáin Í Chonaill, Baile Átha Cliath 1977.*

ML: Reidar Th. Christiansen, *The Migratory Legends,* Helsinki 1958 (FF Communications No. 75).

SC: Seán Ó Súilleabháin, *Scéalta Cráibhtheacha,* Baile Átha Cliath 1952 *(= Béaloideas 21[1951-2]).*

SS: Ó hEochaidh, Seán, Ní Néill, Máire and Ó Catháin, Séamas, *Síscéalta ó Thír Chonaill/Fairy Legends from Donegal* (Folklore Studies 4 [Dublin 1977]).

RÉAMHRÁ

Cuireadh tús i mí Iúil 1937 le scéim mhór le béaloideas a chruinniú i scoileanna náisiúnta ar fud na tíre. Ba é Coimisiún Bhéaloideasa Éireann (1935-1937) a thionscain an obair. Ba iad na páistí scoile a bhí sna hardranganna sna blianta sin a chruinnigh an t-ábhar ar fad atá anois ar coinneáil i Roinn Bhéaloideas Éireann, Coláiste na hOllscoile, Baile Átha Cliath. Tá 381,660 leathanach ar fad sa bhailiúchán seo agus iad ceangailte in imleabhair mhóra. Tá siad uimhrithe ó 1 go 1,126. Lena chois sin tá bailiúchán mór de chóipleabhair bheaga na ndaltaí féin ar stóráil i mboscaí. Scríobhadh méid áirithe den ábhar atá sna cóipleabhair sin isteach sna himleabhair mhóra ach is minice ná sin a fágadh an t-ábhar atá sna cóipleabhair gàn athscríobh. Cuireann seo go mór dáiríribh le méid na leathanach atá ar sábháil anois i Roinn Bhéaloideas Éireann. Is ceart a rá ar ndóigh nach raibh páirteach sa scéim seo ach scoileanna na Sé gContae Fichead mar nár mhian he hAireacht Oideachais an Tuaiscirt scoileanna an tuaiscirt a bheith páirteach sa scéim ag an am.[1]

Bhí an scéim ag brath ar dhea-thoil mhórán daoine - dea-thoil na múinteoirí agus na bpáistí scoile féin, dea-thoil na Roinne Oideachais agus Chumann Múinteoirí Éireann. Chuir an Roinn Oideachais féin na cóipleabhair mhóra oifigiúla ar fáil agus sheas costas postála na gcóipleabhar fosta nuair a bhí deireadh thart. D'iarr an Roinn fosta go gcuirfí na cóipleabhair bheaga nó sampla ionadaíoch díobh ar ais leis na leabhair mhóra. Sin an fáth is dóiche nach bhfuil cóipleabhair na ndaltaí ar fáil againn ó gach uile scoil.

Baineann an scéal seo le scoileanna Ghaoth Dobhair chomh maith le háiteanna eile mar a fheicfimid ar ball.

Murach an dúthracht agus an díograis a bhain le Séamus Ó Duilearga (1899-1980) agus le Seán Ó Súilleabháin (1903-) ní dóiche go mbeadh oiread de rath agus de chríochnúlacht ar Scéim seo na Scol agus a bhí.[2]

Nuair a bhí an treoirleabhar dréachtaithe ag Seán Ó Súilleabháin ina raibh treoir shoiléir tugtha faoin chineál ábhair a bhí le cruinniú agus faoi na cineálacha ceisteanna a ba cheart a chur ar sheanchaithe agus mar sin de, d'eisigh an Roinn Oideachais an leabhrán i Mí Mhéan Fhómhair na bliana 1937 agus in éineacht léi cuireadh Imlitir 9/37 faoin teideal 'Cearcalán do Bhainisteoirí agus d'Oidí Scol Náisiúnta'.[3] Bhí an t-eolas le cruinniu faoi 55 ceannteideal eagsúil. Ar na ceannteidil sin bhí - scéalta, amhráin, seanfhocail, paidreacha, tomhaiseanna, ceirdeanna, cur síos ar thithe agus ar fhoirgnimh eile, seanchas áitiúil, caithimh aimsire, pisreoga, áitainmneacha, leigheasanna agus mórán nithe eile.

Cloíodh leis na treoracha cuid mhaith ach is léir ón ábhar a cruinníodh as scoileanna Ghaoth Dobhair gur bhain múinteoirí agus páistí síniú as na treoracha céanna, rud a fhágann éagsúlacht iontach ábhair againn ó scoil go scoil. Is maith is fiú na treoirlínte a bhí in imlitir na Roinn a scrúdú.[4]

---

1. Tá cuntas i bhfad níos faide agus níos iomláine sa réamhrá atá leis an leabhar 'A Mhuintir Dhú Chaocháin, Labhraigí Feasta' ag Séamas Ó Catháin agus ag Caitlín Uí Sheighin. Is ceart do léitheoir ar bith atá ag iarraidh tuilleadh eolais faoin scéim tagairt don Réamhrá sin.

2. Tá mioneolas le fáil arís sa Réamhrá a bhfuil tagairt do i Nóta 1 thuas faoin obair iontach a rinne an bheirt fhadradharcacha seo. Chuir siad saothar orthu féin ag míniú agus ag scaipeadh eolais faoin scéim agus chuir Seán Ó Súilleabháin treoirleabhar ar fáil do na bailitheoirí.

3. Irish Folklore and Tradition a ba teideal don leabhrán a raibh seacht leathanach dhéag is fiche inti.

4. Gabhaim buíochas leis an Ollamh Séamas Ó Catháin as cóip den imlitir sin a chur ar fáil dom. Seo a leanas a bhfuil inti.

OIDEACHAS NÁISIÚNTA
CEARCALÁN DO BHAINISTEOIRÍ AGUS D'OIDÍ SCOL NÁISIÚNTA

Scéim um bhéaloideas do chnuasach agus do bhuanú

B'é cuspóir an Rialtais nuair a chuireadar Coimisiún Béaloideasa Éireann ar bun ná seanchas agus litridheacht bhéil na ndaoine do bhailiú agus do shábháil ó bhaoghal a chaillte. Obair Náisiúnta iseadh an obair seo atá idir lámhaibh ag an gCoimisiún, obair nach mór dul chun cinn léi agus a chur i gcrích gan mhoill toisc a thiughas agus atá an tseanmhuintir á chailleamhaint agus an seanchas á bhreith 'on uaigh leó.

Do ghlac an Coimisiún agus Árd-Choiste Chumainn na Múinteoirí Náisiúnta comhairle le n-a chéile féachaint an bhféadfadh na múinteoirí agus na leanbhaí scoile ins na h-árd rangannaibh lámh chonganta do thabhairt sa chnuasach. Do leag an dá dhream toradh a machtnaimh os comhair an Aire Oideachais agus do ghlac seisean go fonnmhar leis an scéim do mholadh, mar atá:

(1) Ó'n gcéad lá de Mhí Mheadhoin Foghmhair, 1937, go dtí lá deiridh an Mheithimh, 1938, bainfear feidhm as na leanbhaí scoile sa chúigmhadh ranng agus ins na ranngannaibh is aoirde ná san chun scéalta agus seanchais do chnuasach ó n-a muinntir sa bhaile agus ó sna comhursain agus an t-eolas san do scríobhadh síos ar scoil mar chuid d'obair na scoile. An t-am atá ar thráth-chlár na scoileanna sa Ghalltacht le h-aghaidh Cheapadóireachta i mBéarla caithfear ag scríobhadh an eolais seo é. Mar an gcéadna leis na scoileanna sa Ghaedhealtacht ach gurbh é an t-am atá ar an dtráth-chlár le h-aghaidh Cheapadóireachta i nGaedhilg a caithfear sa tslighe sin. Mar an gcéadna leis na scoileanna sa Bhreach-Ghaedhealtacht ach gurabh é an t-am atá ar an dtráth-chlár le h-aghaidh cheapadóireachta in Gaedhilg nó i mBéarla a caithfear sa t-slighe sin.

(2) Tá leabhrán curtha le chéile ag an gCoimisiún Béaloideasa d'adhbhair ceapadóireachta agus do nidhte a bheidh le cuardach ag na leanbhaí i n-a gceanntar féin. Cuirfear cóip de'n leabhrán san ag triall ar na príomhoidí scoile agus ar na bainisteoirí.
Bhéarfaidh sé treoir agus congnamh dos na h-oidí san obair.

(3) Féadfaidh na leanbhaí an t-eolas a bhaileochaidh siad do bhreacadh síos i straic-leabhair agus é do scríobhadh isteach i n-a gcóipleabhair ceapadóireachta ar scoil. Iarrfaidh an múinteoir ar leanbhaí toghtha

na cnuasaigh is fearr d'eolas agus d'amhráin agus de scéalta, 7rl., do scríobhadh isteach ins an Leabhar-Nóta oifigeamhail le h-aghaidh Béaloideasa do cuireadh go dtí gach Scoil Náisiúnta i mí an Mhárta, 1934. I gcás na scoileanna gur líonadh an leabhar-nóta oifigeamhail agus gur cuireadh isteach cheana é cuirfear ceann de'n tsaghas céadna chun na scoileanna san gan mhoill.

(4)   Is leis an Roinn Oideachais na leabhair-nótaí oifigeamhla so. Ní mór iad a chimeád sa scoil an fhaid agus a bheidh siad á líonadh agus iad a sheoladh isteach go dtí an Oifig seo i ndeire na Scoil-Bhliadhna so, Meitheamh 30, 1938, le h-aghaidh an Choimisiúin Béaloideasa. Ní mór na cóip-leabhair ceapadóireachta nó cuid díobh a toghfar chuige sin a sheoladh go dtí an Oifig comh maith.

(5)   Beidh sé do chead ag lucht stiúrtha na scoileanna i gcathair Bhaile Átha Cliath, i gcathair Chorcaighe, i gcathair Luimmighe agus i gcathair Phort Láirge leanamhaint d'a scéim cheapadóireachta féin nó glacadh leis an scéim nua so do réir mar oirfidh dóibh.

(6)   Ba cheart a innsint dos na leanbhaí seachtmhain roimh-ré cad é an t-adhbhar cuardaigh a bheidh aca i gcóir an chéad lá eile ceapadóireachta. Cuirfidh na múinteoirí na pointí agus na ceisteanna a bhaineas leis an adhbhar san sa leabhrán os comhair na leanbhaí agus bhéarfaidh siad treoir agus comhairle dóibh i dtaobh an tslighe is fearr chun dul i mbun an eolais do chnusach.

(7)   Chomh fada agus a bhaineas leis na scrúduighthe a bhíonn ar siubhal i Scoileanna Náisiúnta fé chúram na Roinne seo dhe .1. Scrúdughadh le h-aghaidh Teastais ar bhunOideachas, scrúdughadh le h-aghaidh Scoláireachtaí do Mheadhon-Scoileanna agus do Scoileanna Gairme Beatha, agus Scrúdughadh Iontrála do Choláistí Ullmhúcháin, ceapfar malairt cheisteanna a bhaineas leis an adhbhar so i nGaedhilg agus i mBéarla ar na páipéirí scrúduighthe.

(8)   Is léir do'n Roinn ná beidh ar chumas na múinteoirí an feadhmannas céadna a dhéanamh ar cheapadóireacht ná ar obair scríobhtha na leanbhaí fé'n scéim seo agus a dheinidís go dtí seo, toisc go mbeidh gach leanbh ag breacadh an adhbhair do chnuasuigh sé féin.
Is léir, chomh maith, go bhfuil ceanntair is lugha béaloideas agus seanchas ná a chéile ar chúis éigin fé leith, agus ceanntair eile go bhfuil an t-adhbhar go tiugh ionnta ach ná bainfidh na leanbhaí feidhm iomlán asta de bharr neamhshuime na seanmhuinntire nó ar chúis éigin eile. Féadfaidh múinteóir i gceanntar mar sin an cás a mhíniú do'n Chigire Ceanntair féachaint ar mbeidh sé ceadmhach dó gan an obair a bhaineas leis an scéim seo a dhéanamh nó gan ach cuid di a dhéanamh.

Nuair a bheidh réim an Oide á meas ag an gCigire sa mhéid a baineas le múineadh ceapadóireacht Gaedhilge agus Béarla féachfaidh an Cigire cé'n deis a fuair an t-oide chun an scéim seo d'oibriú. Ní measfar éifeacht an oide i múineadh an adhbhair atá i gceist a bheith íslighthe de bhárr obair na scéime seo ach b'fhéidir go measfar é bheith árduighthe má's léir gur oibrigh an t-oide agus na leanbhaí go feidhmiúil iommholta chun scéalta agus seanchais an cheanntair do chuasach agus do scríobhadh síos.

xvii

Sé tuairim an Aire Oideachais go bhfuil ar chumas na leanbhaí móra scoile fé threoir agus ar chomhairle na múinteoirí a lán cabhrach a thabhairt i gcnuasach agus i mbuanughadh an tseanchais dhúthchais, agus tá an t-Aire lán-deimhnightheach de go mbeidh cabhair gach éinne ar fagháil san obair.

SEÓSAMH Ó NÉILL,
Rúnaí.

An Roinn Oideachais,
Meadhon Foghmhair 1937.

Mara fheicfear ón Imlitir bhí sé i gceist go saorfaí na daltaí scoile i ranganna a cúig, a sé agus a seacht ó bheith ag scríobh aistí agus go n-iarrfaí orthu le treoir óna gcuid múinteoirí a bheith ag athscríobh an ábhair a bhí cruinnithe acu ó sheanchaithe na háite isteach ina gcuid cóipleabhar féin agus go minic fosta isteach sna cóipleabhair mhóra oifigiúla. Moladh gur faoi dhream beag ar leith de na daltaí a d'fhágfaí an cúram deiridh seo - an t-ábhar a scríobh isteach sna leabhair mhóra. Ba é an deacracht a ba mhó a bhí le sárú an t-athrá a sheachaint. Bhí na cóipleabhair oifigiúla le bheith ar ais sa Roinn Oideachais ag deireadh na scoilbhliana sin .i. 30 Meitheamh 1938, ach ar mholadh an Choimisiúin tugadh síneadh shé mhí eile do na scoileanna. Chuidigh seo go mór le cruinniú an ábhair más scáthán ar bith a dtáinig as scoileanna Ghaoth Dobhair. Leanadh leis an obair mar sin go deireadh na bliana agus corruair isteach i dtús 1939. Mhair an scéim mar sin Ó 1 Iúil, 1937 go 31 Nollaig, 1938.

I dtús An Earraigh sa bhliain 1939 mar sin a tháinig Bailiúchán na Scol, idir chóipleabhair mhóra oifigiúla na Roinne Oideachais (4,337 acu) agus chóipleabhair bheaga na ndaltaí scoile féin, i seilbh an Choimisiúin den chéad uair. Ghlac furmhór bhunscoileanna na tíre páirt sa scéim agus b'éigean á gcur ar leoraí lena n-aistriú ón Roinn Oideachais go dtí oifigí an Choimisiúin ag Ardán Phort an Iarla, Baile Átha Cliath. Fágadh ansin iad faoi chúram Sheáin Uí Shúilleabháin agus Mháire Ní Néill.

Tugadh tuairiscí faoi bhaint an Fhómhair bhreá bhéaloidis seo i nuachtáin na haimsire. Seo mar a tuairiscíodh an scéal ar Lá Fhéile Bríde, 1939: *Irish Independent* ('The Work of 50,000 Children ... Weighing over 20 Tons'), *Evening Mail* (''Magnificent'' Result of Schools Scheme') agus ar an *Irish Times* ('Success of Primary Schools' Scheme'). Fiú amháin i nuachtán de chuid Shasana *The People,* nár tuairiscíodh an méid seo: ('Children Swamp Teacher Mr. Seán O'Sullivan with Thousands of Copy-Books') ar an 19ú Feabhra 1939.[5]

Mar is eol dúinn uilig charbh fhada ina dhiaidh sin gur bhris an Dara Cogadh Domhanda (1939-1945) amach, agus b'éigean don Choimisiún na bailiúcháin lámhscríbhinní uilig a bhí ina seilbh a chur ar a sábháil. I dtaisce i seomra a bhí ar cíos ag an Choimisiún, i dteach príobháideach i Rath Fearnáin in aice leis an Hell Fire Club, a chaith cóipleabhair mhóra oifigiúla Bhailiúchán na Scol an cogadh, áit ar fhan siad go dtí 1949. Fágadh na cóipleabhair bheaga a scríobh na daltaí i bPort An Iarla agus char tugadh an dá bhailiúchán le chéile arís go dtí 1949. Nuair a tugadh
xviii

na cóipleabhair mhóra ar ais go dtí An Coimisiún a bhí lonnaithe faoin am sin in 82 Faiche Stiabhna, socraíodh go gceanglófaí in imleabhair mhóra c. 500 leathanach an ceann iad agus ord orthu de réir cúige, contae, barúntachta, paróiste agus scoile. Rinneadh na leathanaigh a uimhriú ó imleabhar go himleabhar agus huimhríodh na himleabhair ó LS. 1 go LS. 1,126.

Tugtar anseo thíos anois i bhfoirm choimrithe eolas ar líon na leathanach atá sna himleabhair mhóra sin ó Chúige go Cúige agus ó Chontae go Contae.

Cúige Chonnacht (104,580)

Gaillimh	35,100
Maigh Eo	32,760
Liatroim	14,000
Ros Comáin	11,800
Sligeach	10,300
Sligeach	10,300

Cúige Mumhan (123,840)

Ciarraí	32,400
An Clár	16,200
Corcaigh	41,040
Luimneach	15,120
Port Láirge	5,040
Tiobraid Árann	14,040

Cúige Uladh (3 Contae) (65,340)

Dún na nGall	30,240
An Cabhán	24,300
Muineachán	10,800

Cúige Laighean (87,900)

Áth Cliath	4,320
An Iarmhí	11,340
An Mhí	12,000
Ceatharlach	2,880
Cill Dara	3,960
Cill Mhantáin	4,860
Cill Chainnigh	9,000
Laois	5,800
Loch Garman	8,840
Longfort	8,100
Lú	5,760
Uíbh Fhailí	6,840

[5]Tá tuilleadh mioneolais faoi seo agus faoi rudaí eile le fáil sa leabhar a bhfuil tagairt di cheana i bhfonóta 1.

Bailiú an Bhéaloidis i nGaoth Dobhair

Cé gur ar Scéim na Scol atá an leabhar seo againne dírithe is ceart smaoineamh air nach bhfuil sa bhailiúchán seo ach cuid den léar mór béaloidis a cruinníodh i nGaoth Dobhair agus taobh amuigh de ó dhaoine arbh as Gaoth Dobhair ó dhúchas iad. Ceantar óg go leor é Gaoth Dobhair más ag caint ar chónaí a bheith ar dhaoine ann atá muid. Suas le ceithre chéad bliain nó le beagán os a chionn atá daoine ag baint fúthu sa cheantar seo agus go deimhin tá bailte ann nach bhfuil ach leath na haoise sin. Cib bith áit as a dtáinig na daoine ann thug siad leo mórán de shaíocht agus de bhéaloideas a muintire agus is léir gur chothaigh agus gur leathnaigh siad é ina measc féin. Cé gur i rith na bliana 1938 a cruinníodh suas furmhór an ábhair atá sa leabhar seo bhí daoine eile ag cruinniú béaloidis sa cheantar roimhe sin agus ina dhiaidh. Tuairim na bliana 1931 bhí an tUrramach Coslett Ó Cuinn sa cheantar agus chruinnigh sé cuid mhaith amhrán agus paidreacha agus a leithéid sin go háirithe ar Oileán Ghabhla. Chuir Aodh Ó Dúgáin O.S. suim mhór sa bhéaloideas fosta agus chruinnigh sé ábhar sa pharóiste díreach roimh agus i ndiaidh Scéim na Scol. Ansin tháinig fathach mór an bhéaloidis é féin An Dr. Seán Ó hEochaidh chun an cheantair sa bhliain 1939 agus chaith sé cuid mhaith den bhliain sin ag cruinniú gach sórt ábhar béaloidis ó cheann ceann na paróiste. Rinne mórán daoine eile cur leis an méid sin agus go deimhin tá an cruinniú ar siúl go fóill.

Nuair a thosaigh mé a smaoineamh i dtús báire ar bhéaloideas Ghaoth Dobhair a chur le chéile is beag a shíl mé gur le Bailiúchán na Scol a bheinn ag sclábhaíocht sa deireadh. Caithfidh mé a rá go fírinneach nár shíl mé go bhfaighinn an oiread sin saibhris béaloidis ann agus a fuair mé. Is é an trua é a bheith i bhfolach i Roinn Bhéaloideas Éireann le corradh agus leithchéad bliain agus má d'éirigh liomsa é a thabhairt amach faoin tsolas, tá mé sásta go bhfuil gar déanta agam dóibh sin a chruinnigh é sa chéad áit díreach roimh thosach an dara cogaidh domhanda. Cuirfidh siad féin suim anois ann tá mé cinnte ach chan iadsan amháin atá ag dréim lena léamh. Cuirfidh a ngaolta, a gclann, muintir na paróiste agus daoine as paróistí eile suim ann chomh maith céanna. Cuirfidh siad sin a bhfuil staidéar ar siúl acu ar ghnéithe den bhéaloideas suim ann mar is fiú sin. Beidh scoláirí agus lucht léinn ag cur sonrú ann. Beidh lucht canúna agus teangeolaíochta ag cur suim ann. Beidh lucht staire ag léamh píosaí as. Beidh sé mar ábhar léitheoireachta acu sin atá ag iarraidh anáil an tsaoil atá caite a bhlaiseadh arís.

Is iomaí athrú ar an tsaol ó scríobh páistí scoile na bliana 1938 an t-ábhar a bhfuil an mhórchuid de sa dá imleabhar seo. Ba mhór an gar a rinne na húdaráis san am agus smaoineamh ar a leithéid de scéim. Chan é amháin gur smaoinigh siad uirthi ach chuir siad i bhfeidhm agus i gcrích í le cuidiú na múinteoirí bunscoile agus a gcuid daltaí ar fud na tíre. Murach an díograis a chaith na múinteoirí céanna ag cur treoir cheart ar na páistí agus á scaoileadh saor uair nó dhó sa tseachtain sa dóigh go bhféadfadh siad a raibh cruinnithe acu a scríobh isteach sna cóipleabhair bheaga a bhí acu féin agus go minic isteach sna cóipleabhair mhóra oifigiúla, cha bheadh toradh leath chomh maith ar an Scéim agus a bhí.

Is deas an pheannaireacht a bhí ag cuid de na páistí sin agus go deimhin an caighdeán ard Gaeilge atá sna cóipleabhair i gcoitinne. Is bréa an t-eiseamláir é ar obair na múinteoirí a rinne an saothrú ar fad. Go deimhin féin tá samplaí go leor de na gcuid aistí Gaeilge agus Béarla le fáil sna cóipleabhair atá i dtaiscidh i Roinn Bhéaloideas Éireann anois. Tá rian ard scolaíochta ar na haistí céanna sa dá theanga, gan trácht ar na ceachtanna gramadaí agus ar an taifeach atá déanta ar abairtí sa dá theanga iontu.

Ba cheart dom anois cúpla rud a rá faoin ábhar atá ar sábháil ó scoileanna Ghaoth Dobhair. Bhí seacht scoil páirteach sa Scéim mar atá - *Mín An Chladaigh, Bun An Inbhir, An Luinnigh, Doirí Beaga (Scoil na mBuachaillí agus Scoil na gCailíní), Cnoc An Stolaire, Dún Lúiche agus Scoil An Toir.* Dá ndéanfadh duine iarracht ábhar béaloidis chomh héagsúil a chruinniú ó scoil go scoil, sílim nach n-éireodh leis an t-ábhar a bheith chomh nádúrtha sin aige agus mar a tháinig sé as scoileanna seo Ghaoth Dobhair. Níor ghlac Scoil Dhobhair nach raibh ach i ndiaidh a tógáil ná

Scoil Chnoc Fola páirt sa Scéim. Chan fhuil a fhios agam cén chúis a bhí le gan Scoil Chnoc Fola a bheith páirteach sa Scéim ach i gcás Scoil Dhobhair is dóiche nach raibh páistí sinsearacha ar bith sa scoil, is é sin i ranganna 5, 6 agus 7 le hábhar béaloidis a chruinniú. Tá an t-ábhar as na scoileanna ar fad ag cur go deas le chéile - an áit a bhfuil léar scéalta i scoil amháin, tá stair áitiúil i gceann eile agus amhráin agus dánta diaga i gceann eile. Fágann sin go bhfuil saibhreas mór ábhair san iomlán nuair a bhíonn sé tarraingthe le chéile.

De thairbhe go raibh an oiread sin ábhair agam agus go raibh sé chomh maith sin shocraigh mé dhá leabhar a dhéanamh as - scéalta den chuid is mó sa chéad leabhar agus gach uile rud eile sa dara leabhar - stair áitiúil, amhráin, dánta diaga, áitainmneacha, pisreoga, comharthaí aimsire, seanfhocail, tomhaiseanna agus béaloideas ginearálta faoi shaol na ndaoine.

Tá an t-ábhar le fáil ó dhá fhoinse de ghnáth - sna leabhráin mhóra a bhfuil an clúdach cruaidh orthu agus i gcóipleabhair bheaga na bpáistí féin. Níl cóipleabhair ar bith ar fáil ó na scoileanna seo a leanas: Dún Lúiche, An Tor agus Doirí Beaga (Scoil na mBuachaillí). Tá cóipleabhar mhór amháin againn as an scoil dheiridh seo a scríobh Liam Ó Gallchóir. Seo a leanas cuntas ar an ábhar as scoileanna Ghaoth Dobhair de réir mar atá sé stóráilte i Roinn Bhéaloideas Éireann. Is iad 1065-1069 na huimhreacha atá ar an leabhráin mhóra agus cloífidh mise leis na huimhreacha céanna agus mé ag cur síos ar an ábhar as na cóipleabhair bheaga. Mar sin, nuair a fheiceas tú S1065 ciallaíonn sé go bhfuil muid ag trácht ar láimhscríbhinn 1065 as Bailiúchán na Scol. Mar sin do S1066-S1069 fosta. Níl cóipleabhair bheaga ar fáil ó gach uile scoil agus is trua sin nó is minic a bhíonn nuaíocht sa bharraíocht le fáil sna cóipleabhair chéanna nach mbíonn sna leabhráin mhóra oifigiúla. Is ceart smaoineamh air fosta i gcás na scoileanna sin a bhfuil cóipleabhair bheaga ag gabháil leo nár scríobhadh sna leabhair mhóra ach cuid bheag den ábhar astu.

Scoil	An Leabhar Mhór	Cóipleabhair	Leathanaigh
Mín An Chladaigh	S1068, 164-304	11	398
Bun An Inbhir	S1066, 78-143	37	1,408
An Luinnigh	S1068, 401-567 S1069, 0-75	13	186
Doirí Beaga (Cailíní) (Buachaillí)	S1066, 200-350 S1067, 0-130	8 1	574 75
Cnoc An Stolaire	S1067, 131-193 S1068, 0-163,	-- 7	-- 172
An Tor	S1066, 0-78	--	---
Dún Lúiche	S1065, 200-295	--	---

Mar is léir tá cuid de na scoileanna agus níl an deichiú cuid féin den ábhar a cruinníodh sna cóipleabhair bheaga scríofa isteach sna leabhair mhóra. Tá sin fíor go háirithe faoi Scoil Bhun An Inbhir áit a bhfuil suas le 1,400 leathanach sna cóipleabhair nach bhfuil le fáil in áit ar bith eile. Tá moladh ar leith tuillte ag páistí agus ag príomhoide na scoile seo as an ghaisce a rinne siad ag cruinniú an bhéaloidis. Scéalta atá in 95% de agus scéalta idirnáisiúnta fosta mar is léir ó na nótaí atá le fáil i ndeireadh leabhar a haon. Chuir Scoil an Toir, Dhún Lúiche, Chnoc An Stolaire agus an dá scoil i nDoirí Beaga béim ar an stair áitiúil agus ar ainmneacha áite agus ar nósanna agus ar ghnásanna na ndaoine.

Scoil na gCailíní Doirí Beaga, Scoil Mhín An Chladaigh agus Scoil Dhún Lúiche is mó a chur suim sna hamhráin agus sna dánta diaga agus sna paidreacha. Mura dtiocfadh as Scoil Bhun An Inbhir ach an dán fada Oifige Bheag Mhuire ba mhór an éacht a bheadh déanta. Tá sé leathanach ann de Ghaeilge chruaidh chasta agus is mór an moladh atá tuillte ag an chailín a scríobh síos é gan mórán meancóga a dhéanamh ann, sin í Bríd Ní Fhríl.

Tá rud eile atá thar a bheith tábhachtach agus is é seo é go bhfuil seanchaithe luaite leis an ábhar seo as na scoileanna ar beag trácht atá orthu in aon fhoinse eile. Ba mhór an trua mar sin dá mbeadh a gcuid scéalta agus béaloidis caillte agus a raibh stóráilte ina gcloigeann. Chuirfinn na daoine seo a leanas ar an mhaide cinn i gcomórtas ar bith béaloidis: Seán Éamoinn Bháin Uí Dhúgáin as Mín An Chladaigh, Méabha Nic Pháidín as Bun An Inbhir (na Glaisí), Pádraig Mac Giolla Chóill as An Ghlaisigh, Séamas Ó Baoill as An tSeascan Bheag, Oilifear Ó Gallchóir as An Choiteann, Maighréad Ní Ghallchóir as Na Machaireacha, Maighréad Bean Mhic Aoidh as Gleann Tornáin, Séan Mac Cumhaill as Mín na Cuinge.

Tá daoine iomráiteacha eile i measc na seanchaithe a raibh clú agus cáil orthu ar fud an cheantair agus ar chruinnigh Seán Ó hEochaidh agus daoine eile mórán mór dá gcuid seanchais: Bríd Dhall Nic Giolla Chóill as Mín An Chladaigh, Jeaic Phadaí Fheilimí Uí Chuireáin as Machaire Gáthlán agus Máire Nic Fhionnaile as An Mhachaire Loisce.

Na Múinteoirí

Tá cáil le fada riamh ar mhúinteoirí Ghaoth Dobhair as an tsaothar a chur siad orthu féin ag cur oideachais ar pháistí an cheantair agus á ndéanamh réidh do scrúduithe le seans a thabhairt dóibh oideachas ag an dara leibhéal a fháil agus le héalódh as an chruasclábhaíocht a d'fhág a lorg orthu féin agus ar a muintir. Cha raibh a saothar in aisce rud a d'fhág go minic go raibh scoláirí ag tarraingt orthu as gach cearn den tír. Bhí an t-ádh céanna ar Scéim na Scol go raibh scoith na múinteoirí i mbun na n-ardranganna sa pharóiste sa bhliain 1938. Bhí suim ag na múinteoirí céanna i gcúrsaí béaloidis agus i stair a bparóiste i bhfad sula raibh iomrá ar bith ar Scéim na Scol céanna.

D'fhág sin ligthe chun cuididh iad. Bhí tarraingt acu leis an obair agus chuir siad na páistí ag taisciú na gceannóg go críonna. Tá carn breá seanchais agus béaloidis anois againn de gach uile chineál mar fhianaise le hobair na bpáistí seo. Go deimhin is léir ar chruinneas na Gaeilge sna cóipleabhair ar fad féadaim a rá go raibh oideachas ar dóigh á chur ar na páistí. Tá cuntas in áit eile sa leabhar seo againn ar na múinteoirí seo, ar a dtógáil, ar a dtréithe pearsanta, ar na rudaí inar chuir siad suim, ar a gcuid oideachais agus ar a gcleachtadh múinteoireachta. Bíodh sin mar thiomna ar a gcuimhne lá níos faide anonn.

Canúint na bPáistí

Is ceart dom anois cúpla rud a rá faoin chineál Gaeilge a bhí sna cóipleabhair agus sna leabhráin mhóra oifigiúla. Thig a rá i gcoitinne gur Gaeilge na háite atá san ábhar ar fad taobh amuigh de roinnt eisceachtaí.

(i) Fuarthas deirí briathra mar '-(e)amar', '-eoidís/-óidís' scríofa thall agus abhus mar gur measadh gurb é sin an caighdéan a d'fhóir ag an am. Áit ar bith a dtáinig mé ar leithéid sin d'athraigh mé iad agus is iad na forainmneacha pearsanta **muid** agus **siad** a gheofar ina n-áit.

(ii) Bhí amanna eile ar baineadh úsáid as frása nó athrú tosaigh nár bhain le canúint na háite nó go deimhin le canúint Ghaeilge Uladh maith ná olc. Fuair mé samplaí mar seo uaireanta: **sa chistin, ar an dtalamh, tar éis na troda** is araile. Áit ar bith a bhfuarthas a leithéid sin cuireadh sa chistineach/chistinigh, ar an talamh, i ndiaidh na troda ina n-áit.

(iii) Ó tharla a bhfuil ar fáil a bheith scríofa sa tseanlitriú b'éigean socruithe a dhéanamh leis an litriú a thabhairt suas chun dáta sa dóigh go mbeadh sé ag teacht níos fearr le 'caighdeán' an lae inniu. Baineadh úsáid as An Caighdeán Oifigiúil i ngach uile áit inar fhóir sé agus go deimhin thig liom a rá gur luigh sé go breá le bunús mór an ábhair atá sa dá leabhar againn. Mar sin féin bhí amanna ann agus ba léir gurbh fhearr 'caighdeán' de chineál eile le ceart a thabhairt don chanúint agus le blas an dúchais a choinneáil ar a raibh ag gabháil i gcló. Seo anois na rialacha a lean mé agus mé ag cur litriú an lae inniu ar an ábhar:

    (a) Coinníodh na deirí '**-eochaidh/-óchaidh**' agus '**-eochadh/-óchadh**' san Aimsir Fháistineach agus sa Mhodh Coinníollach faoi seach. Sin an litriú is fearr a léiríonn go bhfuil dha shiolla sna deirí sin sa chanúint.

    (b) Scríobhadh 'gh' i ndeireadh na mbriathra **léigh, brúigh, nigh** is araile san Aimsir Láithreach/Fháistineach agus sa Mhodh Coinníollach le fuaimniú ceart na mbriathra sin a thabhairt amach. Mar sin gheofar: **léigheann, léighfidh, léighfeadh** agus mar sin de leis na briathra eile sa tras-scríobh.

    (c) Sa chás go bhféadfaí foirm na canúna a thabhairt amach ach píosa a chur leis an leagan caighdeánach, tugtar an leagan canúna. Is samplaí den rud atá i gceist na focail seo a leanas: **leabaidh, teangaidh, amannaí, fuinneogaí** is araile. Bhí dhá fhocal nár leanadh an gnás seo leo. Sin iad **tine** agus **daoine**. Fagtar iad sin mar atá sa chaighdeán.

    (d) Má bhí foirm mhalartach i bhFoclóir Gaeilge/Béarla Néill Uí Dhónaill a bhí ag teacht leis an méid a scríobh na páistí, fágadh na foirmeacha sin mar a bhí siad ag na páistí. Bhain an t-ábhar seo cuid mhaith le leaganacha de na briathra neamhrialta agus leis an fhoirm **mairfidh**, An Aimsir Fháistineach den bhriathar **Maraigh**.

    (e) Char cuireadh athrú ar bith ar inscne na bhfocal ach iad a fhágáil díreach mar a bhí siad ag na páistí.

(f) De thairbhe na réamhfhocal agus lena n-infhilleadh de, cloíodh leis na rialacha seo a leanas. Nuair a bhí an chanúint á léiriú ag an fhoirm chaiúhdeánach úsáideadh an fhoirm chaiúhdeánach. Nuair nach raibh úsáideadh ceann de na foirmeacha malartacha atá san Fhoclóir Gaeilge/Béarla. Is minic a bhí leo/leotha sna cóipleabhair ach cloíodh le leo san ábhar atáthar a chur i gcló mar go bfhuil an dá fhoirm inmhalartaithe ar a chéile sa chaint. Gheofar fosta 'ao' i litriú an réamhfhocail **faoi** síos tríd - **faoim, faoithe, faofu** agus mar sin de nuair is é sin an leagan a bhí ag na páistí..

(g) Coinníodh leaganacha Na Copaile mar a scríobh na páistí iad. Tá éagsúlacht mhór ina measc siúd agus chan i gcónaí a bhíonn siad ag réiteach leis An Chaighdeán Oifigiúil.

(h) Fágadh an mhír dhiúltach **Cha** agus na foirmeacha éagsúla di gan athrú san eagarthóireacht nuair a baineadh úsáid astu.

(i) Bíonn iolraí ainmfhocal iontach mírialta in amanna agus charbh eisceacht ar bith an t-ábhar atá i gcló anseo againn. Fágadh iolraí na n-ainmfhocal mar a bhí siad ag na páistí, bíodh siad ag teacht leis an chaighdeán nó ná bíodh.

(j) Rinneadh idirdhealú idir **cupla/cúpla** agus idir **fá/faoi** ar fud an leabhair.

(iv) Fágadh ord focal agus comhréir abairtí díreach mar a bhí siad cé go raibh amhras ann in amanna faoi leaganacha áirithe.

(v) Is minic nach raibh an leagan a bhí sna leabhair mhóra oifigiúla ag teacht lena raibh sna cóipleabhair bheaga. I gcásanna den chineál seo cloíodh leis na a leaganacha a bhí sna cóipleabhair nuair a bhí na cóipleabhair ar fáil.

(vi) Is minic nach raibh teideal ar bith ar go leor de na scéalta. Sna cásanna sin chuir mé féin teideal orthu a bhí ag teacht le héirim an scéil. Bhí feidhm leis na teidil seo nuair a bhí an oiread sin scéalta ann agus tagairt le déanamh dóibh agus iad le cuartú agus le cur in eagar.

Ainneoin na nithe sin ar fad is í Gaeilge Ghaoth Dobhair atá ar taispeáint sa dá leabhar atáthar a chur i gcló. Tá an teanga curtha síos ag na páistí chomh nádúrtha céanna agus a tháinig sí chucu cé acu ó chluas nó ó aithriseoireacht é. Bhí an stíl a bhí acu ag brath cuid mhaith ar a gcumas féin agus ar an chineál teanga a chleacht siad go laethúil. Cib bith faoi sin is mór an chreidiúint do na scoileanna iad agus go deimhin don phobal lenar bhain siad. Bhí siad inGhaeilge le duine ar bith dá n-aois sa tír. Tá muid uile go léir faoi thuilleamaí acu ó shin agus feasta.

Focal Scoir

Tógadh teideal an dá leabhar amach as líne de dhán a tháinig as Scoil Dhún Lúiche - Amach as Ucht na Sliabh. Go deimhin is maith a fhóireann an teideal céanna do pharóiste Ghaoth Dobhair ós in ucht na sliabh atá sí ina suí, a haghaidh ar muir agus a cúl le sliabh. Bíodh macalla a dúchais ó osna a cléibh le cluinstean feasta i ngach coirnéal den tír.

Dónall P. Ó Baoill,
Fómhar 1992.

SEANSCÉALTA

1.1   AN MADADH RUA A BHÍ AR AN OILEÁN

Bhí madadh rua istigh ar an oileán uair amháin agus bhí sé ag ithe na gcearc ar na daoine agus bhí siad ag iarraidh é a mharbhadh.

Lá amháin nuair a tháinig an madadh rua amach as an pholl tchídh sé an fear ina dhiaidh agus luigh sé síos ar an talamh ag ligean air féin go raibh sé marbh. Tháinig an fear go dtí é agus chuir sé isteach i mbosca é agus dúirt sé leis féin ''is maith an obair tú a bheith marbh''. Bhí cupla duisín uibheacha ins an bhosca agus chuir sé ar leataobh iad.

D'imigh sé chun an bhaile fá choinne rópa fá choinne é a chur ar an mhadadh le é a tharraingt ina dhiaidh chun a bhaile ach nuair a fuair an madadh rua an fear ar shiúl léim sé amach as an bhosca agus d'ith sé na huibheacha uilig agus ar shiúl leis an méid a bhí ina chorp ag tarraingt ar an uamhach.

Bhí lúcháir mhór ar an fear as siocair go raibh an madadh rua marbh aige mar shíl sé agus bhí sé a inse do achan duine a gcasfaí air go raibh an madadh rua marbh agus nach mbeadh trioblóid ar bith leis feasta. Ach bhí an madadh rua lánghasta aige.

Nuair a tháinig sé go dtí an áit ar fhág sé an madadh istigh ins an bhosca ní raibh madadh ná uibheacha ar bith ann. Ní raibh ann ach an bosca folamh. Bhí an madadh rua ar shiúl agus na huibheacha ite aige ach ní raibh a fhios aigesean sin.

1.2   AN MADADH RUA AGUS AN GABHAR

Bhí madagh rua agus gabhar ag siúl thart lá amháin agus bhí se iontach te. Bhí tart orthu agus dúirt an madadh rua leis an ghabhar go siúlfadh siad go bhfeicfeadh siad an bhfaigheadh siad uisce ar bith. Shiúil siad leo go dtáinig siad go dti tobar uisce a bhí thíos faoin talamh. Chuaigh siad síos agus d'ól siad a sáith. Nuair a bhí a sáith ólta acu d'amharc siad suas agus bhí sé iontach ard agus ní raibh a fhios acu goidé a dhéanfadh siad.

Smaointigh an madadh rua go rachadh seisean suas ar dhroim an ghabhair agus d'iarr sé ar an ghabhar a dhá chois a chur suas ar dhroim an ghabhair agus d'iarr sé ar an ghabhar a dhá chois a chur suas ar an bhalla agus go rachadh seisean suas ar a dhroim. Rinne an gabhar mar a harradh air. Chuir sé a dhá chos suas ar an bhalla agus chuaigh an madadh rua suas ar a dhroim. Dúirt an madadh rua leis an ghabhar go bhfaigheadh sé grim dhá adhairc air agus go dtabharfadh sé aníos é. Nuair a chuaigh an madadh rua suas ar barr shiúil sé leis thart agus nuair ab fhada leis an ghabhar nach raibh se ag teacht á thabhairt suas, chuir se ceist air nach raibh sé ag gabháil a sheasamh lena ghealltanas. ''A amadáin bhocht'' arsa an madadh rua ''dá mbeadh oiread céille agat agus atá de fhéasóg ort ní bheadh tú thíos ansin anois.''

1

1.3   AN FEAR AGUS AN MADADH RUA

Bhí fear ann aon uair amháin agus bhí sé ina chónaí i dteach beag leis féin ag bun an chnoic. Oíche amháin tháinig an madadh rua ar na cearca agus thug sé leis cuid acu. An oíche seo chuaigh an fear isteach go teach na gcearc. Tháinig an madadh rua isteach sa teach. Bhí spád ag an fhear. Nuair a chonaic an fear an madadh rua bhuail sé é. Ar maidin lá tharna mhárach bhí an fear ag iarraidh a theacht amach as an teach. Sa deireadh bhí fear ag gabháil thart agus chuala sé an fear agus é ag scairtigh. D'fhoscail sé an doras dó agus tháinig sé amach.

Thug sé leis an madadh rua agus lig sé air féin go raibh sé marbh. Chaith an fear ar an urlár é agus thoisigh sé a chuartú scine go mbainfeadh sé an craiceann dé. D'éirigh an madadh rua agus d'imigh sé amach ar an doras agus ní tháinig sé á chóir ní ba mhór.

1.4   AMHARC NA NÓTAÍ

1.5   AN MADADH RUA AGUS AN COILEACH

Chuaigh madadh rua isteach i dteach na gcearc lá amháin agus bhí na cearca uilig ar an urlár ag ithe a gcodach. Léim siad uilig suas ar an aradh ach amháin an coileach.

Chuir an madadh rua a dhá chois suas i mullach an choiligh agus ansin thóg sé anuas iad ag tabhairt buíochas do Dhia go raibh tráth breá aige. Nuair a fuair an coileach a dhá chois tógtha suas léim sé suas ar an aradh i gcuideachta na gcearc.

Bhí an madadh rua ag gabháil thart agus dúirt sé leis an choileach: "Ó, gabh anuas nó tá siocháin déanta eadar beathaigh allta an domhain." "Níl a fhios agam," arsa an coileach, "cé an fear agus an cú bán é siúd aniar." "Más mar sin atá", arsa an madadh rua, "is fearr do dhuine bheith ar shiúl." "Ó, ná corraigh", arsa an coileach, "nár shíl mé go raibh síocháin déanta eadar beathaigh allta an domhain?"

"Síocháin ná troid é," arsa an madadh rua, "is fearr do dhuine bheith ar shiúl," agus d'imigh sé.

1.6   BRAN AN SEANMHADADH

Bhí fear agus bean ann uair agus bhí madadh acu agus is é an t-ainm a bhí air Bran. Lá amháin bhí an fear agus a bhean ina suí ag chois na tineadh ag caint fá dtaobh den mhadadh agus an madadh ag éisteacht. Dúirt an bhean leis an fhear go raibh an madadh ag éirí aosta agus go gcaithfí an madadh a mharbhadh. Bhí an fear iontach buartha fá dtaobh de Bhran.

Ar maidin lá tharna mhárach d'imigh 'Bran leis chuig a dhuine muinteartha an mac tíre agus chuir sé ceist ar an mhac tíre goidé a dhéanfadh sé nó go raibh a mhaighistir ag gabháil á mharbhadh agus d'iarr sé ar an mhac tíre comhairle a thabhairt dó.

2

Dúirt an mac tíre go raibh an fear agus a bhean ag gabháil amach a bhaint choirce agus go mbeadh an leanbh leo agus go dtiocfadh seisean agus go dtabharfadh sé leis an leanbh agus Bran é a bhaint dé. D'imigh Bran chun an bhaile agus lúcháir air. Lá tharna mhárach bhí siad amuigh sna páirceannaí ag baint an choirce agus bhí an leanbh leo agus d'fhág siad ina luí i gcois brúigh é go mbeadh siad ag gabháil chun an bhaile arís fá thráthnóna.

Ní raibh sé i bhfad ina luí go dtáinig an mac tíre thart agus thug sé leis an leanbh agus lean an madadh é agus bhain sé an leanbh dé. Bhí lúcháir mhór ar an fhear agus dúirt sé nach maróchadh sé an madadh go bhfaigheadh sé bás.

Bhí an madadh ag gabháil go maith go dtí lá amháin a bhí sé ag coimheád na gcaorach agus tháinig an mac tíre thart agus dúirt sé go raibh ocras air agus go gcaithfeadh sé ceann de na caorigh a fháil le hithe. Dúirt an madadh nach gcaithfeadh sé ceann ar bith a fháil nó go maróchadh an maighistir é agus dúirt an mac tíre go maróchadh sé é féin (an madadh). Ansin d'iarr an mac tíre air a bheith sa choillidh tráthnóna agus a chomrádaithe uilig a bheith leis agus go mbeadh a chuid comrádaithe féin leisean.

D'imigh an madadh chun an bhaile agus cha raibh comrádaí ar bith aige ach cat a raibh trí cosa air. D'imigh an madadh agus an cat leo agus nuair a bhí siad sa choillidh bhí gach uile chineál ainmhí ansin agus bhí eagla ar an chat agus chuaigh sé i bhfolach.

Ansin chuaigh sé a throid agus bhí an madadh marbh ach na ribeacha. Tháinig an cat amach as an choillidh agus scríob sé iad agus d'imigh sé chun an bhaile agus bhí an bhuaidh leis an mhadadh agus bhí dóigh mhaith air ón lá sin go dtí an lá inniu.

1.7.1 AN LUCHÓG AGUS AN CAT

Bhí luchóg ann aon uair amháin agus bhí sí ina cónaí i bpoll beag faoin urlár i dteach mór. Bhí sí te seascair ins an neid a bhí déanta aici sa pholl. Bhí an chuid ab fhearr de achan chineál bídh aici dá raibh sa teach. Bhí cat ins an teach agus ainneoin gur fhéach sé le greim a fháil uirthi go minic, ní raibh dul aige breith uirthi. Bhí an luchóg i gcónaí ar a coimeád nó bhí a fhios aici cé an uair a bhí an cat ina chodladh a chois na tineadh agus ansin thiocfadh sé amach ar lorg bídh.

D'fhéach an cat gach uile chleas arbh fhéidir leis smaointeamh air le dall na mullóg a chur ar an luchóg le breith uirthi ach ní raibh gar dó ann. Bhí an luchóg rómhaith aige.

Bhí cruinniú fear sa teach mór oíche amháin agus bhí siad ag ithe agus ag ól. Thit buidéal biotáilte ón tábla nuair a bhí na fir ag imeacht agus briseadh é. Fhad is a bhí na fir istigh agus iad ag ithe agus ag ól, bhí an cat ina luí ag taobh na tineadh ag amharc orthu agus ag éisteacht leo. Thug sé fá deara go raibh cuid de na fir ag caint go hamaideach agus go raibh cuid mhór mórtais ag cur as daofa nuair a bhí snáthadh den bhiotáilte ólta acu. Dar leis féin dá mbeadh braon biotáilte ólta ag an luchóg

3

go mb'fhéidir go ndéanfadh sé amaideach agus mórtasach í.

Nuair a bhí achan uile rud socair suaimhneach an oíche sin d'éirigh an cat ó thaobh na tineadh síos fhad leis an tábla a raibh na fir ina suí aige agus chonaic sé an buidéal briste ina ghiotaí agus braon beag biotáilte ar thóin an bhuidéil.

"Tá liom anois," arsa an cat.

Bhrúigh sé an giota de bhuidéal a raibh an bhiotáilte ann lena chrúba anonn go dtí béal an phoill a raibh nead na luchóige ann gan aon deor a dhóirteadh. Ansin phill sé, luigh ag taobh na tineadh agus lig air go raibh sé ina chodladh.

Ní raibh tormán de shórt ar bith le mothachtáil sa teach. Chuir an luchóg a ceann aníos as an pholl agus dhearc sí thart fa dtaobh daoithe. Chonaic sí an cat ina luí thuas ag an tine agus shíl sí go raibh sé ina chodladh agus chonaic sí tóin an bhuidéil fosta. Ba mhaith léithe fios a bheith aici goidé a bhí sa bhuidéal. Chuir sí a teangaidh ann, bhlas é, agus bhí sé maith mar ligh sí a puisíní lena teangaidh. Ansin d'ól sí braon eile.

Dhearc sí suas ar an chat ach ní raibh aird aici ar an chat. Ní raibh an cat ábalta breith uirthise. D'ól sí snáthadh eile den bhiotáilte agus nuair a bhí sin ólta aici ní raibh aon luchóg inchurtha léithe nó aon chat ar an bhaile a dtiocfadh leis breith uirthi.

D'ól sí braon eile agus d'amharc sí suas ar an chat. Síleann tú go bhfuil tú cliste ach níl tú chomh cliste liomsa. Ní raibh tú ábalta breith ariamh orm agus ní bheidh go brách. An bhfuil tú ag déanamh go bhfuil eagla ormsa romhat? Tar aníos agus beir orm má tá tú ábalta. Rachaidh mé níos cóngaraí duit agus ní thig leat breith orm.

Le sin thug an cat léim uirthi agus fuair greim uirthi. Chomh luath agus bheir an cat uirthi tháinig sí chuici féin.

"Lig liom an iarraidh seo é agus ní ólfaidh mé aon deor le mo shaol."

"Tá a fhios agam féin nach n-ólann," arsa an cat agus d'ith sé í.

1.7.2   AN LUCHÓG AGUS AN CAT

Bhí luchógaí ann uair amháin agus bhí siad ing gcónaí thíos faoin talamh. Bhí an mháthair níos mó ná na luchógaí eile.

Lá amháin dúirt ceann de na luchógaí go raibh sé ag gabháil chun an tsiopa. "Maith go leor," arsa an mháthair agus d'imigh sí léithe. Chuaigh sí giota agus casadh cat mór breac uirthi. Chuir an cat ceist uirthi cá raibh sí ag gabháil. Dúirt an luchóg go raibh sí ag gabháil go dtí an siopa.

"Bhail, imigh leat," arsa an cat, "agus fanóchaidh mise anseo go dtiocfaidh tú." "Maith go leor," arsa an luchóg.

D'imigh sí léithe chun an tsiopa agus nuair a tháinig sí ar ais bhí an cat san áit chéanna agus d'imigh sí léithe go dtí teach na luchóg. D'iarr an cat ar an luchóg a ghabháil isteach ar dtús. Nuair a fuair an cat an luchóg istigh píosa bheir sé greim uirthi agus thug sé leis í go dtí cúl claí gur ith sé í.

4

1.8 AN LEON AGUS AN ASAL

Bhí leon ann agus bhí eagla air roimhe scairt coiligh. I ngarradh bhí coileach ann agus asal ann. I ngarradh eile bhí leon ann agus rinne sé (an leon) suas a intinn go n-íosfadh sé an asal. Dimigh sé go dtí an garradh a raibh an asal ann. Nuair a tháinig sé go dtí an asal scairt an coileach agus d'imigh an leon chomh tiubh géar agus a thiocfadh leis. Nuair a chonaic an asal seo dúirt sí má tá eagla ar an leon roimhe scairt coiligh, cinnte beidh eagla air nuair a chluinfidh sé mise ag géimnigh.

Thoisigh an asal a ghéimnigh agus d'imigh an leon fhad ar shiúl is nach mothóchadh sé scairt an choiligh ná géimneach na hasaile. Lean an asal an leon. Shíl sí go gcuirfeadh sí an tóir air. Ina áit sin d'fhan sé leis sa deireadh i ndiaidh an asal a bheith ag géimnigh i rith an ama.

Chuir an leon deireadh leis an asal le greim amháin dena gheolbhach. Bhí an coileach fágtha leis féin ansin agus tháinig an leon fhad leis an choileach agus chuir sé deireadh leis an choileach fosta.

1.9 AN GASÚR AGUS NA hAINMHITHE

Bhí gasúr agus a mháthair ann aon uair amháin, agus bhí siad iontach bocht. Lá amháin dúirt an gasúr leis an mháthair ''Déan lón domhsa nó tá mé ag imeacht a chuartú oibre''. Rinne an mháthair amhlaidh agus d'imigh an gasúr leis an bealach mór. Ní raibh sé i bhfad ag siúl nuair a casadh cat air. ''An ligfidh tú mise leat?'' arsa an cat. ''Ligfidh'' arsa an gasúr agus d'imigh siad leo nó sa deireadh gur casadh madadh orthu. ''An ligfidh tú mise leat?'' arsa an madadh. ''Ligfidh'' arsa an gasúr agus d'imigh said leo gur casadh gabhar orthu. ''An ligfidh tú mise leat?'' arsa an bhollóg. ''Ligfidh'' arsa an gasúr agus d'imigh siad leo gur casadh coileach orthu. ''An ligfidh tú mise leat?'' arsa an coileach. ''Ligfidh arsa an gasúr agus d'imigh siad leo gur casadh gandal orthu. ''An ligfidh tú mise leat?'' arsa an gandal. ''Ligfidh'' arsa an gasúr agus d'imigh siad leo go raibh sé mall go maith tráthnóna agus ag gabháil ó sholas do chonaic siad solas beag thiar ag bun an chnoic. Smaointigh siad go rachadh siad suas go bhfeicfeadh siad goidé a bhí ann agus chuaigh. Nuair a chuaigh siad isteach, ní raibh duine ar bith istigh ach solas beag ag dódh agus pota uisce the ag taobh na tineadh. Chuaigh siad uilig isteach ach an gandal. D'fhan seisean amuigh sa charnaoil" agus chuaigh an coileach suas ar an ard, an bhollóg i gceann an toighe, an gabhar i lár an urláir, an madadh thiar faoin leabaidh agus an cat ar bharr na leapa. Nuair a bhí sé tamall beag san oíche agus nach dtáinig duine ar bith isteach, chuaigh an gasúr a luí sa leabaidh. Ach goidé a bhí anseo do bharúil ach teach tiarnaí coilleadh agus bhí siad amuigh ag cur i bhfolach an airgid. Ní raibh an gasúr i bhfad ina luí nuair a tháinig fear isteach a dhéanamh réidh a gcuid. Ní raibh seisean i bhfad istigh nuair a chonaic sé an fear sa leabaidh. Chuaigh sé le léim siar ar bharr na leapa fá choinne an ghunna agus scríob an cat é. Tháinig eagla air ansin agus léim sé anuas. Tháinig an madadh aniar as faoin leabaidh ansin agus chuir sé a ruball síos i bpota an uisce

5

the agus bhuail sé isteach san aghaidh air é agus scall sé é. Chuaigh sé síos an t-urlár ansin agus tháinig an gabhar le buille amháin air agus chaith sé síos go bun an urláir é. Bhí an bhollóg thíos ansin roimhe agus chaith sí aníos arís é. Bhí an coileach thuas ar an ard agus scairt sé amach, "caith chugamsa é". Thug an fear eile iarraidh ar an doras ansin agus bhí an gandal amuigh roimhe. Leag sé fríd an aoileach é agus shalaigh sé uilig é. Rith sé síos chuig an mhuintir eile ansin agus arsa seisean leo. "Níl maith dúinn a ghabháil a chóir an toighe feasta nó tá an scaifte ann is mó a chonaic tú ariamh. Nuair a chuaigh mise isteach bhí fear ina luí sa leabaidh. Chuir mé mo lámh siar ar bharr na leapa fá choinne an ghunna agus bhí fear eile thiar agus scríob sé uilig mé. Léim mé anuas ansin ach tháinig fear eile aniar as faoin leabaidh le scuab agus scall sé mé. Chuaigh mé síos an t-urlár ansin, tháinig fear eile orm ansin agus chaith sé síos go bun an urláir mé. Bhí fear eile thíos agus chaith sé aníos mé. Bhí fear eile thuas fá na creataí agus arsa seisean "caith aníos chugamsa é". Thug mé iarraidh ar an doras ansin, ach casadh fear eile sa charnaoiligh orm agus leag sé agus shalaigh sé uilig mé". Nuair a bhí an scéal inste aige don tiarna coilleadh, cé a chonaic siad ag teacht ach an gasúr agus na hainmhithe uilig ina dhiaidh. Níor fhan duine ar bith acu leo. D'imigh siad uilig ina rith. Nuair a chonaic an gasúr gur imigh siad uilig, chuaigh sé féin agus an chuid eile síos go dtí an crann go bhfeicfeadh siad goidé a bhí ann, agus goidé a fuair siad ach mála óir. Chuaigh siad chun an bhaile ansin agus ní raibh sé féin nó a mháthair bocht ó shin.

1.10   AN ASAL AGUS AN MADADH

Bhí madadh ag feirmeoir fá choinne an toighe agus bhí asal aige amuigh ins an stábla. Bhí dúil mhór aige ins an mhadah agus bhéarfadh sé achan rud dó le hithe. Ní raibh an asal ag fáil a dhath le hithe ach féar agus chaithfeadh sí oibriú go cruaidh.

Ní raibh an asal sásta le seo agus smaointigh sí go rachadh sí go dtí an maighistir agus go ndéanfadh sí an rud céanna a dhéanfadh an madadh agus b'fhéidir nach mbeadh fiachaibh uirthi oibriú.

Nuair a chuaigh an asal go dtí an maighistir d'fhéach sí a bheith cosúil leis an mhadadh. Chuaigh sí suas fhad leis an mhaighistir agus thóg sí dhá cois in airde agus chuaigh sí suas ar an tábla agus ar na cathaoireacha. Thoisigh sí a iarraidh bia mar a chonaic sí an madadh a dhéanamh. Ghlac an maighistir corraí leis an asal agus ghread sé amach ar an doras í. Tháinig sí isteach an dara huair agus cuireadh amach aris í.

Ghlac an asal fuath don mhadadh agus bhí sí go holc dó. Bhí sí ag déanamh gur an madadh a ba chiontaí le í a chur amach. Dúirt an asal rachaidh mise an tríú uair agus dá gcuirfí amach í go mairfeadh sí an madadh. Chuaigh sí isteach agus cuireadh amach í.

An dara lá fuair sí greim ar an mhadadh agus mharaigh sí é. Bhí corraí ar an mhaighistir léithe agus maraigh sé í. Ní raibh madadh ná asal aige ansin.

1.11.1 SEÁN AGUS BRAN

Bhí bean agus fear ina gcónaí sna Rosa. Bhí gasúr amháin de chlann acu darbh ainm dó Seán. Bhí madadh acu darbh ainm dó Bran agus bhíodh sé féin agus Seán ar shiúl lena chéile i gcónaí.

Bhí an t-athair ag gabháil chun an aonaigh le caoirigh agus thug sé leis an madadh. D'iarr an mháthair ar Sheán a ghabháil amach agus amharc ar an eallach agus bhí an t-eallach go maith. Chonaic sé cnoc taobh thall dó agus is minic a chuala sé go bhfeicfeadh sé an domhan ó bharr an chnoic seo. D'imigh sé leis agus shíl sé go raibh an cnoc ag na thaobh. Bhí sé ag siúl leis agus ag siúl go raibh gnoithe mór siúlta aige. Shuigh sé síos agus thit sé ina chodladh.

Nuair a tháinig an t-athair chun an bhaile ón aonach fuair sé an bhean ag caoineadh agus chuir sé ceist uirthi goidé a bhí uirthi agus dúirt sí go raibh Seán Bán caillte sa chnoc.

Chuaigh an scéala amach go raibh Seán Bán caillte sa chnoc. Chruinnigh na daoine isteach agus d'imigh siad suas chun an chnoic agus bhí an madadh leo. Nuair a bhí gnoithe mór siúlta acu fríd an cheo chaill siad an madadh. Sa deireadh tháinig an madadh agus bheir sé greim bríste ar fhear acu agus bhí sé á tharraingt síos taobh an chnoic agus bhí a fhios acu go raibh a fhios ag an mhadadh cá raibh an gasúr. Chuaigh an madadh síos go giota beag glas a bhí ann.

Chuaigh siad síos ndiaidh an mhadaidh agus sheasaigh sé thíos san áit a raibh an gasúr ina luí. Chuir an t-athair a mhac ar a dhroim agus thug sé leis chun an bhaile é. Nuair a chonaic an mháthair é bhí lúchair mhór uirthi. Ní dheachaigh Seán Bán amach chun an chnoic ní ba mhó gan Bran a bheith lena chois.

1.11.2 AN CHEARC AGUS AN MADADH RUA

Bhí cearc bheag ina cónaí i dteach léithe féin. Lá amháin bhí sí ag siúl síos an bealach mór. Chonaic sí madadh rua. D'imigh sí isteach i dteach — léim sí suas ar an tábla. Tháinig an madadh rua isteach. Fuair an madadh rua greim ar an chearc agus chuir sé isteach i mála í.

D'imigh sé leis ag siúl ar an bhealach mhór. Shuigh sé síos agus thit sé ina chodladh. Nuair a fuair an chearc ina chodladh é rinne sí poll ar an mhála agus tháinig sí amach as an mhála agus chuir sí cloch isteach sa mhála agus d'imigh sí léithe chun an bhaile.

Casadh a mháthair air sa doras. Chuir sí ceist air an raibh a dhath maith leis fá choinne an dinnéara. Dúirt an madadh go raibh rud maith leis agus chuir sé ceist ar a mháthair an raibh an pota thíos. Dúirt an mhathair go raibh. Chuaigh sé isteach. Nuair a bhí sé réidh chaith sé isteach sa phota í ach tháinig an t-uisce te aníos san aghaidh orthu. Fuair an bheirt bás.

1.11.3   AN DÁ CHEARC

Bhí dhá chearc ann uair amháin agus d'imigh siad le chéile. Dúirt an chearc leis an chearc eile "cá háit a rachaidh muid anois?" D'imigh siad suas go dtí teach beag agus chuaigh siad isteach. Bhí seanbhean ina suí istigh agus pota uisce thíos ar an tine aici. Dúirt an chearc leis an tseanbhean "cad chuige a bhfuil tú don phota an uisce?" Dúirt an tseanbhean leis an chearc "tá sé a dhíth ormsa."

Dúirt an chearc leis an tseanbhean "tabhair anuas anseo an pota an uisce." Thug an tseanbhean síos pota an uisce. Chaith an chearc cloch mhór síos i bpota an uisce agus dóigheadh an tseanbhean. D'imigh siad amach ar an doras. Casadh abhainn orthu agus cha raibh siad ábalta a ghabháil anonn thairsti. Tháinig turtóg anuas agus chuir an chearc a cos ar an turtóg agus chuaigh an chearc anonn ar an talamh. Tháinig turtóg eile anuas agus chuir an chearc eile a cos ar an turtóg agus báitheadh í.

D'imigh an chearc eile léithe fríd an tsaol. Bhí sí léithe féin ansin.

1.11.4   AN CHEARC AGUS AN tARÁN

Bhí cearc, muc, cat agus madadh ann uair amháin. Lá amháin dúirt an chearc leis an mhuintir eile — "cé agaibh a rachas chun an mhuilinn fá choinne mine coirce go ndéana mé bunnóg aráin?" Dúirt an mhuc nach rachadh sise. Dúirt an cat nach rachadh seisean agus dúirt an madadh nach rachadh sé féin.

"Bhail", a dúirt sise "rachaidh mé féin fána choinne."

Chuaigh an chearc fá choinne na mine coirce. Rinne an chearc an t-arán agus chuir sí ar an tine é. Nuair a bhí an t-arán in am a thiontódh chuir sí ceist ar an mhuintir eile cé acu a thiompóchadh an t-arán. Dúirt siad uilig nach dtiompóchadh.

"Bhail", a dúirt sí "tiompóchaidh mé féin é."

Nuair a bhí an t-arán bruite chuir sí ceist cé a d'íosfadh é. Dúirt siad uilig go n-íosfadh siad é.

"Ní íosfaidh bhail", a deir sí, "ach íosfaidh mé féin é."

D'imigh siad uilig chun an bhaile ansin agus iad ag caoineadh. Ansin scairt sí ar a cuid éanacha agus d'ith siad an t-arán. Nó nach dtearna sibh an obair ní bhfaighidh sibh an t-arán agus sin mar a rinne an chearc an t-arán.

1.12   AN LUCHÓG AGUS AN FHUISEOG

Fada ó shin bhí luchóg istigh i gcruach choirce. Lá amháin san Earrach bhí sí ag sciobadh amach an choirce. Bhí fuiseog ag gabháil thart ar eiteog. Ní raibh a dhath le fáil aici le hithe. D'iarr sí ar an luchóg coirce a sciobadh amach daoithe a fhad is a mhairfeadh an tEarrach agus nuair a thiocfadh an Samhradh go bhfaigheadh sise a cuid don luchóg.

Nuair a tháinig an Samhradh bhí a sáith le hithe ag an fhuiseog agus níor iarr sí a dhath ar an luchóg. Rinne an fhuiseog fead agus dúirt sí nach raibh aird aici ar an luchóg. Dúirt an luchóg go gcuirfeadh sí cogadh ar an fhuiseog. Dúirt an fhuiseog gur chuma léithe.

Chruinnigh an luchóg na hainmhithe ceathairchosach agus chruinnigh an fhuinneog na héanacha a bhí ar an aer. Bhí siad le cogadh a dhéanamh os coinne dhoras Rí na hÉireann. Bhí an luchóg trom go leor ag an fhuiseog go dtáinig an trathnóna.

Ansin shéid Rí na hÉireanna a fhideog trí huaire ar an iolar mhór. "Cá háit a raibh tú nuair a shéid mé an fhideog an chéad uair?" arsa an Rí.

"Bhí mé sa domhan thoir," arsa na t-iolar.

"Cá háit a raibh tú nuair a shéid mé an dara huair?" arsa an Rí.

"Bhí mé ag tarraingt ort agus an tríú huair bhí mé fá ghiota duit."

D'eirigh an t-iolar mór suas agus mharaigh sé an luchóg. Dúirt Rí na hÉireann ansin go raibh an cogadh bainte ag an fhuiseog.

Choinnigh Rí na hÉireann an t-iolar trí seachtainí. Dúirt an t-iolar go raibh sé in am aigsean a ghabháil chun an bhaile nuair a bhí na trí seachtainí thuas. D'fhiafraigh sé den Rí an rachadh sé leis. Dúirt an Rí go rachadh. D'imigh siad leo agus d'iarr an Rí ar an iolar úlla a thabhairt leo agus dá dtiocfadh ocras orthu go mbainfeadh sé an tart agus an t-ocras daofa. D'imigh siad leo agus chuaigh siad isteach i mbád agus bhí siad ag seoltóireacht leo agus tháinig ocras ar an iolar agus d'iarr sé ar an Rí an t-úlla a chaitheamh amach san fharraige agus d'éirigh coillidh úllaí. Fuair siad oiread agus a bhain ocras agus tart daofa.

D'imigh siad leo ar an fharraige. Nuair a chuaigh siad píosa eile d'éirigh ocras ar an iolar arís. Chaith siad amach an t-úlla agus d'éirigh coillidh. Fuair siad oiread agus a bhain tart agus ocras daofa.

1.13   AN GHRIAN AGUS AN GHAOTH

Lá amháin bhí an ghrian agus an ghaoth ag caint le chéile cé acu ba láidre. Dúirt an ghrian gurb í féin a ba láidre agus dúirt an ghaoth gurb í féin. Dúirt an ghrian leis an ghaoth - "an bhfeiceann tú an fear údaidh thall? An chéad cheann againn a bhainfeas an cóta mór de, sin an té is láidre".

Chuir an ghaoth ceist ar an ghrian cé acu a thoiseochadh an chéad uair. Dúirt an ghaoth go dtoiseochadh sise an chéad duine. Thoisigh an ghaoth agus théid sí go cruaidh agus lúb sí na crainn. Chuir an fear air an cóta in áit í a bhaint de.

Thoisigh an ghrian ansin agus ní raibh sí i bhfad ar obair gurbh éigean don fhear an cóta mór a bhaint de agus an hata a bhaint de. Dúirt an ghrian leis an ghaoth gurb í féin an ceann a ba láidre.

MAC UÍ DHÓNAILL

Fada ó shin bhí caisleán mór ag Ó Dónaill in Éirinn. Lá amháin chonaic sé na Sasanagh ag tarraingt air. Ní raibh faill aige inse do na bhean ná do na seirbhísigh a bhí sa chaisleán. D'imigh sé féin ar bheathach agus lean siad é. Nuair a bhí sé ag tarraingt ar an fharraige chaith fear de chuid na Sasana claidheamh air agus rinne sé dhá leath de bheathach Ó Dónaill.

Ní raibh a dhath le déanamh aige ansin ach a ghabháil a shnámh. Bhí soitheach de chuid na Fraince ag gabháil thart is chonaic siad an troid is thóg siad Ó Dónaill is d'imigh leo chun na Fraince. Nuair a chonaic na Sasanaigh nach raibh maith daofa ann phill siad go dtí an caisleán agus ní raibh a dhath fágtha ann ach leanbh beag. D'iarr an t-oifigeach ar fhear acu é a mharbhadh. Thóg sé a chlaidheamh ag gabháil a mharbhadh ach rinne an leanbh gáire agus ní thiocfadh leis é a mharbhadh. Thóg sé a chlaidheamh arís ach leis an gháire a rinne an leanbh an dara huair ní thiocfadh leis é a mharbhadh. D'iarr an t-oifigeach air coinneáil amach is nach mbeadh seisean i bhfad á mharbhadh. Thóg sé a chlaidheamh os cionn an linbh ach leis an gháire a rinne sé arís ní thiocfadh leis é a mharbhadh. Dúirt sé lena chuid fear go dtógfadh sé féin é ach nach mbeadh a fhios ag aon duine ná gur mac dó a bheadh ann.

Nuair a bhí Ó Dónaill seo ina ghasúr mhaith mhór bhí sé féin agus dhá mhac an oifigigh amuigh oíche réaltógach ag déanamh cuideachta. Nuair a bhí siad tuirseach luigh siad ag amharc in airde san aer.

Duirt an fear ab oige — "Is trua gan bó agus gamhain agam as ceann achan réalta a bhfuil sa spéir."

Dúirt and dara fear: "Is trua gan uan is caora agam as ceann achan réalta a bhfuil sa spéir."

Ní dhéarfadh Ó Dónaill a dhath. D'iarr siad air rud éigin a rá. Sa deireadh dúirt sé: "Is trua gan beathach is saighdiúir agam as ceann achan réalta a bhfuil sa spéir."

Chuaigh an dá mhac eile isteach chuig an oifigeach agus d'inis siad dó goidé a dúirt an deartháir eile. Chuaigh an t-oifigeach agus a bhean i leataobh agus dúirt an bhean leis an fhear go mb'fhéidir go raibh sé ag tógáil puisín plucach. Rinne an t-oifigeach amach ansin go gcuirfeadh sé chun báis é. Scríobh sé litir agus is é rud a bhí sa litir go raibh Ó Dónaill le crochadh.

Chuir sé Ó Dónaill é féin suas go Baile Átha Cliath leis an litir le tabhairt do fhear muinteartha dé. D'imigh sé leis ach ní raibh i bhfad gur casadh fear air a raibh Mac Na Mí air. Bhí fios ag an fhear seo cé leis an gasúr agus d'iarr sé an litir air.

"Ní thabharfaidh", arsa Ó Dónaill, "nó d'iarr m'athair orm gan í a thabhairt do aon duine."

"Ní hé sin d'athair ar chor ar bith," arsa Mac Na Mí agus d'inis sé dó ansin cé leis é agus goidé a d'éirigh dó. Thug sé an litir dó ansin agus goidé a bhí scríofa inti ach go raibh Ó Dónaill le crochadh.

Fear léannta a bhí in Mac Na Mí agus scríobh sé litir eile don ghasúr. Scríobh sé síos bliain foghlaim agus léann a thabhairt don ghasúr seo agus d'inis sé don ghasúr fosta nuair a bheadh an bhliain thuas go rachadh seisean thart leis an fhuinneog ag feadalaigh sa dóigh go mbeadh a fhios aige cé a bheadh ann agus eisean cead a iarraidh amach.

D'imigh an gasúr leis go Baile Átha Cliath. Nuair a bhí an bhliain thuas mhothaigh Ó Dónaill feadalach agus bhí a fhios aige cé a bhí ann. D'iarr sé cead amach agus nuair a fuair sé é féin amuigh d'imigh sé féin agus Mac Na Mí go cuan Bhaile Átha Cliath agus d'imigh siad ar long de chuid na Fraince.

Ní thiocfadh le duine ar bith a ghabháil fríd an Fhrainc an uair sin gan focal faire a bheith aige, is ní raibh sin acu is cuireadh isteach sa phríosún iad. Bhí Ó Dónaill iontach cosúil le mac rí na Fraince agus chuaigh an t-iomrá amach go raibh mac an rí istigh sa phríosún. Mhothaigh an rí é agus d'iarr sé ar a mhac a ghabháil leis go bhfeicfeadh sé an fear a bhí istigh sa phríosún. Dúirt an mac nach raibh sé réidh go fóill agus d'imigh sé go dtí tailliúr agus fuair sé dhá chulaith déanta nach raibh duifear ar bith iontu. Ansin dúirt sé lena athair go raibh sé réidh anois.

D'imigh siad ag tarraingt ar an phríosún agus nuair a bhí siad ag an doras d'iarr an mac ar a athair fanacht amuigh ag an doras go gcuireadh seisean giolla amach fá na choinne. Chuaigh sé féin isteach agus chuir sé féin agus Ó Dónaill orthu an dá chulaith agus chuir sé duine inteacht amach fá choinne a athair ag iarraidh air a mhac féin a thabhairt amach as an phríosún. Tháinig sé isteach agus bhí sé ag gabháil ó dhuine go duine agus ní raibh a fhios aige cé acu a mhac féin. Sa deireadh thug sé leis duine acu agus cé a bhí leis ach Ó Dónaill.

Nuair a chonaic mac an rí go raibh sé féin fágtha dúirt sí — "Ní iontas ar bith go raibh na daoine ag rá go raibh mac an an rí istigh sa phríosún nuair nach bhfuil m'athair féin ábalta mé a aithne." "An sin mar atá," arsa an t-athair, agus phill se arís ag gabháil a thabhairt leis a mhac féin. Nuair a bhí sé féin agus an mac ag imeacht chun an bhaile dúirt an mac leis —

"Beidh na daoine ag rá leo go bhfuil mac an rí istigh sa phríosún."

Phill an rí arís ag gabháil a thabhairt leis Ó Dónaill fosta ach ní rachadh Ó Dónaill gan a chomrádaí Mac Na Mí. Thug siad leo Mac Na Mí fosta agus rinne siad garradóir dé agus bhí dóigh bhreá air.

San am seo bhí cailín óg sa Fhrainc a raibh cuid mhór airgid aici agus bhí mac an rí fá choinne í a phósadh agus ní ligfeadh ainspiorad dó nó mharóchadh sé eisean an chéad uair. Bhí sé le é a throid seachtain ina dhiaidh sin. Dúirt Ó Dónaill leis ligean dósan luí trí oíche aige agus go n-inseochadh sé dó ag deireadh an tríú lá cé a bhí ag gabháil a bhaint an troid.

Ag deireadh an tríú lá d'inis Ó Dónaill dó go raibh sé ag gabháil a chailleadh an troid agus dúirt Ó Dónaill leis ligean dósan é a throid agus má mhuirfear féin mé níl aon duine le caoineadh i mo dhiaidh. Ní thabharfadh mac an rí aird ar bith air. Bhí sé féin fá choinne é a throid.

Lá na troda tháinig eagla ar mhac an rí agus d'iarr sé ar Ó Dónaill é a throid agus rinne siad amach nuair a bheadh an t-ainspiorad marbh go rachadh Ó Dónaill agus an beathach de léim trasna claí mór dóigh nach bhfeicfeadh duine ar bith iad agus mac an rí a bheith ansin agus é léim a thabhairt ar an bheathach agus imeacht agus an cailín óg seo a phósadh.

Lá na troda chóirigh mac an rí agus Ó Dónaill iad féin cosúil lena chéile.

Thug Ó Dónaill leis beathach mhac an rí agus claidheamh agus d'imigh síos go dtí an tráigh. Bhí an t-ainspiorad ansin agus culaith iarainn air. Bhí scaifte mór daoine cruinnithe ann agus bhí an cailín óg ina suí in airde dóigh a bhfeicfeadh sí an troid go maith. Thoisigh an troid agus bhí siad ag damhsa thart ar an tráigh. Sa deireadh fuair Ó Dónaill buille ar an ainspiorad i gcúl na cluaise agus cha raibh faill aige an claidheamh a chur suas gur bhuail Ó Dónaill an dara buille agus steall sé an ceann dó. Thóg sé an ceann ansin agus bhuail sé thuas ar an chailín óg é.

Ansin d'imigh Ó Dónaill go dtí an áit a raibh mac an rí agus d'iarr sé air a bheith ar shiúl agus an cailín óg seo a phósadh. D'imigh mac an rí ansin go dtí an áit a raibh an cailín óg agus labhair sé léithe.

"A chailín óg, tá tú bainte."

"Níl," arsa sise, "nó an fear a mharaigh an t-ainspiorad leis an amharc a bhí ina shúile níor ól sé a dhath bainne cíoch sa Fhrainc ariamh."

Ní phósfadh sí mac an rí ansin ar chor ar bith. Sa deireadh d'iarr mac an rí ar Ó Dónaill é féin í a phósadh.

Phós an bheirt acu agus rinne siad caisleán mór is bhí dóigh bhreá orthu. San am seo bhí fear sa Fhrainc nach raibh aon duine ábalta caint a bhaint as. Mheas Ó Dónaill go mbainfeadh sé féin caint as. La amháin chonaic sé é ag teacht anuas an tsráid. Chuaigh Ó Dónaill isteach i siopa agus cheannaigh sé luach pingine de shalann agus tháinig sé amach agus rith sé le taobh an fhear agus chaith sé é féin ag a chosa is dóirteadh an salann as thoisigh se a chaoineadh fá phingin an tsalainn a bheith dóirte.

"Ach dá mbeifeá cosúil liomsa a chaill mo bhean, mo mhac agus mo chaisleán dhéanfá caoineadh go leor."

Chuaigh an bheirt acu chun cainte lena chéile agus cé a bhí ann ach a athair féin. Thug sé isteach sa chaisleán é agus bhí dóigh bhreá orthu ó sin amach.

1.14.2   SEÁN AN GAISCÍOCH

Bhí maighistir ann aon uair amháin agus gan aige ach é féin agus a sheibhíseach. Bhí an maighistir ina shuí go te agus gan aon rud ag cur isteach air ach rud amháin, is é sin an drochsheirbhíseach seo a bhí aige nach raibh ábalta a chuid ba a choimheád dó. Bhí triúr fathaigh ina gcónaí in aice leo agus bhí eagla mhór ar achan duine roimh an triúr chéanna sin mar bhí siad iontach láidir agus níor éirigh le aon duine ariamh iad a chur faoi smacht.

Bhí go maith agus ní raibh go holc d'éirigh leis an mhaighistir seirbhíseach úr a fháil agus nuair a bhí seachtain caite aige seo ag spaisteoireacht thart agus ag éirí eolach ar an áit thug an maighistir leis é go dtí páirc a bhí giota fada ar shiúl ón teach agus thaispeáin dó achan áit a raibh cead aige an t-eallach a chur ach dúirt an maighistir leis gan an t-eallach a ligint isteach i ngarradh na bhfathach ar a bhfaca sé ariamh nó go gcuirfí chun báis é sa bhomaite sin. Dúirt an seirbhíseach gan eagla ar bith a bheith air fhad is bhí an t-eallach faoi mo chúramsa.

D'imigh an maighistir leis ansin go bhreá pléisiúrtha. Nuair a fuair Seán an seirbhíseach ar shiúl é d'fhoscail sé geafta galánta óir a bhí os coinne theach na bhfathach agus lig sé isteach an t-eallach ann go dtí go raibh siad as amharc san fhéar mhór fhada a bhí ins sa ghairdín. Chuaigh sé féin isteach ar a bhonnaí ansin agus cha raibh fuaim nó tormán le cluinstin aige. Chuaigh sé síos go fáilí ansin go dtí an seomra agus baineadh stad as nuair a chonaic sé na triúr fathaigh ina gcodladh ins an leabaidh chéanna agus a gcuid claidheamh agus a gcuid cultacha crochta anuas ar na ballaí. Sciord sé aníos go gasta agus thug leis giota caol fada iarainn agus chuir isteach ins an tine é go raibh sé dearg te. Thóg amach é agus d'fhág ina luí trasna ar éadan an triúr é. Thug leis claidheamh agus ghearr na cloigneacha daofa. Bhí an oíche ag teacht anois agus thug leis an t-eallach chun an bhaile agus bhí iontas bocht ar an mhaighistir nuair a chonaic sé an méid bainne a bhí ag an eallach agus thug sé moladh mór dó agus dúirt sé leis go raibh cailín óg ins an cheantar agus go raibh sí faoi gheasaí le fada agus go raibh sí le bheith thíos i gcois na trá ar an trí a chlog amárach agus go raibh an phéist mhór le theacht isteach agus í a ithe muna mbeadh duine ar bith ansin le troid in héadan. Chuir an maighisitir ceist air an dtiocfadh sé leis go bhfeicfeadh sé an troid dá mba mhian leis ach ní thiocfadh Seán dá bhfaigheadh sé ór na cruinne. Thug leis a chuid ba arís lá tharna mhárach agus d'imigh leis. Chuir sé isteach i ngarradh na bhfathach iad agus ansin chuir sé féin air culaith de chuid na bhfathach agus cheangal claidheamh ina háit féin ar a chrios agus i dtráthaibh an trí a chlog bhí sé ar shiúl chun na trá.

Bhí na scaiteacha cruinnithe agus an cailín óg seo ina suí agus ceo dubh ar a croí ag amharc amach ar dhoineann na farraige agus gan hú ná há aisti. Tháinig an phéist mhór agus throid cupla fear ina héadan ach d'ith sí siar uilig iad agus bhí an phéist réidh lena hithe nuair a chonaic an cruinneagán an fear ard caol dóighiúil dubh ag tarraingt orthu agus deifre mhór air. Ligeadh dó a theacht isteach gur casadh é féin agus an phéist ar a chéile agus throid siad leo go dtí go dtug an phéist suas agus dúirt sí leis — ''bí anseo arís ar a trí a chlog, a fhir óig go mbeidh troid eile againn.'' Chuir a cloigeann faoi uisce agus as go brách léithe.

Tháinig an fear óg aníos — d'umhlaigh don chailín óg agus ar shiúl leis gan gáire a dhéanamh ná focal a labhairt go dtáinig fhad lena chuid ba, chaith de a chulaith agus d'imigh chun an bhaile lena chuid eallaigh agus bhí oiread iontais ar an mhaighistir gur chuir sé ceist ar Sheán an raibh sé ag ligint an eallaigh amach thar an chríoch agus dúirt Seán leis gan eagla ar bith a bheith air fad is bhí an t-eallach faoi a chúramsa. D'inis an maighistir ansin dó fán ghaiscíoch a shábháil an cailín inniu agus lig Seán air féin nach raibh a fhios aige rud ar bith ach bhí sé ag éisteacht leis go cúramach agus chuir an maighistir ceist air an dtiocfadh sé leis inniu ach cha rachadh.

Ar maidin thug Seán leis an t-eallach arís agus chuir air culaith an dara fathach agus an claidheamh lena thaobh agus d'imigh leis. Bhí an scaifte i gcruachás mhór nuair a chonaic siad gaiscíoch úr eile ag teacht agus cuma air i bhfad níos láidre ná an chéad fhear. D'éirigh leis an bhuaidh a fháil ar an phéist agus nuair a bhí sí ag gabháil faoi uisce dúirt sí leis and fhear óg — "amárach an lá deireannach agus cuirfidh mé chun báis thú".

"Seadh" arsa an fear óg "nó mise thusa".

D'imigh an fear óg i ndiaidh umhlú don chailín agus cha dtearna sé stad mara na mórchónaí gur shroich teach na bhfathach.

Bhain de a chulaith agus thug aghaidh ar an mhaighistir lena chuid eallaigh agus d'inis an maighistir dó fán ghaiscíoch a bhí thíos inniu agus go raibh sé míle uair níos fearr ná an fear a bhí ann an lá roimhe sin agus goidé a dúirt an phéist leis. Lig Seán air féin go raibh iontas mór air.

Agus mar a gcéanna chuir sé air culaith an treas lá agus d'imigh leis. Bhí a dhá oiread daoine cruinnithe an lá seo ná mar a bhí roimhe sin agus seo chucu gaiscíoch a bhí níos gaiste agus níos urrúnta ná na daoine roimhe. Chuaigh fhad leis an uisce agus ar an chéad bhuille mharaigh sé an phéist. D'umhlaigh don chailín agus d'imigh. Lean na daoine é agus chuir ceist air cén t-ainm a bhí air ach níor labhair sé aon fhocal agus gí gur lean siad é bhí sé róghasta agus níor éirigh leo greim a fháil air. Thug sé leis an t-eallach chun an bhaile an oíche seo mar an gcéanna agus bhí iontas mór air nuair a d'inis an maighistir dó fán ghaiscíoch a shábháil an cailín agus go raibh sí saor de na geasaí anois agus nach raibh aon rud ag cur bhuartha uirthi anois ach fáil amach cén fear a shábháil í. Cupla mí ina dhiaidh sin bhí na gardaí ag gabháil thart ag lorg an bhuachaill a shábháil a cailín. Agus is é an dóigh a n-aithneochfaí é nó ar mhéid a bhróige mar an lá deireannach a shábháil sé an cailín ghlac na gardaí lorg a bhróige a d'fhág sé ina dhiaidh ins an ghainimh. Chuartaigh siad an áit ach níor éirigh leo an buachaill a fháil agus lá amháin tháinig duine de na gardaí isteach chuig an mhaighistir agus chuir ceist air an raibh buachaill ar bith ins an teach. Dúirt an maighistir nach raibh ach go raibh seirbhíseach aige agus leoga narbh fhiú cur fá na choinne. D'imigh an garda é féin fá na choinne agus goidé do bharúil a fuair sé ach an fear a shábháil an cailín. Thug sé leis chun an bhaile chuig an mhaighistir é agus spréidh an scéal amach fríd an áit. Tháinig an cruinneagán céanna a bhí ar an tráigh le chéile agus d'inis Seán an scéal daofa ó thús deireadh. D'inis sé mar mharaigh sé na fathaigh agus achan rud. Pósadh é féin agus an cailín ansin. Thug an maighistir dó mála óir agus airgid agus ansin chónaigh sé féin agus an cailín i dteach na bhfathach agus bhí bainis acu a mhair lá agus bliain agus bhí an lá deireannach níos fearr ná an chéad lá.

1.15.1   BEIRT MHAC AN RÍ

Bhí rí agus banríon ann uair amháin a raibh beirt mhac acu darbh ainm Tadhg agus Brian agus níl fios goidé an meas a bhí acu ar na mic sin. Bheadh an bheirt acu amuigh ag seilg achan lá. Lá amháin bhí an bheirt acu amuigh ag seilg agus lean siad giorria i rith an lae go raibh an oíche ann. Dúirt Tadhg le Brian sa deireadh go raibh sé tuirseach agus go raibh sé in am an baile a bhaint amach. "Ó tá mise tuirseach den bhaile" arsa Brian, "agus níl mé ag gabháil chun an bhaile feasta". Rinne Tadhg a dhícheall lena dhearbráir a mhealladh leis chun an bhaile ach ní raibh gar dó ann agus b'éigean do pilleadh chun na bhaile leis féin. Bhí buaireamh agus brón mór ar an rí agus an bhanríon nuair a chuala siad nach bpillfeadh Brian chun an bhaile agus dúirt siad go gcaithfeadh Tadhg a ghabháil amach arís agus é a chuartú agus é a thabhairt chun an bhaile.

Shiúil Brian leis agus é marbh tuirseach agus gan a fhios aige cá bhfaigheadh sé codladh na hoíche. Sa deireadh chonaic sé níos deise den tsolas chonaic sé nach raibh ann ach cró beag bídeach. Bhuail sé ar an doras agus d'fhoscail seanbhean mhíofar a raibh gruaig fhada liath uirthi é. Chuir sí ceist ar Bhrian goidé a bhí a dhíobháil air agus d'inis seisean daoithe gur mhaith leis lóistín dó féin agus do na bheathach agus don chú. D'iarr sí air a theacht isteach agus chuaigh sé féin agus a bheathach agus an cú isteach agus druideadh an doras. Tharraing an tseanbhean ribe as a ceann agus d'iarr sí ar Bhrian an capall a cheangal leis agus thug sí ribe eile dó leis an chú a cheangal agus rinne sé amhlaidh. D'iarr sí air ansin suí ag an tine agus go dtabharfadh sí a shuipéar dó ar ball. Shuigh siad síos duine ar achan taobh den tine agus thoisigh an tseanbhean ag cur cár uirthi féin agus bhí eagla ag teacht ar Bhrian roimpi. Thug sé iarraidh ar an chú le cuidiú leis ach d'iarr an tseanbhean ar an ribe teannadh ar an chú. Theann an ribe agus tachtadh an cú. Thug Brian iarraidh ar an chapall ansin. Rinne an tseanbhean an cleas céanna agus tachtadh an capall fosta. Bhí Brian gan cosnamh ar bith anois agus le sin féin thóg sí slat draíochta agus rinne sí cnap salachair de agus chuir faoi leac cois na tineadh é.

D'fhan Tadhg sa bhaile dhá lá ach bhí sé iontach uaigneach agus dar leis féin go rachadh sé a chuartú Bhriain. D'éirigh sé le breacadh an lae maidin amháin agus d'imigh sé leis. Tháinig an oíche agus bhí sé tuirseach agus beaguchtach ag teacht air nuair a chonaic sé an solas céanna i bhfad uaidh a chonaic Brian. Chuaigh sé fhad leis an doras agus bhuail sé buille air. D'fhoscail an tseanbhean an doras agus d'iarr air a theacht isteach. Tharraing sí ribe as a ceann agus d'iarr air an capall a cheangal ach chaith Tadhg ar shiúl an ribe. Rinne sé an cleas céanna leis an ribe a fuair sé leis an chú a cheangal agus leis an chlaidimh a bhí leis a cheangal ar an bhalla.

Shuigh siad a mbeirt ag an tine, duine ar achan taobh agus thoisigh an tseanbhean ag cur cár uirthi. D'éirigh Tadhg agus thug sé iarraidh ar an chlaidhimh. D'iarr an tseanbhean ar an ribe teannadh ar an chlaidhimh ach ní raibh ribe ar bith uirthi le teannadh agus thóg Brian anuas í. Fuair sé greim sceadamáin ar an tseanbhean agus bhí sé ag gabháil a stealladh

15

an chloigeann daoithe nuair a scairt sí leis go n-inseochadh sí dó cá raibh a dheartháir dá ligeadh sé amach í. Lig Tadhg amach í ach choinnigh sé súil ghéar uirthi i rith an ama. Fuair sise slat draíochta agus rinne sí cúpla comhartha léithe agus gan mhoill, bhí Brian agus an capall agus an cú ina seasamh rompu. D'imigh an dá dheartháir chun an bhaile agus níl a fhios goidé an lúchair a bhí ar an rí agus an bhanríon.

1.15.2 DONN MHAC AN DIARFACH AGUS DUBH MHAC AN DIARFACH

Bhí Diarfach ina chónaí i Ros Goill de dhream daoine saibhre agus thit sé anuas i mboichtíneacht. Bhí sé pósta seal bliantach agus cha dtáinig cúram clainne ar bith air.

D'éirigh siad chomh bocht is gur dhúirt sé lena bhean lá amháin go n-imeochadh siad leo—fríd an tír, go bhfeicfeadh siad an dtiompóchadh ádh ar bith leo. Ar maidin lá tharna mhárach d'imigh an péire acu. Tháinig siad go dtí croisbhealaí. Sula dteachaigh siad i bhfad dúirt seisean léithe "rachaidh tusa bealach amháin agus mise bealach eile, agus dhéanfaidh mé gealtanas leat goidé mar éireochas linn go gcastar ar a chéile anseo muid trí ráithe ó inniu."

Bhail, shiúil duine acu soir agus duine acu siar agus ní raibh na trí ráithe i bhfad ag gabháil thart. Thug siad iarraidh chun an bhaile ach bhí seisean fá bhaile níos luaithe ná ise. Chuaigh sé go dtí capall a d'fhág sé ina dhiaidh agus bhí dhá shearrach aici. Chuaigh sé go dtí an cú agus bhí dhá choileán aici. Chuaigh sé go dtí an seabhac agus bhí dhá éan aici. Thug sé buíochas don rí go raibh an saol ag gabháil a éirí leis.

Chuaigh sé amach ansin go bhfeicfeadh sé an raibh a bhean ag teacht. Chonaic sé í i bhfad uaidh ag tarraingt air. Nuair a tháinig sí fhad leis dúirt sé, "a Chaitlín, a chroí, shíl mé nach raibh tú ag teacht." "Nach minic a chuala tú" arsa sise, "nach fada an bealach mór nach bhfuil corradh ann. Bíonn duine corruair agus cha bhíonn sé chomh gasta sin." Chuaigh siad isteach chun toighe agus bhí cúpla mac aici ar an mheán oíche, fear acu dubh agus fear acu donn. Cha n-aithneochadh aon duine in Éirinn nó an tsúil ba ghéire an duifear eatarthu ach go raibh fear dubh agus fear donn. D'fhás siad ina dhá ghasúr chliste an biseach nach dtiocfadh sa lá orthu, thiocfadh sé san oíche orthu. Nuair a tháinig siad go dtí aois scoile, rachadh siad go dtí tobar i mbun Sléibhe Sneachta agus nighfeadh siad a n-aghaidh agus a lámha agus bheadh siad ina sáith ama ag an scoil i Ros Goill.

Nuair a d'fhás siad suas mór, thoisigh siad a ghabháil fríd Éirinn a fhoghlaim gaiscíochta, cleasaíochta agus imeartha, go dtí nach raibh a leithéid de dhá fhear ar thalamh na hÉireann.

Dúirt fear acu lá amháin go raibh siad fada go leor anseo, go gcaithfeadh siad imeacht a shaothrú a bhfortúin. "Cha dtig linn sin a dhéanamh arsa fear acu, bhrisfeadh muid croí ár n-athair agus ár máthair dá n-imeochadh an bheirt againn." Imeochaidh fear againn go bhfeice sé goidé mar éireochas leis. Rachaidh muid amach amárach, féachfaidh muid cleas an chlaidimh agus cé bith an fear is fearr thig leis a ghabháil chun siúil.

Is é an rud a bhí i gcleas an chlaidhimh, á chaitheamh in airde sa spéir agus á cheapadh ar lorg a bharra ar ais. Ba é Donn ab fhearr ag an chleas. "Anois", a dúirt sé le Dubh, "nuair a imeochaidh mise, gabh thusa go dtí an tobar achan lá agus má thig taisme ar bith orm beidh uachtar fola air agus íochtar uisce."

Ar maidin lá tharna mhárach d'imigh sé ag marcaíocht ar a each, cú lena chois agus seabhac in airde os a chionn sa spéir go dtí go dteachaigh sé go dtí an fharraige.

Chaith sé a shoitheach ar an toinn agus bhuail sé port thall sa Ghréig. Bheir sé ar an tsoitheach agus ghlan sé suas saor ó ghaineamh trá í. Chuaigh sé a mharcaíocht ar a each, a chú lena chois agus an seabhac in airde os a chionn. Nuair a bhí conn na hoíche ag teacht, chonaic sé an teach beag ar thaobh an bhealaigh mhóir. Chuaigh sé go dtí an doras agus chuir sé ceist ar an mhnaoi an gcoinneochadh sí é féin agus a chuid eachraí go maidin. "Níl gléas mór orm" arsa sise, "ach féachfaidh mé leis." Cheangail sé a chuid eachraí agus chuaigh sé chun an toighe. Rinne sí réidh a shuipéar agus théigh sí uisce a nigh a chosa i ndiaidh an tsiúil.

Nuair a bhí sin déanta shuigh siad ag cois na teineadh agus chuaigh siad chun comhráidh. Tá rí thuas anseo a bhfuil iníon aige agus tá prionsaí na ríochta uilig ag ruaig uirthi agus fear ar bith a mharóchas na trí fathaigh atá ar an oileán, beidh sí aige. Tá mac rí na Tuirce ag gabháil a throid ar a son amárach." "Nach cuma domhsa" arsa Donn, "ní liomsa í."

Chuaigh sé a luí ansin. Nuair a d'éirigh sé ar maidin rinne sé réidh a bhricfeasta. Chuir sé braon uisce ar a éadan agus d'imigh sé leis ag marcaíocht ar a each, cú lena chois agus an seabhac in airde os a gcionn sa spéir go dtí go dteachaigh sé go dtí an áit a raibh an troid le bheith ag mac rí na Tuirce agus an fathach. Tháinig mac rí na Tuirce agus iníon rí na Gréige leis ar a chúl ar an bheathach. Thuirling siad chun talaimh. Nuair a bhí sé ag teacht a chóir am troda d'iarr mac rí na Tuirce uirthi greim a choinneáil ar an bheathach tamall go raibh gnoithe ar shiúl aige. In áit sin chuaigh sé i bhfolach.

Nuair a tháinig an fathach, chuaigh Donn Mhac an Diarfach amach roimhe. Rinne sé gáire go bhfeicfeá an dúileagán dubh a bhí thíos ar thóin a ghoile. "Goidé ábhar do gháire?" arsa Donn.

"A dhailtín bhig, bheadaí" arsa an fathach, "nach mór an croí duit a ghabháil a chur buartha orainn in ár Ríocht féin. Is mór liom mo ghreim thú agus is beag liom ina dhá ghreim thú."

"Gheobhaidh tú sin le féacháil", arsa Donn. Thug siad síneadh santach ar a chéile. Bhí siad ag déanamh bogán den chreagán agus lagán den ardán ar mhéid fonn troda agus bhí orthu. Ach thall údaí, thóg Donn an fathach in airde, bhuail sé síos é agus chuir go dtí an dá ghlúin sa talamh é. An dara iarraidh chuir sé go básta a bhríste é agus an tríú ceann chuir sé go dtí an dá ghualainn é. Ghearr sé an ceann de. Rinne sé poll ina chluais, chuir sé iall ann agus d'iompar sé é go dtí an áit ina raibh iníon rí na Gréige ina suí. "Leag do cheann in m'ucht" arsa sise, "tá tú sáraithe." Rinne sé mar d'iarr sí air. Tháinig suan chodlata air. Thug sí siosúr airgid amach as a póca, ghearr sí dlaíóg gruaige amach as cúl a chinn, an áit nach dtabharfadh sé fá deara é agus chuir sí i dtaiscidh go cúramach é. Ansin mhuscail sé agus d'imigh sé leis chun an bhaile. Tháinig mac rí na Tuirce ansin, leabhar foscailte agus claíomh tarraingiste agus bhain sé mionna an leabhair daoithe nach n-inseochadh sí a choíche nárbh

17

é eisean a mharaigh an fathach.

Nuair a chuaigh Donn chun an bhaile chuig an mhnaoi a raibh sé ag stopadh aici fuair sé a shuipéar agus chuaigh siad chun comhráidh. ''Ar chuala tú?'' arsa sise, ''go bhfuil an tríú cuid de iníon rí na Gréige bainte? Má éiríonn leis amárach agus anóirthear tá an lá leis.'' ''Is cuma domhsa'' arsa Donn, ''ní agamsa a bheas sí.'' Ar maidin lá tharna mhárach d'imigh sé ar an nós chéanna agus d'imigh mac rí na Tuirce ar a bhealach mar a rinne sé an lá roimhe sin. Mharaigh Donn an dara fathach, thug leis an ceann agus d'fhág ag cosa iníon rí Gréige é. ''Leag do cheann in m'ucht'' a dúirt sí, ''agus déan do scíste. Tá tú sáraithe.'' Thit sé chun suain. Ghearr sí giota as cúl a chasóige agus chuir sí i dtaiscidh é.

Mhuscail sé ansin agus d'imigh sé. Tháinig mac rí an Tuirce, leabhar fosgailte agus claidheamh tarraingiste agus bhain sé mionna aisti nach n-inseochadh sí a choíche nach b'é eisean a mharaigh an fathach.

Chuaigh Donn go dtí an teach lóistín agus rinne an bhean réidh a chuid. Chuaigh siad chun comhráidh agus dúirt sí go raibh obair mhór déanta ag mac rí na Tuirce, go raibh dhá chuid de iníon rí Gréige bainte aige. ''Má éiríonn leis amárach, tá an ríocht baint aige.'' ''Nach cuma domhsa'' arsa Donn, ''chan liomsa í.''

Ar mhaidin lá tharna mhárach d'éirigh sé agus d'imigh sé ar an nós céanna. D'imigh mac rí na Tuirce ar a bhealach mar rinne sé an dá lá roimhe sin. Mharaigh Donn an tríú fathach. Tháinig sé gur fhág sé a cheann ag cosa iníon rí Gréige.

''Leag do cheann in m'ucht agus déan do scíste nó tá tú sáraithe'' arsa sise. Tháinig suanán codladh air. Ghearr sí giota beag amach as a bhuatais agus chuir i dtaiscidh é.

Tháinig mac rí na Tuirce, leabhar foscailte agus claidheamh tarraingiste agus bhain mionna aisti nach n-inseochadh sí a choíche nárbh é eisean a rinne na tréithe. Shín siad leo chun an bhaile. Nuair a thug bean an tí a shuipéar do Dhonn an oíche sin tharraing sí uirthi scéal mhac rí na Tuirce, go raibh iníon rí na Gréige bainte aige anois gan bhuille gan urchar.

Chuir an rí cuireadh amach. D'iarr sé ar an bhocht agus an nocht, lag agus láidir, fear uasal agus bacach, gan duine ar bith fanacht sa Ríocht nach gcruinneochadh chun na bainise. Ins an am sin dhéanfaí an bhainis sul má ndéanfaí an pósadh. Siúd oíche na bainise, d'éirigh iníon an rí ina seasamh. ''A athair'' a dúirt sí, ''cha bpósaim aon fhear a choíche ach an fear a bhfóirfidh na trí ghiota seo dó; dlaíóg na gruaige seo, agus giota éadaigh agus giota leathair.''

Thoisigh achan ghaiscíoch a chruinniú ag déanamh go bhfóirfeadh sé dó féin, ach cha raibh gar ann.

Bhí an bhean a raibh Donn ar lóistín aici ag iarraidh air a ghabháil chun na bainise. Dúirt sé nach rachadh, gur strainséir a bhí ann.

Scairt an rí amach an raibh a fhios ag duine ar bith fear ar bith sa ríocht nach raibh anseo. Dúirt an bhean seo go raibh strainséir thíos aicise agus nach dtiocfadh sé. ''Amach'' arsa an rí lena chuid saighdiúir, ''amach agus tabhair isteach é.''

Bhuail siad ar an doras. D'iarr siad air éirí agus a ghabháil suas go teach an rí. D'éirigh sé agus bheir sé ar a chlaidheamh agus char lig sé fear ar shiúl ón doras gan mharbhadh acu.

Nuair nach raibh duine ar bith ag teacht, chuir an rí síos a dhá oiread saighdiúir, níor chorraigh sé as an doras an iarraidh seo go bhfaca sé ag teacht iad. Mharaigh sé uilig iad ach fear amháin. Thug seisean scéala chun cúirte an rí goidé a bhí déanta. ''Sula gcuirfí mé níos mó de mo chuid saighdiúirí chun báis, rachaidh mé féin síos'' arsa an rí. Bhí Donn sa doras leis. Nuair a chonaic an rí é chuaigh sé a shiúil ar a ghlúine. D'iarr sé air dá mba é a thoil é a ghabháil suas chun na cúirte.

''Dá ndéanfadh sibh mar sin ó thús é ní thabharfadh sibh leath oiread masla domhsa'' arsa Donn.

Chuaigh sé suas leis an rí. Nuair a chonaic an iníon é bhí a fhios aici go raibh an fear ceart aige. Leag sí dlaíóg na gruaige ar chúl a chinn, giota na casóige an áit a raibh an bhearna agus giota na buataise mar a gcéanna. Chuaigh achan ghiota isteach ina áit féin cosúil le nár gearradh ariamh iad. Tháinig sagart méise agus cléireach uisce agus pósadh iad. Rinne siad bainis mhór a mhair seacht lá agus seacht n-oíche. Nuair a bhí sin thart chuaigh achan duine chun an bhaile.

Maidin amháin tháinig caolghiorria thart ag cúirt an rí.

''Goidé is ciall don ghiorria seo?'' arsa Donn. ''Is cuma duit'' arsa iníon an rí, ''tá sí ag teacht anseo i gcónaí achan mhaidin. Duine ar bith ariamh a chuaigh ina diaidh char phill sé.''

''Go dubh is go bán'' arsa Donn, ''go leanfaidh mise fosta í.''

D'imigh sé leis ag marcaíocht ar a each, cú lena chois agus an seabhac in airde os a chionn ins an spéir. Chuir sé an giorria isteach i mbun seanchaisleán. Chuaigh sé féin isteach ina diaidh agus bhí cailleach istigh roimhe. ''Ceangal do chuid eachraí'' arsa sise. ''Níl a dhath agam a cheanglóchas iad'' arsa seisean. Chuir sí suas a láimh agus thug sí trí ribe de na cuid gruaige dó. ''Ceangal le sin iad.'' Cheangal sé iad.

''A Dhonn, a mhic an Dhiarfaigh bheadaí anall as Éirinn, nár mhór an croí duit theacht anall as Éirinn gur mharaigh tú mó thriúr mac''...

Le sin thug sí síneadh santach air. Nuair a bhí ag teacht cruaidh ar Dhonn scairt ar a chuid eachraí. ''Teann, teann, a ribe agus bain an ceann ó bhráid daofa'' arsa an chailleach. Theann na ribí agus baineadh na cinn de na heachraí.

Chuir sí a lámh faoina cóta agus tharraing sí amach slat na draíochta. Bhuail sí é agus rinne sí carraig de.

An mhaidin sin nuair a chuaigh Dubh go dtí an tobar fuair sé íochtar uisce air agus uachtar fola. D'aithin sé gur marbhaíos Donn. D'imigh sé leis ansin ag marcaíocht ar a each, cú lena chois agus seabhac in airde os a chionn sa spéir. Char stop sé go raibh sé thall i gcúirt an Rí sa Ghréig. Char aithin duine ar bith nach Donn a bhí ann agus cuireadh fáilte roimhe. An oíche sin luigh sé féin agus an bhean óg ag a chéile ach tharraing sé claidheamh eatarthu sa leabaidh. Ní raibh sise sásta ach níor dhúirt sé dadadh.

Ar maidin lá tharna mhárach tháinig an giorria ar ais. D'imigh Dubh ina dhiaidh agus char stad sé gur chuir sé isteach i mbun an tseanchaisleán é. Chuaigh sé féin isteach ansin agus bhí an chailleach istigh roimhe. ''Ceangal do chuid eachraí'' arsa sise. ''Níl a dhath agam a cheanglóchas iad'' arsa seisean. Chuir sí suas a láimh agus thug sí trí ribe dena cuid gruaige dó. Nuair a fuair seisean faill uirthi chaith sé na trí ribe isteach sa tine. Thug an bheirt

19

iarraidh ar a chéile. Nuair a bhí cruaidh ag gabháil ar Dhubh scairt sé ar a chuid eachraí. "Teann, teann, a ribe agus bain an ceann ó bhráid daofa" arsa sise. "Is doiligh domh é" arsa an ribe, "agus mé mo luí ar chúl mo chinn ins an tine".

An áit a bhfaigheadh an beathach lán a bhéil amach as a chailleach bhí sé aige, agus an cú ar an nós céanna. Bhí an seabhac ag piocadh na súl agus na malaíocha amach aisti.

Nuair a chonaic sí gur bhás daoithe agus nach beo dúirt sí, "fágfaidh mé ina sheasamh beo do dheartháir agus a chuid eachraí ar ais".

Fuair sí slat na draíochta ansin, bhuail sí buille ar achan cheann acu agus rinne sí beo iad. Do réir is mar bhí corraí ar Dhonn tharraing sé a chlaidheamh agus steall sé an ceann daoithe. D'imigh an bheirt ansin ag tarraingt ar chúirt an Rí agus thoisigh siad ag scéalaíocht le chéile go dtí gur inis Dubh do Dhonn go raibh sé ina luí ag a bhean aréir agus nár aithin sí é. Bhuail díth-éad Donn ó bharr a laidhre go mullach a chinn. Bhuail sé buille slat na draíochta ar Dhubh agus rinne sé carraigeacha de féin agus de chuid eachraí. Chaith sé slat na draíochta amach sa loch a bhí ag a dtaobh sa dóigh nach bhfaighfí a choíche í.

Shín sé leis go teach an rí. Shíl achan duine gurb é an fear amháin a bhí acu ar fad. Nuair a chuaigh siad a luí an oíche sin thiontaigh an bhean óg a cúl leis. "Goidé atá ag caitheamh ort" arsa seisean. "Tá oiread meas agamsa orm féin anocht agus bhí agatsa ort féin aréir nuair a chuir tú do chlaidheamh eadar mise agus tú féin ins an leabaidh".

Bhuail buaireamh mór Donn ansin fá dtaobh den rud a bhí déanta aige agus d'inis sé daoithe mar d'inis mise duitse. "B'fhéidir go leigheasfaí go fóill é" arsa sise. "Cha leigheasfar" arsa seisean "chaith mé an tslat amach sa loch". Nuair a d'éirigh siad lá tharna mhárach shiúil siad leofa go dtí go raibh siad ag taobh an locha. Tharraing sise amach slat draíochta eile. "Buail buille ormsa anois" arsa sise.

"Ní bhuailfidh" arsa seisean, "barraíocht a bhuail mé." "Cha ndéan tú maith go mbuailfidh tú mé" arsa sise. Bhuail sé buille ansin uirthi agus rinne sé madadh uisce daoithe. Ghearr sí léim amach sa loch agus cha raibh i bhfad gur phill sí agus slat na draíochta léithe ina béal. Bhuail sé an chéad bhuille uirthise agus tháinig sí ina cruth féin. Ansin bhuail sé buille ar Dhubh agus a chuid eachraí. Tháinig siad uilig ina gcruth féin. Chuaigh siad go dtí cúirt an rí agus bhí féasta mór acu. Chuaigh mise an bealach mór agus iadsan an tráigh agus níl a fios agam goidé a d'éirigh daofa ó shin.

1.16.1 AN BHAINTREACH AGUS A TRIÚR MAC

Fada ó shin bhí baintreach ann agus bhí trí mhac aici. Lá amháin bhí siad amuigh ag obair. Tháinig an fear a ba shine isteach agus dúirt sé go raibh sé ag imeacht a shaothrú a chodach. D'iarr sé ar a mháthair dhá bhonnóg aráin a dhéanamh. Rinne sí iad agus nuair a bhí siad déanta chuir sí ceist air cé acu ab fhearr leis an bhonnóg mhór agus a mallacht nó an bhonnóg bheag agus a beannacht. Dúirt sé gurbh fhearr leis an bhonnóg mhór agus a mallacht. D'imigh leis go dtí go dtáinig sé fhad le cúirt mhór.

Chuaigh sé isteach agus bhí tine bhreá ansin roimhe. Théigh sé é féin agus nuair a d'amharc sé thart chonaic sé tábla agus é lán de gach rud ní b'fhearr ná a chéile. Bhí sé tuirseach agus chuaigh sé isteach i seomra agus bhí leabaidh bhreá ansin agus chuaigh sé a luí ach nuair a bhí sé tamall ina luí tháinig leon isteach agus mharaigh sé é.

Cupla lá ina dhiaidh sin tháinig an dara fear agus dúirt sé an rud céanna. Chuir sí ceist air cé acu ab fhearr leis an bhonnóg mhór agus a mallacht nó an bhonnóg bheag agus a beannacht agus dúirt sé gurbh fhearr leis an bhonnóg mhór agus a mallacht. D'imigh sé leis go dtáinig sé go dtí an áit chéanna agus mharaigh an leon eisean fosta.

Seachtain ina dhiaidh sin tháinig an tríú fear isteach agus dúirt sé (go raibh sé) ag imeacht a chuartú a dhá dheartháir nó nach raibh a fhios aige cá dteachaigh siad nó nár scríobh siad litir ar bith ó d'imigh siad. D'iarr sé ar a mháthair dhá bhonnóg aráin a dhéanamh. Rinne sí iad agus nuair a bhí siad déanta chuir sí ceist air cé acu ab fhearr leis an bhonnóg mhór agus a mallacht nó an bhonnóg bheag agus a beannacht. Dúirt sé gurbh fhearr leis an bhonnóg bheag agus a beannacht agus d'imigh leis go dtí go dtáinig sé chomh fada leis an chúirt chéanna. Nuair a bhí sé istigh tamall chuaigh sé isteach i seomra agus fuair sé scian a bhí ag an leon fá choinnne na daoine a thiocfadh ansin a mharbhadh. Chuaigh sé a luí agus nuair a bhí sé ina luí tamall tháinig an leon isteach agus dúirt ''goidé a thug thusa anseo nó mharaigh mé do dhá dhreatháir agus mairfidh mé thusa fosta?''

Thoisigh an bheirt a throid agus mharaigh sé an leon agus bhain sé an ceann de. Chuaigh sé isteach i seomra eile agus bhí léar mór cinn daoine ansin. Thug sé leis na cinn agus chuir sé síos i bpoll iad. Ansin d'fhoscail sé doras eile agus bhí an seomra sin lán óir. Fuair seisean an chúirt dó féin ansin. Thug sé leis an mháthair agus bhí siad ina gcónaí ansin go bhfuair siad bás.

1.16.2 BEAN AGUS A TRIÚR INÍONACH

Bhí bean ann aon uair amháin agus bhí triúr iníonach aici. An bhean ab óige ní raibh sí chomh maith leis an bheirt eile. Lá amháin dúirt an bhean a ba shine go gcaithfeadh sise imeacht ar fostódh. Nuair a bhí sise ag imeacht chuir a máthair ceist uirthi cé acu ab fhearr léithe builbhín mór agus a mallacht nó builbhín beag agus a beannacht. Dúirt sise gurbh fhearr léithe builbhín mór agus a mallacht. Fuair sí sin agus d'imigh sí.

Ní raibh sí i bhfad gur casadh seanbhean uirthi. Chuir sí ceist uirthi an raibh sí ag gabháil ar fostódh. Dúirt sise go raibh. D'imigh sí go dtí an teach. Ní raibh mórán le déanamh. An chéad rud a hiarradh uirthi a dhéanamh builbhín aráin agus hiarradh uirthi an t-arán a choimheád. D'imigh an tseanbhean síos chun an tseomra agus thoisigh sí a cheol. Bhí an ceol go deas agus d'imigh an ghirseach síos chun an tseomra eile a dh'éisteacht leis an cheol.

Ní raibh sí i bhfad thíos gur mhothaigh sí boladh dódh. Tháinig sí aníos agus bhí an t-arán dóite. Tháinig an tseanbhean aníos agus chonaic sí an t-arán agus bhí slat léithe — slat draíochta a bhí ann agus rinne sí cloch sa doras daoithe.

Dúirt an dara iníon go gcaithfeadh sise imeacht ar fostódh nó nár chuala sí dhath ar bith fán chéad iníon. Chuir an mháthair ceist uirthi cé acu ab fhearr léithe an builbhín mór agus a mallacht nó an builbhín beag agus a beannacht. Dúirt sise gurbh fhearr léithe builbhín mór agus a mallacht. Fuair sí sin agus d'imigh sí.

Ní raibh sí i bhfad gur casadh seanbhean uirthi. Chuir an tseanbhean ceist uirthi an raibh sí ag gabháil ar fostódh. Dúirt sise go raibh. Chuir an tseanbhean ceist uirthi an rachadh sí ar fostódh léithease. Dúirt sise go rachadh. D'imigh sí léithe go dtí an teach. Ní raibh mórán le déanamh. An chéad rud a hiarradh uirthi a dhéanamh builbhín aráin a dhéanamh, agus é a choimheád.

D'imigh an tseanbhean síos chun an tseomra a cheol. Bhí an ceol andeas agus d'imigh an ghirseach síos chun an tseomra eile a dh'éisteacht leis an cheol. Ní raibh sí i bhfad thíos gur mhothaigh sí boladh dódh. Tháinig sí aníos agus rinneadh an rud céanna léithe a rinneadh leis an bhean eile.

Dúirt an tríú bean go gcaithfeadh sise imeacht fosta. Chuir an mháthair ceist uirthi cé acu ab fhearr léithe an builbhín mór agus a mallacht nó builbhín beag agus a beannacht. Dúirt sise gurbh fhearr léithe an builbhín beag agus a beannacht. Fuair sí sin agus d'imigh sí.

Ní raibh sí i bhfad gur casadh seanbhean uirthi. Chuir sí ceist an raibh sí ag gabháil ar fostódh. Dúirt sise go raibh. Chuir sí ceist uirthi an rachadh sí léitheasa. Dúirt sise go rachadh. An chéad rud a hiarradh uirthi a dhéanamh builbhín aráin agus é a choimheád. D'imigh an tseanbhean síos chun an tseomra a cheol ach níor éist sise leis ach choimheád sí an t-arán go raibh sé bruite agus ansin tháinig an tseanbhean aníos agus dúirt sí go ndéanfadh sin gnoithe. Bhí sí ar shiúl bliain ansin agus an lá a bhí sí ag gabháil chun an bhaile ní ghlacfadh sí airgead ar bith ach chuaigh sí amach agus thug sí léithe seanchruth beathaigh agus grápa agus bhuail sí ar chloch a bhí taobh amuigh den doras é agus d'éirigh an bheirt deirfiúr léithe chun an bhaile. Ní raibh sí i bhfad go dtáinig corraí orthu cionn is airgead a bheith ag an deirfiúr nach raibh go maith. D'imigh siad agus bhuail siad an ghirseach agus bhain siad an t-airgead daoithe.

Nuair a fuair sise, an ghirseach an bheirt ar shiúl d'imigh sise an aithghiorra. Bhí sí sa bhaile roimh an bheirt eile. D'inis sí dona máthair é agus nuair a tháinig an bheirt eile chuir an mháthair ar shiúl iad. Bhí dóigh bhreá ar an mháthair agus ar an iníon eile ó sin amach.

1.16.3   NA TRIÚR INÍONACH

Bhí bean ann fada ó shin agus bhí triúr iníonach aici. Bhí siad ag imeacht leo fríd an tsaol. Chuir an mháthair ceist ar an chéad iníon cé acu ab fhearr léithe trí bhonnóg mhóra agus a mallacht ná bonnóg bheag agus agus a beannacht. Dúirt sise gurbh fhearr léithe trí bhonnóg mhóra agus a mallacht. Thug a máthair seo daoithe agus d'imigh sí agus tháinig sí fhad le tobar. Ní raibh sí i bhfad go dtáinig madadh fhad léithe agus d'iarr sé cuid den arán uirthi ach ní thabharfadh sise dó é. Ansin tháinig bean fhad léithe agus chuir sí ceist uirthi goidé a bhí sí a iarraidh.

Dúirt sise gur fostódh agus fuair sí fostódh ag an bhean seo. D'iarr sí uirthi a ghabháil fríd na seomraí uilig ach seomra amháin. Ór a bhí sa tseomra seo.

Nuair a a bhí sí tamall ann bhris sí isteach sa tseomra agus thug sí léithe mála óir. Fuair bean an toighe greim uirthi agus bhain sí an t-ór daoithe agus chuir sí ar shiúl í agus bhí drochdhóigh uirthi.

Bhí an dara iníon ag imeacht agus chuir an mháthair ceist uirthi cé acu ab fhearr léithe trí bhonnóg agus a mallacht ná bonnóg bheag agus a beannacht. Dúirt sise gurbh fhearr léithe trí bhonnóg mhóra agus a mallacht.

Thug an mháthair seo daoithe agus d'imigh sí agus tháinig sí fhad le tobar. Tháinig madadh fhad léithe agus d'iarr sé cuid den arán uirthi ach ní thabharfadh sise dó é. Ansin tháinig bean fhad léithe agus chuir sí ceist uirthi goidé a bhí sí a iarraidh agus dúirt sí gur fostódh agus fuair sí fostódh ag an bhean seo. Thug sí cead daoithe a ghabháil fríd na seomraí uilig ach seomra amháin. Ór a bhí ins an tseomra seo.

Nuair a bhí sí tamall ann bhris sí isteach sa tseomra agus thug sí léithe mála óir. Fuair bean an toighe greim uirthi agus chuir sí ar shiúl í agus bhí drochdhóigh uirthi.

Bhí an tríú iníon ag imeacht agus chuir a mháthair ceist uirthi cé acu ab fhearr léithe trí bhonnóg agus a mallacht ná bonnóg bheag agus a beannacht. Dúirt sise gurbh fhearr léithe bonnóg bheag agus a beannacht.

Thug an mháthair seo daoithe agus d'imigh sí. Tháinig sí fhad le tobar agus ní raibh sí i bhfad ansin go dtáinig madadh fhad léithe agus d'iarr sé cuid den arán uirthi agus thug sí go leor dó. Tamall ina dhiaidh sin tháinig bean fhad léithe agus chuir sí ceist uirthi goidé a bhí sí a iarraidh agus dúirt sise gur fostódh. Thug an bhean fostódh daoithe agus thug sí cead daoithe a ghabháil fríd na seomraí uilig ach seomra amháin Ór a bhí ins an tseomra seo.

Níor bhris sí seo isteach sa tseomra agus bhí sí ann ar feadh bliana. Nuair a bhí sí ag imeacht thug bean an toighe mála óir daoithe le cois a tuarastal agus bhí dóigh mhaith uirthi ina dhiaidh sin.

1.17 AN RÍ AGUS AN MHAIGHDEAN MHARA

Bhí rí amuigh ar an fharraige ag iascaireacht agus ní raibh iasc ar bith le fáil aige. Nuair a bhí sé ag teacht chun an bhaile tháinig an mhaigdean mhara aníos as tóin na farraige agus chuir sí ceist air an raibh iasc ar bith le fáil aige. Dúirt an rí go raibh sé amuigh i rith na hoíche agus nach raibh iasc ar bith le fáil aige.

"Líonfaidh mise an bád lán éisc duit má thabharann tú do mhac domh le pósadh" arsa an mhaighdean mhara.

"Maith go leor" arsa an rí agus líon an mhaighdean mhara an bád lán éisc dó agus tháinig sé chun an bhaile ansin.

Cupla bliain ina dhiaidh sin bhí mac ag an rí agus d'fhás an gasúr suas ina stócach mhór. Lá amháin d'iarr sé ar a thair a chuid féin den airgead a thabhairt dósan agus go raibh sé ag imeacht leis agus thug ach dúirt sé leis nuair a bhí sé ag imeacht gan é a ghabháil a chóir na farraige nó gur gheall seisean don mhaighdean mhara roimhe sula dtáinig sé ar an tsaol go dtabharfadh sé daoithe é le pósadh.

"Maith go leor" arsa an stócach "ní rachaidh mise a chóir na farraige". D'imigh sé leis go raibh deireadh an lae ann agus chonaic sé solas beag i bhfad uaidh agus i ndeas dó. Tharraing sé ar an tsolas agus teach a bhí ann. Ní raibh aon duine ins an teach bheag seo ach seanduine. Chuir mac an rí ceist ar an tseanduine an dtabharfadh sé loistín dó go maidin.

"Bhéarfaidh" arsa an seanduine "agus fáilte nó tá mé iontach uaigneach anseo ins na cnoic seo liom féin".

D'fhan mac an rí go maidin agus nuair a d'éirigh sé ar maidin lá tharna mhárach chuaigh sé a dh'amharc amach ar an fhuinneog agus chonaic sé caisleán mór giota fada ar shiúl. Chuir sé ceist ar an tseanduine cé an caisleán é seo agus dúirt seisean gurb é caisleán iníon a rí a bhí ann agus nach raibh sí ábalta greim ar bith a ithe nó go dtiocfadh giorria beag isteach agus go sciobfadh sé an méid a bheadh ar an tábla.

Tá cuid mhór fir ag gabháil a bheith aici amárach agus coin ag gabháil a bheith leo fá choinne an giorria a mharbhadh".

"Bhail" arsa mac an rí "beidh mise ann fosta".

D'imigh sé leis ag tarraingt ar an chaisleán. Casadh cú, seabhac agus madadh air agus iad ag troid fá ghiota feola. Fuair sé greim ar ghiota na feola — thug sé na cnámha don mhadadh, na craicne don tseabhac agus an fheoil don chú. Bhí siad iontach buíoch de agus thug an cú cumhacht dó le bheith ina chú, thug an madadh cumhacht dó le bheith ina mhadadh agus thug an seabhac cumhacht dó le bheith ina sheabhac. Chuaigh sé go dtí an caisleán agus bhí crainn ag fás os coinne an dorais.

Rinne mac an rí éan de féin agus chuaigh sé suas ar an chrann. Chonaic iníon an rí é agus chuir sí amach a láimh agus léim an t-éan anuas ar a bois ach nuair a tharraing sí isteach a láimh d'imigh an t-éan suas ar an chrann. Chuir sí amach a láimh an dara huair agus léim an t-éan anuas ach nuair a thug sí isteach (í) d'imigh an t-éan suas ar an chrann. Chuir sí amach a láimh an tríú huair agus léim an t-éan anuas ar a láimh agus tharraing sí isteach agus léim an t-éan síos óna bois agus rinne sé fear de féin i lár an urláir. Chuir sí scread aisti féin a chluinfeá míle ó bhaile.

"Ó" arsa mac an rí "ná bíodh eagla ort, mise mac an rí agus tá mé ag teacht a chuidiú leis an mhuintir atá ag gabháil a bheith anseo amárach leis an ghiorria a mharbhadh".

D'fhan mac an rí sa chaisleán seo go maidin agus ar maidin lá tharna mhárach tháinig na fir agus na coin a bhí leis an ghiorria a mharbhadh. Chuaigh iníon an rí a dhéanamh réidh a bricfeasta agus bhí gach uile chineál bídh agus dí ar an tábla agus nuair a bhí sí ag suí síos chuig a bricfeasta tháinig giorria beag isteach agus sciob sé an méid a bhí ar an tábla.

Lean na madaidh an giorria agus nuair a bhí siad tuirseach stad siad ach ní raibh mac an rí tuirseach agus rinne sé cú de féin agus lean sé an giorria agus chuaigh an giorria thart ag taobh na farraige agus chuaigh mac an rí thart ina dhiaidh ach nuair a bhí sé go díreach ag gabháil tart le himeall na farraige tháinig an mhaighdean mhara aníos agus sciob sí síos é.

Nuair a chuala iníon an rí seo chuaigh sí chuig bean draíochta agus chuir sí ceist uirthi goidé an dóigh a dtiocfadh léithi mac an rí a fháil ar ais.

Dúirt an bhean draíochta léithe trí bhairille meala a fhágáil agus nuair a thiocfadh an mhaighdean mhara aníos fá choinne an chéad bhairille é a thabhairt daoithe. "Nuair a thiocfadh sí fá choinne an dara ceann é a thabhairt daoithe ach nuair a thiocfadh sí fá choinne an tríú ceann gan é a thabhairt daoithe go dtí go dtaispeánfadh sí an t-éan atá thíos sa chaisleán agus go dtaispeánfadh sí ar a bois é agus nuair a gheobhas an t-éan ar a bois léimfidh sé amach ar an talamh".

D'imigh iníon an rí agus fuair sí na trí bhairille meala agus thug sí síos go bruach na farraige iad. Tháinig an mhaighdean mhara aníos fá choinne an chéad bhairille. Thug iníon an rí daoithe é. Tháinig sí fá choinne an dara ceann agus fuair sé é ach nuair a tháinig sí fá choinne an tríú ceann ní thabharfadh iníon an rí daoithe é go dtí go dtabharfadh sí an t-éan sin a bhí thíos sa chaisleán, go dtaispeánfadh sí ar a bois é.

Chuaigh an mhaighdean mhara síos go dtí an caisleán agus thug sí aníos an t-éan agus d'fhág sí ina luí ar a bois é agus nuair a fuair an t-éan é féin ar a bois léim sé amach ar an talamh. Bhí fearg ar an mhaighdean mhara agus sciob sí iníon an rí í féin.

Bhí buaireamh mór ar mhac an rí agus chuaigh sé fhad le bean draíochta agus chuir sé ceist uirthi goidé an dóigh ab fhearr a dtiocfadh leis iníon (an rí) a fháil ar ais.

"Ó" arsa an bhean draíochta, "gabh fhad leis a leithéid seo de chrann agus tabhair leat spád agus gabh a rómhar síos iontach domhain agus nuair a bhéas tú síos cupla slat gheobhaidh tú ubh agus bris an ubh agus ghebhaidh tú eochair chaisleán na maighdeana mara istigh san ubh".

"Maith go leor" arsa mac an rí agus d'imigh sé. Chuaigh sé go dtí caisleán iníon an rí agus fuair sé spád agus chuaigh sé go dtí an crann agus thoisigh sé a rómhar go dtí go bhfuair sé an ubh. Ansin d'fhan sé go dtí go bhfaca sé an mhaighdean mhara abhus ar an tráigh agus choimheád sé cá háit a gcuirfeadh sí a brat agus cá háit ar chuir sí an brat ach isteach i gceann de chuid beanna an chladaigh.

Ní raibh an fhíos aige goidé an dóigh ab fhearr a dtiocfadh leis an brat a fháil amach. Smaointigh sé sa deireadh go raibh ord mór sa bhaile ag na athair agus go ngoidfeadh sé leis é agus go mbrisfeadh sé an chreag dó agus ansin go bhfaigheadh sé a brat. D'imigh sé leis ag tarraingt ar theach a athara agus nuair a fuair sé a athair ina shuí ag an dinnéar chuaigh sé isteach sa scioból agus ghoid sé leis an t-ord agus d'imigh sé leis ag tarraingt ar an chreag. Thoisigh sé ag bualadh na creige go dtí go bhfuair sé an brat. Ansin d'imigh sé síos go tóin na farraige agus fuair sé iníon an rí ina suí sa tseomra ba fhaide siar ins an chaisleán agus thug sé leis í ach nuair a bhí siad ag imeacht rinne siad dearmad doras an chaisleáin a dhruid ina ndiaidh agus líon an t-uisce isteach agus báitheadh gach uile rud dá raibh sa chaisleán. Agus ní raibh gath ar bith aici le hithe agus b'éigean daoithe a ghabháil amach a chuartú éisc lena ithe.

Pósadh mac an rí agus iníon an rí cupla seachtain ina dhiaidh sin agus bhí dóigh bhreá orthu ní ba mhó go dtí go bhfuair siad bás.

1.18.1   AN FEAR BEAG RIBEACH RUA

Fada ó shin bhí seanbhean agus seanduine agus a mac ina gcónaí i dteach beag leo féin agus bhí siad iontach bocht. Bá ghnách leis an tseanduine agus leis an mhac a bheith ag iascaireacht go minic. Lá amháin bhí siad a chois na farraige ag iascaireacht. Tháinig fear beag ribeach rua amach as carraig agus chuir sé ceist ar an tseanduine an dtabharfadh sé an gasúr dó. Dúirt seisean nach dtabharfadh. "Bhéarfaidh mé céad punta duit má thabharann tú domh é ar feadh bliana". "Bhéarfaidh" a dúirt an seanduine "má bhíonn tú anseo bliain ón lá inniu" agus dúirt seisean go mbeadh.

D'imigh an seanduine chun an bhaile agus an céad punta leis agus bliain ón lá sin bhí an céad caite acu agus chuaigh an seanduine síos go dtí an fharraige ar maidin go luath ag fanacht leis an ghasúr. Ní raibh sé i bhfad thíos nó go dtáinig an bheirt acu amach as an chreig. Dúirt an fear beag ribeach rua gur gasúr maith a bhí ann agus d'iarr sé é go ceann bliana eile agus go dtabharfadh sé céad punt eile dó. Dúirt an seanduine nach dtabharfadh nó go raibh sé a dhíobháil air féin. Dúirt an fear beag, ribeach rua ansin go dtabharfadh sé dhá chéad punta dó. Shantaigh an seanduine an t-airgead agus dúirt sé go bhfaigheadh dá mbeadh sé anseo bliain ón lá inniu agus dúirt seisean go mbeadh.

D'imigh an bheirt acu isteach ins an chreig agus chuaigh an seanduine chun an bhaile agus an dhá chéad leis agus bliain ón lá sin bhí an dá chéad caite acu. Ar maidin go luath chuaigh an seanduine síos go dtí an fharraige ag fanacht leis an bheirt a theacht amach as an chreig. Ní raibh sé i bhfad ann go dtáinig siad agus dúirt an fear beag ribeach rua gur sin an gasúr ab fhearr a bhí aige ariamh. Chuir sé ceist air an dtabharfadh sé dó é ar feadh bliana eile agus go dtabharfadh sé trí chéad punta dó. Bhí an t-airgead a dhíobháil ar an tseanduine agus thug sé an gasúr dó agus d'imigh an bheirt acu isteach ins an chreig agus d'imigh an seanduine chun an bhaile agus nuair a bhí sé sa bhaile smaointigh sé nár iarr sé ar an fhear bheag ribeach rua a bheith ar ais bliain ón lá inniu agus bliain ón lá sin

26

chuaigh an seanduine síos go dtí an fharraige agus a bhí sé thíos i rith an lae agus ní raibh an fear beag ribeach rua nó an gasúr ag teacht amach.

Bhí sé ag fanacht leo ar feadh seachtaine agus ní raibh siad ag teacht amach. Lá amháin dúirt sé leis an tseanbhean go rachadh sé a chuartú an ghasúir agus d'imigh leis go raibh sé ar shiúl seachtain agus lá amháin chonaic sé toit ag teacht aníos as faoin talamh agus tharraing sé uirthi agus nuair a bhí sé ag a taobh d'ísligh an talamh faoi agus fágadh ina sheasamh ag doras toighe é, agus ní raibh a fhios aige goidé a dhéanfadh sé ach ins an deireadh chuaigh sé isteach agus an chéad rud a chonaic sé cosa móra fada agus goidé a bhí ann ach cailleach phisreogach sínte suas i dtaobh an toighe agus dúirt sí "is beag liom thú ina dhá ghreim agus is mór liom thú (de) ghreim amháin". Thoisigh an seanduine a scanrú.

"Ní bhainfidh mé duit an iarraidh seo" a dúirt an chailleach phisreogach "tar aníos agus suigh". Chuaigh sé suas go dtí an tine agus shuigh sé. Bhí siad ag caint tamall. Chuir sí ceist ar an tseanduine goidé a bhí sé a chuartú agus d'inis sé daoithe goidé mar bhí. Gheobhaidh mise do ghasúr duit. Tá scaifte caorach thuas ar an chnoc ag an fhear bheag ribeach rua agus cuireann sé iolar amach fá choinne ceann acu achan lá. Is í an ceann is raimhre acu a bhéarfaidh sé leis agus gabh thusa amach ar maidin agus maraigh an ceann is raimhre acu. Ansin gabh isteach ins an chraiceann agus beidh tú cosúil le caora. Rinne an seanduine sin. Chuaigh sé amach ar maidin lae arna mhárach agus mharaigh sé an chaora a ba raimhre a fuair sé agus bhain an craiceann daoithe agus chuaigh sé isteach ann. Ní raibh sé i bhfad ann go dtáinig an t-iolar amach fá choinne caora a thabhairt leis agus thug sé leis an ceann caorach a ba raimhre a fuair sé agus cé a bhí leis ach an seanduine agus d'fhág sé é ag doras an fhir bhig ribigh ruaidh agus tháinig an seanduine amach as an chraiceann agus chuir an fear beag ribeach rua fáilte roimhe agus chuir sé ceist air an é ag cuartú an ghasúir a bhí sé, go raibh sé amuigh i bpáirc é féin agus scaifte eile gasúr ina chuideachta.

Chuaigh an seanduine agus an fear beag ribeach rua amach chun na páirce agus chonaic sé na gasúir agus iad uilig ina gcolmáin bhána. Bhí achan cheann acu cosúil le chéile. Dúirt an fear beag ribeach rua leis an tseanduine go bhfaigheadh sé a ghasúr féin ar maidin dá n-aithneochadh sé é. "Maith go leor" a dúirt an seanduine agus d'imigh an bheirt acu agus nuair a tháinig an oíche chuaigh achan duine a luí. I lár na hoíche rinne mac an tseanduine fear de féin agus tháinig sé amach as an pháirc go dtí doras toigh an fhir bhig ribigh ruaidh. Bhí a fhios aige go raibh a athair istigh ins an teach. Rinne sé ciaróg de féin agus chuaigh sé isteach i bpoll na heochracha agus isteach go dtí an seomra a raibh a athair ann. Rinne sé fear de féin ar ais agus chuaigh sé a luí ag a athair. D'inis a athair dó goidé a dúirt an fear beag ribeach rua leis dá n-aithneochadh sé é ar maidin. Dúirt an mac go ndéanfadh seisean a cheann dubh agus nuair a tchífeas tusa an colmán a mbeidh an ceann dubh air abair leis an fhear bheag ribeach rua gur sin do ghasúr. "Maith go leor" a dúirt an seanduine.

D'éirigh an mac ansin agus chuaigh sé amach an dóigh chéanna a dtáinig sé isteach. Tháinig an mhaidin ansin agus d'éirigh muintir an toighe uilig agus an seanduine agus fuair siad a gcuid ansin. Chuaigh an seanduine

27

agus an fear beag ribeach rua amach chun na páirce go dtí an áit a raibh na colmáin. Bhí siad ag amharc orthu ar feadh tamaill agus ins an deireadh chonaic an seanduine an colmán a raibh an ceann dubh air agus dúirt sé leis an fhear bheag ribeach rua "sin mo ghasúrsa". Dúirt seisean leis gurbh é agus d'iarr sé air an gasúr a thabhairt leis chun an bhaile. D'imigh an seanduine agus an gasúr chun an bhaile agus nuair a bhí siad sa bhaile bhí ocras go leor orthu agus ní raibh aon ghreim ag an tseanmhnaoi le tabhairt daofa. "Caithfidh muid a bheith beo go maidin" a dúirt an mac "nach bhfuil aonach ann amárach?" Dúirt an tseanbhean go raibh. Dhéanfaidh mise capall domh féin agus thig leat fiche punta a iarraidh orm" a dúirt sé leis an tseanduine "beidh an fear beag ribeach rua ansin ag ceannach capall agus nuair a bhéarfaidh sé an t-airgead duitse tarraing an t-adhastar de mo cheann agus siúl leat". "Maith go leor" a dúirt an seanduine.

Ar maidin lae arna mhárach d'imigh an seanduine agus an capall chun an aonaigh. Ní raibh sé i bhfad ar an aonach go dtáinig siad fhad leis an fhear bheag ribeach rua. Chuir sé ceist ar an tseanduine cá mhéad a bhí sé a iarraidh ar an chapall. Dúirt seisean gur fiche punta. Thug an fear beag ribeach rua na fiche nóta dó ansin. Tharraing an seanduine an t-adhastar de cheann an chapaill agus d'imigh sé leis chun an bhaile agus nuair a chuaigh sé isteach ar an doras cé a chonaic sé ina shuí ag an tine ach an mac. Chuaigh siad ansin agus cheannaigh siad bia daofa féin. Seachtain i ndiaidh sin bhí aonach eile ann agus rinne an mac capall de féin ar ais agus thug an seanduine chun aonaigh é agus dhíol sé é an dóigh chéanna ar dhíol sé é an iarraidh roimhe sin agus an iarraidh seo rinne siad an rud céanna agus nuair a bhí an fear beag ribeach rua ag díol ar son an chapaill thug sé an fiche punta dó ina airgead bhriste agus bhí an seanduine i bhfad ag cuntas an airgid. Rinne sé dearmad an t-adhastar a tharraingt de cheann an chapaill agus nuair a d'amharc sé thart bhí an fear beag ribeach rua agus an capall ar shiúl agus ní raibh aige le déanamh ach imeacht chun an bhaile agus nuair a chuaigh sé isteach ar an doras agus d'amharc sé ní raibh an mac le feiceáil aige.

Thug an fear beag ribeach rua an capail leis chun an bhaile agus chuir sé isteach i mbóitheach é, é féin agus cupla capall eile agus bhí tine ag titim ar dhroim mhac an tseanduine agus bhí a dhroimuilig dóite agus nuair a bhí sé tamall maith ann tháinig cailín a bhí ar fostódh ins an teach isteach sa bhóitheach agus d'iarr an capall uirthi uisce a chaitheamh ar a dhroim. Fuair sí uisce agus chaith sí ar a dhroim é. D'iarr sé ansin uirthi an t-adhastar a tharraingt de na cheann. Bhí truaighe uirthi ag amharc air agus tharraing sí an t-adhastar de na cheann agus rinne sé eascann de féin agus d'imigh sé amach an doras leis an uisce a chaith an cailín ar a dhroim agus chuaigh an t-uisce isteach i sruthán agus chuaigh an sruthán isteach ins an fharraige agus chuaigh an eascann isteach ins an fharraige fosta.

D'imigh an cailín isteach agus d'inis sí don fhear bheag ribeach rua goidé mar bhí. D'imigh an fear agus fear eile a bhí ag cuidiú leis agus rinne siadsan eascann daofa féin a bhí i bhfad níos mó ná an eascann eile agus d'imigh siad ina dhiaidh amach ins an fharraige fosta agus lean é go raibh siad cóngarach dó. Nuair a thug seisean fá deara seo d'athraigh sé é féin
28

isteach i gcosúlacht éin agus bhain an spéir amach. Chonaic an fear beag ribeach rua agus an fear eile a bhí leis é ag imeacht ins an aer agus rinn siadsan dhá éan daofa féin níos gaiste ná é agus nuair a bhí siad cóngarach dó bhí siad os cionn caisléan an rí agus bhí iníon an rí amuigh ag an doras agus tháinig an t-éan anuas agus rinne sé fáinne de féin agus chuaigh sé isteach ar mhéar an chailín agus labhair an fáinne leis an chailín agus d'iarr sé uirthi gan eisean a thabhairt do dhuine ar bith "agus má thig duine ar bith dá iarraidh ort ná tabhair daofa é ach caith isteach ins an tine mé".

Chuaigh sí isteach agus shuigh sí ag an tine. Ní raibh sí i bhfad istigh go dtáinig dhá fhear fhad léithe agus cé a bhí ann ach an fear beag ribeach rua agus an fear eile a bhí leis agus chuir siad ceist uirthi an dtabharfadh sí an fáinne daofa. Dúirt sí nach dtabharfadh agus thoisigh siad a bhaint an fháinne daoithe. Bhain sí an fáinne dena méar agus chaith sí isteach ins an tine é. Bhí a fhios ag an bheirt eile gurb é an fear a raibh siad ina dhiaidh a bhí ann. Thoisigh siad a chuartú agus nuair a bhí siad tamall maith ag cuartú ins an tine léim an fáinne síos go ceann an toighe agus chuaigh sé isteach i mála coirce agus rinne sé gráinnín coirce de féin. D'imigh an bheirt agus rinne siad dhá ghé daofa féin agus thoisigh siad a ithe an choirce fá choinne an fear a bhí istigh a ithe.

Bhí siad ag ithe leo go raibh leath an mhála ite acu agus ní raibh an fear a bhí ina ghráinnín ite acu go fóill. Rinne siad a scíste ansin agus bhí an oiread sin ite acu gur thit siad na gcodladh agus tháinig an fear a bhí istigh ins an mhála amach agus rinne sé madadh rua de féin agus d'ith sé an bheirt acu agus ní raibh duine ar bith le bheith ina dhiaidh agus phós sé iníon an rí agus bhí sé beo saibhir ní ba mhó.

1.18.2 AN MAC AGUS AN FEAR UASAL

Bhí fear ann uair amháin agus cha raibh aige ach mac amháin agus ba mhaith leis foghlaim a thabhairt dó. Lá amhain d'imigh sé féin agus a mhac leis agus casadh go teach leanna iad. Chuaigh siad isteach ann fá choinne deoch leanna. Chuir fear an leanna céad míle fáilte roimhe agus dúirt sé gur strainséir sibhse.

"Maise" a dúirt an seanduine "tá muid inar strainséir mór go leor agatsa mar ní raibh muid in do theach ariamh aroimhe".

Ansin chuir fear an leanna ceist orthu cá háit a raibh siad ag gabháil inniu. Dúirt an seanduine go bhfuil sé ag cuartú oibre do na mhac achan rud ach crann na spáide.

"Maise" a dúirt fear an leanna "tá caisleán thuas ansin agus b'fhéidir go bhfaighfeá obair dó".

D'imigh sé féin agus a mhac leo go raibh siad thuas ag an chaisleán. Nuair a bhí siad ag an chaisleán casadh fear uasal orthu. Chuir an fear uasal ceist orthu cá háit a raibh siad ag gabháil.

"Maise" a dúirt an seanduine "tá mé ar shiúl ag iarraidh obair do mo mhac achan chineál ach crann na spáide".

"Bhail" a dúirt an fear uasal "thig leat é a fhágáil agamsa ach ní fheicfidh tú é go ceann seacht mbliana".

D'imigh an seanduine bocht chun an bhaile agus é chom buartha agus a bhí sé ariamh. Ba mhó agus b'fhada leis an tseanduine go mbeadh na seacht mbliana thuas. Ach nuair a bhí na seacht mbliana thuas d'imigh sé fá choinne a mhac agus nuair a bhí sé ag an chaisleán casadh an fear uasal air agus dúirt sé leis - "Gabhaim orm go bfhuil tú ag teacht fá choinne do mhac inniu ar ais". "Tá" a dúirt an seanduine "tá mé ag teacht fána choinne má fhaighim é".

Ansin d'iarr sé ar an tseanduine a theacht isteach agus suí ar an stól a bhí sa chistinigh. Tháinig an seanduine isteach agus shuigh sé ar an stól. Nuair a bhí sé tamall ina shuí tháinig trí chú aníos as an tseomra agus chuir an fear uasal ceist cé acu cú acu sin do mhac. Bhí an seanduine ag amharc orthu tamall fada ach sa deireadh chuir sé marc ar choin acu. D'éirigh an cú sin ina stócach óg agus an seanduine bocht a bhí ag fanacht lena mhac b'éigean dó imeacht chun an bhaile agus é chomh buartha brónach agus a bhí sé ariamh.

Ba mhó agus b'fhada leis go mbeadh na seacht mbliana thuas ach nuair a bhí na seacht mbliana sin thuas d'imigh sé leis agus nuair a bhí giota maith siúlta aige casadh go teach leanna é. Chuaigh sé isteach ann agus chuir fear an leanna céad míle fáilte roimhe agus dúirt sé -"Is strainséir thusa".

Maise" a dúirt an seanduine "tá mé coimhthíoch go leor agatsa mar ní raibh mé ann do theach ariamh ach uair amháin agus bhí mo mhac liom agus d'iarr tusa orm é a fhágáil thuas ag an duine uasal sin thuas agus ní bhfuair mé ariamh ó shin é".

"Bhail" a dúirt fear an leanna leis "is é do mhacsa an t-imrí is fearr ag an duine uasal agus cuirfidh mise suas fear de mo chuid searbhóntaí agus déarfaidh sé go bhfuil fear thíos a bhuailfeadh cúig phunta leis an imrí is fearr aige".

D'imigh an seanbhóntaí suas agus d'inis sé don fhear uasal go raibh fear thíos a bhuailfeadh cúig phunta leis an imrí is fearr a bhí aige agus cé a tháinig anuas ach mac an tseanduine.

"Tchím" a dúirt sé leis an tseanduine "tá do chúig phunta caillte agat ach beidh mise leat inniu. Anois nuair a rachas mise suas ná gabh thusa suas go ceann cupla uair eile mo dhiaidhsa. Ach nuair a rachas tú suas casfaidh an fear uasal leat ag an gheafta agus déarfaidh sé leat - "shílfeá go bhfuil tú ag teacht inniu ar ais" agus thig leatsa a rá go bhfuil tú ag teacht fá choinne do mhac. Agus nuair a rachaidh tú isteach tiocfaidh muidinne amach as an tseomra ina dtrí cholmán agus nuair a bheas muid ag gabháil thart tamall tarraingeochaidh mise m'eiteoig mo dhiaidh agus cuir thusa marc ormsa". D'imigh mac an tseanduine suas agus thug sé na cúig phunta don fhear uasal. Ní raibh sé i bhfad thuas go dteachaigh an seanduine suas ina dhiaidh agus casadh an fear uasal air ag an gheafta agus dúirt sé leis - "Shílfeá go bhfuil tú ag teacht inniu ar ais".
"Tá" a dúirt an seanduine "tá mé ag teacht fá choinne mo mhac".

"Maith go leor" a dúirt an fear (uasal) "gabh isteach anseo agus suigh ar an stól atá ag taobh an dorais".

Chuaigh an seanduine isteach agus shuigh sé ar an stól. Ní raibh sé i bhfad ina shuí go dtáinig trí cholmán amach as an tseomra agus thoisigh siad ag gabháil thart ina ró ar an tsráid. Nuair a bhí siad ag gabháil thart tamall tharraing ceann acu a eiteoig ina dhiaidh agus chuir an seanduine marc air. "Tchím" a dúirt an fear uasal "ta sé leat inniu".
"Tá" a dúirt an seanduine "ach má tá féin tá an t-am aige".

D'imigh an seanduine agus an mac chun an bhaile. Bhí iníon ag an fhear agus bhí dúil mhór aici ins an stócach agus d'iarr sí (ar) a hathair a ghabháil agus féacháil leis an stócach a ghoid ar ais.

Nuair a bhí an seanduine agus a mhac ag gabháil síos an bealach mór dúirt an seanduine - "tá muid ag gabháil chun an bhaile anois agus muid chomh bocht agus a bhí muid ariamh".

"Fan go fóill" a dúirt an mac "tá caisleán mór thíos ansin agus dhéanfaidh mise éan domh féin agus casfar fear uasal ort thíos ag an gheafta agus déarfaidh sé leat - "Bhéarfaidh mé céad punta duit ar an éan sin".

Abair thusa nach nglacfaidh tú céad punta ar an chrios atá ar a mhuinéal. Bhail déarfaidh an fear uasal - "Bain thusa an chrios de agus bhéarfaidh mé céad punta duit air féin".

D'imigh siad leo síos go dtí an caisleán agus casadh an fear uasal orthu. Dúirt an fear uasal leis an tseanduine - "Bhéarfaidh mé céad punta duit ar an éan sin". Dúirt an seanduine - "Ní ghlacfaidh mé céad punta ar an chrios atá ar a mhuinéal".

"Bhail" a dúirt an fear uasal "bain thusa an chrios de na mhuinéal agus bhéarfaidh mé céad punta duit air féin".

Bhain an seanfhear an chrios de agus thug sé don fhear uasal é agus d'imigh sé leis síos an bealach mór. Ní raibh sé i bhfad ina dhiaidh sin go raibh a mhac síos ina dhiaidh.

"Anois" a dúirt an mac lena athair "tá rásaí cliobóg thíos ansin agus dhéanfaidh mise cliobóg domh féin agus casfar fear uasal ort agus déarfaidh sé leat - "Bhéarfaidh mé céad punta duit ar an chliobóg sin". Abair thusa - "Ní ghlacfaidh mé céad punta ar an chrios atá ar a mhuinéal".

D'imigh siad leo síos an bealach agus ní raibh siad i bhfad síos gur casadh fear uasal orthu. Dúirt an fear uasal leis - "Bhéarfaidh mé céad punta duit ar an chliobóg sin".

Dúirt an seanduine - "Ní ghlacfaidh mé céad punta ar an chrios ata ar a mhuinéal".

"Bhail" a dúirt an seanduine "bain an chrios de na mhuinéal agus bhéarfaidh mé céad punta duit air féin".

Bhí oiread lúcháir ar an tseanduine cionn is go raibh an dá chéad punta aige agus do dtearna sé dearmad den chrios a bhaint de mhuinéal na cliobóige. D'imigh an fear uasal agus an chliobóg leis agus nuair a bhí sé ag tarraingt ar an teach casadh an iníon air agus chuir sí ceist air an raibh sé leis. Dúirt an fear go raibh ach go bhfuil sé daor go leor air, go dtug sé dhá chéad punta air ach bainfidh mise a luach amach as anois.

Cheangail sé istigh ins an stábla é. Ní ólfadh sé deoch agus ní íosfadh sé greim ar feadh an ama sin. Lá amháin dúirt an fear uasal leis an iníon go raibh seisean ag gabháil ar cuairt chuig an Rí agus dá dtiocfadh a dhath fán chaisleán go bpilleadh seisean, í an scian bheag a chur leis an ghréin agus go mbeadh seisean aici ina ndeich mbomaite.

D'imigh sé agus d'imigh sise amach fhad leis an chliobóg agus d'fhiafraigh sí den chliobóg an dtiocfadh léithe a dhath a dhéanamh dó. Dúirt seisean é a thabhairt amach go poll an uisce agus deoch a thabhairt dó. Thug sise léithe amach ar ghreim adhastair é. Nuair a fuair seisean é féin crom síos d'imigh sé ina eascann fríd an pholl. D'imigh sise agus chuir sí an scian bheag leis an ghréin agus bhí a hathair chuici ina ndeich mbomaite.

31

Rinne seisean madadh uisce de féin agus d'imigh sé i ndiaidh an eascainn. Nuair a bhí sé ag teacht cóngarach don eascann rinne an eascann colmán daoithe féin agus d'imigh sé ar eiteog fríd an aer. Rinne an madadh uisce seabhac de féin agus chuaigh sé i ndiaidh an cholmáin. Nuair a bhí greim chóir a bheith aige ar an cholmán rinne an colmán fáinne de féin agus chuaigh sé suas ar mhéar girsí a bhí sa chaisleán.

Ní raibh a fhios ag an tseabhac goidé a dhéanfadh sé. Rinne sé fidiléir de féin agus thoisigh sé a bhualadh ag doras an chaisleáin. Tháinig fear uasal as an chaisleán agus d'iarr sé air a ghabháil isteach agus go mbeadh oíche mhór damhsa acu. Chuaigh sé isteach agus thoisigh sé ag bualadh an fhidil agus bhí siad ag damhsa leo go dtí go raibh sé teacht an lae. Chuir an fear uasal ceist ar an fhidiléir goidé a pháighe.

''Tá'' a dúirt an fidiléir ''níl páighe ar bith de dhíobháil orm ach an fáinne atá ar mhéar an chailín sin''.

Dúirt an cailín nach dtabharfadh sí dó an fáinne go gcodlóchadh sí oíche ann. D'imigh sí a luí agus nuair a mhuscail sí chonaic sí stócach deas óg ina luí ar a cúl. Scanraigh sí ach d'iarr an stócach uirthi gan a scanrú roimhesean nó gurb é eisean an fáinne a bhí thuas ar a méar. D'inis sé an scéal ó thús go deireadh. D'iarr sé uirthi nuair a d'éireochadh sí tine bhreá a chur síos agus nuair a bheadh sí ag síneadh an fháinne chuig an fhidiléir é a shíneadh trasna na tineadh.

D'éirigh sise. Chuir sí síos tine bhreá agus shín sí an fáinne trasna na tineadh chuig an fhidiléir ach nuair a bhí sí ag síneadh an fháinne chuige thit an fáinne isteach sa tine.

Rinne an fidiléir boilg de féin agus thoisigh sé a réabadh na luatha go raibh greim chóir a bheith aige ar an fháinne. Rinne an fáinne cruiceoig de féin agus chuaigh sé isteach sa bhalla. Ansin rinne an bhoilg corr mhónadh (de féin), thoisigh sé ag piocadh aoil go raibh greim aige ar an chruiceoig. Ní raibh a dhath le déanamh ag an chruiceoig ansin ach a ghabháil síos i mbolg an choirr mhónadh.

Rinne an chorr mhónadh fear de féin ar ais agus d'imigh sé chun an bhaile. Casadh a iníon air sa doras. Chuir sí ceist air an raibh sé leis.

''Ta'' a dúirt seisean ''tá sé liom agus é thíos i mo bholg ag stialladh agus ag strócadh an taobh istigh agam''.

Fuair an fear uasal bás agus tháinig an chruiceog aníos as a bholg agus rinne sé fear de féin.

''Anois'' a dúirt iníon an fhir uasail ''thig leat fanacht agam agus beidh an caisleán sin agat''.

''Ní fhanóchaidh maise'' a dúirt an stócach ''rachaidh mé go dtí an caisleán ar chodlaigh mé oíche go maidin ann''.

D'imigh sé fhad leis an chailín a bhí sa chaisleán. Pósadh an bheirt acu agus bhí bainis lá agus bliain (acu) agus b'fhearr an lá deireannach ná an chéad lá.

1.19 AMADÁN NA HOIRDE

Bhí seanduine agus seanbhean ann aon uair amháin agus bhí seachtar mac acu agus bhí siad iontach bocht. An gasúr a ba shine acu is é an t-ainm a bhí air Amadán Na hOirde. Bhí siad iontach bocht agus ní raibh a dhath airgid acu.

An oíche seo chuir sí a luí go luath iad. Thit an tseisear eile ina gcodladh ach Amadan na hOirde. Chuala sé a mháthair ag inse dona athair go bhfágfadh siad amuigh sa choillidh iad amárach. Bhí Amadán Na hOirde ag éisteacht leo goidé a bhí siad fá choinne a dhéanamh leo. Chuaigh siad a luí an oíche seo agus ar maidin lá tharna mhárach nuair a d'éirigh siad chuaigh Amadán na hOirde síos chun na trá agus chruinnigh sé pota faochóg. Nuair a bhí siad ag gabháil amach chun na coilleadh bhí Amadán Na hOirde giota fada ar deireadh. De réir mar a bhí siad ag siúl giota bhí Amadán Na hOirde ag caitheamh ceann do na faochógaí ina dhiaidh go dtí go raibh siad amuigh sa choillidh.

Nuair a bhí siad amuigh thoisigh an t-athair agus an mháthair a bhaint adhmaid coilleadh. Nuair a d'fhág siad na páistí giota maith amuigh sa choillidh thug siad féin iarraidh ar a bhaile. Nuair a tháinig an oíche thoisigh na páistí a chaoineadh. Bhí eagla orthu go n-íosfadh na beathaigh fiáine iad. D'iarr Amadán Na hOirde orthu gan eagla ar bith a bheith orthu nó go raibh a fhios aige an bealach chun an bhaile.

Nuair a fuair siad amach as an choillidh lean Amadán Na hOirde dona faochógaí go dtí go raibh sé sa bhaile. Nuair a tháinig siad isteach chun an toighe bhí lúcháir ar a athair agus ar a mháthair. Bhí sí ag smaointeamh orthu — gurbh fhéidir gur ite ag na beathaigh allta atá siad. D'imigh an t-athair chun an bhaile mhóir leis an adhmad a dhíol.

Nuair a tháinig sé chun an bhaile tráthnóna bhí neart airgid leis a choinneochadh beo ar feadh seachtaine iad. Nuair a bhí an tseachtain thuas bhí siad chomh bocht agus a bhí siad ariamh. Cuireadh na páistí a luí an oíche seo — thit an chuid eile ina gcodladh ach Amadán Na hOirde.

Bhí seisean ag éisteacht lena mháthair goidé a bhí sí fá choinne a dhéanamh leo.

Nuair a d'éirigh siad ar maidin ní bhfuair siad ach giota aráin le hithe. Ní raibh am aige le ghabháil síos chun trá le faochógaí a chruinniú. Choinnigh Amadán Na hOirde giota aráin. Nuair a bhí said ag gabháil amach chun na coilleadh bhí Amadán Na hOirde giota fada ar deireadh agus de réir mar a bhí sé ag siúl bhí sé ag caitheamh giota den arán ina dhiaidh go dtí go raibh sé istigh sa choillidh. De réir mar a bhí Amadan Na hOirde ag caitheamh giota den arán ina dhiaidh bhí na faoileogaí á ithe.

Thoisigh an t-athair agus an mháthair ag baint adhmaid coilleadh. D'fhág siad na páistí giota fada amuigh sa choillidh agus nuair a d'fhág d'imigh siad féin chun an bhaile. Nuair a tháinig an oíche thoisigh na páistí a chaoineadh. D'iarr Amadán na hOirde orthu gan a bheith ag caoineadh nó go raibh a fhios aige an bealach chun an bhaile. Nuair a tháinig sé amach as an choillidh ní raibh a fhios aige an bealach. Chuaigh sé suas ar chrann agus chonaic sé solas i bhfad uaidh agus i ndeas dó. Thug siad iarraidh ar an tsolas agus nuair a tháinig siad fhad leis an teach ní raibh

33

istigh ach seanbhean. D'iarr Amadán Na hOirde lóistín a thabhairt daofa
go maidin. Dúirt sí go dtabharfadh ach go raibh fathach mór sa teach a
d'íosfadh iad.

Dúirt Amadan Na hOirde go ligfeadh sé daofa go maidin. Bhí seachtar
eile mac ag an fhathach é féin. Nuair a tháinig an fathach isteach in am
luí dúirt sé go mothaíonn sé boladh Éireannach. Dúirt an tseanbhean leis
go raibh seachtar gasúr aici ar lóistín go maidin. Chuir sí a luí iad an oíche
seo. Chuir sí a clann féin a luí i leabaidh daofa féin agus an tseachtar eile
i leabaidh eile.

Bhí coróin ar chlann an fhathach. Nuair a fuair Amadán Na hOirde an
fathach ina luí d'éirigh sé agus bhain an choróin de chlann an fhathach
agus chuir ar a sheisear féin í. Nuair a d'éirigh an fathach i lár na hoíche
chuir sé a láimh síos sa chéad leabaidh a raibh a chlann féin ann agus
ní raibh coróin ar bith ar a gceann. Thug sé aniar iad agus mharaigh sé iad.

Nuair a chuala Amadán Na hOirde go raibh siad marbh d'imigh sé féin
agus a sheisear amach ar an fhuinneog agus d'imigh siad chun an bhaile.
Nuair a d'éirigh fathach ar maidin fá choinne iad a ithe d'aithin sé gur a
chlann féin a bhí ann. Bhí oiread corraí air agus gur imigh sé ina ndiaidh.
Nuair a chonaic Amadán Na hOirde é ag teacht chuaigh sé isteach faoi
chreig agus ní raibh an fathach ábalta a ghabháil isteach ina ndiaidh.

Luigh an fathach ar an chreig ach thit sé ina chodladh. Nuair a chuala
Amadán Na hOirde go raibh sé ina chodladh tháinig sé amach as faoin
chreig agus mharaigh sé an fathach, agus thug sé leis an t-airgead a bhí
aige agus d'imigh siad chun an bhaile. Nuair a tháinig siad isteach chun
toighe bhí a sáith lúcháire orthu go raibh siad pillte chun an bhaile ar ais.
Bhí airgead go leor acu ansin go ceann fada go leor.

1.20.1   LIAM Ó BRIAIN : LIAM NA SOPÓIGE

Rugadh agus tógadh Liam Ó Briain i mBaile Mhuine i gCondae
Aontroma. Gabha a bhí ann agus bhí sé iontach déirceach ach bhí locht
amháin air go raibh sé iontach tugtha den ól. Tráthnóna amháin bhí sé
ag obair sa cheárta nuair a bhuail fear siúil isteach agus é cráite den ocras
agus den tart. Thug Liam a sháith le hithe agus le hól dó agus labhair
an bacach agus dúirt sé. "Iarr trí achaine ar bith anois is mian leat agus
gheobhaidh tú iad". "Iarrfaidh leoga", arsa Liam "agus is é mo chéad
achaine, nach mbíonn duine ar bith a shuíos sa chathaoir seo ábalta éirí
aisti go n-iarrfaidh mise air. An dara ceann go ngreamóchaidh an t-ord
sin de cé bith duine a bheireas uirthi agus an tríú ceann nach mbíonn mo
sparán folamh fhad is a bheas mé beo". "Tá go maith" arsa an bacach,
"ach nach hiontach nach n-iarrfá a ghabháil chun na bhFlaitheas i ndiaidh
do bháis". "O, tá sin in am go leor" arsa Liam.

Tamall ina dhiaidh seo thoisigh Liam a dh'ól arís agus an méid a
shaothróchadh sé sa lá d'ólfadh sé san oíche é, go dtí sa deireadh nach
raibh leathphingin fágtha ar thóin a phóca. Lá amháin bhí Liam i gcruachás
de dhíobhail an bhiotáilte agus ní raibh fios aige goidé dhéanfadh sé ach

34

sa deireadh dhíol sé a anam leis an diabhal ar feadh bliana. Bhí scoith ama ag Liam ar feadh na bliana sin ach tháinig an lá deireannach agus an diabhal. Chuir Liam fearadh na fáilte roimhe agus d'iarr air suí sa chathaoir seo. Shuigh an diabhal ar an chathaoir agus nuair a thug sé iarraidh éirí ní raibh sé ábalta. Rinne Liam a sheangháire faoi agus dúirt sé go ligfeadh sé amach é, dá ngeallfadh sé nach dtiocfadh sé a chóir feasta. Gheall an diabhal go réidh nó ba chuma leis ach cead a choise a fháil agus bhain sé giota de go tapaidh.

Tráthnóna amháin blianta fada ina dhiaidh sin, bhí Liam ag pilleadh ó theach na taibhirne agus smitín breá aige nuair a casadh an diabhal air arís. ''Caithfidh tú a theacht liomsa anois'', arsa an diabhal le Liam. Phill Liam leis gan focal a rá, ach nuair a shroich sé teach an ólacháin dúirt sé gur mhaith leis deoch amháin sula rachadh sé go hIfreann. ''Tá go maith'', arsa an diabhal. ''Ó, mo léan, níl airgead ar bith agam'' arsa Liam, ''ach gabh thusa isteach in mo sparán agus déan giota beag óir domh''. Rinne an diabhal mar a hiarradh air ach nuair a fuair Liam istigh sa sparán é dhruid sé é go teann agus as go bráth leis chun an chéarta. Las sé an tine agus las na boilg agus chaith an sparán isteach sa tine agus thug goradh breá dó. Ansin thóg sé amach é agus thoisigh ag greadadh air leis an ord. Mhothaigh na comharsanaigh uilig an screadach agus an tormán ach nuair a chruinnigh siad isteach ní raibh le feiceáil acu ach Liam agus é ag greadadh leis ar sparán beag. Shíl siad go raibh sé ag cailleadh a mheabhair agus d'fhág siad ansin é. Nuair a bhí Liam tuirseach ag greadadh, lig sé amach an diabhal ach thug an diabhal a fhocal ar dtús nach dtiocfadh sé a chóir Liam ní ba mhó.

Ocht mbliana ina dhiaidh seo fuair Liam bás agus nuair a chuaigh sé go geaftaí na bhFlaitheas ní ligfeadh Peadar isteach é. Chuaigh sé go geaftaí Ifrinn ansin ach ní ligfadh an diabhal isteach ach oiread é. Las sé sop agus thug do Liam é agus chuir ar ais ar an tsaol é agus dúirt sé go mbeadh sé ansin go deo na síorraíochta. Tá Liam ag gabháil thart go dtí an lá atá inniu ann, ach ní fheiceann tú ach an sop lasta. Corruair bíonn sé fá chúpla slat duit agus ansin arís i bpreabadh na súil bíonn sé na mílte ar shiúl. Sin anois scéal Liam Ó Briain nó ''Liam Na Sopóige''.

1.20.2   LIAM AN DEALÁIN (WILLY THE WISP)

Bhí gabha ina chónaí sa cheantar seo fada ó shin agus dálta an ghabha seo tá againn anois, dheamhan unsa foighide a bhí aige ach é go garbh ráscanta ina dhóigheannaí agus ba thrua a té a bheadh in aice leis agus fearg air. Tháinig aingeal chuige lá amháin ach níor aithin seisean gur aingeal a bhí ann nó tháinig an t-aingeal chuige i gcosúlacht fir. D'iarr sé ar an ghabha trí achaine a iarraidh agus go bhfaigheadh sé trí cinn ar bith a ba thoil leis. Bhí go maith agus seo na cinn a d'iarr sé: duine a bith a shuighfeadh sa chathaoir a bhí aige nach dtiocfadh leis éirí as go ligfeadh an gabha féin as é. An dara ceann duine ar bith a bheirfeadh greim ar an ord mhór a bhí aige nach dtiocfadh leis a fhágáil ina dhiaidh go

35

mbeirfeadh an gabha féin uaidh é agus an tríú ceann airgead ar bith a chuirfeadh sé isteach ina sparán nach dtiocfadh le duine ar bith é a thógáil amach ach an gabha féin. Níor iarr an gabha bocht achaine ar bith do na anam.

Bhí a shlíocht air; ní raibh i bhfad go dtug an diabhal cuairt air; agus dúirt sé leis bheith réidh a theacht leis seacht mbliana ón lá sin nó nach raibh sábháil ar a anam anois. D'oibrigh an gabha leis ina chéarta mar a bhí ariamh agus shleamhnaigh an t-am thart go raibh na seacht mbliana thuas. Tháinig an diabhal fána choinne. Chonaic an gabha é ag tarraingt ar an teach ach dheamhan lá buaireamh a chuir sé air. D'fháiltigh sé roimhe agus dúirt go mbeadh sé leis gan mhoill ach ba mhaith leis go dtabharfadh an diabhal lámh chuidithe dó mar bhí sé gnoitheach ag déanamh cruth beathaigh agus ba mhaith leis a dúirt sé an obair a chríochnú sula n-imeochadh sé leis an diabhal.

Bhí go maith. Thoisigh an diabhal a chuidiú leis. Thug an gabha an t-ord mór dó ach nuair a thug an diabhal iarraidh í a fhágáil ina dhiaidh ní raibh sé ábalta. Chuaigh sé ar mire ar fud an toighe. Ní raibh gar ann agus b'éigean dó sa deireadh margadh a dhéanamh leis an ghabha agus thug sé spás seacht mbliana eile ar an tsaol dó.

Tháinig an diabhal an dara huair nuair a bhí na seacht mbliana thuas. Dúirt an gabha leis go dtáinig sé in am mhaith nó go raibh sé fá réir anois ach ar seisean ''suigh sa chathaoir sin thall go nighfidh mé mé féin agus go gcuirfidh mé orm culaith mhaith éadaigh fá choinne an astair''. Shuigh an diabhal sa chathaoir ach nuair a thug sé iarraidh éirí ní raibh sé ábalta agus b'éigean do margadh a dhéanamh leis an ghabha agus spás seacht mbliana eile a thabhairt dó.

Tháinig sé an tríú huair nuair a bhí na seacht mbliana thuas agus fuair sé an gabha réidh fá choinne an bhealaigh an iarraidh seo. D'imigh an bheirt agus nuair a bhí siad ag gabháil thart go teach an leanna dúirt an gabha ''ní dheachaigh mise thart le doras an toighe seo ariamh gan a ghabháil isteach agus is náireach liom a dhéanamh anois''. ''Maith go leor'' arsa an diabhal. ''Dhéanfaidh mise leathchoróin domh féin agus rachaidh mé isteach in do sparán agus thig leat deoch a fháil orm uair amháin''. Nuair a bhí an diabhal sa sparán phill an gabha chun an bhaile agus d'oibrigh sé leis an lá sin; ach ag gabháil a luí an oíche sin dó d'fhág sé an sparán faoin adhastar ach níor lig an sparán néal chodlata air go maidin ach ag léimnigh leis. Ní raibh a fhios ag an bhean goidé a bhí contráilte ach d'iarr sé uirthi ar a bhás gan baint leis an sparán. D'iarr an diabhal air cead a chinn a thabhairt dó agus nach dtiocfadh sé in aice leis go bírach arís. Lig sé an diabhal ar shiúl agus níor chuala sé a thuairisc ní ba mhó.

Fuair an gabha bás. Thug sé an chéad iarraidh ar gheaftaí na bhFlaitheas ach d'iarr Naomh Peadar air bogaint leis síos go hIfreann nó nach fá choinne a leithéid a bhí na Flaithis. D'imigh an gabha síos ansin ach chonaic an diabhal ag teacht é agus thug sé ordú do na diabhail eile uilig gan na geaftaí a fhoscailt dó nó gur fear mire a bhí ann. Fágadh Liam bocht ina sheasamh ansin. Níor ligeadh isteach thíos ná thuas é agus thug sé amach a phíopa go mbeadh toit aige ar scor ar bith. D'iarr sé ar an diabhal lasóg a chur amach chuige a lasadh a phíopa dó. Fuair sé sin agus tá Liam ar

36

shiúl fríd an cheantar ó shin, an lasóg sin aige. Ba ghnách leis cuid mhór ama a chaitheamh fá loch Chnoc an Stolaire agus anonn fá Rann na Feirste agus is beag duine nach bhfaca é nó nár chuala iomrá air.

1.21   SEÁN Ó CEARLAIGH

Bhí fear ann uair amháin agus is é an t-ainm a bhí air Seán Ó Cearlaigh. Bhí sé ag siúl an bealach mór lá amháin agus bhí leanbh leis le baisteadh. Ní raibh aon duine le ghabháil faoi. Ní raibh sé i bhfad ar shiúl go dtáinig an diabhal. Chuir sé ceist ar Sheán an rachadh sé leis ach dúirt Seán nach rachadh.

D'imigh sé leis agus casadh Dia air. Chuir Dia ceist air an rachadh sé leis agus dúirt Seán nach rachadh.

D'imigh sé leis ag tarraingt ar theach Dé agus casadh an bás air. Chuir an bás ceist air an rachadh seisean leis. Dúirt Seán go rachadh nó gurb é ab fhearr den iomlán nó nach dtabharfadh sé spás d'íseal ná d'uasal, d'óg ná do shean.

Nuair a chonaic an bás gur shíl Seán an oiread sin de rinne sé dochtúir de. Ach thug sé comhairle amháin dó — duine ar bith a bhfeicfeadh sé eisean ag a chosa baint de agus duine ar bith a bhfeicfeadh sé eisean (ag) a cheann gan baint de.

Bhí Seán ag gabháil thart agus dóigh bhreá air. Ach chuala sé go raibh fear uasal a raibh Farral air tinn agus go raibh an oiread seo airgid aige le dochtúir ar bith a bheadh ábalta biseach a dhéanamh de.

Nuair a chuala an fear uasal seo go raibh an fear seo iontach maith ag déanamh leigheas, cuireadh fá choinne Sheán agus bhí an bás ag a cheann agus é ag bagairt ar Sheán gan baint leis. Ach d'iarr Seán a cheann a chur ag a chuid cosa agus a chosa a chur ag a cheann.

Rinneadh sin leis agus fuair an fear uasal biseach. Fuair Seán cuid mhór airgid. D'imigh sé chun an bhaile agus fuair sé féin bás.

1.22   COCHAILÍN DEARG

Bhí girseach ann aon uair amháin agus bhí a máthair mhór ina cónaí i mbaile mhór. Lá amháin chuir a máthair chuig a máthair mhór í le rudaí milse. D'imigh sí léithe giota fada go dtí go dtáinig sí fhad le coillidh. Chonaic sí madadh rua ag tarraingt uirthi. Chuir sé ceist uirthi cá háit a raibh sí ag gabháil. Dúirt sise go raibh sí ag gabháil chuig a máthair mhór le rudaí milse. Chuir seisean ceist uirthi cá háit a raibh teach a máthara móire. Dúirt sise go raibh sé ag ceann an bhaile mhóir.

D'imigh seisean roimpi. Chuaigh sé isteach sa teach. Bhí an mháthair mhór ina luí sa leabaidh. D'ith sé an mháthair mhór agus luigh sé féin sa leabaidh. Nuair a chuaigh an ghirseach isteach bhí sé ina luí sa leabaidh. ''Nach fada a cár atá agat, a mháthair mhór?'' arsa sise. ''An bhfuil tú ag gabháil a ithe na rudaí milse seo?''.

D'fhreagair an madadh rua agus dúirt sé ''Íosfaidh agus íosfaidh mé tusa fosta''. Léim sé amach as an leabaidh agus fuair sé greim ar an ghirseach. Thoisigh sí a chaoineadh agus mhothaigh fear ag taobh an toighe é. Tháinig sé isteach agus scaoil sé é.

SCÉAL NA BAINTRÍ

Bhí táilliúir agus bean agus iníon acu. Fuair a máthair bás nuair a bhí sí dhá bhliain déag d'aois. Bhí a hathair iontach maith daoithe. Lá amháin bhí sí amuigh ag cruinniú sméara dubha nuair tháinig an bhean fhad léithe. Dúirt sé má phósann d'athair mise cuirfidh mé culaith shíoda ort agus má tá cailín beag eile agam cuirfidh mé culaith páipéar uirthi.

D'imigh an cailín abhaile agus d'inis sí seo do na hathair agus pósadh an bheirt acu cupla lá ina dhiadh sin. Bhí an leasmháthair iontach maith do na leasiníon ar feadh tamaill. Sa deireadh d'éirigh sí olc daoithe. Chuir sí an gúna sioda ar a hiníon féin agus chuir an gúna eile ar an bhean eile. Bhéarfadh sí uirthi achan rud a dhéanamh agus chuirfeadh sí amach a chruinniú sméara dubha í.

Lá amháin bhí sí amuigh agus ní raibh sméara ar bith le fáil aici. Ní raibh sí i bhfad go dtáinig sí fhad le bruach beag agus chonaic sí bothóg bheag. Bhí trí fhear istigh sa bhothóg agus ní raibh siad a dhath níos mó ná fód mónadh. Chuaigh sí isteach agus shuigh sí ar chathaoir. D'iarr an chéad fhear uirthi an t-urlár a scuabadh. (Scuab). Thug sé ní daoithe. An ní a bhéarfas mise duit go mbeidh tú iontach saibhir. D'iarr an dara fear uirthi móin a chur ar an tine. Chuir. An ní a bhéarfas mise duit go bpósfaidh tú mac an rí. D'iarr an tríú fear uirthi pota uisce a chur síos. Chuir. An ní a bhéarfas mise duit gur tú an ghirseach is deise ar domhan. D'amharc sí thart agus chonaic sí dreasógai agus sméara dubha deasa orthu. Chuirt sí ceist orthu an dtiocfadh léithe cuid acu a thabhairt léithe agus dúirt siad go dtiocfadh. Thug sí léithe a sáith acu. D'imigh sí chun an bhaile agus d'inis sí do na máthair é. Nuair a chuala an mháthair seo chur sí a hiníon féin (amach a chruinniú sméara). Ní raibh sméara ar bith le fáil aici, agus d'amharc sí thart agus chonaic sí bothóg bheag.

Chuaigh sí isteach. Bhí trí fhear istigh. Ní raibh siad a dhath níos mó ná fód mónadh. D'iarr an chéad fhear uirthi an t-urlár a scuabadh.

''Ní scuabfaidh'' arsa sise.

An rud a bhéarfas mise duit go bhfaighidh tú bás roimh dhá bhliain déag. D'iarr an dara fear uirthi pota uisce a chur síos.

Dúirt sí nach gcuirfeadh.

An rud a bhéarfas mise duit go mbeidh tú gránna.

D'iarr an tríú fear uirthi móin a chur ar an tine. Dúirt sise nach gcuirfeadh. An rud a bhéarfas mise duit go mbeidh drochshaol agat.

D'imigh sí abhaile agus bhí sí gránna ó sin amach.

1.23.2   AN GRÉASAÍ AGUS A BHEIRT INÍONACH

Bhí gréasaí ann fada ó shin agus bhí beirt iníonach aige. Bhí bean acu iontach millte agus fallsa agus ní dhéanfadh sí dhath ar bith agus bhí an t-athair iontach olc don bhean eile.

Lá amháin chuir sé amach a chruinniú sméar dubh í agus bhí an lá iontach fuar. Nuair a bhí na sméara uilig cruinnithe aici casadh teach uirthi agus chuaigh sí isteach ann. Bhí triúr fear ina suí thart ar an tine. Is cosúil go raibh an ghirseach seo iontach gránna. Dúirt na fir léithe go raibh trí ní aici le déanamh agus mura ndéanfadh sí sin go bhfásfadh féasóg uirthi chomh fada le gabhar.

D'iarr an chéad fhear uirthi an t-urlár a scuabadh agus rinne sí sin. D'iarr an dara fear uirthi na soithigh a ní agus rinne sí sin. D'iarr an tríú fear uirthi pota uisce a chur ar an tine agus rinne sí sin.

Dúirt siad léithe go mbeadh sí ar chailín chomh deas is a bheadh ar an domhan. Ansin d'imigh sí chun an bhaile agus bhí na sméara léithe. Nuair a bhí sí ag tarraingt ar an bhaile bhí an bhean eile amuigh ins an doras agus ní mó ná gur aithin sí í bhí sí chomh deas sin. Nuair a chuala sí goidé a tharlaigh bhí iontas uirthi agus dúirt sí go rachadh sí féin a chruinniú sméar an dara lá agus chuaigh.

Nuair a bhí na sméara uilig aici chuaigh sí isteach ins an teach agus d'iarr an chéad fhear uirthi an t-urlár a scuabadh ach dúirt sí nach scuabadh. D'iarr an dara fear uirthi móin a thabahirt isteach ach dúirt sí nach dtabharfadh. D'iarr an tríú fear uirthi tine a chur síos agus dúirt sí nach gcuirfeadh.

Dúirt siad léithe go mbeadh sí ar ghirseach chomh gránna is a bheadh ar domhan. D'iarr siad uirthi a bheith ar shiúl agus d'imigh sí.

Nuair a tháinig sí chun an bhaile bhí achán duine ag amharc uirthi agus ní raibh a fhios aici cad chuige. D'éirigh sí chomh gránna sin gur éirí fuath ag an athair uirthi agus bhi sé maith don bhean eile ó sin amach.

1.23.3   AN DÁ INÍON

Bhí bean ann uair amháin agus bhí sí pósta uair. Bhí beirt iníonach aici, bean dhóighiúil agus bean ghránna. B'fhearr leis an mháthair an bhean ghránna mar ba í ba shine agus bhéarfadh sí ar an bhean ab óige achan chineál oibre a dhéanamh.

Lá chuaigh sí amach fá choinne gabh uisce. Thóg sí an t-uisce agus sheasaigh sí go n-amharcóchadh sí thart. Chonaic sí seanbhean chríonn chasta ag teacht chuici.

Labhair an tseanbhean léithe agus dúirt sí "A sheirbhísigh chóir, tabhair domh deoch agus gheobhaidh tú déirce uaimsa".

Thug an ghirseach deoch daoithe agus d'imigh an tseanbhean isteach i néal mór a tháinig anuas as an spéir fána coinne.

Nuair a tháinig sí chun an bhaile chuir an mháthair ceist uirthi goidé a choinnigh í. Nuair a labhair an ghirseach thit píosa óir amach as a béal le achan fhocal a labhair sí. Chuir sí scéala amach fá choinne na girsí a bhí ní ba shine ná í féin go bhfaigheadh sí cuid den déirce. Ach ní ghlacfadh sí a dhath den déirce mar bhí sí róshotalach. An lá ina dhiaidh sin d'imigh sí féin go dtí an tobar go bhfeicfeadh sí an bhfaigheadh sí féin déirce ar bith.

Chonaic sí an tseanbhean ar a cúl agus níor lig sí uirthi féin go bhfaca sí í ar chor ar bith. Labhair an tseanbhean léithe agus dúirt sí: "Tabhair domh deoch, a sheirbhísigh", ar sise.

"Ní seirbhíseach ar bith mise", arsa sise agus d'imigh sí chun an bhaile. "Chan fhuair mise déirce ar bith, a mháthair", ar sise agus thit píosa mór súiche amach as a béal. Bhí eagla ar an ghirseach ab óige agus theith sí amach chun an chnoic agus phós sí mac an rí.

1.23.4   INÍON AN RÍ

Bhí rí agus banríon ann uair amháin. Bhí iníon amháin acu. Fuair an bhanríon bás. Phós an rí ar ais. Bhí iníon eile ag an bhean seo. Ní raibh an leasmháthair rómhaith don chailín eile. Lá amháin dúirt sí go raibh sí ag imeacht léithe. D'iarr sí an an leasmháthair bonnóg aráin a dhéanamh daoithe. Rinne agus ní thug sí daoithe ach buidéal uisce agus d'imigh sí.

Nuair a chuaigh sí giota shuigh sí agus chuaigh sí a ithe an aráin. Tháinig seanduine aosta fhad léithe. Thug sí cuid don arán dó agus nuair a bhí sí ag imeacht d'iarr sé uirthi a ghabháil go dtí tobar a bhí sa choillidh. Chuaigh sí fhad leis agus chonaic sí ceann beag ag teacht aníos. D'iarr sé uirthi é a thabhairt aníos agus a cheann a chíoradh. Thug agus d'fhág sí ar an léana é. Tháinig ceann eile ansin agus rinne sí an rud céanna leis. Ansin tháinig ceann eile agus rinne sí an rud céanna leis.

Ansin nuair a bhí sí ag imeacht thug siad a mbeannacht daoithe. Dúirt ceann acu saol fada agus ceann eile fear maith agus ceann eile sláinte mhaith agus í a bheith níos deise ná bhí sí. D'imigh sí agus nuair a bhí sí ag gabháil fríd an choillidh mhothaigh sí trup agus chuaigh sí isteach sa choillidh agus chuaigh cuid mhór beithigh thart agus an ceann a bhí ar deireadh mac rí a bhí ar an bheathach agus chonaic sé í agus chuir sé ceist uirthi goidé a bhí sí a dhéanamh sa choillidh. Dúirt sí gur imigh sí léithe agus nach raibh a fhios aici cá raibh sí ag gabháil. Dúirt sé léithe a bheith leis-sean chun an bhaile agus thug sé leis í agus pósadh iad.

Bhí dóigh bhreá uirthi níos mó. Tháinig sí a dh'amharc orthu agus d'inis sí daofa goidé an dóigh bhreá a bhí uirthi.

1.23.5   BEAN A RAIBH BEIRT INÍONACH AICI

Bhí bean agus bhí beirt iníonach aici. Bhí bean acu iontach deas agus bhí an bhean eile iontach míofar. Bhí fuath mhór ag an mháthair ar an bhean a bhí míofar agus chuireadh sí a chruinniú mónadh í gach lá.

Lá amháin bhí an cailín ag cruinniú agus chonaic sí teach beg. Chuaigh sí go dtí an teach agus bhí triúr fear ina seasamh sa doras. Ní raibh siad a dhath níos mó ná fód mónadh. D'iarr na fir uirthi a theacht isteach agus an teach a scuabadh. Rinne an cailín seo agus ansin d'iarr siad uirthí pota uisce a chur síos. Rinne sí seo.

Chuaigh sí chun an bhaile chuig a máthair agus bhí sí iontach deas. Ach bhí fuath bhocht ag an mháthair uirthi agus chuireadh sí í fá choinne mónadh gach lá.

Lá amháin chuaigh sí go dtí teach beag agus d'amharc sí isteach agus chonaic sí triúr fear agus ní raibh siad níos mó ná fód mónadh. D'iarr uirthi a theacht isteach agus an teach a scuabadh. Dúirt sí nach ndéanaidh. Dúirt siad léithe go mbeadh sí chomh gránna agus go gcaithfeadh sí amach ar an doras í.

Chuaigh sí chun an bhaile agus chaith an mháthair amach ar an doras (í) agus fuair sí bás leis an ocras.

1.24 RÓISE INÍON AN RÍ

Bhí rí agus banríon ann uair amháin agus tháinig iníon óg ar an tsaol acu. Róise an t-ainm a bhí uirthi. An lá a tháinig an leanbh ar an tsaol bhí féasta mór acu. Bhí dhá shíóig déag ina gcónaí ag a dtaobh agus bhí an rí ag gabháil a thabhairt cuiridh daofa ach ní raibh aige ach cupa déag óir agus ní thiocfadh leis cuireadh a thabhairt ach do aon (shíóg) déag acu. Dá dtabharfadh sé cuireadh don bhean eile agus gan í cupa óir ar bith a fháil ní bheadh sí sásta.

Nuair a bhí siad ag ithe agus ag ól tháinig an bhean nach bhfuair cuireadh ar bith isteach agus dúirt sí go dtabharfadh sise bronntanas don leanbh. Dúirt sí nuair bheadh an leanbh ocht mblian déag go leagfadh sí a lámh ar rud géar a bheadh ar thúirne agus go dtitfead sí ina codladh ar feadh céad bliain.

Bhí brón mór ar an rí agus chuir sé amach scéal an méid túirní a bhí sa tír a dhódh. Nuair a bhí an leanbh ocht mbliana déag bhí sí ag siúl an chaisleáin agus chuaigh sí isteach in seomra. Bhí seanbhean ina suí ansin ag sníomh. D'iarr Róise cead uirthi a ghabháil a shníomh. Thug an tseanbhean daoithe é. Leag Róise na méara ar rud beag géar a bhí ann agus thit sí ina codladh agus thit an méid a bhí sa chaisleán ina gcodladh.

Lá amháin bhí prionsa óg ag gabháil thart ag an chaisleán agus dúirt sé leis féin gurbh fhada ó tháinig sé aon duine ag gabháil thart fán chaisleán. Chuaigh sé isteach go dtí an caisleán agus bhí bláthanna ag fás ag taobh an toighe. Thug sé leis ceann de na bláthannaí agus chuaigh sé isteach sa chaisleán. An chéad seomra a dteachaigh sé isteach ann an seomra a raibh an ghirseach ina codladh ann. D'fhág sé an bláth ina luí in láimh na girsí agus mhuscail sí.

Pósadh an bheirt acu agus mhair an bhainis lá agus bliain.

1.25 AN FATHACH

Bhí rí agus a bhean ann uair amháin agus bhí triúr iníonach acu. Am amháin dá raibh an rí ag imeacht go tír eile le gnoithe dúirt an bhean is óige acu leis gan a theacht arís go mbeadh bronntanas leis chuici. Chuir sé ceist uirthi goidé a bhí sí a iarraidh.

"Ba mhaith liom pláta óir" arsa sise.

"Tabhair féirín ar ais leat chugamsa fosta" arsa an dara iníon.

"Goidé a ba mhaith leat?" arsa seisean.

"B'aoibhinn liom pláta airgid" arsa sise.

"Maith go leor" arsa an t-athair leo.

Agus bhí sé ag fanacht go n-iarrfadh an iníon is sine rud inteacht ach dheamhan iarraidh is bhí ionadh air. Sa deireadh arsa seisean léithe —

"Cad chuige a bhfuil tusa i do thost agus nach bhfuil tú ag iarraidh a dhath?

Nach bhfuil rud ar bith a ba mhaith leat a bhéarfainn chugat?"

"Níl rud ar bith" arsa sise "ach má fheiceann tú rósaí dearga ag fás áit ar bith faigh cupla ceann acu domh".

41

D'imigh an t-athair leis. Rinne sé a ghnoithe sa tír iasachta. Cheannaigh sé an pláta óir, an pláta airgid agus thug sé iarraidh ar an bhaile. Ar a bhealach dó chuaigh sé thart le taobh caisleán galánta ach bhí cuma ar an áit go raibh sé uaigneach agus cosúlacht ar an teach nach raibh aon duine ina chónaí ann. Bhí gairdín in aice an chaisleáin agus na rósaí ab fhíor dheise dá bhfaca súil ariamh ag fás ann. Thug sé i gceann an rí féirín an iníon a ba shine agus isteach leis go bhfaigheadh sé cuid acu. Bhain sé cupla ceann agus leis sin nocht an fathach urghránna chuige. Scanraigh an rí. Thit na rósaí as a lámha agus chuaigh sé uilig ar bharr amháin creatha. Bhí an fathach millteanach, corp duine air ach ceann ainmhí gránna inteacht. Chuir an fathach ceist ar an fhear cad chuige ar bhain sé rósaí ina ghairdín gan cead. D'inis seisean dó fá fhéirín a iníne.

"Tóg leat iad" arsa an fathach "ach mura dtagann tú anseo agus iad leat roimh bhliain ón lá inniu, gheobhaidh tú bás".

Tháinig sé (chun an bhaile). (Rann) sé thart na féiríní agus níor lig dadaidh air ach nuair a bhí sé ag teacht cóngarach do bhliain ón am ar bhain sé na rósaí thoisigh imní ag teacht air. Thug a mhuintir fá deara go raibh trioblóid inteacht ag cur chaite air agus chuir siad ceist air (fá dtaobh de). Sa deireadh lig sé a rún leo. Dúirt an iníon a ba shine — "Ná bíodh eagla ar bith ort. Rachaidh mise leat go dtí an caisleán an lá sin agus fanóchaidh mé in áit na rós".

Bhí go maith — chuaigh an t-athair agus an iníon go dtí an caisleán nuair a bhí an bhliain istigh. Ní fhaca siad duine ná deoraí in áit ar bith thart. Ach nuair a chuaigh siad isteach fuair siad tábla leagtha amach le togha gach bídh agus rogha gach dí. Ghlac siad béile maith agus ina dhaidh sin siod amach go dtí an gairdín iad. Ní raibh siad i bhfad ansin go dtí go dtáinig an fathach millteanach gránna fhad leo agus bhí glór garbh nach raibh taitneamhach ar dhóigh ar bith le cluinstin acu ar fud na háite uilig. D'fhan an t-athair leis an iníon cupla lá agus ansin d'iarr sí air imeacht chun an bhaile agus nárbh eagal daoithe féin rud ar bith feasta. Chónaigh sí ansin leis an fhathach ar feadh bliantaí gan le cluinstin aici ach an glór gránna agus gan le feiceáil aici ach an fathach. Ach ina dhiaidh sin bhíodh a bhéilí réidh fá na choinne i dtólamh agus ní raibh fuath ar bith aici don fhathach. Bhí caradas ag borradh eatarthu i ndiaidh (in aghaidh?) an lae. Lá amháin ansin arsa seisean léi — "b'fhéidir gur mhaith leat a ghabháil a dh'amharc ar do mhuintir". Dúirt sise nach raibh rud ab fhearr léithe. Thug sé fáinne daoithe agus dúirt léithe é a chur ar a méar nuair a rachadh sí a luí an oíche sin agus go musclóchadh sí i gcaisleán a hathara lá tharna mhárach. Dúirt sé léithe fanacht sa bhaile deich lá agus an deichiú lá an fáinne a chur ar a méar nuair a rachadh sí a luí an oíche sin agus go musclóchadh sí ar ais i gcaisleán an fhathaigh. Maidin lá tharna mhárach rinne sise mar a hordaíodh daoithe agus chaith sí tamall sona sa bhaile. Bhí ardsiamsa agus spóirt ag a hathair ag cur fáilte roimpi ach bhí brón orthu uilig go gcaithfeadh sí imeacht arís gan mhoill.

Chaith sí tamall mór fada eile ansin agus sa dóigh chéanna thugh sé cead daoithe a ghabháil a dh'amharc ar a muintir agus i gceann na ndeich lá chuir sí an fáinne ar a méar agus tháinig sí ar ais. Thug sé laethaibh saoire daoithe an tríú huair agus nuair a tháinig sí ar ais an t-am seo bhí

42

iontas uirthi nach raibh an glór le cluinstin mar ba ghnách ach ina áit bhí marbhchiúnas achan áit. Chuaigh sí ar lorg an fhathaigh ach ní raibh sé le feiceáil in aon áit agus tháinig buaireamh uirthi goidé a bhain dó ó d'imigh sí.

Sa deireadh chuaigh sí isteach sa ghairdín agus fuair sí ina luí i measc na rós ag fáil bháis é. Líon a croí lán de thruaighe don fhathach bhocht ar chaith sí an oiread sin ama leis agus chrom sí síos os a chionn agus d'fhiafraigh sí de an raibh rud ar bith a thiocfadh léithe a dhéanamh dó a shábháilfeadh ón bhás é.

"Gheobhaidh mé bás gan mhoill" arsa seisean "mura dtoilfidh tusa mé a phósadh — sin an t-aon rud a shábhailfeas mé anois".

Níos mhaith léithe a leithéid a phósadh ach ar an bhomaite ba chuma léithe ach é biseach a fháil agus thoilig sí ina croí é a phósadh agus ní luaithe an smaointeamh déanta aici ná d'athraigh gné an fhathaigh agus d'éirigh sé ina bhuachaill óg, bhreá, dhóighiúil chomh breá agus a thiocfadh leat a fheiceáil. Prionsa a bhí ann agus bhí sé faoi gheasa a bheith mar sin go dtoilfeadh cailín óg ar é a phósadh. Bhí na geasa de ansin agus chónaigh an bheirt sa chaisleán.

1.26.1   AN CAILÍN AGUS AN CAT BEAG DUBH

Bhí bean ann uair amháin agus bhí iníon aici. Chuaigh an mháthair chun an tsiopa lá agus d'fhág sí an ghirseach bheag istigh leis an teach a choimeád.

Mharaigh an ghirseach bheag cearc agus chuir sí fuil ar bhéal an mhadaidh. Nuair a tháinig an mháthair chun an bhaile chuir sí ceist ar an ghirseach cé a mharaigh an chearc. Bhí oiread eagla ar an ghirseach agus gur inis sí don mháthair gurb í féin a mharaigh an chearc. Thug an mháthair iarraidh den chorrán uirthi.

D'imigh sí ina rith go bhfaca sí teach beag i bhfad uaithi agus tharraing sí ar an teach sin. Bhuail sí ag an doras agus chuaigh sí isteach. Ní raibh sa teach ach cat beag dubh a bhí ina shuí i gcois na tineadh. Nuair a bhí sí ina suí ar an stól tamall beag arsa an cat léithe "dá mbeinnse i mo chailín óg, an rud nach bhfuil agus nach mbíonn, rachainn síos agus bhlighfinn ceann den dá bhó dhéag sin thíos".

Chuaigh sise síos agus bhligh sí ceann acu agus d'ól sí féin agus an cat an bainne. Ansin arsa an cat léithe "dá mbeinnse i mo chailín óg, an rud nach bhfuil agus nach mbíonn, rachainn siar agus chuirfinn éadach ar cheann den dá leabaidh dhéag sin thiar".

Chuaigh sise siar agus chóirigh sí ceann de na leapacha agus chuaigh siad a luí.

D'éirigh an cat go luath ar maidin agus d'imigh sé a chuartú luchógaí. Ní raibh sé i bhfad ar shiúl go dtáinig carr beag anuas leis an doras agus arsa duine dá raibh sa charr "Éirigh agus lig isteach muid".

D'éirigh sise ach thit sí i laige. Tamall ina dhiaidh sin tháinig an cat anuas an simléir agus leag sé a chrúb uirthi agus fuair sí biseach, agus mhair siad go sona sásta blianta ina dhiaidh sin.

1.26.2 AN GHIRSEACH A MHARAIGH AN CHEARC

Bhí bean ann uair amháin agus ní raibh aici ach iníon amháin. Chuaigh an mháthair chun an tsiopa. D'iarr sí ar an ghirseach na soithigh a bheith nite aici agus an t-urlár a bheith scuabtha aici ag teacht daoithese as an tsiopa.

Nigh sí na soithigh an chéad uair agus ansin scuab sí an t-urlár. Nuair a bhí sí ag scuabadh ar urláir tháinig cearc isteach i lár an urláir uirthi agus bhuail sí buille den scuab uirthi agus mharaigh sí í. Chuaigh sí amach chun an gharraidh fá choinne í a chur. Bhí an mháthair ag teacht chun an bhaile agus chonaic sí an ghirseach amuigh sa gharradh. Nuair a tháinig sí chun an bhaile chuir sí ceist ar an ghirseach goidé a bhí sí a dhéanamh amuigh sa gharradh. Dúirt sí nuair a bhí sí ag scuabadh an urláir go dtáinig cearc isteach agus gur bhuail sí buille den scuab uirthi agus gur mharaigh sí í. Lean an mháthair leis an scuab í agus bhí aici le ghabháil trasna ar abhainn. Cha raibh a fhios aici goidé an dóigh a rachadh sí trasna uirthi.

Thit turtóg anuas as an spéir agus d'iarr an turtóg uirthi a cos a chur uirthise agus go dtabharfadh sí anonn trasna na habhanna í. Chuir sí cos ar an turtóg agus chuir sí anonn trasna na habhanna í. Shiúil sí léithe giota fada eile. Chonaic sí solas i bhfad uaithi. Chuaigh sí go dtí an solas beag seo agus goidé a bhí ann ach teach beag. Chuaigh sí isteach sa teach beag agus cha raibh a dhath istigh ann ach cat. Chuir an cat fáilte roimpi. D'iarr sé uirthi a theacht aníos go dtí an tine agus a goradh a dhéanamh.

Nuair a tháinig am luí d'iarr an cat uirthi a ghabháil síos go binn an toighe agus go raibh ceithre thobán uisce ann. D'iarr sé uirthi a cosa a ní i gceann ar bith de na tobáin a raibh dúil aici ann. Nuair a bhí sin déanta aici d'iarr sé uirthi a ghabháil suas i seomra agus go raibh ceithre leabaidh thuas ann augs leabaidh ar bith a raibh duil aici ann a ghabháil a luí (uirthi).

Sin an áit ar chónaigh sí ag an chat ón lá sin go bhfuair sí bás.

1.27   RÍ CHRUACHÁN CHONNACHTA
AGUS GRUAGACH NA gCLEAS

Bhí dhá rí in Éirinn fadó, mar bhí mórán an uair sin agus beagán anois. B'ainm dóibh Rí Chruachán Chonnachta agus Gruagach na gCleas. Bhí cailín dóighiúil in Éirinn nach raibh a leithéid ó shin ann. Bhí an bheirt acu ag brath uirthi. D'fhuadaigh an Gruagach leis í le tréan geasrógaí agus cleasaíochta agus ar ndóighe ní raibh an fear eile sásta. Smaointigh sé lá amháin go rachadh sé fhad leis an Ghruagach agus go mbeadh cluiche cardaí aige leis ag dréim go mbainfeadh sé a bhean de.

Is e an dlíodh a bhí san am sin ann nuair a d'fhuadóchaidh bean ar shiúl go mbainfeadh sí focal duit nach mbeadh sí ina bean agat go ceann lá agus bliain. Ach d'imigh Rí Chruachán Chonnachta leis go dtáinig sé fhad le Cúirt An Ghruagaigh. Bhuail sé ar an doras agus tháinig sciúilíneach de chailín amach agus chuir sé ceist uirthi an raibh an Gruagach istigh.

"Níl" arsa sise "tá sé amuigh ag seilg ach cha bhíonn sé i bhfad".

"Tháinig mé le cluiche cardaí a bheith agam leis" arsa seisean.

"Tchím" arsa sise "má bhaineann tú an chéad chluiche inseochaidh mise duit goidé an duais a iarrfas tú. Tá mise anseo agus an cóiriú contráilte orm ar eagla go dtabharfadh gaiscíoch ar bith fá deara mé go mbeidh an t-am thuas. Má bhaineann tú, abair go mbeidh mise agat agus an capall gorm agus dhéanfaidh sin cúis".

"Anois" arsa sise "tá lán seomra de chailíní breátha aige agus taispeánfaidh mé duit goidé an áit a bhfuil siad. Thig leat a bheith ag comhrá leo go dtig sé".

Ansin tháinig An Gruagach.

"Bhí fear uasal anseo i do iarraidh" arsa sise.

"Cá bhfuil sé?" ar seisean.

"Ag comhrá leis na cailíní".

"Abair leis a theacht anseo".

Chuir sé míle fáilte roimh Rí Chruachán Chonnachta agus chuir sé ceist air goidé a ghnoithe anseo.

"Tháinig mé fá choinne cluiche cardaí a bheith agam leat".

"Maith go leor" arsa An Gruagach.

Siúd an bheirt isteach ag imirt. Bhain Rí Chruachán Chonnachta an chéad chluiche.

"Beir do bhreith a rí" arsa An Gruagach.

"Cailín na cistineadh agus an capall gorm".

"Is bocht an duais atá tú a iarraidh" arsa an Gruagach "agus an seomra breá mná ata agamsa".

"Tiocfaidh mise le a bhfuil mé a iarraidh" arsa an Rí.

Chuaigh siad i gceann cluiche eile ansin. Bhain An Gruagach an dara cluiche.

"Beir do bhreith a Ghruagaigh" arsa an Rí.

"B'fhéidir nach beag duit a luach" arsa An Gruagach. "Cuirim faoi gheasaibh thú a ghabháil go tíortha Lochlannach, claidheamh na, buaidhe atá ag Mac Rí Lochlann a thabhairt anall agus thabhairt domh i mo lámh".

"Cuirimsa faoi gheasaibh thusa" arsa an Rí "gan éirí ón chathaoir a bhfuil tú i do shuí uirthi, gan a ghreim a fháil le hithe ná le hól ach mias uisce a fhágáil ar an tábla le do bhéal a fhliuchadh go dtí go bpillfidh mise leis an chlaidheamh".

Ansin d'éirigh Rí Chruachán Chonnachta, fuair sé an capall gorm, chuaigh sé a mharcaíocht ar an chapall agus chuir sé an cailín ar a chúl. Nuair a bhí sé giota den bhealach d'amharc sé ar a chúl agus bhí an méid beathaigh a bhí ar an dúiche ina dhiaidh, an t-eallach ina dhiaidh sin agus na caoirigh ina dhiaidh sin go dtí nár fhan aon ainmhí ceithre cosach ar an dúiche nár lean iad. Chuaigh siad ansin go dtí Cúirt Rí Chruachan Chonnachta

Dúirt an cailín leis nár cheart dó imeacht a shaothrú an chlaidhimh.

"Chan dual do ríthe luí faoina geasaibh. B'fhearr liom é a mharbhadh i dtroid nó feall ar bith a dhéanamh air. Tá tusa sábháilte air cé acu phillfidh mé nó nach bpillfidh".

D'imigh sé leis ar maidin lá tharna mhárach agus char stad sé go raibh sé ag cuan na mbádaí. Chaith sé soitheach ar an fharraige, bhuail sé port thall faoi Chúirt Rí Lochlannach. Chuaigh sé chun talaimh agus chuaigh sé suas go dtí Cúirt an Rí. Chuir an Rí fáilte roimhe ins an chanúint a bhí aige agus d'fhreagair Rí Chruachan Chonnachta ar an nós céanna.

Rinneas réidh a gcuid ansin , d'ith siad agus d'ól siad a sáith. Chuaigh sé chun comhráidh ansin, achan duine ar a scéal féin go dtí gur tharraing

Rí Chruachan Chonnachta air an gnoithe a bhí aige féin.

"Níl a fhios agam, a dhuine uasail - tá eagla orm gur doiligh an claidheamh sin a fháil".

Bhí cúirt an mhic píosa beag ó chúirt an athair. Nuair a bhí sé tamall san oíche (Dúirt an rí leis).- "Gabh síos go dtí an doras anois agus iarr an claidheamh ach má rinne tú ariamh é tabhair iarraidh aníos anseo arís".

Chuaigh sé síos go dtí an doras agus d'iarr sé an claidheamh agus d'imigh sé ina rith aníos an bealach mór arís. D'éirigh mac an rí amach as a leabaidh, chuaigh sé suas agus bhuail sé buille ar chúirt a athara agus steall sé giota amach as an choirnéal. Chuaigh an t-athair amach.

"A mhic ó" arsa seisean "an ag gabháil a leagan cúirt d'athara atá tú?".

"Leagfaidh go dtí an talamh nuair a choinneochas (tú) gailtín ar bith fán teach a gheobhadh a chroí a ghabháil a iarraidh mo chlaidhimh ormsa".

D'imigh sé ansin agus chuaigh sé a luí ar ais. "Gabh síos arís" arsa an Rí. Chuaigh sé síos agus scairt sé ag iarraidh an chlaidhimh agus aníos ina rith leis ansin. Bhí corraí ar mhac an Rí an iarraidh seo nuair a tháinig sé aníos agus bhuail sé an buille. Bhain sé an coirnéal amach glan as cúirt a athara. Chuaigh an t-athair amach.

"A mhic, a chroí an bhfuil tú ag gabháil ag cailleadh do chéille agus ag tabhairt a leithéid de bhail ar d'athair?".

"Chan fhágaim cloch ina seasamh agat mura gcuirfidh tú an tóir ar an ghailtín".

D'imigh sé ansin agus chuaigh sé a luí ar ais.

"Anois" arsa an rí "gabh síos an iarraidh seo, tá sé ina chodladh. Tá an claidheamh ar an tábla agus solas lena thaobh agus an doras foscailte aige. Gabh isteach agus faigh greim ar an chlaidheamh agus thar a bhfaca tú ariamh coinnigh do ghreim. Cuirfidh an claidheamh trí scread as a chluinfear fríd an ríocht ach is cuma duitse fhad is atá an claidheamh agat".

Siúd síos é agus isteach. Bhí gach sórt ann mar a dúirt an rí. Fuair sé greim ar an chlaidheamh agus chuir an claidheamh trí scread as. D'éirigh an fear a bhí ina luí ina shuí ar a thóin sa leabaidh.

"Tchím go bhfuil sí agat, suigh anois agus déan do scíste ar an chathaoir. (An) domhan chan fhaigheann do bhuaidhe fhad is atá an claidheamh sin in do láimh." "Anois" arsa fear na leapa "inseochaidh mé duit goidé mar a fuair mé an claidheamh. Pósadh mé féin agus an bhean seo taobh thiar domh tá seal bliantach ó shin. Ní raibh muid ag teacht rómhaith le chéile. Nuair a fuair sí faill orm bhuail sí le slat na draíochta mé agus rinne sí gearrán bán domh. Cha raibh agam ansin ach a ghabháil amach go taobh an bhealaigh mhóir ag gabháil thart liom agus páistí an bhaile ag marcaíocht orm. Bhí muileann ag m'athair. Bhéarfadh na páistí amach neart coirce chugam. (D'fhás) mé suas i mo ghearrán bhreá.

D'inis sise do m'athair gur imigh mé go dtí ríocht eile agus nach bpillfinn ar ais. Bhuail fear uasal eile suas léithe agus cha raibh m'athair ag cur pilleadh ar bith uirthi. Bhí siad le pósadh agus le cleas ormsa cha ndéanfadh beathach ar bith maith daoithe le iad a thiomáint ach an gearrán bán go dtí áit an phósta. Chóirigh sise suas mé féin agus nuair a bhí mé cóirithe tháinig an fear uasal a bhí ag gabháil a phósadh thart ar mo chúl. Bhuail dubhéad mé féin ó mhullach mo chinn go barr mo laidhre. Thóg mé mo dhá sháil agus steall mé an inchinn as. Bhí an pósadh thart an iarraidh sin agus creidim nach raibh sí sásta.

Is é an Samhradh a bhí ann. Nuair a fuair mé mo sháith ite lá amháin luigh mé síos ag muileann m'athara agus thit mé i mo chodladh leis an teas.

Tháinig sí orm an dara huair - bhuail sí mé agus rinne sí mac tíre domh. Cha raibh a dhath ansin agam ach a ghabháil chun an chnoic. Bhuail mé suas le trí mhac tíre eile ar an chnoc agus thoisigh muid a mharbhadh caorach. Mar bhí ciall an duine agamsa bhí aithne mhaith agam ar chuid caoirigh na mná. Bhí muid ag marbhadh linn. Chuaigh sí chuig m'athair. Dúirt sí go gcaithfeadh seilg a ghabháil ar an chnoc go raibh na caoirigh uilig á marbhadh ag mic tíre. Chomhairligh m'athair léithe. D'éirigh siad amach agus scaifte madadh leo. Nuair a bhí go géar ag gabháil orm féin rith mé isteach go dtí cosa m'athara.

"Maise, a choileáin uasail" arsa seisean "nuair a chuir tú tú féin in mo choimrí, cha mhairfear thú".

Tháinig an bhean ansin. Dúirt sí le m'athair gur sin an ceann a ba mheasa. "Is cuma liom " arsa seisean "thug mé pardún dó. Cha ligim é a mharbhadh ach ní mhairfidh sé aon chaora feasta".

Thug sé leis mé féin chun an bhaile go dtí an chúirt agus chuir sé slabhra breá orm. Bhí mé ag fáil mo chuid go breá agus mé go socair suaimhneach ach ní ligfeadh an eagal do mo bhean a theacht fá fhad an tslabhraidh domh. Tamall maith roimhe seo rugadh beirt mhac do mo mháthair agus an oíche a rugadh iad goideadh iad agus ní raibh a fhios ag aon duine goidé a d'éirigh daofa. Bhí sí a chóir duine eile a bheith aici an t-am seo.

An oíche a rugadh an leanbh bhí cuid mhór mná cruinn agus bhí mo bhean féin fosta ann. Shuigh siad ag coimeád an linbh. Thall údaidh eadar maidin agus meán oíche thit siad uilig ina gcodladh. Nuair a bhí siad ina gcodladh tháinig an lámh mhór bhuí anuas an simléir. Thug mise léim fhad an tslabhraidh agus fuair mé greim air. Bhí sé mo thabhairt píosa suas agus mise á thabhairt píosa anuas ach sa deireadh bhí an sciathán liom ón ghualainn de. Bhí mé sáraithe ansin agus thit mé féin i mo chodladh. Cé a mhuscail ar an chéad duine ach mo bhean féin ar an drochuair domhsa.

Thug sí léithe an sciathán agus an fhuil a bhí ag teacht as. Chuir sí cumhdach ar mo smut de agus orm uilig. Thug sí léithe ansin an lámh agus an leanbh agus d'fhág sí i bhfolach amuigh i gcruach an fhéir iad. Chuaigh sí isteach ansin agus mhuscail sí a raibh istigh. D'inis sí daofa go raibh an leanbh ite agamsa. Tháinig m'athair agus cha raibh sé sásta ach duirt sé nuair a thug sé pardún domh an chéad uair nach mbainfeadh sé domh anois ach oiread. Bainfidh mé an slabhra de agus ligfidh mé ar shiúl ina sheift é. Scaoil sé an slabhra de mo mhuineál. Thoisigh mé féin ag bualadh mo rubaill fána cosa air agus ag fáil greim éadaigh air agus á tharraingt liom. "A choileáin uasail" arsa seisean "ta rud inteacht contráilte leat".

Tharraing mé féin liom amach é agus mar bhí mé i mo mhadadh bhí boladh in mo ghaothsán. Tharraing mé liom é go dtí cruach an fhéir. Chuir mé mo cheann isteach san fhéar agus thoisigh an scríobadh agus an rúscadh agam. Nuair a chonaic m'athair seo chuaigh sé féin a rúscadh. Is í an lámh mar bhí sí mór an chéad rud a casadh de. Chuartaigh sé agus fuair sé an leanbh - ina shuan chodlata sa chruach.

Chuaigh sé isteach agus an leanbh agus an lámh leis agus mise ag siúl isteach ina dhiaidh. "Anois" a dúirt sé "in áit slabhra a bheith ort beidh tú i do rith scaoilte thart fán teach". Nuair a chuala mo bhean féin seo d'imigh sí chun an bhaile nó bhí eagla uirthi go n-íosfainn í.

Lá amháin ina dhiaidh seo d'imigh an méid a bhí ins an chúirt ach mé féin agus m'athair. Bhí sé ag siúl leis fríd na seomraí agus mise ins na sálaibh aige. Chuaigh sé go dtí seomra mór a raibh cófra ann. Thoisigh mé féin a scríobadh agus a rúscadh sa chófra. Sa deireadh thóg sé an clár. Chuir mé féin mo cheann isteach agus bhí ag rúscadh liom. Cha raibh a fhios ag m'athair goidé a bhí orm. Thóg sé amach slat na draíochta agus chuaigh sé a dh'amharc uirthi. Cha raibh a fhios agam goidé an dóigh a bhfaighinn é le mé féin a bhualadh. Bhí mias uisce sa tseomra agus chuir mé mo ruball ann. Sular mhothaigh m'athair bhuail mé san aghaidh é.

"Siúil leat, a choileáin shalaigh" arsa seisean agus bhuail sé buille orm leis an tslat. D'éirigh mé suas i mo fhear mar a bhí mé ariamh agus mé tarnochtaithe agus cha ligfeadh an náire domh m'aghaidh a thiontódh air - ar eagla go n-aithneochadh sé mé.

Shín mé liom amach ar an doras. Fuair mé culaith éadaigh amuigh fána stáblaí agus d'imigh mé liom mar nach ligfeadh an náire domh pilleadh chun an bhaile níos mó. Shiúil mé liom go dteachaigh mé go taobh na farraige agus chonaic mé oileán amuigh. Fuair mé bád agus sheol mé amach chun an oileáin. Chonaic me cúirt bheag istigh i gcroí an oileáin agus dhá ghasúr ag imirt thart fán doras. Chuaigh mé fhad leo agus chuaigh mé chun cainte leo. Chuir mé ceist orthu cá raibh a n-athair agus a máthair. Dúirt siad nach raibh máthair ar bith acu agus go raibh a n-athair istigh agus a sciathán gearrtha de agus é ina chodladh. Chuaigh mé féin isteach chun an gharraidh. Fuair mé cupla tor lustain. Bhrúigh mé é agus chuaigh mé isteach chun na cúirte. Chuir mé céirín leis an chneá ar an fhathach fá choinne suaimhneas a thabhairt do go gcodlóchadh sé leis.

Chuartaigh mé liom fríd an chúirt. Casadh an claidheamh sin orm atá in do láimhse anois agus thóg mé é ón áit a raibh sé ina luí agus chuir an claidheamh trí scread as. D'éirigh an fathach le léim amach as an leabaidh. Bhuail mé leis an chlaidheamh é agus steall mé an ceann de.

Nuair a mhothaigh an dá ghasúr gur maraíodh an fear a shíl siad a bhí ina n-athair acu d'imigh siad fríd an oileán agus is é an masla is mó a fuair mé ina ndiaidh le greim a fháil orthu. D'inis mé daofa ansin gur dhá dhearthair domh féin a bhí iontu. Chreid siad mé ansin agus thug mé chun an bhaile iad chuig m'athair. Chuaigh mé féin agus í seo i gcuideachta ar ais agus tá sí anseo anois má thig léithe a rá go bhfuil mé bréagach.

Anois tá an claidheamh agatsa agus an domhan ní bhfaighidh do bhuaidhe.

Nuair a bhéarfas tú an claidheamh do Ghruagach na gCleas bhéarfaidh an claidheamh léim agus ligfidh sé trí scread as. Déarfaidh sé go bhfuil locht ann. Abair thusa nach bhfuil dá mbeadh a fhios aige an dóigh le greim a fháil air. Má bheireann sé an claidheamh duitse ar ais coimheád tú féin agus ná lig leis é".

Tháinig Rí Chruachan Chonnachta go hÉirinn ansin agus rinne sé mar a hiarradh air. Nuair a fuair sé an claidheamh ar ais ina láimh an dara huair steall sé an ceann de Ghruagach na gCleas. Pósadh é féin agus an cailín dóighiúil agus bhí mise ar an bhainis. Fuair mé stocaí bainne ramhair agus bróga páipéar - léim mé anuas go barr Chnoc Fola agus níl a fhios agam goidé a d'éirigh daofa ó shin.

Seán Mac Fhionnaile
(Scoil Mhín An Chladaigh)

Rugadh Seán Mac Fhionnaile nó Johnny Mhicí Thaidhg mar ab fhearr aithne air go háitiúil in Oileán Ghabhla sa bhliain 1910. Bhí triúr deartháireacha agus deirfiúr amháin aige. Fuair a mháthair bás go hóg agus tháinig Seán go mór faoi anáil a athar ina dhiaidh sin. Fear a bhí ina athair a raibh suim aige i léann agus ba mhinic é ag léamh na bpáipéar nuachta do mhuintir an Oileáin san oíche. Chuaigh Seán chun na scoile ar An Oileán agus nuair a bhí sé suas le dhá bhliain déag cuireadh go Scoil Dhún Lúiche é áit a raibh Jó Mhanais Ruaidh ina phríomhoide. D'fhan sé bliain ansin agus d'éirigh leis scoláireacht a fháil go Coláiste Adhamhnáin i Leitir Ceanainn. Níor chaith sé ach trí bliana ansin agus chuaigh sé ina dhiaidh sin go scoil phríobhaideach i mBaile Dhún na nGall. As sin chuaigh sé go Coláiste Phádraig i nDroim Chonrach ar scoláireacht. Tháinig sé amach cáilithe ina mhúinteoir sa bhliain 1930.

Chaith sé na blianta 1930-'32 ag teagasc i Scoil Lathaigh Bharr gar do Bhaile An tSratha agus ina dhiaidh sin chaith sé cúig bliana i Scoil Mhíobhaigh i Ros Goill. Tháinig sé ar ais go dtí na pharóiste féin i 1937 go Scoil Mhín An Chladaigh agus is ansin a bhí sé nuair a bhí an béaloideas á chruinniú. D'fhan sé ansin go dtí Nollaig na bliana 1947. Chuaigh sé ansin go Scoil Chnoc An Stolaire agus ina dhiaidh sin go Scoil Chonaill ar An Bhun Bheag sa bhliain 1959. Bhí sé ag múineadh ansin go dtí gur éirigh sé as an mhúinteoireacht ar fad sa bhliain 1973.

Chuaigh sé le scríbhneoireacht ansin agus chan iontas ar bith gur ar Ghabhla, a Oileán dúchais, a tharraing sé scéal. **Ó Rabharta go Mallmhuir** ainm an chéad leabhair a tháinig amach i 1975. I 1977 seo chugainn **Is Glas na Cnoic** agus tháinig leabhar eile uaidh ar stair a pharóiste dhúchais sa bliain 1983 **Scéal Ghaoth Dobhair.** Faraor bhí sé féin faoi na fóide sular foilsíodh an leabhar deiridh seo. Fuair sé bás ar 13ú Márta, 1982.

Bhí suim iontach ag Seán i gcúrsaí oideachais agus bhí clú agus cáil air mar mhúinteoir. D'fhág sé dóigh mhaith agus jabanna maithe ag go leor. Thigeadh siad chuige as gach cearn den tír agus as gach cearn de Chontae Dhún na nGall. Bhí sé chomh díograiseach sin ag teagasc gur chaith Cumann Múinteoirí Éireann amach as an chumann é cionn is go raibh sé: 'Detaining pupils outside school hours'.

Pósadh é nuair a bhí sé ag múineadh i Ros goill sa bhliain 1933 ar Eibhlín Ní Bhreisleáin as An Bhun Bheag. Bhí iníon amháin acu Eibhlín Óg. Chuir Seán suim mhór i gcúrsaí peile agus i CLG. Chaith sé suas le fiche bliain ina chathaoirleach agus ina rúnaí ar chumann Ghaoth Dobhair agus bhí sé ina chathaoirleach ar Choiste Chontae Dhún na nGall sa bhliain 1954. Fear farraige a bhí ann gan amhras agus ba mhór a shuim san iascaireacht. Chuir sé tús le rásaí na gcurach i dTír Chonaill sa bhliain 1955.

Ar na blianta deireannacha bhíodh teach ar an Oileán aige a dtugadh sé féin 'An Scioból' air. Sin an áit a ndearna sé a chuid scríbhneoireachta, chomh
maith le hiascaireacht agus saothrú talaimh. Ba bhocht leis gur tréigeadh Gabhla nó b'fhearr leis féin ann ná ar tír mór.

D'fhág sé a lorg i ngach áit a ndeachaigh sé rud a fhágfas cuimhne air i nGaoth Dobhair agus i bhfad uaidh go ceann i bhfad.

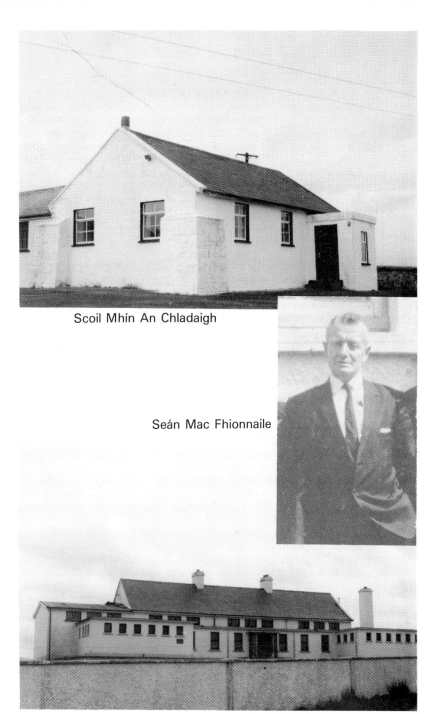

Scoil Mhín An Chladaigh

Seán Mac Fhionnaile

Scoil Mhín An Chladaigh

Eibhlín Ní Bhriain, Gleann hUallach
(Neilí Phadaí Bhig)

Aodh Ó Briain, Leath Cáite
(Hughie Neidí Ruairí)

Seán Ó Dúgáin agus a ghariníon Bríd Nic Eamharcaigh.

Cáit Ní Bhriain, Mín An Chladaigh
(Cit John Pheadair)

Seán Ó Dúgáin agus a bhean Máire Rua, Mín An Chladaigh.

Róise Ní Chuireáin,
Port Uí Chuireáin
(Róise Sheáin Phadaí)

53

Liam Ó Píopalaigh, Mín An Chladaigh
(Bilí Dhónaill Óig)

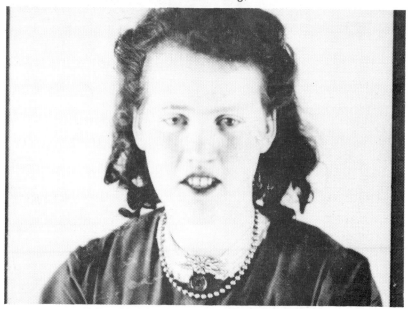

Róise Ní Dhochartaigh, Mín An Chladaigh
(Róise Sheáin Éamoinn Bháin)

Nábla Ní Dhónaill, Seanchaí.
Oileán Ghabhla.

Seán Mac Éidí, Glais An Chú
(John Jimí Géidí)

Méabha Ní Bhriain, Gleann
hUallach (Méijí Pheadair John)

Pádraig Mac Éidí, Mín An Chladaigh
(Padaí Phádraig)

55

Máire Ní Oireachtaigh, Ghlais An Chú (Méaraí Sheáin Phadaí)

Fionnuala Nic Giolla Chóill, Mín An Chladaigh (Fanny Sheáin)

Séan Mac Giolla Chóill, Mín An Chladaigh (John Sheáin)

Eibhlín Ní Chuireáin, Glais An Chú (Neilí Éamoinn Sheáin)

1.28.1   AN BHANRÍON AGUS AN DÁ MHAC DÉAG

Bhí rí agus banríon ann aon uair amháin agus bhí dhá mhac déag acu. Ach bhí brón mór ar an bhanríon nach raibh iníon ar bith aici. Bhí sí lá ag amharc amach ar an fhuinneog. Bhí an talamh geal le sneachta agus chonaic sí an préachán mór dubh ina luí ina chuid fola. Smaointigh sí dá mbeadh iníon aici a mbeadh na trí dhath seo inti — a cuid gruaige chomh dubh le cleite an phréacháin agus a cuid pluca a bheith chomh dearg le cuid fola an phréacháin agus a croiceann a bheith chomh geal leis an tsneachta. D'amharc sí thart agus tchí sí an tseanbhean draíochta thíos faoithe. Dúirt sí léithe go mbeadh iníon aici bliain ón lá sin ach go gcaillfeadh sí an dá mhac déag. Bhí brón mór uirthi ag gabháil á gcailleadh ach bhí lúchair mhór uirthi fán iníon óg.

Tamall maith ina dhiaidh sin d'iarr an bhanríon cead ar an rí na mic a chur isteach sa chaisleán mhór sin thoir.

"Goidé a rinne siad contráilte?" arsa an rí.

"Ó, tá" a dúirt an bhanríon "tá siad ag gabháil ar fiáin agus ba mhaith liom iad a chur isteach sa chaisleán go socraí siad agus cuirfidh mé maighistir os a gcionn a fhoghlaimeochas iad agus bean freastail a bhéarfas bia agus deoch daofa."

"Maith go leor", a dúirt an rí.

Chuir sí isteach sa chaisleán iad. Bliain ón lá sin rugadh iníon óg don bhanríon. Chonaiceas géacha fiáine ag teacht amach as an chaisleán agus ag imeacht trasna na gcnoc. Bheadh siad ar shiúl ag seiftiú sa lá agus bheadh siad ábalta a theacht ina gcanúint féin san oíche. Rinne siad teach beag turtóg i gcois an bhealaigh mhóir fá choinne cónaí a dhéanamh ann.

Nuair a d'fhás an ghirseach suas go raibh sí dhá bhliain déag chuir sí ceist ar a máthair an raibh dearthair ar bith aici. Dúirt a máthair léithe go raibh dhá dhearthair déag aici ach an lá a tháinig sise chun an tsaoil gur imigh siad trasna na gcnoc agus ní fhaca muid ariamh ó shin iad. Dúirt an ghirseach bheag go gcaithfeadh sise a ghabháil ar a dtuairisc. Dúirt an mháthair léithe nach dtiocfadh léithe í a ligean ach bhí an ghirseach ag iarraidh uirthi i gcónaí ach lig sí í sa deireadh.

D'imigh sí léithe trasna na gcnoc go dtáinig sí fhad le teach beag turtóg a bhí ar thaobh an bhealaigh mhóir. Chuaigh sí isteach sa teach bheag ach ní raibh gath ar bith istigh ann. Tháinig sí amach go dtí an doras agus tchí sí an dá ghasúr déag ag teacht aníos an garradh. Tháinig eagla uirthi ar dtús ach smaointigh sí gurb iad a cuid dearthár a bhí ann. Bhí na gasúraí ag rá go muirfeadh siad í nuair a tháinig siad aníos fhad léithe.

"Ná maraigh mise" arsa sise "is mise bhur ndeirfiúr agus tháinig mé a dh'amharc oraibh."

Ní raibh a fhios acu goidé a dhéanfadh siad. Níor mhaith leo an deirfiúr a chur chun báis agus níor mhaith leo an mionna a bhriseadh agus bhí siad i gcruachás. D'amharc siad thart agus tchí siad an tseanbhean draíochta ag seasamh ag a dtaobh. D'iarr sí orthu gan an deirfiúr a mharbhadh nó gur an deirfiúr a bhainfeadh as an draíocht iad. D'iarr sí ar an ghirseach dhá bhascóid dhéag olann a chruinniú agus an méid a chruinneochadh sí sa lá a shníomh san oíche, agus gan aon fhocal a

57

labhairt i rith an ama sin.

D'imigh sí agus thug sí léithe bascóid. Thoisigh sí a chruinniú na holla. Nuair a bhíodh an bhascóid cruinnithe aici shuíodh sí go meánoíche ag cardáil agus ag sníomh go mbeadh deireadh sníofa aici. Lá amháin bhí sí ag cruinniú olla. Tháinig mac Rí na hÉireann fhad léithe agus labhair sé léithe ach ní thug sí freagra ar bith air. Ba mhaith leis í a phósadh. Tháinig an tseanbhean draíochta fhad leis an ghirseach agus d'iarr sí uirthi é a phósadh. Pósadh an bheirt acu agus mhair an bhainis lá agus bliain agus b'fhearr an lá deireannach ná an chéad lá.

Drochbhean a bhí i máthair an rí agus ba mhaith léithe an bhanríon a chur chun báis. Bliain ón lá sin rugadh mac óg don bhanríon. Bhí sí ina suí san fhuinneog agus an leanbh aici ina hucht agus bhí an lá iontach te. Tháinig máthair an rí aníos agus dúirt sí — ''Bhéarfaidh mé deoch duit nó tá cuma thuirseach ort''.

''Maith go leor'', a dúirt an bhanríon.

Nuair a bhí an deoch ólta ag an bhanríon thit sí ina codladh.

Fuair máthair an rí greim ar an leanbh agus chaith sí amach ar an fhuinneog é. Tháinig beach álta thart agus thug léithe ina béal é. Ghearr máthair an rí a méar agus chuimil do bhéal na banríona é. Ansin scairt sí ar an rí agus dúirt sí — ''goidé an cineál bean a fuair tusa a d'íosfadh a cuid páistí féin?''

Bhí fearg mhór ar an rí agus d'iarr sé í a chur chun báis.

Chuir siad i seomra dorcha í in áit nach raibh solas ar bith. Bhí sí ansin go maidin lá tharna mhárach. Bhí siad ag gabháil á crochadh nuair a tháinig an tseanbhean draíochta agus deifre mhór uirthi. Bhí an leanbh léithe agus shín sí don bhanríon é. Bhí lúcháir mhór ar an bhanríon nuair a chonaic sí a mac agus é beo sábháilte.

Chuir siad scéala chuig an rí go raibh an bhanríon sábháilte. D'inis an tseanbhean an scéal ó bhun go barr don rí.

D'inis sí dó gurb é ise an bheach álta a tháinig thart agus a thug léithe an leanbh. D'iarr sí ar a chuid teachtairí í a chur chun báis. Ach ní ligfeadh an bhanríon dó í a chur chun báis ach d'iarr sí air í a chur ar shiúl as an tír agus gan í a fheiceáil a choíche ar ais. Ansin d'iarr an tseanbhean ar an bhanríon geansaí a chur ar achan duine de na cuid deartháireacha agus chuir agus chomh luath agus a bhí na geansannaí orthu bhí siad mar a bhí siad ariamh.

1.28.2   AN FEAR A BHÍ AG IARRAIDH INÍON

Bhí fear ann uair amháin agus ní raibh aige ach dhá mhac agus bhí buaireamh air cionn is nach raibh iníon aige. Tháinig bean fad leis lá amháin agus dúirt sí leis go bhfaigheadh sé iníon roimh a leithéid seo am ach go gcuirfí an dá mhac chun báis dá thairbhe seo.

Nuair a tháinig an lá a raibh sé ag gabháil a fháil an iníon d'imigh sé go dtí an teach mór agus chuir sé ceist ar na gardaí an ligfeadh siad dó iad a chur sa teach mór agus chuir siad ceist goidé a bhí sé ag gabháil a dhéanamh. Dúirt seisean go raibh siad ag gabháil ar fiáin agus gur mhaith leis iad a chur isteach go bhfaigheadh siad biseach. Dúirt siadsan go dtiocfadh leis cinnte.

Chuir sé isteach sa teach mór ar feadh trí bliana iad agus nuair a bhí na trí bliana a raibh siad ann thart tháinig siad amach. Nuair a tháinig siad chun an bhaile bhí an t-athair ina shuí i gcois na tineadh é féin agus an iníon. Nuair a tháinig siad chun an bhaile níor aithin an t-athair nó an iníon iad go raibh said tamall istigh.

Nuair bhí siad tamall beag ann d'inis siad do na n-athair gur iadsan a chlann. Bhí lúcháir mhór ar an athair nuair a chuala sé seo agus d'éirigh sé agus chroith sé láimh leo. Nuair a bhí a gcuid ite acu d'imigh fear acu amach go teach na gcomharsanach tamall. Nuair a tháinig sé isteach ar ais bhí duine de chuid na comharsanach leis isteach.

Tuairim is bliain ina dhiaidh seo d'imigh siad go hAlbain agus nuair a bhí siad leathbhliain thall tháinig siad anall. Pósadh an fear a ba sine acu ar iníon dochtúra agus bhí dóigh bhreá orthu ón lá sin go dtí an lá inniu.

1.28.3   AN FEAR A DHÍOL A THRIÚR INÍONACH

Bhí fear agus bean ann uair amháin agus bhí triúr iníonach acu. Bhí siad iontach bocht agus ní raibh slí bheatha ar bith acu ag gabháil chun na coilleadh a bhaint brosna agus a dhíol. Bhí carr agus asal ag an fhear agus nuair a bhainfeadh sé lód thugadh sé isteach chun an bhaile mhóir é.

Bhí sé lá amháin ag baint sa choillidh agus tháinig fear galánta chuige. D'fhiafraigh sé de an raibh iníon ar bith aige. Dúirt seisean go raibh triúr. "Bhail, má chuireann tú an bhean is sine acu chugamsa amárach, bhéarfaidh mé lán do charr de phingneacha duit uirthi." "Maith go leor" arsa an fear.

Tháinig sé chun an bhaile agus dúirt sé "bhéarfaidh mé í seo liom amárach le cuidiú liom, is mó a bhainfidh muid ár mbeirt". Rinne an bhean a ba sine de na hiníonacha réidh lá tharna mhárach agus bhí sí leis. Tháinig an fear uasal fána coinne. Thug sé lán carr de phingneacha don athair agus chuaigh sí leis. Nuair a chuaigh sé chun an bhaile tráthnóna d'fhiafraigh an mháthair de cá raibh an iníon. "Ó", arsa seisean, "shíl sí an siúl a bheith rófhada agus tá sí ag fanacht sa choillig go maidin ach bhéarfaidh mé í seo liom amárach".

Thug sé leis an dara iníon an lá tharna mhárach agus dhíol sé le fear inteacht eile í ar lán carr de sgillingeacha. Tháinig fear eile chuige ansin agus dúirt sé leis dá dtabharfadh sé an tríú bean chuigesean go dtabharfadh sé lán an charr de ghiníocha dó. "Maith go leor" arsa seisean. Nuair a chuaigh sé chun an bhaile d'fhiafraigh a bhean de cá raibh na hiníonacha. Dúirt sé léithe go raibh siad ins an choillidh agus go gcaithfeadh sé an tríú bean a thabhairt leis amárach.

Nuair a chuaigh sé chun na coilleadh lá tharna mhárach tháinig an fear a bhí ag caint leis an lá roimhe ré agus lán an charr de ghiníocha leis. Thug sé leis an iníon ab óige agus phill an fear chun an bhaile agus lán carr de ghiníocha leis. D'fhiafraigh an bhean de cá raibh na hiníonacha. Dúirt sé léithe gur dhíol sé an bhean a ba shine ar lán an charr de phingneacha, an dara bean ar lán an charr de scillingeacha agus an bhean ab óige ar lán an charr de ghiníocha. Thug sé na trí lód chun an bhaile ach ní raibh sin ag sású na máthaire ar chor ar bith—bhí sí buartha fána hiníonacha. Bhí sí ansin agus í ag caoineadh fána cuid páistí achan lá.

Bhí gasúr beag ansin acu agus bhí an gasúr ag coimheád ar a mháthair ag caoineadh ar fad agus ní raibh a fhíos aige goidé a bhí contráilte léithe. ''A mháthair'', arsa seisean lá amháin, ''tá mé ag coimheád ort ag caoineadh achan lá ón lá a thóg mé mo chos ón talamh agus níl a fhios agam goidé atá ort''.

''Bhail, tá sé chomh maith agam inse duit'' arsa an mháthair, agus d'inis sí dó an scéal fá na trí dheirfiúr. ''Bhail, mo dhún is mo dhorn ormsa'' arsa seisean, ''nach bhfaighim suaimhneas go bhfaighaidh mé amach iad''.

''Ó, ní choróchaidh tusa uainn'', arsa an mháthair, ''tá tú beag go leor againn féin'' ach chaithfeadh seisean imeacht. D'iarr sé uirthi lón bídh a dhéanamh réidh dó agus rinne sí réidh dhá bhonnóg aráin. Chuir sí ceist air cé acu ab fhearr leis, an bhonnóg mhór agus a mallacht nó an bonnóg bheag agus a beannacht. ''Is fearr liom an bhonnóg bheag agus do bheannacht'' a deir sé agus d'imigh sé ansin.

Shiúil sé leis go deachaigh sé go dtí coillidh mhór. Chuaigh sé isteach sa choillidh agus chonaic sé solas beag i bhfad uaidh agus tharraing sé ann. Ní raibh fán teach ach seanduine mór. D'fhiafraigh an seanduine goidé bhí ag cur bhuartha air agus d'inis an buachaill dó ón tús go dtí na deireadh. ''Fan agamsa go maidin'' arsa an seanduine agus b'fhéidir go dtabharfainn eolas amárach duit. Nuair a d'éirigh siad ar maidin chuir an seanduine each dubh leis, nach mbainfeadh ribe den ghaoth agus nach mbainfeadh an ghaoth aon ribe de, ''agus bhéarfaidh an t-each dubh thú fhad leis an fhathach a bhfuil an chéad bhean de do chuid deirfiúracha aige''. Shiúil leis go dtáinig sé fad le caisleán agus bhí cumhdach pingneacha uilig go léir ar an chaisleán. Léim sé anuas ón bheathach agus d'imigh an beathach uaidh. Chuaigh sé isteach agus tháinig bean an toighe fhad leis. Chuir sé ceist uirthi b'i a bhí ann agus dúirt sí gurbh í. D'inis sé daoithe ansin gurbh eisean a deartháir.

''Ó, nach trua mise'', arsa sise, ''ag amharc ar an fhathach do mharbhadh''. ''Bhail, troidfidh mise an fathach'', arsa seisean. Chuir sí i bhfolach ansin é agus nuair a tháinig an fathach'', dúirt sé. ''Mótháim boladh an Éireannaigh fá mo chaisleán anocht''. ''Ó, beidh sin agat fhad is a bheidh mise agat'' arsa sise.

Ach nuair a tháinig an lá chuartaigh an fathach an teach agus fuair sé an buachaill. ''Caithfidh tú mise a throid amárach'' a deir sé. Chuaigh an bheirt le chéile agus bhí siad ag troid go dtearna siad bogán den chreagán agus creagán den bhogán agus dá dtiocfadh fear ó íochtar an domhain go huachtar an domhain gur ar an dís a thiocfadh sé a dh'amharc.

Nuair a bhí neoin agus deireadh an lae ann thug an buachaill fusadh dó agus an dara ceann steall sé an chloigeann de. Thug sé léim eadar an cholainn agus an chloigeann. ''Char bhac duit'' arsa an fathach, ''dá bhfaighinnse ar a cholainn ar ais, feara fáil nach scarfadh é''. Chuaigh sé isteach chuici-se ansin agus ní raibh sise ag brath é a ligean ar shiúl ní b'fhaide ach dúirt seisean go gcaithfeadh sé an bheirt eile a chuartú. D'imigh sé leis ar maidin agus nuair a chuaigh sé amach tháinig an t-each dubh fhad leis ar ais agus thug sé go dtí caisleán é a raibh cumhdach scillingeacha air. Bhí fathach mór ansin a bhí i bhfad ní ba mhó ná an chéad cheann.

Chuaigh sé isteach ansin agus d'inis do na dheirfiúr goidé mar a bhí. "Ó, nach trua mé ag coimheád ar an fhathach do mharbhadh" arsa sise. Chuaigh sé i bhfolach i gcúl na comhladh agus tháinig an fathach agus tharraing sé amach as cúl na comhlach é. Thoisigh an troid ansin agus rinne siad mar rinneadh an chéad lá go dtí go dtáinig neoin agus deireadh an lae ann agus fuair an buachaill an bhuaidh ar an fhathach agus steall sé an cheann de. Thug sé léim eadar an ceann agus an cholainn. "Char bhac duit" arsa an fathach, "ach gurb é go dtearna tú sin". "Dá bhfaigheadh an ceann ar an cholainn ar ais, feara Éireann nach scarfadh é".

Chuaigh sé chuici-se ansin agus ní raibh seisean fá choinne é a ligean ar shiúl ní b'fhaide. Ach dúirt seisean go gcaithfeadh sé an tríú bean a fháil. D'imigh sé féin agus an t-each caol dubh lá tharna mhárach agus níor stad siad go raibh sé ag an chaisleán a raibh cumhdach na nginíocha air. Chuaigh sé isteach agus d'inis sé do na dheirfiúr cerbh é féin. Bhí lúcháir iontach uirthi roimhe ach dúirt sí go raibh eagla uirthi go muirfeadh an fathach é.

Tháinig an fathach tráthnóna agus dúirt sé "Mothaím boladh na Éireannaigh anseo anocht". Chuartaigh sé an teach agus fuair sé an buachaill i bhfolach i gcúl na comhladh. "Caithfidh tú mise a throid amárach".

Ar maidin chuaigh an bheirt acu i gceann a chéile agus throid siad go dtáinig neoin agus deireadh an lae. Ansin steall an buachaill an ceann de. Thug sé léim eadar an ceann agus an cholainn. "Char bhac duit" arsa an fathach, "dá bhfaighinnse ar a cholainn ar ais, feara fáil nach scarfadh mé". Bhí an tríúr marbh ansin aige. Phill sé ansin go dtí an áit a raibh sise.

Dúirt sise go raibh áit ghalánta anseo aici agus gur mhór an truaighe é a fhágáil. "Bhéarfaidh muid linn ár sáith de" arsa seisean. Thug siad leo an méid a tháinig leo den ór ansin agus d'imigh siad go dtí an caisleán a raibh na scillingeacha air. Bhí lúcháir uirthi-se rompu agus dúirt sí leo, "Fanóchaidh sibh anseo agamsa—is mór an truaighe an áit seo a fhágáil. "Ó, bhéarfaidh muid ár sáith linn" arsa an buachaill, "agus rachaidh muid chun an bhaile". Thug siad leo an méid a thiocfadh leo de gach ollmhaitheas a bhí sa chúirt agus d'imigh leo.

Nuair a chuaigh siad go dtí an caisleán a raibh an cumhdach pingneacha air bhí lúcháir mhór ar a ndeirfiúr rompu agus d'iarr sí orthu uilig fanacht aici-se feasta. Ní dhéanfadh siad sin ach thug siad leo an méid saibhris is a thiocfadh leo agus d'imigh siad chun an bhaile chuig a n-athair agus a mháthair agus ní raibh daoine fán áit a bhí leath chomh saibhir leo ón lá sin amach.

1.29   OISÍN I dTÍR NA nÓG

Lá dá raibh na Fianna amuigh ag seilg shuigh siad a dhéanamh scíste ar thaobh cnoic. Ní raibh siad i bhfad ina suí nó gur amharc fear acu siar agus go bhfaca toirt amuigh ar an fharraige eadar iad féin agus luí na gréine. "Dearc" arsa seisean, ag síneadh a mhéir "An bhfeiceann sibh dadaidh?" D'amharc achan fhear siar, "Long a chaithfeas a bheith ann", arsa duine acu.

"Maise níl déanamh loinge air", arsa an dara fear. "Goidé eile a bheadh ann" arsa an tríú fear. Ach ba ghairid go dtáinig an toirt níos deise daofa agus gur aithin siad nach long ná bád a bhí ann, ach each diallaide agus marcach ar a dhroim. Nuair a tháinig sé isteach in aice leo thug na Fianna fá deara gur each geal, bán a bhí ann agus é gléasta ní ba deise ná each ar bith dá bhfaca siad ariamh in Éirinn.

Bhí cailín óg mar mharcach air. Culaith den tsíoda uirthi ba deise dá bfaca súil ariamh. Bhí coróin lonrach ar a ceann agus a gruaig bhuí ina dlaonnaí anuas ar a guailneacha. Shiúil léithe aníos taobh an chnoic go dtí an áit a raibh na Fianna ina suí. D'éirigh Fionn agus chuir fáilte roimpi agus chuir ceist uirthi goidé an tír a dtáinig sí as.

"Tháinig mise" ar sí, "as tír nach bhfuil a leithéid faoi rapadh na gréine, is é sin Tír na nÓg, tír nach dtáinig tinneas, buaireamh nó anró ar aon duine ariamh ann. Tháinig mé trasna na farraige go dtí seo. Chuala mé go raibh fear anseo darbh ainm Oisín agus ba mhaith liom dá dtiocfadh sé liom. Má théid sé liomsa dhéanfaidh mé Rí de ar Thír na nÓg".

Ní raibh Oisín sásta a ghabháil léithe. Sa deireadh thug sí amach úll a bhí istigh i mála léithe. D'iarr sí ar Oisín greim a bhaint as. D'ith sé uilig é. "Ar mhaith leat a bheith sa tír sin ina bhfásann na húllaí, tá siad chomh tiubh ag mo thaobhsa le clocha beaga".

Sa deireadh chaith Oisín é féin ar an each gheal, bhán ar chúl Niamh Chinn Óir, nó ba é sin ainm na hainnire. Bhí cumhaidh ar na Fianna agus ar Fhionn nuair a d'fhág Oisín slán acu agus d'imigh go Tír na nÓg.

D'imigh siad amach ar an fharraige mar bheadh siad ag siúl ar an talamh, agus nuair a bhí siad amuigh i lár na farraige chonaic siad néal beag, dubh amuigh ag bun na spéire. "Sin Tír na nÓg" arsa Niamh Chinn Óir.

Shroich siad é agus cuireadh fearadh na fáilte roimh Niamh agus Oisín. D'fhan Oisín i dTír na nÓg trí chéad bliain agus shíl sé nach raibh sé thiar ach trí bliana. Lá amháin dúirt sé le Niamh Chinn Óir go raibh sé ag gabháil go hÉirinn a d'amharc ar a mhuintir. D'iarr sise air gan a ghabháil ach ní raibh maith a bheith ag caint leis. Sa deireadh thug sí an t-each bán dó agus d'iarr sí air, ar a bhás gan tuirling den each, nó nach bfeicfeadh sí é a choíche arís. Gheall Oisín daoithe nach dtiocfadh sé anuas den each ar chor a bith. D'imigh sé leis go hÉirinn agus bhí iontas na n-iontas air fán athrú a bhí tagaithe ar an tír, agus hinseadh do go raibh na Fianna marbh leis na céadtaí bliain agus gur bheag eolas a bhí orthu anois. Bhí cumhaidh mhór ar Oisín agus d'imigh sé leis ag pilleadh arís ar Thír na nÓg.

Tháinig sé ar scaifte mór fear agus iad ag iarraidh cloch bheag a bhogadh agus gan é ag teacht leo. Bhí iontas air chomh beag brí agus bhí iontu. Chuir sé síos a láimh leis an chloch a thógáil ach bhris an bheilt leis agus thit sé chun talaimh. D'imigh an t-each bán leis. Chomh luath agus bhuail Oisín an talamh d'éirigh sé ina sheanduine chríon, chaite agus ní raibh ann ach é go raibh sé abalta siúl. Bhí sé buartha, brónach agus ní fhaca sé Tír na nÓg ní ba mhó.

Bhí Naomh Pádraig in Éirinn san am agus lá amháin casadh é féin agus a chomhluadar ar Oisín agus nuair a chuala sé an scéal iontach a bhí ag an tseanduine dúirt sé leis go mbaisteochadh sé é. Rinne sé sin agus fuair Oisín bás ar an bhomaite.

62

1.30 AN GHIRSEACH AR FOSTÓDH

Bhí girseach ag gabháil ar fostódh lá amháin agus rinne a máthair bonnóg mhór agua a mallacht agus bonnóg bheag agus a beannacht. D'imigh sí léithe agus chuaigh sí go dtí teach agus ní raibh ann ach seanbhean agus fuair sí fostódh. Bhí an tseanbhean ag imeacht agus d'iarr sí ar an ghirseach gan amharc suas san tsimléir agus nuair a fuair sí ar shiúl í d'amharc sí suas sa tsimléir agus chonaic sí mála óir agus airgid agus d'imigh sí leis. Chuaigh sí giota agus casadh caora uirthi.

"Lom mé, lom mé" arsa an chaora "no níor lomadh le seacht mbliana mé".

Chuaigh sí giota eile agus casadh capall uirthi.

"Cíor me, cíor mé" arsa an capall "nó níor cíoradh le seacht mbliana mé".

Chuaigh sí giota eile agus casadh capall uirthi.

"Bligh mé, bligh mé" arsa an bhó "nó níor blíodh le seacht mbliana mé", agus d'imigh sí léithe.

Chuaigh sí giota eile agus casadh muileann uirthi.

"Cuir a ghabháil mé, cuir a ghabháil mé" arsa an muileann "no níor cuireadh a ghabháil le seacht mbliana mé" agus luigh sí ar an taobh thall den mhuileann agus chuaigh an tseanbean á cuartú.

Tháinig sí go dtí an chaora an chéad uair agus chuir sí ceist uirthi an dtáinig girseach ar bith an bealach seo. Dúirt an chaora go dtáinig agus go dteachaigh sí síos go dtí an capall. Chuaigh sí go dtí an capall. Chuaigh sí go dtí an capall agus chuir ceist air an dtáinig girseach ar bith an bealach seo.

Dúirt an capall go dteachaigh sí síos go dtí an bhó. Chuaigh sí síos go dtí an bhó agus chuir ceist uirthi an dtáinig girseach ar bith an bealach seo. Dúirt an bhó go dteachaigh sí síos to dtí an muileann. Chuaigh sí síos go dtí an muileann ansin agus chuir ceist air an dtáinig girseach ar bith an bealach seo. Dúirt an muileann "sin thall ina luí í".

Bhain an tseanbhean daoithe mála an airgid agus an t-ór agus bhuail sí le slat na draíochta í agus thiontaigh sí isteach ina cloch.

Nuair a bhí an chéad deirfiúr bliain ar shiúl dúirt an dara deirfiúr go raibh sise ag imeacht ar fostódh anois. Rinne a máthair bonnóg mhór agus a mallacht agus bonnóg bheag agus a beannacht. D'imigh sí léithe agus chuaigh sí go dtí teach agus ní raibh ann ach seanbhean agus fuair sí fostódh. Bhí an tseanbhean ag imeacht agus d'iarr sí ar an ghirseach gan amharc suas san tsimléir agus nuair a fuair sí ar shiúl í d'amharc sí suas sa tsimléir agus chonaic sí mála óir agus airgid agus d'imigh sí leis. Chuaigh sí giota agus casadh caora uirthi.

"Lom mé, lom mé" arsa an chaora "no níor lomadh le seacht mbliana mé".

Chuaigh sí giota eile agus casadh capall uirthi.

"Cíor mé, cíor mé arsa an capall" "nó níor cíoradh le seacht mbliana mé".

Chuaigh sí giota eile agus casadh bó uirthi.

"Bligh mé, bligh mé" arsa an bhó "nó níor blíodh le seacht mbliana mé".

Chuaigh sí giota eile agus casadh muileann uirthi.

"Cuir a ghabháil mé, cuir a ghbháil mé" arsa an muileann "nó níor cuireadh a ghabháil le seacht mbliana mé" agus luigh sí ar an taobh thall den mhuileann ag taobh an chlaí agus chuaigh an tseanbhean a chuartú.

Tháinig sí go dtí an chaora an chéad uair agus chuir sí ceist uirthi an dtáinig girseach ar bith an bealach seo. Dúirt an chaora go dtáinig agus go dteachaigh sí síos go dtí an capall. Chuaigh sí go dtí an capall agus chuir ceist air an dtáinig girseach ar bith an bealach seo. Dúirt an capall go dteachaigh sí síos go dtí an bhó. Chuaigh sí síos go dtí an bhó agus chuir ceist uirthi an dtáinig girseach ar bith an bealach seo. Dúirt an muileann "sin thall ina luí í".

Bhain an tseanbhean daoithe mála an airgid agus an t-ór agus bhuail sí le slat na draíochta í agus thiontaigh sí isteach ina cnapán cloiche.

Agus nuair a bhí sí seo bliain ar shiúl dúirt an deirfiúr eile go raibh sise ag imeacht a fostódh anois. Rinne an mháthair bonnóg bheag is a beannacht agus bonnóg mhór is a mallacht. Chuaigh sí go dtí an chéad teach ach ní raibh ann ach seanbhean agus bhí sí ag imeacht agus arsa sise léithe "ar do bhás ná hamharc suas sa tsimléir".

Nuair a d'imigh sí d'amharc an cailín suas an simléir agus chonaic sí mála airgid agus óir. Thug sí léithe an mála agus d'imigh sí leis. Chuaigh sí giota agus casadh caora uirthi.

"Lom mé, lom mé", arsa an chaora "nó níor lomadh le seacht mbliana mé". Chaith sí daoithe an mála agus lom sí í.

Chuaigh sí giota eile agus casadh capall uirthi.

"Cíor mé, cíor mé "arsa an capall "no níor cíoradh le seacht mbliana mé".

Chaith sí daoithe an mála agus chíor sí é.

Chuaigh sí giota eile agus casadh bó uirthi.

"Bligh mé, bligh mé" arsa an bhó "nó níor blíodh le seacht mbliana mé". Chaith sí daoithe an mála agus bhligh sí í.

Chuaigh sí giota eile agus casadh muileann uirthi.

"Cuir a ghabháil mé, cuir a ghabháil mé" arsa an muileann "nó níor cuireadh a ghabháil le seacht mbliana mé".

Chaith sí daoithe an mála agus chuir sí a ghabháil é.

Ansin luigh sí síos taobh thall den mhuileann ag taobh an dá chloch.

Nuair a tháinig an tseanbhean chun an bhaile chonaic sí go raibh an cailín imithe agus d'imigh sí á cuartú.

Tháinig sí go dtí an chaora ansin agus chuir sí ceist uirthi an dtáinig girseach ar bith an bealach.

Dúirt an chaora go dtáinig agus go dteachaigh sí síos go dtí an capall.

Chuaigh sí go dtí an capall agus chuir ceist air an dtáinig girseach ar bith an bealach seo.

Dúirt an capall go dtáinig agus go dteachaigh sí síos go dtí an bhó. Chuaigh sí chuig an bhó agus chuir ceist uirthi an dtáinig girseach ar bith an bealach seo.

Dúirt an bhó go dtáinig agus go dteachaigh sí síos go dtí an muileann.

Chuaigh sí síos go dtí an muileann agus chuir ceist air an dtáinig girseach ar bith an bealach seo.

Dúirt an muileann léithe "Ní chluinim thú".

Theann sí anonn leis an mhuileann agus chas an muileann suas í. Ansin bhain sí daoithe slat na draíochta agus thug sí don ghirseach í agus d'iarr sí uirthi an chloch sin a bhuaileadh léithe. Bhuail agus thiontaigh an dá chloch ina dhá ngirseach.

D'imigh an triúr deirfiúr chun an bhaile agus bhí dóigh bhreá orthu ó sin amach.

1.31 CAILLEACH ABHRAS

Bhí fear agus bean ann uair amháin. Bhí sé ag teacht cóngarach do lá Nollag agus bhí gréasán báinín acu le sníomh agus le cardáil agus le culaith a bheith déanta as an bháinín don fhear lá Nollag. Bhí an bhean i lár an anáis. Ní raibh a fhios aici goidé mar a gheobhadh sí seo déanta.

Tháinig bean sí isteach chuici lá amháin agus d'fhiafraigh sí daoithe goidé a bhí ag cur bhuartha uirthi. D'inis bean an toighe a scéal daoithe.

"Bhéarfaidh mise liom é" arsa an bhean sí "agus beidh sin uilig déanta agam fá do choinne lá Nollag má bhíonn tú ábalta inse domh an lá sin cén t-ainm a bheas orm ach mura raibh coinneochaidh mé féin uilig é."

Thug sí léithe an gréasán agus bhí bean an toighe chomh holc agus a bhí sí ariamh nó ní raibh a fhios aici cén t-ainm a bhí ar an bhean tsí. Chuaigh sí fhad le cailleach na gcearc an oíche sin agus d'inis sí a trioblóid daoithe.

"Anois" arsa an chailleach "le coim na hoíche gabh go dtí an bhinn údaí thall agus b'fhéidir go gcluinfeá iad ag tabhairt a hainm uirthi istigh".

Rinne sise mar a hiarradh uirthi. Chuaigh sí fhad leis an bhinn agus chuala sí an glór ag rá:

"Sníomhaigí, sníomhaigí, a chailíní, is beag a shíleas bean an ghréasáin gur Cailleach Abhras m'ainmsa".

D'imigh sí chun an bhaile ar an bhomaite agus í bhreá sásta léithe féin nuair a fuair sí amach an t-ainm.

Lá roimh lá Nollag tháinig an bhean tsí agus an chulaith déanta léithe agus fuílleach an ghréasáin.

"C'ainm atá orm anois?" arsa sise le bean an toighe.

"Cailleach Abhras" arsa sise.

"Cé a d'inis sin duit?" arsa sise. "Caithfidh tú tráth maith bídh a chéanamh réidh domhsa agus do mo chuid cailíní ar son na hoíche seo".

Rinne bean an ghréasáin an méid a bhí sa teach réidh agus tháinig an bhean tsí agus dhá chloigeann déag cailín agus thoisigh said ag ithe, gur ith siad a raibh ann agus ní dhearna sé maith ar bith daofa. D'iarr siad thuilleadh.

Tugadh sac mine coirce daofa agus d'imigh bean an ghréasáin chuig cailleach na gcearc arís ag inse daoithe go raibh an scaifte aici — nach raibh sí ábalta a sáith a thabhairt le hithe daofa agus nach raibh a fhios aici faoin spéir goidé mar a gheobhadh sí amach as an teach iad.

"Rith isteach chun an toighe anois" a dúirt cailleach na gcearc léithe agus abair "tá Binn Éadair ar thine" agus nuair a gheobhas tú amuigh iad ná fág rud ar bith istigh sa teach nach gceanglóchaidh tú, fear an toighe agus eile ach tú féin.

Bhí go maith. Rith bean an ghréasáin chun an bhaile agus nuair a bhí sí ag teacht chóir an toighe thoisigh sí ag scairtigh amach "tá Binn Éadair ar thine".

"Ó", a dúirt an bhean tsí "tá ár guid páistí agus a bhfuil againn dóite" agus rith sí féin agus na cailíní amach ar an doras agus bhí siad ag bun na binne sula dtug siad fá deara an bob a buaileadh orthu. Phill siad arís agus bhí an doras druidte.

"Foscail, a fhear an toighe" arsa siad.

"Cha dtig liom, tá mé ceangailte" arsa seisean.

D'iarr siad ar chúpla rud eile istigh foscladh ach bhí achan rud ceangailte.

D'iarr said ar bhean an toighe foscladh daofa ansin "nó an bhfuil tusa ceangailte fosta?" arsa bean acu.

"Níl" arsa sise "nó níl aon rud agam a cheanglóchas mé.

"Bhail, gabh anseo" arsa an bhean tsí "agus cuirfidh mise trí ribe de mo chuid gruaige isteach ar bhun an dorais chugat a cheanglóchas tú".

Ní dhearna bean an toighe ach breith ar na ribí agus iad a sháthadh isteach sa tine.

"Teann, teann a ribe" arsa an glór taobh amuigh.

Is doiligh dúinne é" arsa na ribí "agus muid chomh hataithe le bullaí istigh sa tine".

"An té a thug an chomhairle seo daoibh beidh daor air" arsa an glór "agus anois ádh mór ort féin agus ar do ghréasán agus go maire fear an toighe a chulaith úr amárach. Ní thiocfaidh muidinne de chóir feasta".

1.32.1   BEAN AN GHRÉASÁIN

Bhí bean lá ag sníomh sa chistineach nuair a tháinig bean sí isteach chuici. Bhí an bhean gnoitheach ag déanamh ball inteacht agus thug an bhean sí gréasán daoithe agus dúirt léithe culaith éadaigh fir a dhéanamh as agus gan a dhath den ghréasan bheith fágtha ach san am chéanna gan í bheith gann ann. Dúirt sí léithe an chulaith a bheith déanta réidh aici roimh lá Nollag agus go dtiocfadh sí féin fána choinne nuair a bheadh an t-am ann. Bhí an bhean bhocht i gcruachás. Bhí a fhios aici go maith nárbh fhéidir daoithe an chulaith a dhéanamh gan giotaí bheith fágtha. Ansin smaointigh sí ar chailleach na gcearc. Chuaigh sí chuici agus d'inis a trioblóid daoithe.

"Tabhair chugamsa an gréasán" arsa an chailleach "agus tar ar ais seachtain ó inniu agus beidh an chulaith réidh agamsa mar a d'ordaigh an bhean sí duit."

Tugadh an gréasán chuici agus fuair an bhean a culaith fir réidh agus d'fhág sí i dtaiscidh í fá choinne an lae a thiocfadh an bhean sí á chuartú.

Tháinig sí. "Anois" arsa sise "fágfaidh mé an chulaith seo ag d'fhear agus ní bheidh le déanamh agat ar a shon ach béile beag bídh a dhéanamh
66

réidh domh féin agus do mo chuid cailín''. Rinne an bhean réidh an méid a bhí sa teach faofa agus tháinig an bhean sí agus dhá chloigeann déag cailíní léithe gur ith siad a raibh ann. Níor aithin siad acu é. D'iarr siad tuilleadh. Thug an bhean sac mine coirce daofa agus fhad agus a bhí siad á ithe d'imigh sí chuig cailleach na gcearc agus d'inis sídaoithe nach raibh sí ábalta an bhean sí agus a cuid cailín a fháil amach as an teach mar nach n-imeochadh siad go raibh a sáith ite acu agus nach dtiocfadh léithe a sáith a thabhairt le hithe daofa mar go raibh an greim deireannach acu anois agus gur gairid go mbeadh siad ag iarraidh tuilleadh.

''Imigh leat chun an bhaile'' arsa cailleach an gcearc léithe ''agus nuair a thiocfas tú fhad leis an doras scairt amach go bhfuil Binn Éadair ar thine. Bhéarfaidh siad uilig iarraidh amach agus nuair a gheobhaidh tú amuigh iad dún and doras agus ceangal achan rud á bhfuil istigh agus ná lig aon duine acu isteach níos mó''.

Bhí go maith. Rinne an bhean mar a hiarradh uirthi. Nuair a tháinig sí fá fhad scairte den doras scairt sí amach. ''Tá Binn Éadair ar thine, tá Binn Éadair ar thine''. ''Ó, m'fhear, mo chlann agus a bhfuil agam'' arsa na mná uilig as béal a chéile agus siúd amach ar an doras iad uilig i mullach a chéile. Nuairt a fuair an bhean amuigh iad dhún sí an doras agus níor fhág sí a dhath faoi chreathacha an toighe nár cheangail sí uilig fiú amháin fear an toighe.

Chuaigh na mná go dtí an bhinn agus nuair a chonaic siad nach raibh an áit ar thine agus go raibh a gcuid fear agus a gclann agus achan rud go maith, phill siad arís. Nuair a tháinig siad go dtí an doras bhí sé dúnta. D'iarr siad ar bhean an toighe foslú ach níor thug sí freagra ar bith orhtu… D'iarr siad ar fhear an toighe ansin foslú ach d'inis sé daofa nach dtiocfadh leis mar go raibh sé ceangailte. D'iarr sí ar an scuab an doras a fhoslú daoithe ach dúirt an scuab ''tá mé ceangailte agus ní thig liom''. D'iarr sí ar an chiteal, ar an dreasúr agus ar a lán nithe eile istigh foslú daoithe ach bhí an scéal céanna acu uilig ''Ní thig liom, tá mé ceangailte''. Sa deireadh dúirt an bhean sí ''An bhfuil tusa ceangailte fosta, a bhean an toighe?''.

''Níl'' arsa sise ''mar níl oiread agam agus a cheanglóchas mé''.

''Cuirfidh mé isteach ribe mo cinn chugat'' arsa bean dá raibh sa scaifte amuigh léithe ''agus thig leat tú féin a cheangal leis''.

Chuir sí isteach ribe chuicí faoi bhun an dorais. Rug an bhean istigh air. Chuaigh suas go dtí an tine agus chaith an ribe isteach i lár na tineadh.

''Teann, teann, a ribe arsa glór ón taobh amuigh''.

''Is doiligh domh é'' arsa an ribe ''agus mé mo rósadh i lár na tineadh''.

''Teann, teann, a ribe'' arsa glór ón taobh amuigh.

''Is doiligh domh é'' arsa an ribe arís ''agus mé ar mo bhealach amach an simléir''.

''Tá an bhuaidh agat orm'' arsa an bhean sí. ''Níl le déanamh againn anois ach imeacht ach go bhfóirí Dia ar chailleach na gcearc atá do chomhairliú-sa san obair seo. Slán leat anois agus Nollaig shona duit agus go maire d'fhear a chulaith úr. Ní thiocfaidh muid in aice leat feasta.''

1.32.2 "BEAN AN DÁ ADHAIRC DÉAG"

Bhí bean ag sníomh barraigh oíche amháin i ndiaidh an mheáin oíche. Tháinig bean isteach a raibh adharc uirthi agus d'iarr rollóg go dtéadh sí a chuidiú agus fuair. Tamall ina dhiaidh sin tháinig bean isteach a raibh dhá adharc uirthi agus d'iarr rollóg go dtéadh sí a chuidiú agus fuair. Bhí siad ag teacht isteach leo go dtáinig bean isteach a raibh dhá adharc déag uirthi agus badh í sin an mhaighistreás a bhí orthu.

Nuair a bhí siad tamall istigh dúirt bean an dá adharc déag an raibh smaointeamh bith aici braon tae a dhéanamh réidh daofa. "Maise" a dúirt bean an toighe "níl aon deor uisce istigh. "Bhail", a dúirt an bhean eile ansin "tá tobar beag thíos ansin agus ní bheidh tú i bhfad ag tabhairt isteach braon".

D'imigh an bhean síos fá dhéin an uisce agus í iontach scanraithe. Bhí fear ag an tobar roimpi agus dúirt sé léithe "Tá scaifte thuas agat". "Tá" arsa sise "agus níl a fhios agam goidé a dhéanfas mé leo". "An bhfuil a fhios agat goidé a dhéanfas tú" ar seisean, "nuair a rachas tú suas, scairt go bhfuil an lios le thine agus chomh luath géar is a gheobhas tú an bhean dheireannach acu amuigh, druid an doras agus ná lig isteach níos mó iad".

Chuaigh an bean suas agus scairt sí "Tá an lios le thine". D'imigh na mná amach i mullach a chéile agus bhris siad na hadharca ag gabháil amach ar an doras daofa. Dhruid an bhean an doras ina ndiaidh agus chuir sí an bolta go maith air.

Tháinig siad tamall ina dhiaidh sin agus d'iarr iad a ligean isteach. Dúirt an bhean nach ligfeadh. Dúirt siadsan go gcaithfeadh siad fáil isteach nó go raibh an stól ar chúl a chinn. Dúirt sise nach raibh ag imeacht agus a thógáil. Bhí siad ag béicigh agus ag scairtigh ag an doras gur scairt an coileach ar maidin.

1.33 BEIRT NA CRUITE

Bhí fear ann fada an lá agus chaill sé beathach. Oíche amháin chuaigh sé á chuartú. D'imigh sé síos bealach mór a bhí iontach uaigneach. Shiúil sé leis go dtí gur casadh creag air. Sheasaigh sé agus mhothaigh sé an ceol. D'fhoscail doras agus d'iarr siad air a ghabháil isteach.

Chuaigh sé isteach agus chonaic sé an rí ina shuí in airde ar an mhullaigh. Shuigh siad thart agus thoisigh siad a cheol. Is é an t-amhrán a dúirt siad — Dé Luain, Dé Máirt — Dé Luain, Dé Máirt go dtí go dtáinig sé ar an fhear seo é a rá. Dé Luain, Dé Máirt, Dé Luain, Dé Máirt, Dé Luain, Dé Máirt, Dé Céadoine (a dúirt seisean).

Bhí an oiread lúcháire ar an rí gur iarr sé ar na fir é a thabhairt aníos go mbainfeadh siad an chruit de. Tháinig an fear chun an bhaile agus ní raibh cruit ar bith air. Bhí fear eile sa bhaile fosta agus bhí cruit air féin. Chuir an fear ceist air cá bhfuair sé an chruit de ach ní inseochadh sé dó. Nuair a bhí dhá scór bliain thart d'inis sé dó é. Cupla oíche ina dhiaidh seo chuaigh sé síos go dtí an chreag agus foscladh dó. Thoisigh siad a cheol. Is é an t-amhrán a thoisigh siad a rá De Luain, Dé Máirt — Dé Luain, Dé Máirt, Dé Céadaoine go dtí go dtáinig sé ar an fhear seo a rá. Dé Luain, Dé Máirt — Dé Luain, Dé Máirt, Dé Céadoine agus Déardaoin (a dúirt sé).

Bhí oiread corraí air leis gur iarr sé ar a chuid fear é a thabhairt aníos chuige agus chuir sé an chruit air. D'imigh sé agus dhá chruit air ansin.

1.34.1 TARLACH AGUS AN BUACHAILL CAOL RUA

Bhí fear agus bean ann fada ó shin agus bhí mac acu arbh ainm do Tarlach. Duine gan rath a bhí i dTarlach. Bheadh sé ar shiúl leis achan oíche go maidin agus bhí seo ina dhrochshampla ag an chuid eile den teaghlach. Oíche amháin bhí sé amuigh go dtí an trí a chlog agus ag pilleadh chun an bhaile dó casadh a athair air sa doras. Shín sé cúig phunt chuig Tarlach agus d'iarr air giota a baint de. Ghlac Tarlach an t-airgead agus shiúil leis go dtáinig sé fhad le roilig. D'amharc sé isteach sa roilig agus goidé tchí sé ach scaifte mór daoine agus iad ag troid. Chuaigh sé isteach agus chuir sé ceist orthu goidé an troid a bhí orthu.

"Tá" arsa fear acu "tá fear anseo nach ligeann dúinn a corp a chur siocair go bhfuil fiacha aige air". "Cá mhéad atá le fáil aige" arsa Tarlach. "Cúig phunta" arsa an fear eile. Shín Tarlach nóta cúig phunta anonn chuige agus d'iarr air na fiacha a dhíol. Rinneadh amhlaidh agus cuireadh an corp.

D'imigh Tarlach leis amach as an roilig agus shiúil leis gur casadh buachaill caol rua air. "Cá bhfuil tú ag gabháil" arsa buachaill caol rua le Tarlach. D'inis Tarlach dó gur cuireadh as baile é agus nár mhiste leis cá rachadh sé. "Bhail, an ndéanfaidh tú mise a fhostódh?" arsa an buachaill caol rua. "Dhéanfainn agus fáilte" arsa Tarlach "ach níl aon phingin agam le tú a dhíol". "Ná bac le sin" arsa an buachaill "rachaidh mé leat".

Shiúil siad leo gur casadh fear eile orthu a raibh sop cocháin ina ghaothsán aige. "Goidé an cineál duine thusa?"arsa an buachaill caol rua". "Cha dtáinig a dhath romhamsa ariamh" arsa an fear leo "nach séidfinn le mo ghaothsán". "Déanfaidh muid é a fhostódh" arsa an buachaill rua. "Tá muid féin go leor ann" arsa Tarlach. "Ná bac le sin" arsa an buachaill rua agus d'imigh siad leo ag siúl arís.

Shiúil siad a dtriúr leo go bhfaca siad fear ina sheasamh taobh le balla agus a aghaidh ar an domhan thoir. "Goidé an cineál duine thusa?" arsa an buachaill caol rua. "Tá mise i mo sheasamh anseo ag éisteacht leis an fhéar ag fás sa domhan thoir" arsa an fear leis. "Dhéanfaidh muid é a fhostódh" arsa an buachaill rua. "Tá muid féin go leor ann" arsa Tarlach. "Ó na bac le sin" arsa an buachaill rua, bhearfaidh muid linn é" agus thug.

Shiúil siad leo giota eile agus casadh fear orthu a raibh a chos greamaithe de na thóin. "Goidé an cineál duine thusa?" arsa an buachaill caol rua leis. "Níl mo shárúsa le fáil ag rith ar an domhan" arsa seisean. "Bhéarfaidh muid linn é" arsa an buachaill rua. "Nach bhfuil muid féin go leor ann" arsa Tarlach ach d'fhostaigh siad é agus bhain giota de arís.

69

Shiúil siad leo ar a suaimhneas gur casadh fear orthu a raibh busáid leis. "Goidé an cineál duine thusa?" arsa an buachaill caol rua agus d'fhreagair an fear "níor scaoil mise le dhath ariamh nár aimsigh mé". Rinne siad é a fhostódh agus bhuail siad an bóthar arís. I gceann tamaill casadh fear orthu a raibh eochair leis. "Cad chuige a bhfuil tú don eochair sin?" arsa an buachaill caol rua. "Is cuma goidé an glas é fosclóchaidh an eochair seo é" arsa an fear. Le scéal fada a dhéanamh gairid d'fhostaigh siad é agus shiúil leo arís agus casadh fear orthu a raibh tóin iarainn air.

Labhair siad leis agus dúirt seisean nár shuigh sé ar a dhath ariamh nár bhris sé. "Dhéanfaidh muid é a fhostódh" arsa buachaill rua. "Maise tá go leor againn ann" arsa Tarlach. "Bí do thost" arsa an buachaill rua agus thug siad leo é.

Shiúil siad leo ansin agus nuair a bhí siad ag teacht a chóir chathair an Rí dúirt an buachaill caol rua "rachaidh muid isteach agus iarrfaidh muid iníon an Rí duitse". "Chá dtéid leoga" arsa Tarlach "nó rachadh mo cheannsa ar an spíce taobh amuigh den gharradh". "Ná bac le sin" arsa an buachaill caol rua", rachaidh muid isteach, agus chuaigh. D'inis an buachaill rua a ngnoithe, cuireadh fáilte rompu agus chaith siad an oíche go pléisiúrtha. Thug iníon an rí fáinne do Tharlach an oíche sin agus d'iarr air an fáinne sin a bheith aige ar maidin nuair a thiocfadh sise.

Chuaigh siad uilig a luí agus i lár na hoíche d'éirigh an cailín óg agus ghoid sí an fáinne amach as póca Tharlaigh agus dúirt na focla seo:

"Is trua gan mé taobh amuigh de dhoirse,
Is trua gan mé taobh amuigh de gheaftaí,
Is trua gan mé ag mo róghrá féin anocht".

Bhí an buachaill caol rua ag éisteacht léithe. Dúirt seisean na focla céanna agus bhí sé i dteach a grá chomh luath léithe. Choinnigh sé súil ghéar uirthi agus chonaic sé í ag tabhairt an fháinne dona grá agus chuala sé í ag iarraidh air gan é a chailleadh. Nuair a d'imigh sí chuaigh Tarlach isteach. Goid sé an fáinne agus bhí sé ar ais i gcathair an Rí chomh gasta léithe. Chuir sé an fáinne i bpóca Tharlaigh arís agus nuair a tháinig sise a iarraidh an fháinne ar maidin shín Tarlach a láimh ina phóca agus thug daoithe é. Chuaigh Tarlach fhad leis an Rí agus dúirt sé "Tá trian de d'iníon agam anois". "Tá" arsa an Rí, "ach má tá féin is le fuath agus dubhghráin duit atá sí agat".

Chaith siad oíche eile phléisiúra agus ansin chuaigh siad uilig a luí. Nuair a mheas sise iad uilig a bheith ina gcodladh, d'éirigh sí agus ghoid sí an fáinne as póca Tharlaigh arís. Dúirt sí na focla céanna a dúirt sí an oíche roimhe ré, go raibh sí ag teach a grá ghil arís. Bhí an buachaill caol rua ag éisteacht arís. Chonaic sé í ag síneadh an fháinne chuig an stócach agus ag iarraidh air, ar a bhás gan é a chailleadh nó gur goideadh é an oíche roimh ré. Ghoid an buachaill caol rua an fáinne arís agus bhí sé sa bhaile chomh luath léithe-se.

Chuir sé an fáinne i bpóca Tharlaigh agus nuair a tháinig sise a iarraidh an fháinne ar maidin thug Tarlach daoithe é. "Tá dhá thrian de d'iníon agam anois" arsa Tarlach leis an rí. "Má tá féin is le fuath agus dubhghráin duit" arsa an rí.

Ghoid sí an fáinne arís an tríú oíche ach bhagair sí ar an stócach é a chur i bhfolach go maith nó dá bhfaigheadh Tarlach an oíche sin é go gcaithfeadh sí é a phósadh. Chuir an stócach an fáinne isteach i mbosca agus chuir an glas ar an bhosca. Cuireadh an bosca sin isteach i mbosca eile agus cuireadh glas air agus ansin cuireadh an dhá bhosca isteach i dtrunca mór agus cuireadh glas láidir air. Bhí an buachaill caol rua ag coimheád ar seo uilig agus dar leis féin "tá buaite acu orm". Ach le sin smaointigh sé ar an fhear a raibh an eochair aige agus as go brách leis an méid a bhí ina chorp go bhfuair sé fear na heochrach. Níor ghlac sé bomaite na boscaí a fhoscailt. Thug an buachaill rua leis an fáinne. Bhain cathair an rí amach agus chuir an fáinne i bpóca Tharlaigh. Tháinig sise isteach ar maidin agus aoibh gáirí uirthi ag iarraidh an fháinne ach thiontaigh an aoibh nuair a chuir Tarlach a lámh ina phóca agus thug daoithe é. "Tá d'iníon agam le pósadh anois" arsa Tarlach leis an rí. Craith an rí a cheann agus dúirt "tá sí agat le fuath agus dubhghráin duit".

Ach dar fiach dúirt iníon an rí nach bpósfadh sí é go rachadh siad a mbeirt go dtí an domhain thoir fá choinne trí bhuidéal uisce. Dúirt an buachaill caol rua nach dtiocfadh leis an duine uasal a ghabháil ach go gcuirfeadh sé duine dena chuid seirbhísigh léithe. Bhí go maith. Rinne sise réidh. Fuair sí trí bhuidéal. Scaoil Tarlach agus an buachaill caol rua an fear a raibh a chos greamaithe de na thóin agus d'imigh an bheirt ina reath.

Choinnigh seisean naoi n-iomaire agus naoi n-eite roimpise i dtólamh go raibh siad sa domhan thoir. Thóg sé na búidéil uisce agus d'imigh siad ina reath arís ag tarraingt ar an bhaile, eisean naoi n-iomaire agus naoi n-eite roimpi i rith an ama. Scairt sí leis sa deireadh scríste a dhéanamh nó go raibh sí tuirseach. Shuigh sí síos agus d'iarr sí air a cheann a ligean ar a hucht. Rinne sé amhlaidh ach thit sé ina chodladh. Thóg sise cloigeann bheathaigh a bhí ina luí ar an talamh agus chuir faoina cheann é. Dhóirt sí na búideil uisce agus d'fhág ag na thaobh iad. Agus ansin bhain sí giota de an méid a bhí ina corp. Bhí Tarlach agus a dhream ag éirí imníoch agus chuir siad amach "cluas le héisteacht". Dúirt seisean go raibh an cailín ag tarraingt ar an bhaile ach go raibh an seirbhíseach ina luí ina chodladh. Tháinig (an) fear a raibh sop cocháin ina ghaothsán aige amach ansin agus thoisigh sé ag séideadh in éadan iníon an rí agus bhí sé á cur naoi n-iomaire ar gcúl os coinne achan iomaire a thiocfadh sí chun tosaigh. Nuair a mhuscail an seirbhíseach phill sé go dtí an domhan thoir. Líon na buidéil agus shéid an rása aige go bhfuair sé greim ar iníon an rí. Choinnigh sé naoi n-iomaire agus naoi n-eite roimpi agus bhí sé sa bhaile ar tús.

B'éigean daoithe Tarlach a phósadh ansin. Oíche na bainse bhí damhsa acu agus bhí dhá cathaoir mhóra i gceann an halla, ceann do Tharlach agus iníon an rí. Chuir sise spíce iarainn i gcathaoir Tharlaigh i dtreo is go bpollfaí Tarlach nuair a shuighfeadh sé ann.

Shuigh sise síos agus thug sí cuireadh do Tharlach suí fosta ach tháinig tóin iarainn agus shuigh seisean ann ar tús agus bhruigh sé an spíce. Shuigh Tarlach sa chathaoir ansin agus thóg sise fá choinne cúrsa damhsa é nó shíl sí go raibh sé pollta uilig ach bhí buaite acu uirthi.

Tháinig an buachaill caol rua fhad le Tarlach ansin agus dúirt sé go raibh an t-am acusan a bheith ag baint an bhaile amach. "Fan tamall go dtabharfaidh mé bhur bpáighe daoibh'', arsa Tarlach. ''Ó ná bac le páighe'' arsa an buachaill caol rua, ''is fada an lá mo pháighe agamsa nó mise an fear ar dhíol tú a chuid fiacha an lá údaidh sa roilig''.

1.34.2   MAC RÍ IN ÉIRINN

Bhí sin ann agus is fada ó bhí. Bhí mac ag rí in Éirinn agus bhí teach mór ard aige. Lá amháin chuaigh sé suas go dtí an fhuinneog a bhí ag barr an toighe agus shuigh sé ansin. Lá geimhridh a bhí ann agus bhí sneachta ar an talamh. Nuair a bhí sé tamall ag amharc amach chonaic sé préachán ina luí ar an tsneachta, é gearrtha agus an fhuil ag titim ar an tsneachta. Arsa an fear - ''Nach méanar dá mbeadh bean agamsa a mbeadh gruaig uirthi chomh dubh leis an phréachán, pluca chomh dearg leis an fhuil agus craiceann chomh geal leis an tsneachta''.

Maidin lá tharna mhárach thug sé leis a chuid airgid agus d'imigh leis. Nuair a bhí sé ag gabháil trasna na gcnoc chonaic sé beirt fhear agus fear marbh leo agus iad á bhualadh le tuaigh. Tháinig sé aníos go dtí iad agus d'fhiafraigh sé daofa goidé a bhí siad a dhéanamh. Dúirt siadsan go raibh fiacha acu ar an fhear agus go bhfuair sé bás gan iad a dhíol. D'iarr seisean orthu ligean don fhear bhocht agus go ndíolfadh seisean iad. Thug sé an t-airgead daofa agus d'imigh leis.

Nuair a bhí sé giota ar shiúl casadh fear beag air agus arsa an fear beag leis ''Gabhaim orm go bhfuil ocras ort''. Dúirt seisean go raibh. Thug an fear beag amach trí bhata agus d'fhág síos ar an talamh iad. D'iarr sé tábla bídh agus dí a bheith ansin. Tháinig an tábla agus d'ith siad a sáith.

D'imigh siad leo ansin agus dúirt an fear beag le mac an rí go dtiocfadh siad go dtí teach fathaigh mhóir agus go gcuirfeadh an fathach ceist ar mhac an rí trí huaire cé an baile a dtáinig siad as. D'iarr sé air a rá gur aníos as an fharraige.

Tháinig siad go dtí an teach agus chuaigh an fear beag suas ar mhullach an toighe. Tharraing sé mac an rí suas ina dhiaidh. Chuaigh siad isteach ansin agus chuir an fathach fáilte rompu. Chuir sé ceist trí huaire ar mhac an rí cé an baile as a dtáinig siad. Dúirt seisean gur aníos ón fharraige. Chuaigh siad a luí agus ar maidin lá tharna mhárach chuir an fathach ceist ar an rí cé acu a ba deise an gárradh a bhí aigesean nó an gárradh a bhí ag a athair in Érinn. Dúirt an fear beag gur dheise an ceann a bhí ag mac an rí. Arsa an fathach leis - ''Ní chan ortsa a chuir mé an cheist ach ar do mhaighistir''.

''Ó, sin an gnás atá againn in Éirinn fuascladh a thabhairt dár maighistir''. ''Gabh anseo go dtí go ndéanfaidh muid giota coraíochta'' Rinne an fear beag réidh ach dúirt an fathach leis nach b'é leisean a bhí sé ag caint ach leis an mhaighistir.

''Ó'', arsa an fear beag leis ''sin an gnás atá againne troid ar son ár maighistir'' agus leag sé ar an talamh é. Bhain sé amach a chlaidheamh agus bhain an ceann de. D'imigh siad ansin agus dúirt an fear beag le mac an rí go dtiocfadh siad go dtí teach dearthár den fhathach a mharaigh seisean. D'iarr sé ar mhac an rí an rud céanna a rá a dúirt sé leis an fhear eile. Tháinig siad go dtí an teach agus rinne siad an rud céanna is a rinne siad ins an chéad teach. Mharaigh siad an fathach a bhí ansin fosta.

72

D'imigh siad leo agus tháinig siad go dtí teach an tríú fathaigh. Luigh siad go maidin ansin agus ar maidin chuir an fathach ceist ar mhac an rí cé acu ba deise an gárradh a bhí aigesean nó an gárradh a bhí ag a athair in Éirinn. Dúirt an fear beag gur dheise an gárradh a bhí ag an rí. Chuaigh siad a throid arís agus bhí an fear beag ag gabháil a bhaint an chinn de ach d'iarr an fathach gan eisean a mharbhadh agus go dtabharfadh sé cóta giorrtach dubh agus mainte giorrtach bán dó.

D'imigh siad leo arís agus bhí farraige mhór acu le ghabháil uirthi. Nuair a tháinig siad go dtí í chuir an fear beag síos na bataí arís agus tháinig an bád a ba deise a chonaic tú ariamh ann. D'imigh siad go dtí an taobh eile air. D'inis an fear beag do mhac an rí go raibh cailín ins an chaisleán a bhí ar an taobh eile a raibh gruag uirthi chomh dubh leis an phréachán, pluca chomh dearg leis an fhuil agus craiceann chomh geal leis an tsneachta. Dúirt an fear leis fosta gur siomaí rí a marbhadh ins an chaisleán sin.

Tháinig siad go dtí an caisleán agus bhí lúcháir mhór ar athair agus mháthair an chailín. An oíche sin tháinig na diabhail óga chuig an chailín agus iad ag caoineadh. Dúirt sise leo go muirfí an rí óg ar maidin. An oíche sin thug sí cíor don rí agus dúirt sí leis dá mbeadh an chíor sin aige ar maidin go mbeadh trian daoithese aige ach dá gcailleadh sé an chíor go muirfeadh sise ar maidin é.

An oíche sin thug sí leithe an chíor agus d'imigh sí síos go hIfreann leis agus thug sí don diabhal é. Dúirt si go mbeadh an fear le marbhadh ar maidin ach bhí an fear beag ina diaidh ach ní fhaca sise é nó bhí an cóta giorrtach dubh agus an mainte giorrtach bán air. Nuair a bhí sé thíos thug sé leis an chíor agus lean sé an cailín go dtí an caisleán. D'fhág sé an chíor ar chúl mhic an rí.

Ar maidin an chéad rud a d'iarr an cailín ar mhac an rí an raibh an chíor aige. Chuir sé a lámh siar ar a chúl agus thug sé daoithe í. An oíche sin thug sí méaracán dó agus dúirt sí leis dá mbeadh sin ar maidin aige go mbeadh dá dtrian daoithese aige. Rinne sí an rud céanna an oíche sin. Thug sí síos go hIfreann é. Bhí an fear beag ina diaidh agus thug sé leis é. D'iarr sí é ar mhac an rí agus thug sé daoithe é. Thug sí siosúr dó ansin agus nuair a bhí sé ina luí thug sí léithe síos arís é ach fuair an fear beag é.

Bhí an cailín bainte ansin aige ach ní phósfadh sí é. D'imigh an fear beag agus mac an rí leo agus casadh fear orthu a raibh cnoc leis ar a dhroim. Chuir siad ceist air an iomprócadh sé gach rud mar sin. Dúirt seisean go n-iompróchadh. Rinne siad é a fhostódh. Casadh fear eile ina shuí ag sruthán (orthu) agus é ag ól an uisce lena bhéal agus é a ligean amach ar a thóin. Nuair a tháinig siad chun an bhaile dúirt an bhean go gcaithfeadh an fear beag a ghabháil sa choillidh agus crainn a bhaint. Thóg an fear beag an choillidh agus bhuail sé trí huaire í is chuir sé na diabhail amach aisti.

Pósadh iad agus d'imigh siad anall go hÉirinn. Nuair a bhí siad ag an chnoc dúirt an fear beag le mac an rí go dtearna seisean obair mhaith dósan agus go raibh an bhean aige anois is go dtiocfadh leisean a ghabháil a chónaí go suaimhneach nó is é an fear marbh a bhí ann agus gur dhíol mac an rí na fiacha dó. D'imigh sé ansin is bhí mac an rí agus an cailín go sásta ó sin amach.

1.35 MAC NA BAINTRÍ AGUS DÍOL NA BHFIACHA

Bhí sin ann agus is fada ó bhí, fear a bhí ina chónaí thuas i gCo. Thír Eoghain agus é pósta ar bhean as Machair Chlochair seo amuigh. Bhí duine amháin clainne acu — gasúr chúpla mí d'aois. Fuair an fear bás agus ní raibh slí beatha ar bith ag an bhean bhocht ach imeacht léithe i mbéal a cinn. Rinne sí suas a hintinn go rachadh sí chun an bhaile chuig a muintir i Machaire Chlochair, agus thug sí léithe an leanbh agus siúd ar shiúl í. Bhí sí ag iarraidh bia agus lóistín ó theach go teach go dtáinig sí fhad lena baile féin. Cuireadh fearadh na fáilte roimpi ansin agus nuair a mhothaigh siad goidé mar bhí, d'iarr siad uirthi fanacht acu, ach nach raibh mórán dé ollmhaitheas an tsaoil acu agus go gcaithfeadh sí déanamh as daoithe féin chomh maith agus a thiocfadh léithe. Lá amháin agus í amuigh ag cruinniú casadh fear uirthi ar a dtabharfadh siad an Peidléar Bán. D'éirigh an beirt acu iontach mór lena chéile agus is iomaí lámh chuidithe a thug sé daoithe ón lá sin amach. Fear siúil a bhí ann fosta agus bheadh sé ar shiúl leis ó cheann go ceann na hÉireann. Bhail, bhí na blianta ag gabháil thart agus bhí an leanbh ag éirí mór agus é ábalta bheith ar shiúl lena mháthair fríd an tír. Corruair chasfaí an Peidléar orthu agus bhí meas mór aige ar an ghasúr. Bhí deartháir na mná seo ina chónaí thuas i mBaile Átha Cliath agus goidé a bhí leis an Pheidléar lá amháin ach litir a chur sé anuas chuig an ghasúr ag iarraidh air a ghabháil go Baile Átha Cliath. Thug a mháthair leathghiní dó, agus d'imigh an gasúr bocht leis agus a seacht sáith cumhaidh ar a mháthair ina dhiaidh. Casadh carr éisc air agus thug sé tamall marcaíocht dó. Sa deireadh tháinig sé go dtí teach an uncail agus bhuail sé ar an doras. Tháinig cailín aimsire go dtí an doras agus nuair a chonaic sí cé a bhí ann bhuail sí an chomhlaigh amach ina éadan. ''Cé atá ann?'' arsa fear an toighe. ''Ó ta, smugachán gasúra'', arsa sise ''agus d'iarr mé air a bheith ar shiúl''. ''O'' arsa seisean, ''lig isteach é, tá mé ag feitheamh leis le cupla lá.'' Ligeadh isteach an gasúr agus bhí lúcháir mhór ar an uncal roimhe. Rinneadh réidh bia agus d'ith an gasúr a sháith nó bhí sé lag leis an ocras. Ansin thomhais an t-uncal é agus thug sé amach é gur cheannaigh sé éadach úr dó. Ní raibh an gasúr cleachtaithe le bheith ag caitheamh éadach galánta agus ní thiocfadh leis stad ach ag coimheád síos air féin. ''Ná bí ag déanamh sin'', arsa an t-uncal ''nó beidh a fhios ag achan duine nach raibh éadach maith ort ariamh a roimhe''. D'imigh an bheirt acu leo fríd an chathair go dtáinig siad go dtí scoil mhór agus isteach leo. Arsa an t-uncal leis an mhaighistir. ''Seo gasúr, agus tabhair léann cheithre bliana dó agus ansin dhá bhliain de léann farraige ina dhiaidh sin agus dheamhan pingin airgid a gheobhaidh tú go gcruthaí sé é féin.'' Nuair a bhí na sé bliana istigh bhí an gasúr ina fhear mhór, láidir agus é go cumtha dóighiúil, deag-labharthach agus scoith an léinn aige d'achan chineál.

Arsa an t-uncal leis, ''tá soitheach thíos ag an chéidh agus í gabháil go hIndia fá choinne lasta. Tá tusa ag gabháil a bheidh i do chaiptín uirthi agus caithfidh an soitheach a bheith ar ais anseo trí lá níos luaithe ná bheadh sí achan am eile. Tá an mate céanna uirthi a bhí i gcónaí uirthi agus b'fhéidir nach mbeadh sé sásta tusa a bheith os a chionn ach ná tabhair aird air.'' D'imigh an soitheach agus nuair a thainig siad i dti in India, chuaigh siad suas go teach an fhir a bhí ag díol an lasta leo. Bhí cailín ansin agus nuair a chonaic sí gur fir bhána a bhí iontu cosúil léithe féin, thoisigh sí a ghol agus a chaoineadh. ''Goideadh mise ó chéidh Londain agus tá mé mo sclábhaí anseo ó shin. Is é an nós atá acu anseo nó duine bán a dhódh nuair a bhíos ollghairdeachas orthu fá rud ar bith agus tá le mise dódh anocht''. ''Ná bíodh eagla ort'' arsa an caiptín, ''smaointeochaidh muid ar ghléas le tú a shábháil. Cá bhfuil fear an toighe?'' ''Tá sé amuigh ansin ag cuidiú leo an tine a dhéanamh réidh,'' arsa sise. D'imigh an caiptín agus an mate síos go dtí an soitheach arís agus nuair a bhí siad ag gabháil thaire roilig mhothaigh siad callán mór istigh. ''Tóg suas mé'', arsa an caiptín, ''go bhfeicfidh mé goidé atá ar siúl anseo''. Goidé do bharúil a chonaic sé ach cúigear fear agus cónair acu agus iad ag argáil fá rud inteacht. Chuir an captaoin ceist orthu goidé a bhí contráilte leo, nó an raibh siad as a gciall a leithéid de thrup a thógáil istigh i roilig os cionn corpán. ''Bhail'', arsa fear acu, ''tá cúig phunta agamsa ar an chónair agus níl fear ag gabháil a chur go ndíolfar mise''. Dhíol an caiptín an t-airgead i bhfách leis an fhear a bhí marbh agus d'imigh siad ansin. Nuair a bhi siad thíos ar an tsoitheach smaointigh sé ar phlean agus arsa seisean leis an mhate, ''ar an bhealach suas dúinn anocht titfidh mise. Tóg thusa suas cupla uair mé agus ansin fág i mo luí ansin mé! Nuair a rachas tú fhad le teach an cheannaí, cuirfidh siad ceist ort goidé atá contráilte liom. Abair thusa go bhfuair an cócaire mná a bhí againn ar an bhád bás ar an bhealach anall agus nach dtaitníonn bia ar bith liomsa ach an rud a dhéanfas bean réidh domh agus gur éirigh an rud céanna domh cúpla uair ó fuair sí bás.'' Rinne siad seo agus nuair a mheas an caiptín go raibh an scéal insithe ag an : mhate d'éirigh sé agus suas leis chun toighe. Bhí buaireamh mór ar an cheannaí fá dtaobh de agus chuir sé ceist air an dtiocfadh leis dadadh a dhéanamh dó. ''Bhail'', arsa an caiptín, ''tá mó uncal ag tréadáil leat le cúig bliana déag agus tá mé cinnte nach ndiúltaíonn tú mé sa rud atá mé a iarraidh. Tabhair domh an cailín sin atá agat mar chócaire, nó mura dtabharann is gairid a bheas mise beo uilig ag ithe an bhia atá na fir a dhéanamh réidh''. ''Is é, ach tá sí sin le dódh anocht le ollghairdeachas''. ''Bruith bollóg ina háit''. Sa deireadh thiar thall tugadh an cailín dó ar shuim mhór airgid agus nuair a bhí an lasta ar bord acu d'imigh siad chun an bhaile. Nuair a tháinig siad go Baile Átha Cliath bhí siad seachtain glan roimh an am a bhí leagtha amach. Thug an caiptín suas an cailín go teach a uncail. ''Nach ádhúil go dthug mé do sháith airgid duit'', arsa an t-uncal, nuair a mhothaigh sé an scéal.

''Caithfidh tú a ghabháil go Londain anois fá choinne lasta''. Nuair a chuala an cailín go raibh sé ag gabháil go Londain d'iarr sí air a ghabháil amach agus píosa síoda a cheannacht. Rinne sé sin agus rinne sí veiste de. ''Cuir ort sin agus aithneochfar thú ar an chéid i Londain''. Nuair a tháinig sé amach as an bhád casadh fear air agus arsa seisean nuair a chonaic sé an veiste a bhí sé a chaitheamh. ''Sin lorg láimhe mo iníonsa''. D'inis seisean dó ansin goidé mar bhí agus níl a fhios goidé an lúcháir a bhí ar an fhear. ''Bíodh sí leat an chéad uair eile a thiocfas tú agus beidh mise anseo ag fanacht léithe, mar atá mé a dhéanamh ón lá sin a goideadh í, agus bhéarfaidh mé duit rud ar bith a iarrfas tú mar bhronntanas''. "Níl de dhíth orm ach í féin má ghlacann sí mé" arsa an caiptín. Nuair a bhí an lasta ar bord aige, d'imigh an bád chun an bhaile go Baile Átha Cliath arís. An chéad uair eile a tháinig sí go Londain bhí an cailín ar bord agus lúchair mhór uirthi cionn is go raibh sí lena muintir a fheiceáil arís. Nuair a bhí siad leathbealaigh anonn tháinig stoirm mhilltineach. Bhí an caiptín thíos ina chábán agus é ina chodladh nuair a d'éirigh an stoirm. Bhí rópaí istigh ina chábán a bhí a dhíobháil le rud inteach a cheangal. Nuair a chuaigh an mate síos fána gcoinne agus chonaic sé an caiptín ina chodladh, dar leis féin "seo seans breá fáil réitithe dó anois agus beidh an cailín agus an bronntanas agam féin". Bheir sé ar an caiptín agus chaith amach san fharraige é agus gan air ach drás agus simit, agus d'imigh an bád léithe. Bhí an caiptín ag snámh thart tamall fada agus sa deireadh nuair a bhí sé ag gabháil a thabhairt suas chonaic sé creag roimhe agus chuaigh sé suas uirthi. Ní raibh sé i bhfad ar an chreag go bhfaca sé fear curaigh ag tarraingt air. "Bí léim istigh sa churach", arsa an fear. Nuair a d'amharc an caiptín air d'aithin sé cé a bhí ann — an fear a bhí sa chónair an lá údaí. "Rinne tusa gar domhsa agus tá sé beag go leor agamsa tusa a shábháil anois, ach caithfidh tú leath praifid bliana a thabhairt domh." "Bhéarfaidh agus fáilte", arsa an caiptín. Chuir fear an churaigh isteach ar chéidh Londain é agus chuaigh siad isteach i dTeach Bocht a bhí ann agus ní raibh istigh ach bean an toighe. Bhí fear an toighe amuigh. Thug sí culaith Domhnaigh an fhir don caiptín le cur air. Nuair a tháinig fear an toighe isteach dúirt an caiptín leis go raibh sé buíoch daofa cionn is éadach agus bia a thabhairt dó. "Is fairsing Dia sa chúnglach" arsa an fear. "Ní bheidh do shoitheach istigh go dtí amárach. Caithfidh mise a bheith ar shiúl anois ach tiocfaidh mé ar ais nuair a bheas tú pósta agus caithfidh tú do chlann a thabhairt domh". Nuair a tháinig an bád isteach bhí ollghairdeachas mór fá choinne an chailín. Bhí sí féin agus an mate le pósadh agus rinneadh féasta mór an oíche sin i dtoigh a muintire. I lár na hoíche cé a tháinig isteach ach an captaoin é féin agus nuair a d'inis seisean a scéal féin beireadh ar an mhate agus cuireadh i bpríosún é. Pósadh an cailín agus an caiptín agus fá cheann bliana bhí mac óg acu. Lá amháin nuair a bhí siad amuigh sa gharradh agus an naíonán acu cé a tháinig ach fear an churaigh.

"An dtabharfaidh tú an naíonán domh anois" arsa seisean. "Is mór a ghoillfeas sé orm a leithéid de rud a dhéanamh" arsa an caiptín "ach thug mé gealltanas duit agus níor bhris mé gealltanas ariamh, "agus é ag síneadh an linbh chuige, ach caithfidh tú fanacht cupla lá leis an airgead a gheall mé duit". "Maise, fear fiúntach atá ionat, bíodh an dá chuid agat" arsa fear an churaigh. "Ní thabharfaidh mise lá trioblóid daoibh feasta", agus siúd ar shiúl é. Bhí an caiptín agus a bhean iontach buíoch de agus bhí dóigh bhreá orthu ón lá sin amach

76

AN CAILÍN AIMSIRE

Bhí beirt chailín ann uair amháin agus teach breá acu daofa féin. Sula bhfuair a n-athair agus a máthair bás d'fhág siad cailín aimsire acu fá choinne saol sócalach a bheith acu agus gan aird acu ar leatrom an tsaoil. Ní raibh aon damhsa thoir nó thiar nach mbeadh an dá dheirfiúr seo aige agus ba ghnách leis an chailin aimsire saol cruaidh a bheith aici ag giollacht agus ag déanamh achan rud a shásóchadh an bheirt acu. Is iomaí sin uair a shuigh sí síos ag bun an straighre sa chistinigh agus gur chaoin sí uisce a cinn. Is iomaí sin buaireamh a bhí uirthi mar fuair a máthair bás deich mbiana roimhe sin.

Bhí rí ina chónaí giota maith ar shiúl uathu agus bhí mac aige a raibh chliú mhór air mar gheall ar a áilleacht agus bhí mná óga na háite ar shiúl ina dhiaidh ach déarfadh sé i gcónaí nár casadh air an bhean a bhí i ndán dó. Bhí bróg gloine ag an rí agus thug sé don mhac í ag rá—an cailín óg a rachadh an bhróg sin uirthi, sin an bhean a phósfaidh tú.

Bhí cruinniú mór i dteach an rí ansin agus tháinig mná óga as gach cearn ach mar sin féin níor éirigh le aon duine an bhróg a chur air. Gidh gur chaith an bheirt chailín seo dhá lá iomlána ag féacháil leis na cosa dhéanamh beag ach theip orthu.

Bhí an cailín aimsire go huaigneach sa bhaile léithe féin agus am amháin d'eist sí agus shíl sí gur chuala sí duine inteacht ag bualadh ar an doras. D'fhoscail sí é agus bhí bean mhór dhubh ina seasamh ar an taobh amuigh. D'iarr an bhean uirthi cúig bhosca a fháil agus luchóg mhór a bheith i ngach ceann acu. Rinne sise seo agus thug sí 'daoithe iad. Nuair a d'fhoscail an cailín na boscaí bhí achan chineál éadaí agus ornáidí ins na boscaí sin agus d'iarr sí ar an chailín achan rud a ba mhaith léithe a chur uirthi.

Roimh chúig bhomaite bhí an cailín gléasta go hálainn agus dúirt an bhean seo léithe a bheith arís sa teach ar bhomaite an dó dhéag.

D'imigh an bhean dhubh seo as amharc agus nuair a chuaigh an cailín óg amach bhí tréantaí galánta ag an gheafta roimpi nach bhfachtas a leithéid ariamh. D'imigh sí léithe ansin ar an bhealach. Bhí achan duine ag cur iontas inti. Sroich sí teach an rí. Chuaigh isteach. D'umhlaigh do mhac an rí agus ansin thóg sé a dhamhsa í. Tugadh an bhróg daoithe agus chuaigh sí isteach ar a cois gan trioblóid ar bith. Chuaigh sí chun an bhaile ansin agus nuair a sheasaigh sí ag leac an dorais, d'imigh an t-éadach daoithe agus fágadh ansin í mar a bhí sí roimh ré. Tháinig an bheirt eile chun an bhaile ansin agus bhí siad ag caint leo agus ag scamhlóir cé hí an cailín a dteachaigh an bhróg uirthi.

Pósadh mac an rí agus an cailín óg ansin agus nuair a bhí an cailín ag imeacht chun na bainse tháinig an bhean dhubh agus d'inis sí daoithe gur ise a máthair agus anois a ghabháil go teach na bainse agus go mbeach an t-éadach a bhí uirthi anois aici i gcónaí agus dúirt sí léithe fosta slán a fhágáil ag an bheirt chailín agus a rá leo — "Casann an rotha, athraíonn an saol, féach mar a d'athraigh an cailín a bhí agaibhse".

Rinne sí seo agus bhí fuath i gcroíthibh na gcailíní daoithe as seo amach. Mhair an bhainis lá agus bliain agus b'fhearr an chéad lá ná an lá deireannach.

1.36.2 AN GHIRSEACH AGUS AN CHAORA DHUBH

Bhí girseach ann uair amháin agus ní raibh aici ach leasmháthair agus ní raibh an leasmháthair rómhaith daoithe. Chuireadh an leasmháthair amach a bhuachailleacht í achan lá — bhuachailleacht caorach. Bhí caora dhubh fríd na caoirigh agus achan lá ní thabharfadh an leasmháthair a dhath don ghirseach le hithe.

Bhí dhá iníon ag an leasmháthair agus ba gnách leo bheith ag magadh ar an ghirseach seo. Achan lá thiocfadh an chaora bheag dhubh agus bhéarfadh sí a cuid don ghirseach. Ní raibh a fhios ag an leasmháthair goidé an dóigh a raibh sí beo. Lá amháin chuir an leasmháthair bean de na hiníonacha a choimheád goidé a bhí á coinneáil beo.

Bhí bean de na hiníonacha ag coimeád. I dtráthaibh an dó dhéag tháinig an chaora bheag dhubh agus thug sí a cuid don ghirseach. D'imigh an ghirseach chun an bhaile agus d'inis sí do na máthair seo. Chuir an leasmháthair scéala chuig an bhúistéir a theacht agus an chaora a mharbhadh. Tháinig an búistéir agus mharaigh sé í.

Oíche amháin bhí damhsa i dteach i bhfad ar shiúl. D'imigh an leasmháthair agus na hiníonacha chuig an damhsa agus d'fhág siad an ghirseach istigh. Ní raibh siad i bhfad ar shiúl go dtáinig seanbhean bheag isteach chuig an ghirseach. Thoisigh an tseanbhean a chaint leis an ghirseach cad chuige nár lig siad chuig an damhsa í. Leis sin féin tháinig cultacha deasa agus bróga deasa amach as an tábla agus d'iarr an tseanbhean uirthi a rogha culaith agus a rogha bróga a phiocadh. Phioc an ghirseach bróga gloine agus culaith shíoda. D'iarr an tseanbhean uirthi imeacht chuig an damhsa í féin agus nach n-aithneocadh duine ar bith í. Rinne an ghirseach réidh agus chuaigh amach go dtí an doras.

Bhí carróiste amuigh taobh amuigh den doras ag fanacht léithi. D'iarr an tseanbhean uirthi gan fanacht i bhfad — a ghabháil isteach agus cupla damhsa a dhéanamh. D'imigh an carróiste agus níor stad sé go raibh sé ag teach an damhsa. Stop an carróiste ag an teach agus isteach leis an ghirseach ghalánta. Fuair mac an rí a shúil uirthi agus thoisigh sé a dhamhsa léithi. Bhí a raibh istigh ag coimheád uirthi nó ní raibh aon duine istigh chomh deas léithi. Nuair a bhí an bheirt tuirseach ag damhsa stad siad. Nuair a mheas an ghirseach an t-am bheith ann d'imigh sí amach go gasta agus lean mac an rí í. Ag gabháil isteach ar an charróiste daoithe sciob mac an rí ceann de na bróga gloine daoithe.

D'imigh an carróiste ina rith agus níor stad sé go raibh sé ag an teach. Ní raibh an tseanbhean sásta daoithe cionn is gur chaill sí an bhróg. Ach ina dhiaidh sin d'fhág sí tábla de gach uile chineál bídh aici le hithe.

D'imigh an girseach ansin ag gabháil a ghlanadh an tábla. Ach sular mhothaigh an ghirseach bhí an tábla glan. D'imigh an tseanbhean ansin agus thug sí léithe an méid bídh a bhí ar an tábla.

Ní raibh a tseanbhean i bhfad ar shiúl go dtáinig an leasmháthair agus an dá ghirseach. Thoisigh na girseachaí a inse daoithe fán ghirseach ghalánta a bhí ag damhsa anocht i dtoigh an damhsa.

"Mise a bhí ansin" arsa an ghirseach.

"Á spréadh ortsa" arsa siadsan "gadaí na luatha".

Dúirt mac an rí nach bpósfadh seisean duine ar bith ach an té a bhfóirfeadh an bhróg dó. Chuaigh sé thart ar achan teach go dtí go dtáinig sé go dtí an teach a raibh an ghirseach ann agus d'fhóir an bhróg don ghirseach. Pósadh í fein agus mac an rí agus bhí siad go maith ón lá sin go dtí an lá inniu.

1.37.1 AN TARBH BEAG DUBH

Bhí gasúr ann aon uair amháin agus fuair a mháthair bás. An rud a d'fhág an mháthair ag an ghasúr bheag seo tarbh beag dubh. Phós an fear bean eile agus bhí leasmháthair aige ansin. Ní raibh an leasmháthair seo ag tabhairt bia ar bith dó. Bhí an gasúr beag ag éiri ramhar leis achan lá. Ní raibh a fhios aici goidé ab fhearr daoithe a dhéanamh.

Chuaigh sí go dtí bean feasa agus chuir sí ceist uirthi goidé ab fhearr daoithe a dhéanamh. D'iarr sí uirthi an chéad iníon a chur amach le náprún croicne préataí chuige. Nuair a chuaigh an chéad iníon amach chaith sí na croicne chuige. Tharraing sé an adharc den tarbh bheag dhubh agus scaib se amach léar feola, sú, aráin agus ime. Thug sé cuid don iníon fosta dó agus d'iarr sé uirthi gan é a inse agus dúirt sise nach n-inseochadh.

Nuair a chuaigh sí chun an bhaile chuir an mháthair ceist uirthi an bhfaca sí a dhath iontach inniu.

''O, a mháthir dá bhfeicfeá an rud a rinne sé. Tharraing sé an adharc den tarbh bheag dhubh agus scaib sé amach léar feola, sú, aráin agus ime agus thug sé cuid domhsa fosta de''.

Chuaigh sí go dtí an bhean feasa arís agus chuir sí ceist uirthi goidé ab fhearr daoithe a dhéanamh. D'iarr sí uirthi a ghabháil a luí nuair a rachadh sí chun an bhaile agus ligean uirthi féin go raibh sí tinn agus a rá nach ndéanfadh a dhach maith daoithe go bhfaigheadh sí cuid cruógaí an tairbh bhig. Chuaigh sí chun an bhaile agus chuaigh sí a luí agus dúirt sí nach ndéanfadh a dhath maith daoithe go bhfaigheadh sí cuid cruógaí an tairbh bhig.

D'imigh an t-athair agus mharaigh sé caora agus thug sé na cruógaí daoithe. Nuair a bhí siad ite aici dúirt sí go raibh biseach uirthi agus d'éirigh sí agus lúcháir mhór uirthi ag déanamh go raibh an tarbh beag marbh. Cupla lá ina dhiaidh seo chonaic sí an tarbh beag arís agus bhí corraí mhillteanach uirthi.

Chuaigh sí a luí arís agus dúirt sí nach ndéanfadh a dhath maith daoithe go bhfaigheadh sí cuid cruógaí an tairbh bhig. Lá amháin bhí an gasúr agus an tarbh amuigh i ngarradh a bhí taobh amuigh don teach. Dúirt an tarbh leis an ghasúr go raibh tarbh mór eile ag teacht anseo inniu a throid leis agus go raibh sé féin ag gabháil a bhualadh.

La tharna mhárach tháinig an tarbh mór agus thoisigh an bheirt acu a throid. Bhí an bheirt acu ag gabháil thart i ndiaidh a chéile fríd an gharradh agus an gasúr ag gabháil thart ina ndiaidh. Bhí an bhean istigh sa tseomra agus í ag coimheád amach ar an fhuinneog a bhí i gcúlan toighe agus í ag gáirí.

Chonaic an tarbh beag í. Thug sé léim suas. Tharraing sé anuas lena adharc í agus mharaigh sé í. An lá ina dhiaidh sin dúirt an tarbh leis an ghasúr go raibh tarbh mór eile ag teacht anseo amárach a throid agus go raibh sé féin ag gabháil á bhualadh arís. An lá tharna mhárach tháinig an tarbh mór. Thoisigh an bheirt acu a throid agus mharaigh an tarbh beag an tarbh mór.

Dúirt an tarbh beag an lá ina dhiaidh seo go raibh tarbh mór eile ag teacht anseo amárach agus go raibh an tarbh mór ág gabháil a mharbhadh. Bhí brón mór ar an ghasúr nuair a chuala sé seo. Lá tharna mhárach tháinig an tarbh mór. Thoisigh an bheirt a throid. Bhí an gasúr ina shuí thuas ar an chrann agus é ag caoineadh. Bhí an bheirt ag gabháil thart fríd an gharradh agus iad ag troid. Sa deireadh bhuail an tarbh mór an tarbh beag agus mharaigh sé é.

1.37.2   AN BUACHAILL AGUS AN TARBH

Bhí rí agus banríon ann uair amháin agus ní raibh acu ach mac amháin. Fuair an bhanríon bás agus phós an rí ar ais agus bhí clann eile acu. Ní raibh an leasmháthair ag tabhairt aire ar bith don ghasúr bheag seo agus bhí sí ag tabhairt aire mhaith do na clann féin.

Bhí sé ag buachailleacht amuigh i bpáirc lá amháin agus bhí sé ag buachailleacht tarbh. D'iarr an tarbh air an adharc a bhaint anuas agus go ngeobhadh sé achan chineál bídh agus dí á raibh a dhíobháil air.

Bhain an gasúr an adharc anuas den tarbh agus fuair sé achan chineál bidh agus dí á raibh a dhíobháil air agus chuir sé an adharc ar an tarbh ar ais. Bhí an gasúr ag bisiú go maith agus ní raibh clann an leasmháthair ag bisiú ar chor ar bith.

Chuaigh sí fhad le cailleach na gcearc agus chuir sí ceist goidé ba chiall don ghasúr seo bheith ag bisiú agus nach raibh a clannsean ag bisiú ar chor ar bith. Dúirt an chailleach nach raibh a fhios aici ach ise a ghabháil a dh'éileamh agus go mbeadh dochtúirí as achan cheard ag teacht a dh'amharc uirthi agus ní bheidh a fhios acu goidé atá ort. Thig leatsa a rá nach ndéan a dhath maith duit ach croí agus crúógaí an tairbh bhig atá amuigh ansin.

Chuala an tarbh seo ar maidin lá tharna mhárach. Dúirt sé leis an ghasúr go n-imeochadh sé go dtí go dtiocfadh siad go dtí coillidh le neoin agus deireadh an lae. Chuaigh siad go dtí an choillidh. D'iarr an tarbh ar an ghasúr a ghabháil suas ar an chrann nó go raibh tarbh mór ag teacht a throid leisean anocht ach má bhí féin go maróchadh seisean é, agus go maróchadh an tarbh mór eisean. Cuir síos i bpoll mé agus tarraing iall ó bharr mo chluaise go barr mo rubaill agus má thigeann námhaid ar bith ort tarraing an iall aníos as do phóca agus buail é.

Fuair an tarbh bás agus rinne an gasúr mar a d'iarr an tarbh air. Bhí sé ag siúl leis gur casadh fear air agus chuir sé ceist air an ndéanfadh sé fostódh. Dúirt an gasúr go ndéanfadh. Dúirt an fear nach raibh a dhath le déanamh ach an t-eallach a choinneáil amach as an choillidh nó go raibh trí fhathach ann agus rud ar bith a rachas isteach inti maróchaidh siad é.

80

Chuaigh an gasúr a bhuachailleacht agus chuir sé an t-eallach isteach sá choillidh agus d'imigh sé leis go dtí go dtáinig sé go dtí crann úllaí. D'ith sé a sháith acu agus ansin chuala sé an talamh ag gabháil ar crith. Chuaigh sé suas ar an chrann agus chonaic sé fathach. Dúirt an fathach leis: "A bhadian bhig scalta nach beadaí an rud duit do chuid eallaigh a chur isteach in mo choillidhsa agus mo chrann úll a mhilleadh fosta. Is beag liom ina ghreim amháin thú agus is mór (liom) ina dhá ghreim thú; dá mbeadh grainnín beag salainn agam d'íosfainn ina ghreim amháin thú."

"Ní íosfaidh tú ina ghreim ar bith mé" arsa an gasúr.

Tharraing sé an iall amach as a phóca agus theann an iall agus mharaigh sí an fathach. D'imigh sé chun an bhaile leis an eallach. Maidin lá tharna mhárach rinne sé an cleas céanna. Chuir sé isteach an t-eallach ins an choillidh agus d'imigh sé go dtí crann úll. Chuala sé an talamh ag gabháil ar crith.

Chonaic sé fathach agus dúirt an fathach: "A bhadian bhig scalta, nach beadaí an rud duit do chuid eallaigh a chur isteach in mo choillidh agus mo chrann úll a mhilleadh. Creidim gurb é tú a mharaigh mo dheartháir. Is beag liom ina dhá ghreim thú agus is mór ina ghreim amháin thú. Dá mbeadh grainnín beag salainn agam d'íosfainn ina ghreim amháin thú". (Tharraing an gasúr an iall amach as a phóca agus théann an iall agus mharaigh sí an fathach).

D'imigh an gasúr lena chuid eallaigh. Maidin lá tharna mhárach chuir sé a chuid eallaigh isteach ins an choillidh agus bhí sé ag siúl leis agus chuala sé an talamh ag gabháil ar crith. Chuaigh sé suas ar an chrann agus tháinig an fathach eile thart. Dúirt an fathnach feis:

"A bhadian bhig scalta, nach beadaí an rud duit do chuid eallaigh a chur isteach in mo choillidhsa agus mo chrann úll a mhilleadh. Chreidim gurb é tú a mharaigh mo chuid deartháireacha. Is beag liom ina dhá ghreim thú agus dá mbeadh grainnín beag salainn agam d'íosfainn ina ghreim amháin thú."

Thug an gasúr an iall amach as a phóca agus d'iarr sé uirthi an ceann a ghearradh den fhathach. Ghearr an iall an ceann den fhatach. Chuir an gasúr a chuid eallaigh chun an bhaile agus dúirt an maighistir go raibh trí scairt fathaigh le cluinstin sa chollidh agus nach raibh scairt ar bith le cluinstin ann anois.

Dúirt an maighistir go raibh cuideachta mhór le bheith thall anseo ag an loch, go raibh péist le marbhadh agus an té a mharóchas í gheobhaidh sé iníon an rí le pósadh.

Lá tharna mhárach chuir an gasúr amach a chuid eallaigh agus d'imigh sé siar go dtí an loch. Thug sé leis beathach agus chuir sé féin culaith ghorm éadaigh air. Ní raibh a fhios ag duine ar bith cé a bhí ann agus is é is mó a throid leis an phéist. Nuair a bhí an tráthnóna ann d'imigh siad chun an bhaile. Chuir an gasúr a chuid eallaigh chun an bhaile.

Bhí sé ag comhrá leis an mhaighistir agus dúirt an maighistir go raibh lá mó thiar ag an troid leis an phéist "ach beidh lá níos mó ann amárach," arsa seisean. "Ba cheart duit a bheith liom siar."

"Goidé an dóigh a rachainnsa siar in mo chuid seanéadaigh?"

"Bhéarfaidh mise culaith éadaigh duit."

"Níl mé ag gabháil cér bith."

Chuir sé amach a chuid eallaigh agus d'imigh sé go dtí an loch. Chuir sé air culaith eile éadaigh agus thug sé leis beathach eile. Nuair a tháinig an tráthnóna d'imigh siad chun an bhaile. D'imigh an gasúr chun an bhaile lena chuid eallaigh agus bhí sé féin agus an maighistir ag caint ar an chuideachta a bhí thiar ag an loch agus d'iarr an maighistir air a bheith leis siar.

"Ní rachaidh mise siar fá choinne iad a bheith ag magadh faoim."

Chuir an gasúr amach a chuid eallaigh agus chuir sé culaith éadaigh air agus thug sé leis beathach agus d'imigh sé siar go dtí an loch. Nuair a bhí an tráthnóna ann thug an gasúr an iall amach as a phóca agus d'iarr sé urithi an ceann a bhaint den phéist. Bhain an iall an ceann den phéist. Tráthnóna d'imigh an gasúr chun an bhaile agus nuair a bhí sé ag gabháil suas an tráigh sciob iníon an rí bróg amach de na chos.

Dúirt an rí an té a rachas a bhróg air gheobhaidh sé m'iníon le pósadh. Chuir sé teachtaireacht amach achan áit fríd Éirinn agus ní raibh duine ar bith le fáil a rachadh an bhróg air. Lá amháin bhí an rí agus an maighistir ag caint lena chéile agus dúirt an rí go raibh Éirinn go leir siúlta acu agus nach raibh duine ar bith le fáil aige a rachadh an bhróg air.

"Maise, tá gasúr thíos agamsa nach raibh siad aige go fóill."

Thug siad síos an bhróg agus chuaigh an bhróg air. Phós an gasúr agus iníon an rí agus d'imigh siad agus thóg siad an tarbh agus ba é uncal den ghasúr seo a bhí sa tarbh.

1.37.3   AN TARBH BÁN AGUS AN GASÚR

Bhí gasúr beag ann aon uair amháin agus is é an obair a bhí ag an ghasúr seo ag buachailleacht eallaigh. Bhí teach beag déanta ag an ghasúr seo fá choinne codladh ann san oíche. Is é an bia a bhí an gasúr seo a ithe an fuílleach a bhí ag an mhuintir eile.

Lá amháin chuaigh a dheirfiúr amach lena dhinnéar. Bhí tarbh bán ins an pháirc agus ba leis an ghasúr é féin é. Nuair a d'fhág an deirfiúr an dinnéar aige tháinig an tarbh anall go dtí an gasúr. Tharraing an gasúr ceann de na hadharca as an tarbh agus tháinig achan chineál bia deas amach as an adharc seo. D'ith an gasúr a sháith den bhia agus chuir sé isteach an adharc arís.

Nuair a chuaigh an ghirseach isteach chun an toighe d'inis sí don mháthair goidé a rinne an gasúr. An oíche seo nuair a tháinig an t-athair isteach dúirt an bhean leis go gcaithfí an tarbh a bhaint den ghasúr. Níor mhaith leis an athair seo a dhéanamh agus d'iarr an bhean air an tarbh a mharbhadh. D'imigh an fear agus mharaigh sé muc agus thug sé cuid den fheoil don bhean agus shíl sise gur an tarbh a mharaigh sé agus bhí sí iontach sásta. An dara lá nuair a chuaigh an ghirseach amach arís bhí an tarbh amuigh ins an pháirc leis. Nuair a tháinig sí isteach dúirt sí leis an mháthair go raibh an tarbh amuigh leis ins an pháirc.

"Bhail" arsa sise leis an ghirseach, "nuair a bheas an lá amárach ann cruinneochaidh muid scaifte fear agus mairfidh siad é''.

Bhí a fhios ag an ghasúr go raibh an tarbh le marbhadh.

D'iarr an tarbh ar an ghasúr seo a dhéanamh.

''Amárach'' a dúirt sé ''gabh thusa in airde ar mo dhroimsa agus suigh air agus achan eile áit a bhfuil mise le ghabháil gabh thusa. Má mhairfear mise bain thusa domh trí shnáithe de mo chraiceann agus achan uile áit a rachas tú bíodh siad leat.''

Marbhaíodh an tarbh. Rinne an gasúr mar a hiarradh air. Bhain an gasúr trí shnáithe den chraiceann den tarbh agus thug sé leis achan uile áit iad.

La amháin bhí ceann den eallach caillte agus d'imigh an gasúr leis a chuartú na bó agus ní raibh an bhó le fáil aige. Tháinig sé fhad le taobh na farraige agus bhí lá breá te ann. Bhain an gasúr de a chuid éadaigh agus chuaigh sé amach a shnámh. Bhí cupla bád a chois na trá agus nuair a tháinig an gasúr isteach thug sé leis ceann de na bádaí agus chuaigh sé go dtí oileán beag a bhí ann. Casadh fear air agus chuir sé ceist air an rachadh sé ar fostódh. Dúirt an gasúr go rachadh.

Lá amháin chuaigh an gasúr amach a bhuachailleacht. Bhí trí fhathach ar an oileán seo agus chaithfeadh an gasúr a ghabháil amach go dtí an áit a raibh na trí fhathach. Bhí na trí shnáithe leis an ghasúr agus tháinig dhuine de na fathaigh fhad leis an ghasúr agus bhuail fan gasúr na snáithí ar an fhathach agus thit an fathach síos marbh ar an talamh. Rinne sé an cleas céanna leis an dara ceann agus an rud céanna leis an tríú ceann.

Ba ghnách leis na trí fhathach seo trí scairt a dhéanamh achan uile oíche. An oíche seo bhí muintir an oileáin ag fanacht leis na trí scairt a dhéanamh agus ní thearnadh iad. Bhí iontas mór ar mhuintir an oileáin uilig. Ach níor inis an gasúr daofa goidé a rinne sé.

An dara lá chuaigh an gasúr amach a bhuachailleacht. Bhí teach beag ins na crainn agus sin an áit ar ghnách leis an ghasúr a bheith ag buachaillacht. Chuaigh an gasúr isteach ins an teach seo agus bhí fathach mór ina shuí chois an tineadh agus bhuail an gasúr buille dena snaithí air agus thit sé síos marbh.

Ar an oileán seo a bhí iníon an rí ina cónaí agus bhí giorria beag ina chónaí amuigh sna crainn agus nuair a bheadh sise ag gabháil a dhéanamh a codach thiocfadh sé isteach agus bhéarfadh sé leis an méid bídh a bheadh ar an táble. Ach an lá seo bhí an giorria le marbhadh agus is é an gheallúint a thug iníon an rí uaithi cé bith cé a mhuirfeadh an giorria go bpósfadh sí é.

Chruinnigh cuid mhór daoine an lá a bhíthear leis an ghiorria a mharbhadh ach chuaigh an gasúr seo go dtí an áit a raibh an giorria agus nuair a bhí sé ag teacht deas den áit a raibh sé léim an giorria amach, agus bhuail an gasúr é agus thit sé síos marbh. Phós iníon an rí é agus bhí dóigh mhaith orthu.

1.39 TRIÚR A RAIBH GARRADH DEAS ACU

Bhí fear agus bean ann fada ó shin agus bhí garradh deas acu. Bhí achan chineál crainn agus blátha ag fás ann agus bhí cuid mhór daoine ag teacht ag amharc air.

Lá amháin tháinig banríon a dh'amarc air agus dúirt sí gur an garradh é ba deise a chonaic sí ariamh agus go raibh achan chineál ag fás ann ach trí ní agus go bhfaigheadh siad iad ins an domhan thoir dá mbíodh siad ábalta a ghabháil fhad leo. Dúirt sí gur ba iad na Trí ní Tobar na hÍocshláinte, Éan na Scéalaíocha agus Crann an Cheoil.

D'inis an bhean seo do na fir agus dúirt an chéad fhear go gcaithfeadh sé iad a fháil. Ar maidin lá tharna mhárach rinne sé réidh lón fá choinne imeacht. D'fhág sé scian ina dhiaidh agus d'iarr sé ar an mhnaoi amharc uirthi achan lá agus nuair a thiompóchadh an scian dearg go mbeadh seisean marbh.

D'imigh sé leis go dtáinig an oíche air. Chuaigh sé isteach i dteach agus bhí seanduine na chónai ann. Bhí sé ar lóistín aige go maidin agus d'inis sé dó go raibh sé ag gabháil go dtí an domhan thoir. Dúirt an seanduine gur is iomaí duine a chuaigh an bealach sin agus nár phill ar ais agus d'iarr sé airsean gan a ghabháil ann.

"Is cuma" arsa an fear eile "caithfidh mise na trí ní a fháil".

"Bhéarfaidh mé an babhal seo duit" arsa an seanduine "agus lean é. Siúlfaidh sé féin. Bhéarfaidh sé go bun cnoic thú. Nuairt a bheas tú fá ghiota den chnoc chluinfidh tú callán agus beidh an cnoc lán clocha gorma. Ná tabhair aird ar bith orthu. Siúil leat."

D'imigh sé agus lean sé an babhal go dtáinig sé go bun an chnoic agus d'imigh an babhal amach as a amharc. Chuala sé an callán. Chuaigh sé suas giota agus shíl sé go raibh na daoine ag siúl ar a ghualainn agus d'amharc sé thart agus rinneadh cloch ghorm de. Nuair a d'amharc an bhean ar an scian bhí sí dearg agus bhí a fhios aici go raibh sé marbh.

Dúirt an dara fear go raibh sé fein ag imeacht agus rinne sé réidh lón agus d'fhág sé scian ina dhiaidh. D'iarr sé ar an bhean amharc uirthi achan lá agus nuair a thiontóchadh sí dearg go mbeadh seisean marbh.

D'imigh sé leis agus tháinig sé fhad le teach a raibh seanduine ina chónaí ann. Bhí sé leis agus go maidin agus d'inis sé do raibh sé ag gabháil go dtí an domhan thoir. D'iarr an seanduine air gan a gabháil ann ná gur iomaí duine a chuaigh ansin agus nár phill ariamh.

"Is cuma" arsa na fear eile "caithfidh mise na trí ní a fháil".

"Bhéarfaidh mé an babhal seo duit agus lean é. Bhéarfaidh sé go bun cnoic thú. Nuair a thiocfaidh tú fá ghiota den chnoc chluinfidh tú an callán agus iad ag iarraidh gan é a ligean níos faide. Ná tabhair aird orthu agus ná hamharc thart nó tiontócaidh tú do chloch ghorm."

D'imigh sé agus lean sé an babhal agus tháinig sé go bun cnoic. D'imigh an babhal as amharc. Chuaigh sé suas giota taobh an chnoic. Chuala sé callán agus shíl sé go raibh siad ag léimtigh suas ar a ghualainn agus sa deireadh d'amharc sé thart agus tiompódh isteach ina chloch ghorm é. Nuair a d'amharc sise ar an scian bhí sí dearg agus bhí a fhios aici go raibh sé marbh. Dúirt sise go rachadh sí féin. Rinne sí réidh lón agus fuair sí

claidheamh. Dhruid sí suas an teach agus d'imigh sí agus tháinig sí fhad
le teach a raibh seanduine ina chónaí ann. Bhí sí ar lóistín sa teach sin
go maidin agus d'inis sí don tseanduine go raibh sí ag gabháil go dtí an
domhan thoir. Dúirt an seanduine go dteachaigh beirt dearthaireachta
daoithe an bealach sin agus nár phill siad ariamh. Dúirt sise gur chuma
léithe go gcaithfeadh sise na trí ní a fháil. Thug an seanduine buideál
daoithe agus d'iarr sé uirthi leanstan de, go siúlfadh sé féin.

D'imigh sí agus lean sí an buideál agus tháinig sí fhad le cnoc. D'imigh
an buideál as amharc. Chuaigh sí suas giota taobh an chnoic. Bhí an cnoc
lán clocha gorma agus shíl sí go raibh siad ag léimtigh suas ar a
gualainneacha agus bhí sí ag bualadh an chlaidhimh ar gach taobh daoithe
go raibh sí thuas ag barr an chnoic. Chuaigh sí go dtí na trí ní agus thug
léithe iad. D'iarr an t-éan uirthi bheith ag caitheamh an uisce ar gach taobh
daoithe. Rinne sí seo agus bhí na daoine ag éirí aníos ina scaiftí agus
d'éirigh a cuid dearthaireacha féin agus bhí lúcháir uirthi rompu. Chuir
siad na trí ní ins an gharradh.

Lá amháin bhí an bhean amuigh sa gharradh agus chaith sí braon uisce
ar an éan agus rinneadh prionsa óg de. Bhí sé faoi gheasaibh le fada.
Pósadh é féin agus an bhean agus bhí dóigh mhaith orthu ó sin amach.

1.40.1   AN RÍ AGUS NA hÚLLAÍ

Bhí rí ann uair amháin agus bhí trí mhac aige. Lá amháin bhuail tinneas
an rí agus dúirt sé nach ndéanfadh a dhath biseach dó ach úllaí as an
domhan thoir. Bhí beirt de na mic sean ach bhí an fear eile óg.

Thug an rí trí bheathach agus trí mhála daofa agus d'iarr sé orthu a
ghabháil soir go dtí an domhan thoir fá choinne úllaí dó. D'imigh siad.
Nuair a bhí siad tamall ar shiúl tháinig siad fhad le croisbhealach. D'iarr
an bheirt ab aosta ar an fhear óg imeacht bealach dó féin agus d'imigh
an bheirt eile bealach daofa féin.

Bhí an oíche ag teacht. Chonaic sé teach beag i bhfad uaidh agus de
dheas dó. Chuaigh sé fhad leis agus chuaigh sé isteach. Bhí seanduine
ina shuí sa chlúdaigh agus bhí sé céad bliain d'aois. Chuir sé ceist ar an
tseanduine a raibh a fhios aige a leithéid seo de gharradh. Dúirt seisean
nach raibh a fhios ach d'iarr sé air a ghabháil fhad le deartháir dó a bhí
dhá chéad bliain.

D'imigh sé leis. Chuaigh sé fhad leis oíche lá tharna mhárach. Chuir
sé ceist airsean ach ní raibh a fhios aigesean. D'iarr sé air a ghabháil fhad
lena dhearthair a bhí trí chéad bliain.

D'imigh sé leis. Chuaigh sé fhad leis oíche lá tharna mhárach. Chuir
sé ceist airsean ní raibh a fhios aigesean. D'iarr sé air a ghabháil go dtí
tráigh atá thíos ansin agus go bhfuil iolar mór ann a ní féin agus b'fhéidir
go bhfuil a fhios aigesean.

Chuaigh sé fhad leis an tráigh agus chonaic sé an t-iolar. Chuir sé ceist
ar an iolar cá háit a raibh a leithéid seo do gharradh. Dúirt seisean go raibh
a fhios aige cá raibh sé ach nach bhfaigheadh seisean fhad leis. Dúirt sé

nach mbeadh an caisleán sin foscailte ach i gceann gach seachtú bliain.

D'iarr an t-iolar air a ghabháil ar a dhroim. D'imigh an bheirt leo go dtáiníg siad fhad le tráigh. D'iarr an t-iolar airsean a ghabháil go dtí an garradh agus go bhfanóchadh seisean anseo go dtí go dtiocfadh sé ar ais.

D'imigh an mac leis go dtáinig sé go dtí an garradh. Bhain sé na húllaí. Chuaigh sé isteach sa chaisleán agus chonaic sé cailín óg agus í ina codladh. Chuaigh sé fhad leis an fhuinneog agus thug sé leis fáinne óir. D'imigh sé amach ansin, thug leis na húllaí agus d'imigh ag tarraingt ar an iolar. Chuaigh sé ar dhroim an iolair agus d'imigh leo ag tarraingt ar an tráigh ar ais.

Nuair a thainig siad fhad leis an tráigh, d'fhan an t-iolar ar an tráigh agus d'imigh seisean ag tarraingt ar an chroisbhealach. Nuair a tháinig sé fhad leis an chroisbhealach bhí an bheirt eile ansin roimhe. Bhí úllaí leosan fosta ach má bhí féin ní hé an cineál ceart.

Tháinig an oíche agus thoisigh siad a chomhrá. D'inis an fear óg go raibh seisean i leithéid seo de gharradh. Nuair a fuair an bheirt ab aosta an fear óg ina chodladh bhain siad na húllaí amach as an mhála s'aigesean agus chuir siad ina gcuid málaí féin iad.

Nuair a mhuscail seisean ar maidin chuir sé an mála ar an bheathach agus d'imigh leis ag tarraingt ar an bhaile. Nuair a tháinig an bheirt ab aosta chun an bhaile dúirt siad go raibh na húllaí cearta leosan ach nach raibh leis an fhear eile.

D'iarr an rí ar an bhuitléir a ghabháil síos chun na coilleadh agus an fear ab óige a mharbhadh. Thug an búistéir leis é síos chun na coilleadh. Nuair a bhí an búistéir ag gabháil a mharbhadh d'iarr seisean ar an bhúistéir gan a mharbhadh. Dúirt sé go raibh éan sa choillidh agus go raibh croí aige cosúil le duine. D'imigh an bheirt agus fuair siad greim ar an éan agus bhain siad an croí as.

Thug an buitléir leis an croí, thug suas chuig an rí é. D'iarr an rí air é a thabhairt do na madaidh le hithe. Rinne an buitléir sin. Bhí an buitléir ag tabhairt bia síos chun na coilleadh chuigesean i rith an ama sin agus shíl an rí go raibh sé marbh.

Lá amháin tháinig carráiste fhad le teach an rí agus an cailín óg leis. Chuir sí ceist ar an rí an ba é seo a leithéid seo de theach. Chuir sí ceist an raibh na mic istigh. Dúirt seisean go raibh.

Scairt sí amach orthu go taobh an toighe. Chuir sí ceist ar an chéad fhear an raibh sé ina leithéid seo de gharradh. Bhí seisean ábalta inse an méid a d'inis an fear óg dó. Sa deireadh chuir sí ceist air an dtug sé leis fáinne ar bith a bhí san fhuinneoig. Dúirt seisean go dtug. Chuir sí ceist air cá bhfuil sé. Dúirt sé gur chaill sé é.

Fuair sí greim air agus bhuail sí a chloigeann in éadan an bhalla agus mharaigh sí é.

Scairt sí ar an dara fear agus chuir sí na ceisteannaí céanna air agus chuir sí ceist air cá raibh an fáinne. Dúirt sé gur chaill sé é. Bhuail sí a chloigean in éadan an bhalla agus mharaigh sí é.

Bhí an rí buartha ansin cionn is gur mharaigh sé an fear óg. Chuir sí ceist an raibh duine ar bith eile istigh. Dúirt seisean nach raibh nó gur mharaigh siad é. Chuir an buitléir ceist ar an rí ar mhaith leis é a fheiceáil ar ais. Dúirt an rí gur mhaith.

Chuaigh an buitléir síos chun na coilleadh agus thug sé aníos é. An méid ceisteannaí a chuir sí air d'fhreagair sé iad. Chuir sí ceist air an bhfaca sé fáinne ar bith. Dúirt seisean go dtug sé leis é. Chuir sí ceist air cá bhfuil sé. Chuir sé a lámh ina phóca agus thug sé daoithe an fáinne. Pósadh an bheirt agus bhí sí féin agus eisean agus an rí go maith ón lá sin amach.

1.40.2   TRIÚR MHAC AN RÍ

Bhí fear ann aon uair amháin agus bhí triúr mac aige. Oíche amháin rinne sé brionglóideach dá mbeadh na trí bhuidéal íocshláinte a bhí sa domhan thoir aige go mbeadh sé ina fhear chomh húr óg agus a bhí sé ariamh.

Nuair a d'éirigh sé ar maidin d'inis sé do na mic é. Dúirt an fear a ba sine go raibh seisean ag gabháil fána gcoinne. Gléasadh soitheach dó agus d'imigh sé. Nuair a chuaigh sé i bhfad amach san fharraige chonaic sé oileán. Cuireadh suas comhartha dó agus tharraing sé air. Ní raibh ar an oileán ach banríon óg agus dúirt sí leis go dtabharfadh sí leath an oileáin dó ach é fanacht agus d'fhan sé.

Bliain ón lá dúirt an dara mac lena athair go raibh seisean ag imeacht fá choinne na híocshláinte. Ní raibh an t-athair sásta é a ligean ach sa deireadh lig sé é. D'imigh sé leis ag tarraingt ar an domhan thoir agus nuair a chuaigh sé i bhfad amach san fharraige chonaic sé an t-oileán seo. Cuireadh suas comhartha dó agus tharraing sé air. Nuair a chuaigh sé i dtír ar an oileán cé a bhí roimhe ach a dheartháir féin agus an bhanríon. Dúirt sí leis gur bliain ón lá sin a tháinig a dheartháir agus go dtug sí leath an oileáin dó. Dúirt sí go dtabharfadh sí an leath eile dósan ach é fanacht agus d'fhan sé.

Bliain ón lá arsa an tríú fear lena athair - ''Dhá bhliain agus an lá inniu a d'imigh an dara fear agus tá mise ag imeacht inniu''.

Ní raibh an t-athair sásta é a ligean ach ní raibh maith a bheith leis agus b'éigean dó cead a chinn a thabhairt dó sa deireadh. Gléasadh soitheach galánta dósan agus thug sé leis beathach bán. Nuair a chuaigh sé i bhfad amach san fharraige chonaic sé an t-oileán. Cuireadh suas comhartha dó agus tharraing sé air. Cé a bhí ar an oileán ach an bhanríon óg agus a bheirt dearthár. Arsa sise leis -''Dhá bhliain agus an lá inniu a tháinig an chéad fhear agus thug mé leath an oileáin dó. Bliain is an lá inniu a tháinig an fear eile agus thug mé an leath eile dó agus bhéarfaidh mé mé féin duitse ach tú fanacht''.

Ach ní raibh maith a bheith leis. Ní fhanóchadh sé.

D'imigh sé leis ag tarraingt ar an domhan thoir agus i gceann cupla lá tháinig sé i dtír. Cheangail sé a shoitheach sa chuan agus thug sé leis an beathach ar an bhealach mhór. Nuair a chuaigh sé giota chonaic sé dhá iolar ina luí ar thaobh an bhealaigh mhóir agus iad ag fáil bháis leis an ocras. Tháinig sé anuas ón bheathach agus tharraing sé a chlaidheamh agus rinne sé dhá chuid de. Ansin chaith sé leath ag achan cheann acu de na hiolair agus d'imigh leis de shiúl gcos.

Nuair a chuaigh sé giota chonaic sé rud dubh ag tarraingt air san aer.

De réir mar a bhí sé ag teacht de dheas dó bhí sé ag éirí níos mó. Nuair a tháinig sé fhad leis d'iarr sé air deifre a dhéanamh agus a ghabháil suas ar a dhroim nó go raibh sé de dhíobháil orthu an méid a thiocfadh leo a dhéanamh. Anois arsa an t-iolar leis - "Sin beirt mhac domhsa a bhí ag fáil bháis ar thaobh an bhealaigh mhóir. Mharaigh tusa do bheathach agus anois caithfidh mise gar a dhéanamh duitse".

Nuair a bhí dul ó sholas ann tháinig siad fhad le teach. D'iarr an t-iolar air a ghabháil isteach agus lóistín a iarraidh. Dúirt sé go ndiúltóchadh siad é ach a rá leo gur Iolar Mór na Coille Glaise a chuir ann é agus go bhfaigheadh sé lóistín agus míle fáilte. D'iarr sé air a bheith ina shuí luath ar maidin agus go mbeadh seisean fána choinne ag an gheafta.

D'imigh an t-iolar ansin agus chuaigh seisean isteach agus d'iarr sé lóistín. Dhiúltaigh siad é ach d'inis sé cé a chuir ann é agus fuair sé lóistín agus míle fáilte. Nuair a fuair sé a shuipéar chuir siad ceist air goidé mar thaitin sé leis agus dúirt sé gur thaitin i gceart ach go raibh rud amháin acu in Éirinn nach raibh ansin. Chuir siad ceist air goidé an rud é. Dúirt sé gur arán bán ach dá dtiocfadh sé an bealach ar ais go mbeadh cuid de leis.

Ar maidin nuair a d'éirigh sé bhí an t-iolar fána choinne agus d'imigh siad ag tarraingt ar an dara teach. Nuair a bhí dul ó sholas ann tháinig siad fhad leis an gheafta agus rinne siad mar an chéad oíche. Ní raibh lucht an toighe sásta lóistín a thabhairt dó ach d'inis seisean cé a chuir ansin é, agus fuair sé lóistín agus míle fáilte. Chuir siad ceist air goidé mar a thaitin an suipéar leis agus dúirt sé gur thaitin i gceart ach go raibh rud amháin in Éirinn nach raibh ansin. Chuir siad ceist goidé sin agus dúirt sé gur feoil ach dá dtagadh sé an bealach ar as go mbeadh cuid leis.

Ar maidin lá tharna mhárach bhí an t-iolar fána choinne ar ais agus d'imigh siad ag tarraingt ar an tríú teach. Nuair a bhí dul ó sholas ann tháinig siad fhad leis an gheafta agus dúirt an t-iolar leis bheith ina shuí luath ar maidin agus a ghabháil go dtí an caisleán. Nuair a bheadh sé ag imeacht ar maidin go rachadh an maighistir amach chun an stábla agus go dtabharfadh sé beathach deas dó ach gan ceann ar bith a ghlacadh ach an clibistín óir a bhí i gcúl an dorais ina luí, nár éirigh le fiche bliain; é an diallaid a bhí léithe os cionn an dorais a chur air agus go seasóchadh sé. Chuir siad ceist air goidé mar a thaitin an suipéar leis agus dúirt sé gur thaitin i gceart ach go raibh rud amháin in Éirinn nach raibh ansin. Chuir siad ceist goidé sin agus dúirt sé gur fíon ach dá dtagadh sé an bealach ar ais go mbeadh sé leis.

Ar maidin nuair a d'éirigh sé bhí an maighistir ina shuí fosta. Thug sé anonn chun an stábla é le beathach a thabhairt dó. Ní ghlacfadh seisean ceann ar bith ach an ceann a bhí i gcúl an dorais. Bhí corraí ar an mhaighistir agus d'fhág sé ansin é. Thug seisean leis an diallait agus chuir sé ar an chlibistín é agus d'éirigh sé ina sheasamh. Thug sé leis amach ansin é agus shiúil sé leis ar a shuaimhneas go bhfuair sé as amharc an toighe. Ansin d'iarr sé ar an bhuachaill a ghabháil de léim ar a dhroim nó go raibh an bhainríon agus an garda a bhí ar an chaisleán ina gcodladh; go raibh siad le bheith muscailte ar an dó dhéag agus mura mbeadh siadsan ansin roimhe sin go mbeirfí orthu.

Nuair a tháinig siad fhad leis an chaisleán chuaigh seisean isteach agus d'fhan an clibistín óir amuigh. Fuair sé na trí bhuidéal an fíon, an fheoil agus an t-arán bán agus thug leis iad. Nuair a bhí sé ag imeacht chonaic sé an bhanríon ina luí agus chuaigh sé a luí aici. Nuair a tháinig sé amach

88

bhí an clibistín ag fanacht leis. Chuaigh sé de léim ar a dhroim agus níor stad siad go raibh siad ag an teach ar ais. D'fhág sé an clibistín óir sa stábla agus chomh luath agus a bhain sé an diallait de luigh sé agus fuair sé bás. Chuaigh sé isteach chun an toighe ansin agus fuair sé a chuid tae. D'fhág sé an fíon acu agus dá mbeadh siad ag ól an fhíona ó shin ní éireochadh sé a dhath beag.

Ar maidin bhí an t-iolar fána choinne ar ais agus thug sé go dtí an dara teach é. D'fhág sé an fheoil ansin agus dá mbeadh siad ag gearradh ó shin uirthi ní éireochadh sí a dhath beag. Chuaigh sé go dtí an tríú teach ansin agus d'fhág sé an t-arán bán ann agus dá mbeadh siad ag gearradh ó shin ní éireochadh sé a dhath beag.

Thug an t-iolar go dtí an soitheach é ansin agus d'fhág an bheirt slán ag a chéile agus d'imigh sé ag tarraingt ar an bhaile. Nuair a bhí sé ag tarraingt ar an oileán cuireadh suas comhartha dó. Smaointigh sé nach rachadh sé a dh'amharc orthu. Smaointigh sé ansin nach bhfeicfeadh sé níos mó iad agus chuaigh sé a dh'amharc orthu. Bhí truaighe mhór acu dó agus chuir siad a luí é. Nuair a fuair siad ina chodladh é chuir siad biorán suain ina chloigeann agus thug siad leo na trí bhuidéal íocshláinte chun an bhaile chuig an athair. D'inis siad don athair gur iad féin a chuaigh fána gcoinne.

Bhí an fear eile sa chaisleán gur imigh an cearn den chaisleán. Lá amháin tháinig préachán isteach agus tharraing sé an biorán suain amach as agus mhuscail sé. Bhí sé ar an oileán ansin agus ní raibh sé ábalta fáil chun an bhaile. Bhí a chuid éadaigh lofa air.

Lá amháin chonaic sé soitheach ag tarraingt ar an oileán agus chuir sé suas comhartha. Tháinig an caiptín isteach chuige agus chuir sé ceist air goidé a thug ar an oileán é. D'inis seisean dó. D'iarr an caiptín air a ghabháil isteach ar an tsoitheach agus chuaigh. D'fhág sé sa bhaile é. Nuair a tháinig sé chun an bhaile bhí an bhanríon agus an deartháir pósta. Bhí siad fá choinne eisean a chur ar shiúl ar fad ach gurb é gur dhúirt an mháthair go raibh buachaill a dhíobháil orthu le muca a chothú.

Aon lá amháin tháinig soitheach isteach thíos faoin teach agus banríon óg inti agus leanbh léithe. Chuir sí scéala suas chuig an rí agus d'iarr sí athair an linbh a chur anuas chuici. Chuir siad síos an fear ba sine agus arsa an bhanríon leis - "Más tú athair an linbh crom síos agus aithneochaidh an leanbh tú".

Chrom sé síos agus scríob an leanbh é. D'iarr sí air a ghabháil suas agus athair an linbh a chur anuas chuici nó go leagfadh sí an caisleán. Chuir sé síos an dara fear ansin agus rinne an leanbh an rud céanna leis. D'iarr sí air a ghabháil suas agus athair an linbh a chur anuas nó nach bhfágfadh sí cloch ar thóin cloiche ar an chaisleán.

Ní raibh le cur anuas ansin ach fear na muc agus d'iarr siad air culaith úr éadaigh a chur air agus é a ghabháil síos. Arsa seisean - "An urraim nach bhfuair mé ó tháinig mé chun toighe níl mé ag gabháil a fháil anois ach oiread".

D'imigh sé síos agus phóg an leanbh é. Thug an bhanríon léithe é. Chuir sí culaith éadaigh air agus ghlan sí é. Ansin chuir sí scéala fá choinne na máthar agus nuair a chuaigh a máthair síos chuici chuir sí fáinne ar a méar.

"Anois" arsa sise "sin fáinne na fírinne agus mura n-insíonn tú an fhírinne bainfidh sé an mhéar duit. Cé leis an chéad fhear a chuir tú anuas chugamsa?"

"Cé leis é ach leis an rí".

Bhí an fáinne ag gabháil a ghearradh na méire daoithe.

"Cé ar leis é ach leis an gharradóir".
Stad an fáinne ansin.
"Cé ar leis an dara fear?"
Arsa sise - "Cé ar leis é ach leis an rí".
Theann an fáinne ar ais. D'iarr sí uirthi an fhírinne a inse.
"Cé ar leis é ach leis an gharda".
Stad an fáinne ansin.
"Cé ar leis an tríú fear?"
"Cé ar leis é ach leis an rí".

Níor theann an fáinne ar chor ar bith. Chuaigh siad suas chuig an rí ansin agus d'inis siad dó cé a fuair an íocshláinte agus mar chuir siad an biorán suain ina chloigeann. Chuir siad síos tine agus dhóigh siad an bhanríon agus an bheirt dearthair agus bhí siad fá choinne an rud céanna dhéanamh leis an athair agus an mháthair ach chuir siad ar shiúl ón teach iad ar fad.

Pósadh é féin agus an bhanríon ar a chéile agus bhí dóigh mhaith orthu ó sin amach.

1.41.1   AN TRIÚR MAC AGUS AN CAT

Bhí fear ann agus bhí triúr mac aige. Dúirt an fear a ba shine go rachadh sé agus go saothróchadh sé a chuid. D'imigh leis lá amháin a chuartú oibre. Teacht na hóiche casadh isteach i dteach bheag é nach raibh ann ach cat agus fuair sé lóistín. Tharraing an fear amach lón beag a bhí aige agus d'iarr an cat na grabhrógaí air. Dúirt an fear go raibh sin beag go leor aige féin. "Ní bhfaighidh tú obair ar bith," arsa an cat.

Ar maidin d'imigh an fear leis agus fuair sé obair is é sin bád a dhéanamh chomh gasta is a thiocfadh leis. Tugadh an oiread seo ama dó agus nuair a tháinig an fear thart ní raibh an bád déanta. Baineadh an ceann de. D'imigh an dara fear leis agus nuair a tháinig an oíche air fuair sé lóistín ag an chat. Thug sé amach an lón a bhí aige agus d'ith sé é. D'iarr an cat na grabhrógaí air ach ní thug sé dó iad. Dúirt an cat leis an fhear nach bhfaigheadh sé obair ar bith amárach. Nuair a tháinig maidin lá tharna mhárach d'imigh leis ach fuair sé obair — bád a dhéanamh chomh gasta agus a thiocfadh leis nó go mbainfí an ceann de.

Ní raibh an bád déanta aige nuair a tháinig an fear thart agus baineadh an ceann de.

D'imigh an tríú fear leis. Teacht na hóiche dó fuair sé lóistín ag an chat. Tharraing an fear amach lón a bhí aige. D'iarr an cat na grabhrógaí air. Thug an fear na grabhrógaí don chat agus dúirt an cat leis "gheobhaidh tusa obair amárach."

Fuair sé obair agus bhí an bád déanta aige an oíche sin. Fuair sé mála óir agus chuaigh sé chun an bhaile chuig a athair.

1.41.2   TRIÚR MHAC NA BAINTRÍ

Bhí baintreach ann uair amháin agus bhí triúr mac aici agus bhí siad iontach bocht. Lá amháin dúirt an mac a ba sine go raibh sé féin ag imeacht a shaothrú a chodach. "Maith go leor" arsa an mháthair "tá mise sásta ach tá dhá thoirtín déanta agam, toirtín beag agus toirtín mór agus ba mhaith liom ceann acu a thabhairt duit. Anois cé acu is fearr leat an toirtín beag agus mo bheannacht nó an toirtín mór agus mo mhallacht?" Dúirt an mac gurbh fhearr leis an toirtín mór agus a mallacht. Thug an mháthair an toirtín mór dó agus d'imigh sé agus thoisigh sí a mhallachtaigh air go dtí go dteachaigh sé amharc.

D'imigh leis agus níorb fhada go dtáinig sé fhad le tobar. Bhí ocras agus tart ag teacht air agus smaointigh sé go suighfeadh sé síos le taobh an tobair agus go gcaithfeadh sé béile maith bídh. Shuigh sé síos agus nuair a bhí sé ag ithe a chodach tháinig éan go dtí é. D'iarr sé giota den arán air ach ní thabharfadh an buachaill dó é. Nuair a bhí a sháith ite aige d'éirigh sé agus chuaigh sé giota eile agus chonaic sé teach. Nuair a bhí sé ag tarraingt ar an teach casadh fear an toighe air agus chuir sé ceist cá raibh sé ag gabháil agus d'inis an buachaill dó go raibh sé ag iarraidh fostóidh. Dúirt fear an toighe go raibh buachaill a dhíth airsean agus go bhfostóchadh sé é má bhí dúil aige ann. Dúirt an buachaill go ndéanfadh sé fostódh leis.

Rinne an bheirt margadh agus ba é an margadh a rinne siad an chéad duine den bheirt a dtiocfadh corraí air go dtiocfadh leis an duine eile an chluas a bhaint de. Bhí go maith. Chuaigh an bheirt chun an toighe go dtearna siad a ngoradh. Bhí seanbhean ina suí sa chlúdaigh agus d'ordaigh sí don bhuachaill an t-eallach a scaoileadh amach agus iad a bhuachailleacht. Rinne an buachaill mar a hiarradh air.

Nuair a tháinig am dinnéara chuir sé isteach an t-eallach. Cheangail sé iad agus chuaigh sé isteach chun an toighe. Bhí tae réidh ag an mhaighistir fána gcoinne agus d'iarr sé air é a ól ach diarr an tseanbhean air a ghabháil síos fá choinne stópa uisce agus é an tae a ól nuair a thiocfadh sé aníos.

D'imigh seisean fá choinne an uisce ach nuair a tháinig sé bhí an tae ólta ag an tseanmhnaoi. Chuir an maighistir ceist air an raibh corraí air agus dúirt seisean go raibh. Ghearr an maighistir an chluas de agus d'imigh an buachaill chun an bhaile.

Ar maidin lá tharna mhárach chuaigh an dara mac i gceann an bhealaigh. Thug sé leis an toirtín mór agus fuair sé mallacht a mháthara. D'imigh sé leis go dtáinig sé fhad leis an teach a raibh a dhearthair ann an lá roimhe sin. Rinne sé fostódh leis an mhaighistir agus tharlaigh dó mar a tharlaigh dona dhearthair. Chuaigh seisean chun an bhaile fosta agus gan air ach chluas amháin.

Duirt an dearthair óg go n-imeochadh seisean go bhfeicfeadh sé goidé mar a d'éireochadh leis. Chuir an mháthair ceist air cé acu ab fhearr leis an toirtín mór agus a mallacht nó an toirtín beag agus a beannacht. Dúirt an mac gurbh fhearr leis an toirtín beag agus a beannacht.

Thug an mháthair an toirtín beag agus a beannacht dó agus d'imigh sé. Shiúil sé leis agus ba ghoirid go dtáinig sé fhad le tobar. Shuigh sé síos agus thoisigh sé a ithe an aráin agus tháinig éan fhad leis. D'iarr sé giota den arán air agus thug an buachaill dó é. Chuir an t-éan ceist air cá raibh sé ag gabháil agus d'inis an buachaill dó go raibh sé ag iarraidh fostóidh. D'inis an t-éan dó go raibh teach thall ansin a raibh buachaill a dhíth ann.

D'imigh an buachaill go dtí an teach seo agus rinne sé fostódh leis an mhaighistir ar an mhargadh chéanna a rinneadh lena chuid deartháireacha. I ndiaidh tamall beag a chaitheamh ag caint leis an mhaighistir, d'ordaigh an tseanbhean an t-eallach a scaoileadh amach. Rinneadh mar a d'iarr sise. Thug sé leis an t-eallach chun na dumhcha agus choiméad sé iad. Nuair a bhí sé tuairim ar uair ag buachailleacht scairteadh leis an t-eallach a chur aníos. Rinne sé sin. Nuair a bhí an t-eallach ceangailte aige chuaigh sé isteach chun an toighe. Bhí a chuid tae réidh ar an tábla ach d'iarr an tseanbhean air gabh uisce a thabhairt aníos. Nuair a tháinig sé aníos leis an uisce bhí an tae ólta ag an tseanmhnaoi. Nuair a chonaic an buachaill seo ní dhearna sé ach greim a fháil uirthi agus í a chaitheamh isteach sa tine.

Nuair a tháinig an maighistir isteach chonaic sé an bhail a bhí ar an tseanmhnaoi. Bhí fearg mhór air ach ní thiocfadh leis aon dath a rá nó thiocfadh leis an bhuachaill an chluas a bhaint dó.

Tharraing sé amach an tseanbhean, thug sé chuig an dochtúir í agus chóirigh an dochtúir na creacha. Thug an maighistir leis í go teach na comharsan agus d'fhag sé i gcúram bhean an toighe í.

Chuaigh sé chun an bhaile ansin. Thug sé leis a chapall agus d'imigh sé amach as an áit agus ní fhacthas ní ba mhó é. Bhí an teach, an fheirm an t-eallach, an t-airgead agus gach rud dá raibh ag baint leis an áit ag an bhuachaill.

1.42   AN tIASCAIRE AGUS AN BRADÁN

Bhí bean agus fear ina gcónaí ag taobh cnoic. Iascaire a bhí san fhear. Lá amháin d'imigh sé a iascaireacht agus nuair a tháinig sé go dtí an abhainn chonaic sé bradán agus d'iarr an bradán air gan baint leis agus dúirt an fear nach mbainfeadh.

D'imigh an fear chun an bhaile agus d'inis sé dona mhnaoi goidé a chonaic sé agus dúirt an bhean leis "iarr ar an bhradán muid a bheith inár gcónaí i dteach deas."

Lá tharna mhárach d'imigh an fear go dtí an abhainn an áit ina raibh an bradán agus d'iarr sé ar an bhradán é féin agus a bhean a bheith ina gcónaí i dteach deas agus thug an bradán an teach daofa.

An dara maidin nuair a bhí an fear ag imeacht a iascaireacht d'iarr an bhean air í a bheith ina banríon.

D'imigh an fear go dtí an abhainn agus d'iarr sé ar an bhradán a bhean a bheith ina banríon agus coróin óir ar a ceann. Rinne an bradán seo daoithe. Nuair a d'éirigh an bhean ar maidin chonaic sí an ghrian ag éirí agus dúirt sí lena fear "an dara lá a rachas tú a iascaireacht iarr ar an bhradán mise a bheith i mo rí ar an ghrian agus ar an ghealach.''

D'imigh an fear go dtí an bradán agus d'iarr sé air a bhean a bheith ina rí ar an ghrian agus ar an ghealach agus dúirt an bradán ''Tá Dia ina rí ar an ghrian agus ar an ghealach agus ní thig le do bhean a bheith ina rí''.

D'imigh an fear chun an bhaile agus bhí an bhean ina seanchró ar ais.

1.43.1   FEAR A BHÍ RÓSHANTACH

Bhí fear bocht ann am amháin agus ba ghnách leis a ghabháil amach achan lá chun na coilleadh a bhaint adhmaid. Rinne sé gléas beo ar seo ach ba mhaith leis obair inteacht eile a fháil. Tráthnóna amháin nuair a bhí sé ag teacht chun an bhaile ón obair casadh bean iontach dheas air agus í cóiriste in éadach bán.

''Tráthnóna maith,'' arsa seisean agus bhain dó a hata.

''Tráthnóna maith,'' arsa an bhean. ''Goidé a choinnigh thú chomh mall seo?''.

''Bhí mé ag baint adhmaid ins an choillidh'' arsa seisean, ''agus caithfidh mise obair uaireannaí fada le mo chuid a shaothrú. Saol cruaidh mo shaolsa.''

''Ar mhaith leat obair eile a fháil agus páighe níos fearr?''

''Leoga b'fhearr, níl mé doiligh a shásamh,'' arsa an fear.

''B'fhéidir dá líonfainn do channa lán óir, an mbeadh tú sásta?''

Thóg sé an clár agus bhí sé lán óir agus bhí sí sásta.

Dar leis féin dá mbeadh canna níos mó agam líonfadh sí é chomh maith leis an channa bheag agus bheinn saibhir a choíche. Tháinig an bhean an dara huair agus chuir an fear ceist uirthi an dtiocfadh léithe canna níos fearr óir a thabhairt dó. Dúirt an bhean go dtiocfadh. D'imigh an fear agus tháinig sé agus bucóid mhór leis agus nuair a tháinig sé fhad leis an áit ar fhág sé an bhean ní raibh sí ann agus ní raibh sí le fáil aige.

D'amharc sé isteach sa channa agus ní raibh ór nó airgead ann ach fuílleach a dhinnéar. D'imigh sé chun an bhaile agus brón mór air cionn is nár choinnigh sé an canna a bhí aige.

1.43.2   AN FEAR SANTACH

Bhí fear ann uair amháin agus ba mhaith leis achan rud beidh aige do féin. Fear santach a bhí ann. Lá amháin casadh fear air agus dúirt an fear leis.

''Cé acu ab fhearr leat mála airgid nó mála óir?''

''Dá mbeadh an dá rud agam, ghlacfainn iad,'' a dúirt sé.

''Bhail'' arsa an fear eile ''dá n-abrófá ceann ar bith den dá cheann bhéarfainn duit é agus ná nár dhúirt ní bhfhaighidh tú aon cheann acu anois.'' Ansin dúirt sé ''is fearr liom mála an airgid.''

''Bhail'' arsa an fear eile ''tá tú róshantach agus ní bhfaighidh tú aon cheann acu anois.''

1.43.3 GÉ AN ÓIR

Bhí seanbhean agus seanfhear ina gcónaí ag bun cnoic uair amháin. Bhí siad iontach bocht. Oíche bhí an bheirt ina suí i gcois na tineadh. Chuala siad tormán amuigh ag an doras. Chuir an bhean síos go dtí an doras agus d'fhoscail sí é agus bhí fear amuigh aige. Chuir sé ceist uirthi an dtabharfadh sí lóistín dó go maidin.

"Bhéarfaidh agus fáilte," arsa sise.

Am luí dúirt siad an paidrín agus chuaigh siad a luí. Maidin lá tharna mhárach bhí siad ina suí go breá luath. Nuair a bhí seisean ag imeacht thug sé gé don bhean. Rugadh an gé ubh óir. Chomh luath agus a rugadh an gé an ubh rachadh sise chun an tsiopa leis an ubh agus gheobhadh sí giní uirthi.

Bhí dóigh bhreá orthu tamall ach lá amháin dúirt sise nach mbeadh sí ag fanacht leis breith. Mharaigh siad an gé agus ní raibh ubh ar bith ag an ghé mar bhí siad róshantach.

1.44.1 AN BUIDÉAL DRAÍOCHTA

Bhí fear ann uair amháin agus bhí trí acra talaimh aige. Bhí bean agus páistí le coinneáil suas aige. Bhliain amháin ní raibh airgead ar bith acu leis an chíos a dhíol. Chuir an fear ceist ar an bhean goidé a dhéanfadh siad.

"Goidé a dhéanfá" arsa sise, "ach an bhó sin a thabhairt leat chun an aonaigh agus í a dhíol."

Ar maidin lá tharna mhárach d'imigh sé. Bhí giota fada aige le ghabháil fríd na sléibhte. Ní dheachaigh sé i bhfad gur mhothaigh sé trup ina dhiaidh.

D'amharc Micheál thart mar Micheál a bhí air. Chonaic sé an fear beag ag siúl ina dhiaidh.

"Maidin mhaith duit" arsa an fear beag.

"Maidin mhaith duit féin" arsa Micheál.

"Cá bhfuil tú ag gabháil leis an bhó?" arsa an fear beag.

"Tá mise ag gabháil go haonach Chorcaí" arsa Micheál.

"An ndíolfaidh tú liomsa í?" arsa an fear beag.

D'amharc Micheál air agus ní thiocfadh leis stad de na gáirí.

"Ó, ní cúis gháirí ar bith é" arsa an fear beag.

Tharraing an fear beag buidéal as a phóca agus dúirt sé is fearr duitse an buidéal óir b'fhéidir go dtiocfadh gadaí nó robóirí ort nuair a bheifeá ag teacht chun an bhaile agus go mbainfeadh siad duit do chuid éadaigh. Sa deireadh ghlac sé an buidéal. D'inis an fear beag dó goidé an dóigh leis an bhuidéal a oibriú.

D'imigh an fear ag tarraingt ara a bhean Mollaí. Nuair a chuaigh sé isteach bhí corraí uirthi cionn is nach raibh airgead ar bith leis ar shon na bó.

Chuaigh an fear suas chun an tseomra. Ghlan sé an tábla. D'fhág sé an buidéal ar an tábla agus dúirt sé "déan go ghnoithe."

Le sin féin fágadh an tábla cumhdaithe le plátaí agus gach uile chinéal bídh.

94

D'ith sé féin agus a bhean a sáith. Nuair a bhí siad réidh thug an bhean léithi an méid a tháinig as a bhuidéal.

Chuala an tiarna talaimh seo agus thug sé dhá chéad punta dó air. Gan mhoill ina dhiaidh sin d'éirigh siad bocht ar ais. Tabhair leat an bhó chun an aonaigh agus b'fhéidir go gcasfaí an fear beag ort. D'imigh sé ar maidin go luath. Ní raibh sé i bhfad gur mhothaigh sé trup. D'amharc Micheál thart agus goidé a bheadh ann ach an fear beag.

"An bhfuil buidéal ar bith leat inniu" arsa Micheál.

"Tá" arsa an fear beag.

Thug sé an buidéal dó agus d'imigh sé. Nuair a tháinig sé chun an bhaile bhí Mollaí amuigh. "Cér leis ar dhíol tú an bhó? Cá mhéad a fuair tú uirthi. Goidé an sórt buidéal é sin atá leat?"

Tharraing Micheál amach an buidéal agus dúirt sé "a bhuidéil, déan do ghnoithe". Tháinig dhá óganach amach agus bhuail siad a sáith ar Mhollaí agus ar Mhicheál. Thug sé don tiarna talaimh é. Thug sé dhá chéad punta dó air. Lá amháin bhí scaifte mór daoine istigh sa tseomra ag an tiarna talaimh.

D'iarr sé ar a bhuidéal a ghnoithe a dhéanamh. Tháinig dhá óganach amach agus bhuail siad a sáith ar a mhuintir a bhí amuigh. Nuair a fuair bean an tiarna bás bhris sé an buidéal ina phíosaí.

1.44.2   AN BUIDÉAL DRAÍOCHTA

San am a raibh na daoine maithe nó na daoine beaga gnoitheach in Éirinn bhí scológ ina chónaí i nAlbain. Micheál a bhí air. Bhí trí acra talamh aige. Bhí a bhean agus a chuid páistí le coinneáil suas aige. Mollaí a bhí ar a mhnaoi agus bhí triúr páistí ann. Bhíodh Micheál ag obair ar an talamh agus bhíodh Mollaí ag iompar ime chun an mhargaidh. Bhí siad bocht agus cha raibh airgead acu bliain amháin leis an chíos a dhíol.

"Goidé a dhéanfas muid, a mhuirnín" arsa sise "ach an bhó a thabhairt leat go haonach Chorcaí agus í a dhíol. Dé Luain an t-aonach agus caithfidh tu imeacht amárach in ainm an rí". Bhí go maith go dtáinig an dó dhéag a chlog lá tharna mhárach nuair a thug Micheál an bhó go haonach Chorcaí. B'éigean dó a ghabháil fríd na sléibhte agus fríd na cnoic. Chuala sé glór ina dhiaidh. D'amharc sé thart agus chonaic sé fear beag.

"Maidin mhaith duit, a Mhicheáil" arsa an fear beag.

"Maidin mhaith duit féin" arsa Micheál.

"Cá bhfuil tú ag gabháil leis an bhó" arsa an fear beag.

"Go haonach Chorcaí" arsa Micheál.

"An bhfuil tú ag gabháil á díol" arsa an fear beag.

"Goidé eile a bheinn ag gabháil a dhéanamh? arsa Micheál.

"An ndíolfaidh tú liomsa í? arsa an fear beag.

D'amharc Micheál air. Bhí iontas air. D'amharc sé air agus leoga cha dtiocfadh leis stad de gháirí.

"Féadann tú gáire a dhéanamh" arsa an fear beag "ach inseochaidh mé duit gur fearr duit an buidéal a ghlacadh agus an bhó a thabhairt domhsa".

"An bhfuil tú ag déanamh" arsa Micheál "go nglacfainn do bhuidéal ar mo bhó agus buidéal folamh fosta?"

"B'fhéidir go bhfaigheadh do bhó bás sula mbeifeá ag aonach Chorcaí" arsa an fear beag.

Leis an scéal fada a dhéanamh gairid ghlac Micheál an buidéal. Abair le Mollaí an seomra a scuabadh agus an tábla a chur amach i lár an tseomra agus éadach geal a chur air agus an buidéal a fhágáil ar an urlár agus a rá leis an bhuidéal "A bhuidéil, déan do ghnoithe."

D'imigh Micheál leis. Chonaic sé Mollaí amuigh agus chuir sé sheanscairt uirthi.

"A Mhiceáil, goidé an dóigh a bhfuil tú ar ais chomh gasta sin? Cinnte cha raibh tú ar an aonach agus sa bhaile ar ais. Goidé a d'éirigh duit? Cá bhfuil an bhó?

"Ní thig liom inse duit."

D'amharc Mollaí air agus bhí fearg mhór uirthi leis.

D'éirigh Mollaí fá dheireadh agus chuaigh suas chun an tseomra. Chuir sí tábla amach i lár an toighe mar a d'iarr Micheál uirthi. Ansin chuir sí éadach geal air agus chuir sí an buidéal ar an urlár agus scairt Micheál amach.

"A bhuidéil, déan do ghnoithe."

Ansin tháinig dhá óganach amach as an bhuidéal agus líon siad an tábla le rudaí deasa. Shuigh Mollaí agus Micheál agus na páistí agus d'ith siad a sáith.

Thoisigh sé ag éirí saibhir ar ais agus bhí an buidéal go cúramach aige go dtí fá dheireadh fuair Mollaí bás leis an aois agus bhí searbhóntaithe acu ag cur gach cineál ina áit féin. Bheir siad greim ar an bhuidéal agus bhris suas é.

1.45   AN DÁ SHAIGHDIÚIR

Bhí dhá shaighdiúir bhochta ag teacht chun an bhaile tráthnóna amháin agus luigh siad síos i gcoillidh lena scríste a dhéanamh. I lár na hoíche tháinig fear beag fhad leo agus mhuscail sé iad. Thug sé sparán draíochta don chéad fhear agus is cuma goidé an méid airgid a bhainfeadh sé amach (as) bheadh sé i gcónaí lán. Thug sé clóca draíochta don dara fear agus rud ar bith a d'iarrfadh sé gheobhadh sé é.

Bhí dóigh bhreá orthu ar feadh tamall fada ach d'éirigh siad tuirseach ag siúl thart. D'iarr an fear a raibh an clóca aige caisleán. Roimhe bhomaite bhí caisleán acu agus bhí féasta acu. Nuair a chuala an bhanríon go raibh sparán agus clóca draíochta acu rinne sí suas a hintinn go bhfaigheadh sí siad. Nuair a bhí siad ina gcodladh thug sí léithe iad. Nuair a mhuscail siad lá tharna mhárach ní raibh an sparán ná clóca le fáil acu. D'éirigh siad iontach bocht ó sin suas. Sa deireadh d'éirigh siad chomh bocht gurbh éigean daofa a ghabháil a chruinniú.

Rinne siad suas go rachadh fear acu bealach amháin agus an fear eile bealach eile. Chuaigh. Tháinig an chéad saighdiúir go dtí crann agus bhí úllaí ag fás air agus d'ith sé triúr acu ceann i ndiaidh an cheann eile. Nuair a bhí siad ite aige chonaictheas dó go raibh a shrón go hiontach. Nuair a d'amharc sé air bhí sé ag gabháil síos go dtína chuid cosa. D'éirigh sé mór leis go dtí sa deireadh bhí sé chomh trom gurbh éigean dó suí síos.

Eadar an dá am bhí an saighdiúir eile ag siúl fríd an choillidh nuair a bhuail sé suas in éadan rud inteacht. Ní raibh a fhios aige goidé a bhí ann. Shiúil sé leis na mílte agus na mílte go dtí go dtáinig sé fhad lena chomrádaí a bhí sínte faoi chrann. Nuair a bhí sé ag smaointeamh goidé a dhéanfadh sé tháinig an fear beag fhad leis arís. D'iarr sé orthu triúr de na horáistí a bhí ag fás ar an chrann giota ar shiúl a ithe. Ní luaithe a bhí siad ite acu nó d'éirigh a shrón an mhéid cheart arís.

"Tá a fhios agam anois goidé a deanfaidh mé" arsa an chéad saighdiúir. Chóirigh sé é.féin suas cosúil le fear a bheadh ag obair i ngarradh. Thug sé leis bosca de na húllaí agus chuaigh sé fhad le caisleán an rí. Nuair a tháinig sé fhad leis an chaisleán bhí achan duine ag iarraidh na húllaí a cheannach. Ach dúirt sé gurb é fá choinne an bhanríon a bhí siad.

Chonaictheas don bhanríon nár ith sí úllaí ar bith ariamh a bhí chomh maith leo. D'ith sí léithe go dtí go raibh seisear ite aici. Ní luaithe a bhí siad ite aici ná thoisigh a srón a dh'éirí mór. Chuaigh sé síos fhad lena cuid cosa agus amach ar an fhuinneog agus fríd pháirceannaí agus fríd ghleanntaí.

Ní raibh dochtúir ar bith ábalta biseach a dhéanamh daoithe. Dúirt an rí go dtabharfaidh sé rud ar bith don té a dhéanfadh biseach daoithe. Ní raibh dochtúir ar bith ábalta biseach a dhéanamh daoithe. Chóirigh an saighdiúir é féin suas cosúil le dochtúir agus chuaigh sé fhad leis an chaisleán agus thug sé leis cuid de na húllaí. Thug sé don bhanríon iad ach rinne sin níos measa í.

D'imigh sé agus dúirt sé go dtiocfadh sé lá tharna mhárach. Ach nuair a tháinig sé bhí an srón cupla míle eile níos faide. Bhí an bhanríon chóir a bheith amach as a ciall. Thug sé giota d'oráiste daoithe agus nuair a tháinig sé lá tharna mhárach bhí sé rud beag níos fearr ach bhí sé ceithre mhíle ar shiúl go fóill.

Dúirt an dochtúir léithe go raibh rud inteacht ag obair i measc an rud a thug sé daoithe. Dúirt sé fosta go raibh sé cinnte gur ghoid sí rud inteacht agus d'inis sé daoithe nach bhfaigheadh sí biseach go dtabharfadh sí na rudaí ar ais. D'iarr an rí uirthi na rudaí a ghoid sí óna saighdiúirí bochta a thabhairt ar ais. Fuair sí iad agus d'iarr sí ar an dochtúir iad a thabhairt ar ais don dá shaighdiúir. Ní luaithe a bhí siad ina láimh aige ná thug sé trí oráiste daoithe. Nuair a bhí siad ite aici fuair an srón biseach.

Chuaigh an dochtúir chun an bhaile agus bhí lúcháir mhór air féin agus ar an tsaighdiúir eile go raibh an sparán agus an clóca ar ais acu agus bhí am breá acu ní ba mhó ina dhiaidh sin.

1.46.1　　　　AN GRÉASAÍ AGUS A DHÁ MHAC

Bhí gréasaí ann fada ó shin agus bhí dhá mhac aige. Ní raibh móin ar bith acu agus lá amháin chuir sé amach chun na coilleadh an bheirt acu a chuartú cipín agus nuair a chuaigh siad amach chonaic siad éan beag, agus lean siad de ag déanamh go bhfaigheadh siad greim air. Tháinig an oíche agus ní raibh greim acu ar an éan agus d'imigh siad chun an bhaile agus gan cipín ar bith leo agus bhuail an t-athair iad agus ní thug sé a ghreim le hithe daofa go maidin agus ar maidin ní bhfuair siad aon ghreim ach oiread agus chuir sé amach iad chun na coilleadh a chuartú cipíní agus nuair a chuaigh siad amach chonaic siad an t-éan céanna a chonaic siad an lá roimhe sin agus lean siad é agus ní bhfuair siad greim air agus tháinig siad chun an bhaile mar a rinne siad an lá roimhe sin gan cipín ar bith leo agus d'éirigh an rud céanna daofa a d'éirigh an lá roimhe sin. Ní bhfuair siad aon ghreim go maidin agus chuir sé amach iad an tríú lá agus nuair a bhí siad amuigh chonaic siad an t-éan céanna agus lean siad é go dtí go raibh tráthnóna ann agus fuair siad greim air agus ansin chruinnigh siad cupla cipín agus tharraing siad ar an bhaile, an t-éan agus na cipíní leo, agus an tráthnóna seo fuair siad a gcuid agus chuaigh siad a luí an oíche sin agus ar maidin nuair a d'éirigh siad d'amharc siad ar an éan agus bhí ubh óir rugtha aige.

Bhí clogadóir ina chónaí ins an ait a raibh na mílte punta aige agus rachadh an gréasaí achan lá go ndíolfadh sé an ubh leis agus gheobhadh sé céad punta uirthi agus bhí sé ag díol na n-uibheacha leis ar feadh míosa agus lá amháin, dúirt an clogadóir leis, an t-éan a thabhairt chuige go bhfeicfeadh sé é lá tharna mhárach. Chuaigh an gréasaí a thabhairt leis an éin go bhfeicfeadh an clogadóir é ach ní ligfeadh an dá ghasúr leis é ar eagla go gcoinneochadh an clogadóir é ach ins an deireadh fuair sé é a thabhairt leis agus thug sé go teach an chlogadóir é agus d'amharc seisean ar an éan agus thóg sé an eiteog agus chonaic sé scríofa faoithe "duine ar bith a d'íosfadh na cruógaí go bhfaigheadh sé céad punta faoina cheann gach maidin" agus d'amharc sé faoin cheann eile agus chonaic sé scríofa "duine ar bith a d'íosfadh an goile go bhfaigheadh sé iníon rí le pósadh" ach níor inis sé sin don ghréasaí. Dúirt sé leis an ghréasaí go dtabharfadh sé míle punta dó ach ní thabharfadh an gréasaí dó é.

Nuair a chuala na gasúraí sin thoisigh siad a chaoineadh ar eagla go ndíolfaí an t-éan. Ansin thoisigh an gréasaí a imeacht chun an bhaile ach sula ligfeadh an clogadóir ar shiúl é dúirt sé leis go dtabharfadh sé a iníon le pósadh dó. Shantaigh an gréasaí í agus dúirt sé leis an chlogadóir go dtabharfadh sé an t-éan dó agus thug. D'imigh an gréasaí chun an bhaile ansin agus seachtain ina dhiaidh sin pósadh an gréasaí agus an cailín óg. An lá a bhí siad dá bpósadh bhí féasta mór acú agus d'iarr an clogadóir ar an chailín aimsire an t-éan a bhruith leis féin agus é a thabhairt dósan nuair a thiocfadh siad chun an bhaile.

D'imigh siad uilig agus tháinig an dá ghasúr fhad le teach an chlogadóir. Thoisigh siad a iarraidh an éin. D'inis an cailín aimsire daofa goidé mar bhí. Ansin thoisigh siad a iarraidh giota den éan uirthi ach ní thabharfadh sí aon phioc daofa. Bhí siad ag iarraidh leo agus ins an deireadh ghlac

98

sí truaighe daofa agus thug sí léithe gabhlóg agus chuir sí síos ins an phota é agus goidé a thug sí aníos ach na cruógaí agus thug do fhear acu é. Chuir sí síos an dara huair é agus thug sí aníos an goile agus thug don fhear eile é agus bhí siad sásta ansin agus d'imigh siad chun and bhaile agus nuair a chuaigh siad go dtí an teach bhí sé druidte agus ní thiocfadh leo fáil isteach agus b'éigean daofa imeacht i mbéal a gcinn.

Shiúil siad leo agus nuair a bhí siad cupla míle ar shiúl chonaic siad ag tarraingt orthu cóiste agus dhá bheathach ann agus nuair a bhí siad ag a thaobh stop an cóiste agus tháinig bean óg amach as agus thug sí léithe duine acu agus cé a bhí ann ach iníon rí. D'imigh an cóiste leis agus d'fhág sé an gasúr eile ina sheasamh ar an bhealach mhór leis féin agus ní raibh a fhios aige goidé a dhéanfadh sé agus shiúil sé leis godtí go raibh an oíche ann. Shiúil sé leis go dtáinig sé fhad le baile mór agus chuaigh sé isteach i dteach agus d'iarr sé lóistín. Chuaigh sé a luí an oíche sin agus ar maidin lá tharna mhárach dúirt sé le mnaoi an toighe go raibh sé ag gabháil amach a chuartú oibre. D'imigh sé amach agus nuair a bhí sé amuigh chuaigh bean a toighe a chóiriú na leapa agus fuair sí sparán airgid ins an áit a raibh sé ina luí agus thóg sí é. Nuair a tháinig sé isteach ins an oíche chuir an bhean ceist air ar chaill sé gath ar bith agus dúirt sé nár chaill ach níor inis sí dó goidé a fuair sí agus chuaigh sé a luí an oíche seo fosta agus ar maidin chuaigh sé amach agus chuaigh an bhean a chóiriú na leapa agus fuair sí sparán eile agus nuair a tháinig sé isteach ins an oíche chuir sí an cheist chéanna air agus dúirt sé nár chaill. "Is maith atá a fhios agat", a dúirt sí agus thaispeáin sí an dá sparán dó agus dúirt sí "níl tú ach fá choinne mise a fháil gaibhte agus tabair leat an péire acu agus ná pill anseo feasta". Dúirt seisean "má choinníonn tú mé bhéarfaidh mé ceann acu duit". Shantaigh an bhean seo agus dúirt sí go gcoinneochadh agus thug sé an sparán daoithe ansin.

Ar maidin lae tharna mhárach nuair a d'éirigh sé d'amharc sé féin faoina cheann agus fuair sé féin an sparán agus chuaigh sé amach an lá sin agus cheannaigh sé culaith úr agus tháinig sé isteach agus ó sin amach gheobhadh sé féin an sparán achan mhaidin ní ba mhó agus cheannóchadh sé culaith úr achan lá agus bhí sé cosúil le fear uasal.

Bhí cailleach phisreogach ina cónaí ins an áit agus bhí iníon an-dheas aici agus chonaic an iníon an fear seo agus d'inis sí dona máthair é agus dúirt sí go raibh a fhios aici cá h-áit a bhfuil sé ag fáil an airgid. "Tá cruógaí draíochta ite aige agus bainfidh muid de iad. Tabhair thusa cuireadh dó amárach a theacht ar féasta agus dhéanfaidh mise deoch réidh a bhéarfas ar iad a chaitheamh amach".

Lá tharna mhárach bhí iníon na caillí pisreogaí ag siúl ar an bhealach mhór agus casadh an fear seo uirthi. Pádraig a bhí mar ainm air agus d'iarr sí air a ghabháil chun toighe amárach agus go mbeadh féasta mór acu. Rinne Pádraig seo agus bhí féasta mór acu agus nuair a bhí an féasta thart rinne an chailleach phisreogach an deoch seo agus thug do Phádraig é agus thoisigh sé a chur amach gur chaith sé amach na cruógaí. Bhí sé chomh tinn ansin gurbh éigean dó imeacht chun an bhaile agus ansin thóg an chailleach na cruógaí agus nigh sí iad agus thug sí don iníon le hithe iad. Achan lá ina dhiaidh sin gheobhadh iníon na caillí pisreogaí sparán an airgid faoina ceann. Rachadh sí amach achan lá agus chasfaí Pádraig uirthi agus ní labharfadh sí leis.

Bhí Pádraig ag éirígh bocht leis go dtí sa deireadh nach raibh fágtha aige ach cúig phunta. Lá amháin bhí sé ag siúl ar bhealach mhór agus chonaic sé dhá fhear ag troid. D'inis siad dó gur fán chóta sin a bhí siad ag troid. Thóg Pádraig an cóta agus bhí sé uilig stróctha agus d'iarr sé orthu stad den troid go dtabharfadh seisean an méid airgid a bhí aige daofa agus thug sé na cúig phunta don bheirt agus d'imigh siad. Thoisigh Pádraig a dh'amharc ar an chóta ar ais agus nuair a bhí sé ag amharc uirthi smaointigh sé "nár dheas a bheith sa bhaile" agus ní luaithe a bhí sin ráite aige ná bhí sé ina sheasamh taobh amuigh do dhoras a athara. Scanraigh sé agus smaointigh sé "nár dheas a bheith san áit a raibh sé" agus ní luaithe a bhí sin ráite aige ná bhí sé ar ais san áit a d'fhág sé.

Shiúil sé leis ansin agus gan airgead ar bith aige agus bhí sé iontach bratógach. Lá amháin casadh iníon na caillí pisreogaí air agus shiúil sé fhad léithe agus chuir sé a lámh thart ar a muineál agus dúirt sé "is trua gan an bheirt againn ar an oileán is uaigní ar an domhan" agus ní luaithe a bhí sin ráite aige ná go raibh sé san áit a dúirt sé. Bhí siad ag siúl leo thart ar an oileán ag amharc ar na crannaibh. Tháinig codladh ar Phádraig agus luigh sé síos ar an talamh agus luigh sise ag a thaobh agus d'iarr sí air a cheann a ligean ar a glún agus codladh. Rinne sé sin agus thit sé ina chodladh agus nuair a fuair sise ina chodhladh é chuir sí biorán suain ina chluais agus d'fhág sí ina luí ar an talamh é agus ní thiocfadh leis muscladh. D'amharc sí ansin ar an chóta a bhí leis agus bhí iontas uirthi cionn is go raibh sé ag iompar cóta a bhí chomh caite leis. Tamall ina dhiaidh sin d'amharc sí ar ais air agus nuair a bhí sí ag amharc air rinne sí smaointeamh gur dheas a bheith sabhaile agus ní luaithe sin ráite aici ná bhí sí sa bhaile.

Bhí Pádraig ina luí ina chodhladh ar an oileán ar feadh fiche bliain agus ní thiocfadh leis muscladh go dtí lá amháin bhí faoileogaí ag gabháil thart os a chionn agus chonaic siad an biorán suain ag soilsiú agus tháinig ceann acu anuas agus tharraing sí amach as cluais Phádraig é agus mhuscail sé. D'éirigh sé ina sheasamh agus thit a chuid éadaigh de agus bhí sé ansin ar feadh cupla lá agus gan snáithe air agus lá amháin rinne sé culaith de dhuilleogaí na gcrann agus chuir sé air í. Bhí sé ansin ar feadh cupla seachtain agus é beo ar na húllaí a bhí ag fás ar na crainn agus bhí rudaí glasa agus rudaí dearga ann. An chéad cheann a d'ith Pádraigh úlla glas a bhí ann agus d'fhás crann mór ard amach as a cheann agus ní raibh a fhios aige goidé a dhéanfadh sé agus d'ith sé ceann de na hullaí dearga agus thit an crann ar ais agus ní ba mhó níor ith sé aon cheann de na húllaí glasa. D'imigh sé ansin agus rinne sé dhá mhála de na duilleogaí agus chuir sé na húllaí glasa isteach i mála amháin agus na húllaí dearga isteach i gceann eile. Lá amháin bhí long ag gabháil thart taobh amuigh den oileán agus chonaic an caiptín an fear ar an oileán agus gan aige ach é féin agus tharraing sé an bád isteach go dtí taobh an oileáin agus tháinig sé amach fhad leis agus chuir sé ceist ar Phádraig "goidé an cinéal duine a bhí ann nó goidé a thug anseo é"? Dúirt Pádraig gur seoltóir a bhí ann agus gur bhris an bád a bhí leis agus gur báitheadh na daoine eile uilig ach é féin agus tháinig mise isteach ar an oileán seo". Chuir an caiptín ceist air an raibh posta ar bith eile aige. Dúirt sé gur dochtúir a bhí ann fosta. "Tusa an fear atá a dhíobháil ormsa. Tá mac agamsa agus tá sé ina luí tinn ó bhí sé ina ghasúr bheag agus bí liomsa anois agus bhéarfaidh mé chun an bhaile thú agus má bhíonn tú ábalta mo mhac a leigheas bhéarfaidh mé culaith úr duit".

D'imigh an bheirt acu isteach ins an bhád agus d'imigh an bád léithe agus chuaigh Pádraig isteach go dtí an áit a raibh mac an chaiptín ann agus thug sé úlla glas dó agus d'fhás crann mór as a cheann. Ansin thug sé úlla dearg dó agus thit an crann ar ais agus thug sé amach as an leaba é agus bhí sé ábalta siúl agus ní raibh gath ar bith air ní ba mhó. Ansin fuair Pádraig an chulaith agus chuir sé air í. Chuaigh sé fhad leis an chaiptín agus d'iarr sé air é a thabhairt go dtí an baile a d'fhág sé agus rinne an caiptín sin. Nuair a bhí Pádraig ag teacht amach as an bhád thug an caiptín fíche punta dó agus d'imigh Pádraig leis. Ag tarraingt ar an bhaile seo dó casadh carr asaile agus fear leis agus é ag díol scadán. Sheasaigh Pádraig go gceannóchadh sé an carr agus an asal agus thug sé deich bpunt dó orthu agus ansin dúirt Pádraig go gceannóchadh sé an carr agus an asal agus thug sé na deich bpunta eile dó. Bhí seanchulaith ar fhear na hasaile agus dúirt Pádraig leis go ndéanfadh sé malairt culaith leis agus thug fear na scadán an tseanchulaith do Phádraig agus thug Pádraig a cheann féin dósan agus d'imigh Pádraig agus an asal agus d'imigh an fear eile fosta.

Nuair a bhí Pádraig ar shiúl giota chaith sé na scadáin isteach i bpoll uisce agus chuir sé na húllaí isteach sa charr agus d'imigh sé leis ag díol na n-úllaí agus thainig sé go dtí an áit a raibh an chailleach phisreogach ina cónaí agus bhí an iníon ag amharc amach ar cheann de na fuinneogaí agus d'iarr sí ar an chailín aimsire úlla a cheannach daoithe agus chuaigh an cailín amach agus cheannaigh sí ceann de na húllaí agus dúirt sí le Pádraig gur fá choinne iníon na caillí pisreogaí a bhí sé agus thug Pádraig úlla glas daoithe agus d'imigh sí léithe isteach agus thug sí don iníon é agus d'ith sise é agus d'fhás crann amach as a ceann agus ní raibh a fhios aici goidé a dhéanfadh sí agus chuir sí an cailín amach go bhfeicfeadh sí an raibh fear na n-úllaí ann ach ní raibh sé le feiceáil áit ar bith.

B'éigean do Phádraig imeacht giota fada ar shiúl as an áit. Bhí an chailleach phisreogach ag tabhairt achan dochtúir agus achan sagart chuici ach ní thiocfadh leo biseach a dhéanamh daoithe. Bhí a fhios ag Pádraig go raibh an chailleach phisreogach ag tabhairt achan duine chuig an iníon agus d'imigh sé agus dhíol sé an carr agus an asal agus choinnigh sé na húllaí.

Cheannaigh sé culaith sagairt agus bhain sé de an seancheann agus chuir sé air ceann an tsagairt agus d'imigh sé leis ag tarraingt ar an áit a raibh an chailleach phisreogach ina cónaí agus nuair a bhí sé ag teacht anuas an tsráid chonaic an chailleach é agus shíl sí gur sagart a bhí ann agus thug sí isteach é agus d'inis sí dó fán iníon agus goidé a tharla daoithe agus nach raibh duine ar bith ábalta í a leigheas. "Gabh isteach ins an tseomra seo agus tchifidh tú í" arsa an chailleach. Chuaigh Pádraig isteach sa tseomra agus dhruid sé an doras ina dhiaidh agus chuaigh sé a chaint

101

leis an iníon agus dúirt sé léithe go ndéanfadh seisean biseach daoithe "ach caithfidh tú faoisidin a dhéanamh agus peacaí ar bith a rinne tú ariamh a inse". D'inis sí dó an dóigh ar bhain sí na cruóga de ghasúr agus gur fhág sí amuigh ar oiléan ina chodladh é agus creidim gur fada marbh é agus go dtug sí léithe a chóta fosta.

Ansin bhí Pádraig ag smaointeamh tamall agus d'iarr sé uirthi an deoch chéanna a thug sí don ghasúr a dhéanamh réidh agus rinne siad sin agus d'iarr sé uirthi an cóta a bhain sí den ghasúr a fháil fosta. Ansin dúirt sé léithe an deoch a ól agus thoisigh sí a chur amach agus chaith sí amach na cruógaí. D'iarr Pádraig ar an chailligh phisreogach na cruógaí a nighe dósan agus rinne sí sin. Ansin thug sé úlla dearg don iníon agus thit an crann agus d'amharc sé ar an chóta ansin agus dúirt sé "is trua gan an bheirt ina dhá asal amuigh ar an tsráid agus cuid gasúr an bhaile dá mbualadh anuas agus suas an tráid agus ní luaithe a bhí sin ráite aige nó bhí siad amuigh ar an tsráid agus na gasúir ina ndiaidh gur mharaigh siad iad agus bhí an áit uilig ag Pádraig ní ba mhó.

1.46.2   AN FEAR AGUS NA ROBAIRÍ

Bhí fear ag siúl fríd choillidh lá agus casadh bean air agus bhí sí aosta. "La maith" arsa an fear.

"La maith" arsa an bhean. "B'fhearr liom dá dtabharfá rud beag domh le hithe nó tá ocras mór orm".

Ghlac an fear truaighe daoithe agus chuir sé a lámh ina phóca agus thug daoithe a raibh aige. Ba mhaith leisean a ghabháil a bhealach féin ach fuair sise greim air agus dúirt leis:

"Eist leis an scéal seo", arsa sise.

"Ar do bhealach casfar crann ort agus beidh naoi n-éin ar an chrann seo agus scaoil leo. Titfidh ceann acu marbh agus titfidh clóca fosta. Tabhair leat é agus cuir ort é. Tabhair leat croí an éin agus coinnigh é agus gach uile mhaidin faoin chrann ins an áit ar scaoil tú an t-éan beidh giota óir ansin fá do choinne".

Thug an fear buíochas daoithe agus dúirt sé leis féin "ma tharlaíonn seo uilig beidh sé ina rud bhreá agam". D'imigh sé leis agus nuair a chuaigh sé giota maith chonaic sé crann agus scaifte éanacha air agus clóca acu. Scaoil sé leo agus d'imigh siad uilig ach ceann amháin a thit marbh agus thit an clóca fosta. Rinne an fear mar d'iarr an tseanbhean air. Thóg sé croí an éin agus an clóca agus d'imigh leis chun an bhaile.

Ar maidin lá tharna mhárach tháinig sé go dtí an crann agus fuair sé giota maith óir agus gheobhadh sé an t-ór gach uile mhaidin faoin chrann agus inś an deireadh bhí cnap mór aige. Lá amháin dúirt sé leis féin "tá neart óir agam anois, imeochaidh mé liom fríd an tír".

D'fhág sé slán ag a chuid daoine muinteartha agus d'imigh sé leis. Ins an deireadh casadh isteach fríd choillidh é agus istigh i lár na coilleadh bhí caisleán deas ann agus bhí bean uasal agus seanbhean ansin ag amharc uathu. Chonaic siad an fear seo agus arsa an tseanbhean leis an bhean uasal "ta sé seo iontach saibhir".

Thug siad isteach sa chaisleán é agus thug siad bia agus deoch dó. Nuair a bhí a chuid déanta aige d'imigh sé leis fríd an domhan tamall eile.

Bhí an t-ór ag éirí beag agus bhí eagla air nach mbeadh sé ábalta a ghabháil i bhfad. Bhí sé ag siúl fríd an choillidh agus chonaic sé scaifte mór fear ag teacht aníos go dtí é. Stop siad nuair a tháinig siad fhad leis. Bhí siad ag caint tamall leis agus thoisigh seisean agus d'inis sé daofa an dóigh a bhfuair sé an t-ór agus goidé a bhí ins na fir seo ach robairí agus fuair siad a raibh d'ór aige agus fuair siad greim air agus bhuail siad é.

D'imigh siad leo agus d'fhág siad an fear ansin agus fuair sé bás leis an ocras ar thaobh an bhealaigh mhóir.

1.47   TRIÚR MAC

Bhí fear agus bean ann uair amháin a raibh triúr mac acu. Lá amháin d'iarr an t-athair ar an mhac a ba shine a ghabháil amach na coilleadh agus crann a bhaint agus é a thabhairt chun an bhaile. Sular imigh sé chuir an mháthair buidéal bainne agus bonnóg aráin leis. Shiúil sé leis go nóin agus ansin shuigh sé síos lena lón a ithe. Mhothaigh sé trup beag taobh thall de agus nuair a d'amharc sé thart chonaic sé fear beag bídeach agus cóta glas air.

"Domh cuid den lón" arsa an fear beag leis.

"Bog leat as m'amharc. Tá sé uilig gann go leor agam féin" arsa an fear eile leis.

Bhí go maith agus ní raibh go holc. Chríochnaigh sé a lón agus d'éirigh sé ansin a ghearradh an chrainn, ach thug sé buille den tuaigh do féin sa chos agus phill sé chun an bhaile agus an chos crochta leis.

Lá tharna mhárach cuireadh an dara mac amach le crann a bhaint agus nuair a shuigh sé síos a ithe a lón tháinig an fear beag agus d'iarr sé cuid den lón air, ach hiarradh air bogaint leis go raibh sé beag go leor aige féin.

Thoisigh sé ar an chrann a bhaint ansin agus thug sé buille den tuaigh do féin cosúil leis an chéad fhear agus phill sé chun an bhaile agus an chos crochta leis.

Lá tharna mhárach cuireadh an mac ab óige amach le crann a bhaint. Ní raibh sé seo chomh críonna leis an bheirt eile agus cha dtug an mháthair dó ach bonnóg aráin a bhí chomh cruaidh le cloich agus buidéal fíona a bhí chomh géar agus go ngearrfadh sí an teanga duit. Nuair a shuigh sé síos a dhéanamh a chodach tháinig an fear beag céanna chuige agus d'iarr sé cuid den lón air. "Maise bhéarfaidh agus míle fáilte" ar seisean agus thug dó leadhb den bhonnóig agus cuid den fhíon agus do bharúil nuair a thoisigh siad ag ithe bhí an fíon chomh milís le mil agus an t-arán chomh bog le builbhín úr.

Diarr an fear beag ansin ar an mhac óg a ghabháil agus an crann abhaint agus go bhfaigheadh sé gé óir faoi. Rinne sé seo. Fuair sé an gé agus d'imigh sé leis go teach an rí. Bhí triúr iníonach ag an rí agus chuaigh bean acu amach a tharraingt cupla cleite as an ghé óir ach ghreamaigh a cuid méara den ghé. D'éirigh an rud céanna don dá iníon eile. Chuaigh an mac óg amach ansin agus tharraing leis an gé agus an triúr ina dhiaidh. Tháinig siad fhad le teach rí eile nach raibh aige ach iníon amháin nach dtearna gáire ariamh agus bhí sí geallta le pósadh don chéad fhear a bhainfeadh gáire aisti. Nuair a chonaic sí an mac óg agus an gé óir agus an triúr iníonach greamaithe den ghé rinne sí racht gáiri, bhí cuma chomh hamaideach sin orthu.

Pósadh í féin agus an mac óg agus mhair an bhainis ar feadh céad lá agus céad oíche.

1.48   AN FEAR A RAIBH DÚIL AIGE SA tSNAOISÍN

Bhí fear ann uair amháin agus bhí dúil mhór aige in snaoisín. D'imigh sé chun an tsiopa agus ní raibh snaoisín ar bith ann. Ní raibh snaoisín ar bith le fáil áit ar bith. B'éigean dó imeacht go Leitir Ceanainn agus ní raibh snaoisín ar bith ansin agus b'éigean dó imeacht go Doire. Fuair sé ansin an snaoisín.

Tháinig sé chun an bhaile. Chonaic sé fear liath agus é iontach sean ina shuí ag taobh an bhealaigh mhóir. Labhair sé leis agus labhair seisean leis. Chuir sé ceist air cá háit a raibh sé agus d'inis sé dó gur shiúil sé cuid mhór áit(eacha) agus nach bhfuair sé snaoisín.

Thug an seanduine liath seo bosca dó agus dúirt sé ''ná tabhair an bosca do dhuine ar bith agus an clár druidte air agus beidh an bosca lán i gcónaí''. Bliain ina dhiaidh sin tháinig fear isteach agus d'iarr snaoisin. Thug an fear an bosca dó agus an clár druidte agus ní raibh snaoisín ar bith aige ó sin amach.

1.50   DAMHSA DRAÍOCHTA

Bhí fear ann uair amháin agus bhí sé pósta agus bhí mac amháin aige. Fuair an bhean bás agus ní phósfadh seisean bean ar bith eile ar eagla go mbeadh sí ina droch—chion don ghasúr.

Lá amháin casadh an sagart air agus dúirt sé leis go raibh siad ag gabháil ar cuairt chuige agus go gcaithfeadh sé an dinnéar a bheith réidh aige fána gcoinne.

''Ó'', a dúirt an fear ''níl agamsa ach mé féin agus mo mhac agus ní bheidh mé ábalta dinnéar ar bith a dhéanamh réidh''.

''Bhail'', a dúirt an sagart ''cuirfidh mise mo dheirfiúr chugat agus dhéanfaidh sí réidh an dinnéar duit''.

''Maith go leor'', a dúirt an fear.

D'imigh an sagart chun an bhaile agus chuaigh an fear chun an bhaile fosta. Lá tharna mhárach tháinig deirfiúr an tsagairt agus rinne sí réidh an dinnéar. Nuair a bhí an dinnéar réidh aici tháinig an sagart. Nuair a bhí an dinnéar thart agus an teach glan d'imigh deirfiúr an tsagairt chun an bhaile.

"Anois", ar dúirt sé leis an fhear "dá bpósfá mo dheirfiúrsa bheadh sí ina cion mhaith don ghasúr".

Pósadh an bheirt acu. Bhí sise ina cion mhaith don ghasúr tamall ach bhí sí ag déanamh go raibh níos mó measa ag an fhear ar an ghasúr ná a bhí aige uirthise. Bhí oiread fuath aici ar an ghasúr agus go gcuirfeadh sí amach a bhuachailleacht é ar maidin gan a bhricfeasta. Rachadh sí síos ag am dinnéara agus chaithfeadh sí spunóg bhracháin ar thurtóg chuige.

Lá amháin tháinig fear beag rua thart agus chuir sé ceist air cad chuige a raibh sé ag caoineadh.

"Ta", a dúirt an gasúr, "tá ocras orm".

"Cad chuige", a dúirt an fear beag "nach n-itheann tú an brachán atá ar an turtóg sin thuas?"

Dúirt an gasúr gurbh fhearr leis bás a fháil.

"Bhail", a dúirt an fear beag "iosfaidh mise é".

D'ith an fear beag rua an brachán agus d'imigh sé. Tháinig sé ar ais agus achan chineál bídh leis agus d'iarr sé ar an ghasúr a sháith a ithe agus an chuid eile a chur ina phóca. Rinne an gasúr seo. Nuair a bhí sé réidh chuir an fear beag rua ceist air cé acu ab fhearr leis comhairle mhaith nó trí ní. Dúirt an gasúr gurbh fhearr leis na trí ní.

Chuir sé ceist ar an ghasúr cé na neithe ab fhearr leis. Dúirt an gasúr fidil agus nuair a rachadh sé a bhualadh ar an fhidil achan duine ar an domhan a ghabáil a dhamhsa. D'iarr sé gunna agus nuair a scaoileadh sé urchar achan éan sa domhan bás a fháil agus nuair a d'amharcóchadh an leasmháthair gorraigeach air broim a imeacht uirthi.

D'imigh an fear beag agus d'imigh an gasúr chun an bhaile leis an eallach. Chuir sé isteach an t-eallach sa bhoitheach agus cheangail sé iad. Ansin shuigh sé ag an tine. Bhí an leasmháthair agus an t-athair thíos sa tseomra. Thoisigh sé a bhualadh port ar an fhidil. Thoisigh an leasmháthair agus a athair a dhamhsa go raibh siad marbh ag damhsa. Agus achan am a n-amharcóchadh an leasmháthair aníos ar an ghasúr nach n-imeochadh broim uirthi.

Bhí oiread corraí ar an leasmháthair go dtug sí iarracht an fhidil a bhaint amach as a lámh ach theip urithi. Maidin lá tharna mhárach d'éirigh an gasúr go luath agus chuaigh sé amach a bhuachailleacht.

Chuaigh sí fhad leis an tsagart agus d'inis sí dó fán ghasúr. Chuaigh an sagart fhad leis an ghasúr agus chuir sé ceist air an ghasúr an bhfuil fidil aige. Dúirt an gasúr go raibh. D'iarr an sagart an fhidil air go mbuailfeadh sé port. Dúirt an gasúr nach dtabharfadh. Chuir an sagart ceist air an bhfuil gunna aige agus dúirt an gasúr go bhfuil. "Domhsa é go scaoilfidh mé an loch fhiáin atá ag gabháil thart sa spéir". Thug an gasúr an gunna dó agus scaoil sé urchar agus thit an loch fhiáin isteach i gclaí draighin. Rith an sagart fhad leis an chlaí agus chuaigh sé isteach fríd an draighean. Nuair a bhí sé istigh thoisigh an gasúr a bhualadh port (ar) an fhidil. Thoisigh an sagart a dhamhsa agus a dhamhsa agus stróc agus stiall sé a chuid éadaigh.

Tháinig an sagart amach as an draighean agus é millte stróctha uilig. Chuaig sé go toigh a athara agus d'iarr sé air an dlíomh a thabhairt dó.

Ar maidin lá an dlí d'éirigh an gasúr go luath agus d'éirigh an leasmháthair agus a athair. Rinne siad réidh agus d'imigh siad. Bhí an gunna agus an fhidil leis an ghasúr. Bhí an sagart leo fosta.

Thoisigh an gasúr a bhualadh ar an fhidil. Thoisigh an sagart, an leasmháthair agus a athair a dhamhsa go raibh siad thuas ag teach an dlí. Chuaigh siad isteach. Chuir fear an dlí ceist air ar an ghasúr an bhfuil fidil aige.

"Tá", a dúirt an gasúr. "Bhail, buail port air", arsa fear an dlí. Thoisigh an gasúr a bhualadh ar an fhidil. Thoisigh fear an dlí a dhamhsa. Thoisigh an sagart, an leasmháthair agus a athair a dhamhsa go raibh na cosa briste faofa.

Scairt fear an dlí amach "beir leat an gasúr sin chun an bhaile agus tabhair a chuid dó agus stadaigh an amaidí aige. Chuaigh an gasúr chun an bhaile agus níor chuala mé iomrá air ón lá sin go dtí an lá inniu.

1.51.1 AN FEAR AMAIDEACH AGUS AN FEAR CRÍONNA

Bhí beirt deartháireacha ann uair amháin darbh ainm Seán amaideach agus Tomás críonna. D'imigh an bheirt trasna na Mucaise maidin amháin agus trí phunta le achan fhear. Casadh fear orthu agus chuir sé ceist ar Thomás an imreochadh sé cluiche agus dúirt Tomás nach n-imreochadh. Chuir sé ceist ar Sheán agus dúirt Seán go n-imreochadh. Ní raibh a fhios aige go raibh sé ag imirt leis an diabhal. Ní raibh siad i bhfad ag imirt gur bhain an diabhal an cluiche agus chaill Seán a thrí phunta.

"Níl a dhath agam anois" arsa Seán. "Tá culaith éadaigh ort" arsa an diabhal. D'imir siad leo agus chaill Seán a chulaith éadaigh agus bhí sé tarnochtaithe. "Níl a dhath agam anois" arsa Seán. "Tá dhá shúil mhaithe in do chloigeann" arsa an diabhal. D'imir siad leo agus bhain an diabhal arís agus chaill Seán a dhá shúil. B'éigean do Sheán an imirt a thabhairt suas an iarraidh seo. Bhí a chuid airgid caillte aige agus amharc na súl agus gan snáithe éadaigh aige le cur ar a dhroim.

D'imigh sé leis ar a chosa agus ar a lámha agus tháinig sé go dtí cró beag an áit a mbeifí ag déanamh póitín. Chuaigh sé isteach agus chuaigh sé i bhfolach istigh i mbairille. Ar uair an mheán oíche tháinig dhá chat déag agus ríchat isteach.

"D'inseochainn scéal daoibh" arsa an ríchat, "dá measfainn nach raibh duine ar bith ag éisteacht". Chuartaigh na cait an áit agus ní fhaca siad rud ar bith. "Anois inseochaidh mé an scéal daoibh" arsa an ríchat. "Tá iníon Rí na hÉireann le bás i mBaile Átha Cliath agus an duine a leigheasfas í, tá sí féin nó dhá charr óir le fáil aige. Ní leigheasfaidh rud ar bith ar an domhan í ach deoch den uisce atá sa tobar bheag sin thall".

Nuair a bhí sin ráite aige d'imigh sé féin agus an chuid eile de na cait. Chomh luath agus a d'imigh sé tháinig Seán amach ar a chosa agus ar a lámha agus ní raibh aon pholl uisce a casadh air nach gcuirfeadh sé cuid de ar a shúile go dtí go dtáinig sé go dtí an ceann ceart. Chomh luath agus a chuir sé an t-uisce ar a shúile bhí amharc ní b'fhearr aige ná bhí ariamh. Chuaigh sé isteach sa chró agus fuair sé buidéal ann agus líon sé den uisce é. Chuartaigh sé ansin agus fuair sé seanphéire brístí i gcúl claí agus seanchasóg.

Chuir sé air iad agus thug aghaidh ar Bhaile Átha Cliath.

I ndiaidh tamaill mhaith siúil tháinig sé go dtí geaftaí na cathrach. D'iarr sé ar fhear an gheafta é a ligean isteach go gcaithfeadh sé iníon an Rí a fheiceáil. Hiarradh air a bheith ar shiúl nó go raibh daoine ní b'fhearr ná eisean ag amharc uirthi agus nach raibh siad ábalta í a leigheas. Ach ní choróchadh Seán. Chuala an Rí fá dtaobh de agus d'iarr sé orthu é a ligean isteach. Chuaigh Seán isteach sa tseomra ina raibh iníon an Rí ina luí. Thug sé leis spúnóg agus bhain an buidéal amach as a phóca agus thug daoithe deoch den uisce. Nuair a bhí an chéad cheann ólta aici d'éirigh sí as an leabaidh agus nuair a bhí an dara ceann ólta aici chuir sí uirthi a cuid éadaigh agus nuair a bhí an tríú ceann ólta aici bhí sí chomh maith agus bhí sí riamh. Bhí gach duine iontach buíoch de Sheán ina dhiaidh sin. Tugadh culaidh úr éadaigh agus péire úr bróga dó. Cuireadh ceist air an mbeadh iníon an Rí aige nó dhá charr an óir. Dúirt Seán go mbeadh an t-ór aige. Fuair sé é. Mheas sé go ndéanfadh carr amháin eisean agus go dtabharfadh sé an chuid eile do na bochtaibh.

D'iarr sé ar bhochtaibh na háite uilig cruinniú lá tharna mhárach. Thug sé féin leis carr an óir agus sluasaid agus thosaigh sé a chaitheamh amach an óir chuig na daoine. Ní raibh dhá shluasaid caite aige nuair a chonaic sé a dhearthráir Tomás agus ní raibh aon tsluasaid a dtabharfadh sé do na daoine ina dhiaidh seo nach dtabharfadh sé beirt do Thomás go dtí go raibh carr an óir rannta.

Ach i ndiaidh an iomláin bhí Tomás ag mairgnigh fán óir, ag rá, gur mhaith do Sheán an méid a bhí aige féin. Sa deireadh rinne Seán malairt leis agus choinnigh sé an chuid a ba lú de. D'imigh Seán leis agus bhí sé ag siúl go dtáinig an oíche air, agus fuair sé lóistín i dteach. Cuireadh ceist air an raibh ocras air. Dúirt Seán go raibh. Thug fear an toighe bosca anuas as an tseomra agus d'fhág ar an tábla é. ''A bhosca deán do chuid oibre'', arsa seisean. Le sin líon an tábla de gach uile chineál bídh, agus d'ith Seán a sháith. Smaointigh sé gur mhaith an rud an bosca sin a bheith aige féin. Nuair a chuaigh sé a luí an oíche sin níor chodlaigh sé agus nuair a mheas sé go raibh muintir an toighe ina gcodladh d'éirigh sé agus thug leis an bosca. Shiúil sé leis gur casadh fear air agus bosca eile leis. Chuir Seán ceist air an raibh ocras air. Dúirt an fear go raibh. Labhair Seán lena bosca féin agus d'ith siad a sáith.

Labhair an fear eile lena bhosca agus tháinig scaifte saighdiúirí amach agus thosaigh siad a throid. Ansin nuair a hiarradh orthu chuaigh siad uilig isteach sa bhosca ar ais. Rinne Seán agus an fear malairt boscaí agus d'imigh gach duine acu a mbealach féin. Fá cheann tamaill bhuail ocras an fear agus labhair sé leis an bhosca ach dá mbeadh sé ag caint leis ó shin ní thiocfadh a dhath amach as.

Chuaigh Seán chun an bhaile agus bhí caisleán mór déanta ag Tomás lena chuid airgid féin. Ní raibh an mháthair sásta le Seán cionn is nach raibh airgead leis. Nuair a chonaic Seán seo labhair sé leis an bhosca agus tháinig na saighdiúirí amach agus b'éigean do Thomás agus do na mháthair an caisleán a fhágáil agus imeacht leo. Agus bhí dóigh mhaith ar Sheán ón lá sin go dtí an lá inniu.

Eoghan Mac Pháidín
(Scoil Bhun An Inbhir)

Rugadh Owenie Hughie Mac Pháidín ar An Charraic Oíche Fhéile Bríde, 1905. Fuair sé a chuid scolaíochta ar An Luinnigh idir 1910-1921. D'fhreastal sé ar Choláiste Traenála, De La Salle, Port Láirge idir 1924-'26. Bhí sé faoi ghlas i gCampa An Churraigh idir na blianta 1922-'23. Chaith sé a chéad bhliain mar mhúinteoir ar An Dumhaigh, Leitir Mac An Bhaird 1926-'27. Chaith sé an dá bhliain ina dhiaidh sin ar Oileán Ghabhla ag teagasc 1927-'29. Chuaigh sé as sin go Bun An Inbhir áit ar fhan sé go dtí an bhliain 1959. Ní bhfuair sé pingin ar bith as múinteoireacht na chéad bhliana i mBun An Inbhir. Pósadh é sa bhliain 1930.

Scoil Bhun An Inbhir.

Eoghan Mac Pháidín.

Máire Ní Ghallchóir, An Ghlaisigh, Maire John Ruaidh.

Bríd Ní Ghallchóir, An Ghlaisigh, Bidí John Ruaidh.

Anna Nic Amhlaidh, Bun An Leaca Íochtarach, Annie Hiúdaí Ned.

Seán Ó Briain, Mín An Chladaigh, John Johnny.

Máire Ní Fhearraigh, Bun An Leaca, Máire John Mháire.

Máire Ní Fhearraigh, Bun An Leaca, Méaraí Phadaí Bháin.

Nábla Nic Giolla Chóill, Bun An Inbhir, Nábla Mhící Coyle.

Méabha Nic Pháidín, Seanchaí, Méijí Phadaí Óig (ina seasamh).

Peadar Ó Gallchóir, An Ghlaisigh,
Peadar Beag Pheadair.

Maighréad Nic Éidí, An Ghlaisigh,
Meaigí Mháire Chondaí.

Micheál Mac Amhlaigh, Bun An
Leaca Iochtarach, Micí Hiúdaí
Ned.

1.51.2 SCÉAL FÁ dTAOBH DE BHEIRT FHEAR

Bhí beirt fhear ag siúl an bealach mór (lá) amháin agus chonaic siad scilling. D'iarr Seán ar Shéamas an scilling a thógáil ach ní thógfadh Séamas an scilling. Thóg Seán é féin í agus d'imigh an bheirt leo go dtáinig siad go dtí croisbhealach agus dúirt Seán le Séamas go raibh seisean ag gabháil chun an bhaile mhóir.

D'imigh Seán suas an baile mór agus Séamas síos an baile agus nuair a bhí sé síos giota tháinig an oíche air agus b'éigean do luí i dtom féir. Ní raibh sé i bhfad ina luí gur mhothaigh sé scaifte cat. Bhí na cait ag caint agus dúirt ceann acu go raibh iníon an rí go holc inniu cionn is mise ribe a fhágáil ina cuid bainne aréir.

Tá na bás aici inniu agus dhéanfaidh duine ar bith biseach daoithe a bhéarfas buidéal den uisce atá ins an tobar sin thall daoithe. Chuala Séamas an scéala seo agus d'éirigh sé — thug leis buidéal agus líon lán den uisce ón tobar (é) agus d'imigh leis go dtí an rí agus chuir ceist an dtiocfadh leisean a ghabháil do dtí an cailín. Dúirt an rí go raibh dochtúirí go leor ann agus nach mbeadh seisean ábalta a dhath a dhéanamh ach fuair sé cead a ghabháil.

Chuaigh sé go dtí an cailín agus thug daoithe cuid den uisce agus rinne sé biseach daoithe. Phós sé féin agus an cailín agus bhí dóigh bhreá ar Shéamas. Lá amháin bhí Séamas agus a mhnaoi ag siúl amuigh agus cé a casadh air ach Seán. Chuir Seán ceist air goidé an dóigh a dtáinig an dóigh mhaith sin air. D'inis Séamas dó uilig goidé an dóigh a dtáinig sé ar aghaidh. D'imigh Seán é féin agus luigh sé ins an áit chéanna ar luigh Séamas. Ní raibh sé i bhfad ina luí go dtáinig na cait agus d'ith siad suas é. Bhí Seán marbh agus bhí dóigh bhreá ar Shéamas.

1.52 GASÚR AN URRAIDH

Bhí seanlánúin ina gcónaí ar an Tearmann fada ó shin a raibh mac amháin acu. Nuair a bhí an t-athair ar leabaidh an bháis d'iarr sé ar a mhnaoi a chuid a thabhairt go maith don ghasúr sa chruth is go mbeadh sé ábalta crann a tharraingt as an rúta. Rinne an bhean mar a hiarradh uirthi. Lá amháin chuir sí an gasúr amach chun an gharraidh fá choinne úllaí. Bhí an crann iontach ard agus ní raibh an gasúr ábalta fáil fhad le na húllaí ach ní dhearna sé ach greim a fháil ar an chrann agus tharraing sé as an rúta é. Ansin thug sé leis isteach chun toighe é. Cupla lá ina dhiaidh sin dúirt an gasúr go raibh sé ag imeacht leis a shaothru a chodach. Rinne an mháthair cupla tuirtín aráin le cur leis agus d'imigh sé leis i mbéal a chinn. Shiúil sé leis go dtáinig sé fhad le teach a raibh seanlánúin ina gcónaí ann. D'iarr sé fostódh orthu agus d'fhostaigh an seanduine é.

Lá tharna mhárach d'éirigh an gasúr go luath ar maidin agus chuir sé ceist goidé an obair a bhí le déanamh inniu aige. Dúirt an seanduine leis go raibh cruach choirce le bualadh agus thug sé súiste dó. ''Goidé seo?''

arsa an gasúr. "Tá, sin súiste" arsa an seanduine. "Bhail, is beag an súiste é" arsa an gasúr agus chaith sé ar shiúl é.

Dimigh sé leis amach chun na coilleadh. Bhain sé dhá chrann agus rinne sé súiste daofa agus níor fhág sé aon chruach ar an bhaile nár bhuail sé an lá sin agus shíl daoine nach raibh sé i gceart. Nuair a chuaigh an gasúr a luí an oíche sin bhí an tseanlánúin ag meabhrú cén dóigh arbh fhearr fáil réitithe dó. "An bhfuil a fhios agat goidé a dhéanfas muid leis amárach?" arsa seanduine.

"Cuirfidh muid síos chun an mhuilinn é leis an choirce le min choirce a dhéanamh daoithe agus tá dhá thaibhse ansin agus tiocfaidh siad air".

Lá tharna mhárach cuireadh an gasúr síos chun an mhuilinn. Chuaigh sé isteach agus thoisigh ag obair. Ní raibh sé i bhfad an obair uilig go dtáinig fear mór geal isteach. D'amharc sé ar an ghasúr agus ansin chuir sé ceist air goidé a bhí sé a iarraidh. D'inis an gasúr dó agus d'imigh an taibhse leis arís.

Nuair a phill an gasúr chun an bhaile leis an mhin cuireadh ceist air goidé mar d'éirigh leis agus d'inis seisean daofa goidé mar tharlaigh. Shíl siad anois gur duine iontach a bhí sa ghasúr nuair nár bhain an taibhse dó agus ní raibh a fhios acu goidé mar a gheobhadh siad réitithe de.

Cupla lá ina dhiaidh sin chuir siad amach chun an chnoic é a threabhadh. Anois bhí péist mhór thíos faoin talamh ar an chnoc seo agus cha dteachaigh aon duine a threabhadh ann ariamh nár ith sí. D'imigh an gasúr leis agus thoisigh sé a threabhadh. I gceann tamaill chuir péist mhór aníos a ceann as faoin talamh agus shlug sí ceann de na beathaigh. Tamall ina dhiaidh sin chuir sí aníos a ceann arís agus shlug sí an beathach eile. Chuir sí aníos a ceann an tríú huair leis an ghasúr a shlugadh ach chaith an gasúr rópa a bhí ina láimh aige isteach ar mhuineál an phéist agus tharraing sé leis chun an bhaile í agus chuir isteach sa stábla í.

Nuair a chuaigh sé isteach chun an toighe cuireadh ceist air goidé mar a d'éirigh leis. D'inis seisean daofa agus hobair go dteachaigh siad as a gcraiceann nuair a mhothaigh siad iomrá ar an phéist sa stábla. Hiarradh ar an ghasúr a ghabháil ar an bhomaite agus an phéist a chur ar shiúl. Nuair a shroich sé an stábla ní raibh aon bheathach ann nach raibh ite ag an phéist mhóir. Theann an gasúr an rópa a bhí thart ar a muineál agus thacht sé í. Lá tharna mhárach dúirt an seanduine lena mhnaoi:

"An bhfuil a fhios agat goidé a dhéanfas muid leis? Iarrfaidh mé air a ghabháil síos go hIfreann agus ceist a chur goidé mar atá m'athair mórsa ag cur isteach".

Nuair a hiarradh seo ar an ghasúr dúirt sé —

"Goidé mar a aithneochaidh mise d'athair mór?"

"O, tá" arsa an seanduine, "bhí bearad dearg air nuair a fuair sé bás".

D'imigh an gasúr leis go raibh sé ag geaftaí Ifrinn. Casadh diabhal ansin air agus chuir sé ceist air goidé a bhí de dhíobháil air. D'inis an gasúr dó agus thug an diabhal cuireadh dó a ghabháil isteach agus é a aithne.

"Maise leoga dheamhan mo chos a rachas isteach" arsa an gasúr "ach bhí bearad dearg air ag fáil bháis dó. Aithneochaidh tú mar sin é"

"Tá léar mór anseo a bhfuil bearad dearg orthu" arsa an diabhal "ach inseochaidh mé duit goidé a dhéanfas mé. Cuirfidh mé amach lucht na

113

mbearaid dhearga uilig chugat agus tóg leat iad agus chead ag an mhaighistir féin a athair mór a aithne".

D'imigh an gasúr agus na diabhail leis ag tarraingt ar an bhaile. Bhí an oíche ann ag teacht chun toighe dó. Rith sé isteach agus d'iarr sé ar an mhaighistir a ghabháil amach agus labhairt lena athair mhór, go n-aithneochadh sé féin é amach as an scaifte diabhal a bhí taobh amuigh den doras. Scranraigh an t-anam amach as an tseanlánúin agus d'iarr siad ar an ghasúr an tóir a chur orthu go gasta.

Chuaigh sé amach agus d'iarr sé orthu pilleadh go hIfreann agus ansin chuaigh sé isteach a luí. Maidin lá tharna mhárach cheannaigh an seanduine an dá bheathach ab fhearr sa tír agus carr. Líon sé an carr le hór agus airgead agus d'iarr sé ar an ghasúr iad a thabhairt leis agus a bheith ar shiúl chun an bhaile. D'imigh an gasúr leis agus bhí saol an mhadaidh bháin aige féin agus ag a mháthair ní ba mhó.

1.53.1 MAC GIOLLA BHRÍDE MHACHAIRE GÁTHLÁN

Bhí fear ina chónaí i Machaire Gáthlán agus bhí an áit sin aige do féin. Ní bhíodh curtha aige ach cruithneachta. Achan lá rachadh sé thart chois na farraige ar droim capaill. Lá amháin bhuail cos an chapaill in éadan cloigeann fir. Léim fear beag bídeach amach as an chloiginn agus dúirt se: "Chuir tú m'áras amugha orm".

"Má chuir" arsa Mac Giolla Bhríde "bhéarfaidh mise ceann níos fearr duit". Thug sé leis é agus d'fhág sé sa chlúdaigh é agus dúirt sé nach rachadh aon duine idir é féin agus í fhad is a bheadh sé ann. Baisteadh an Siosánach ar an fhear bheag agus d'fhan sé ag Mac Giolla Bhríde ar feadh seacht mbliana. Bhí gadúnaigh a chóir na háite agus tháinig siad agus ghoid siad eallach agus caoirigh ó Mhac Giolla Bhríde. Lean sé féin agus a mhac iad. Ní raibh gar ar bith daofa ann.

Nuair a tháinig siad chun an bhaile bhí corraí air agus labhair sé leis an Siosánach agus dúirt sé:

"A Shiosánaigh bhig scalta, tá tú anseo le fhad is atá agus ní dhearna tú ach dhá gháire cé bith goidé an fáth a bhí agat leo".

"Maise inseochaidh mé sin duit" arsa an Siosánach. "Bhí an tiarna talaimh ag gabháil a thabhairt leis carraig mar chíos ó sheanbhean a bhí thíos ansin agus ní raibh fágtha aici ach seanbhó nach raibh ábalta siúl agus b'éigean dó í a fhágáil. An ceann eile" arsa seisean "bhí ainspioraid na láimhe clé ag troid le coimhdheoir na láimhe deise agus nuair a leag an coimhdheoir é trasna na tineadh rinne mé gáire faoi sin".

Nuair a bhí sin ráite aige d'imigh sé amach agus chruinnigh sé cnap cipíní agus d'imigh sé i ndiaidh na ngadúna. Nuair a shroich sé iad rinne sé fir de na cipíní agus bhuail sé na gadúnaigh. Thug sé na gadúnaigh arís chuig Mac Giolla Bhríde agus d'iarr sé air iad a choimheád go ceann seacht mbliana eile agus d'imigh sé agus ní fhaca aon duine é ní ba mhó.

Cúpla bliain ina dhiaidh sin thoisigh an coirce ag imeacht amach as an scioból achan oíche agus dúirt an mac go suighfeadh sé agus go bhfeicfeadh sé é. I dtráthaibh an dó dhéag tháinig fear isteach agus d'aithin an mac é. D'iarr sé air an mála ba mhó sa scioból a thabairt dó. Ach dúirt an mac nach dtabharfadh. Thoisigh an troid agus marbhadh an mac. Ach sula bhfuair se bás d'inis sé don athair cé a mharaigh é.

"Bhí eallach agamsa" arsa an t-athair "agus dá ligfinn iad a ghoid ní bheadh mo mhac marbh anois ach bainfidh mise díoltas astu".

Fuair sé greim ar ghasúr an toighe agus mharaigh sé é agus chuir sé é faoin tuí. Lá amháin bhí an sagart istigh agus thit deora fola anuas ar an tábla. Chuir an sagart ceist cé a mharaigh sé agus d'inis seisean dó.

"Anois" arsa an sagart, "ta pionós cruaidh romhat. Caithfidh tú droichead a chur ar abhainn agus siúl dhá mhíle ar do dhá ghlún achan mhaidin".

Chuir Mac Giolla Bhríde isteach a phionós agus tháinig an Siosánach chuige nuair a bhí sé déanta aige agus d'fhan sé aige fhad is a bhí sé beo.

1.53.2 MAC GIOLLA BHRÍDE MHACHAIRE GÁTHLÁIN

Tá dáta fada blianta ní raibh mórán cónaíocha anseo. Ach bhí fear amháin ina chónai i Machaire Gáthlán ar a dtabharfadh siad Mac Giolla Bhríde. Bhí sé iontach saibhir. Lá amháin tháinig fear beag isteach chuige agus d'fhan an fear aige ar feadh seacht mbliana. Bhí sé ag déanamh cipíní beaga ar feadh an ama agus ní dhearna sé turn oibre ón lá a tháinig sé ach ag gabháil daofa sin. Tá Ard Beag anseo ar an dtabharann siad Ard na Buailibh air. Bhí sé ag sáthadh na gcipíní uilig ar an Ard seo ar feadh an ama. Acht i gcionn na seacht mblian bhí an Ceart Eaglaise á dtógáil ar fud na hEireann agus tháinig na saighdiúirí ar Mhac Giolla Bhríde fá choinne tógáil an airgid. Ní raibh sé sásta a dhath a thabhairt daofa agus thug siad dhá cheann déag de na chuid bearach leo. Bhí Mac Giolla Bhríde buartha nuair a chonaic sé a chuid eallaigh ar shiúl.

Tháinig sé isteach chun an toighe agus arsa seisean leis an fhear bheag "tá tú anseo agam le seacht mbliana agus ní dhearna tú maith ná olc domh agus má tá tú ábalta a dhath a dhéanamh tabhair tarrtháil ar mo chuid eallaigh". Chuaigh an Siosánach amach agus ní raibh cipín ar Ard na Buailibh nach raibh saighdiúir air. Lean siad na saighdiuirí agus fuair siad greim orthu. Bhuail siad agus mharaigh siad iad agus bhain siad daofa an t-eallach agus thug siad ar ais chuig Mac Giolla Bhríde iad. Anois a dúirt Mac Giolla Bhríde "Fhad is a bhí tú anseo agamsa ní dhearna tú ach trí gháire agus caithfidh tú údar na dtrí ngáire sin a thabhairt domhsa sula n-imí tú". "Ní fearr duit sin nó gan a chluinstean arsa an Siosánach". Ach chaithfeadh Mac Giolla Bhride údar na dtrí ngáire sin a fháil.

"Bhail" arsa an Siosánach "an chéad gháire, bean bhocht a tháinig isteach chugat agus nuair a chuaigh tú a thabhairt déirce daoithe thit cuid den airgead ar an talamh agus chuaigh tú á gcruinniú agus á gcur léithe agus bhí tú ag cur ar shiúl ádh an toighe agus rinne mise gáire fút nuair a chonaic mé thú".

115

"An darna gáire, nuair a bhí an bhean ag brú brúitín Oíche Shamhna d'éirigh tusa agus chraith tú an t-uisce coisreaca sula dteachaigh sibh i gcionn an tsuipéara, agus nuair a chonaic mo pháirtísa thú bhí siad ag baint an mhéanaigh as a chéile thuas sa tsimléir agus rinne mise gáire fúthu. Agus an tríú gáire bhí do bhuachaill ag buaileadh lín amuigh ins sa scioból agus chuaigh do bhean amach agus ag teacht isteach daoithe thoisigh tusa ag piocadh an cholg as a druim i ndiaidh í féin agus an buachaill a bheith amuigh ins an líon".

D'imigh an Siosánach ansin agus ní fhaca Mac Giolla Bhríde aon amharc air níos mo.

Tamall ina dhiaidh sin tháinig bean bhocht thart chuig Mac Giolla Bhríde agus scaifte páistí léithe. Shuigh sí a dhéanamh a scíste agus thit duine de na páistí ina chodladh. D'imigh sí agus níor chrothnaigh sí an tachrán a d'fhág sí ina diaidh go raibh sí giota maith ar shiúl. Sular phill sí mharaigh Mac Giolla Bhríde an t-achrán. Bhí rud inteacht aige ina n-éadan. Nuair a mharaigh sé é ní raibh faill aige a dhath a dhéanamh ach é sháthadh suas ins an tuí fán teach. Nuair a tháinig an bhean bhocht isteach ní raibh an t-achrán le fáil. B'éigean daoithe imeacht léithe.

Fá cheann dáta ina dhiaidh sin tháinig sagart agus bhí sé ag léamh Aifreann ins an teach seo agus nuair a spréidh sé an chulaith ar an tábla thit trí dheor fola uirthi. "Rinneadh murdar sa teach seo" a deir sé. "Ó, ní dhearnadh" arsa Mac Giolla Bhríde. "Ó, rinneadh cinnte agus ná séan é".

D'inis Mac Giolla Bhríde ansin goidé a bhí déanta agus d'amharc sé suas ins an áit ar chuir sé é agus bhí an tachrán ina luí marbh ansin. "Anois" arsa an sagart, "caithfidh tú an áit seo a fhágáil agus roilig a dhéanamh dó". Sin roilig Mhachaire Gáthlán agus tá sí ann ón lá sin go dtí an lá inniu.

1.53.3   NA TRÍ GHÁIRE

Oíche amháin bhí fear ag teacht fríd áit uaigneach agus bhuail sé a chos in éadan ceann beathaigh agus léim duine beag amach as.

Arsa an duine beag leis an fhear - "Cad chuige ar chuir tú amach as m'áit cónaithe mé?"

Dúirt an fear go dtabharfadh seisean chun an bhaile é agus go dtabharfadh sé áit cónaithe dó. Chuaigh sé chun an bhaile leis an fhear agus d'fhan sé aige ar feadh dtrí mblian. Ar feadh na dtrí mblian ní dhearna sé aon dhath ach ag déanamh cipín.

Oíche amháin bhí siad ag ithe brúitín agus rinne an fear beag gáire. Caitheadh mias uisce isteach sna brúitíní. Oíche eile bhí siad ag ól tae agus rinne an fear beag gáire. Líon cupaí an tae lán uisce. Oíche eile bhí siad ag gabháil a luí agus rinne an fear beag gáire. Tiontaíodh an t-éadach a bhí ar an leabaidh isteach ina chlárai.

D'éirigh an fear tuirseach den fhear bheag sa deireadh agus d'iarr sé air imeacht leis. Chuir sé troid ar an fhear bheag agus an méid cipíní a bhí aige chuir sé ina seasamh sa talamh iad. Nuair a tháinig an fear a chur troda air thiontaigh na cipíní isteach ina saighdiúirí agus mharaigh siad an fear.

116

1.54.1 SÉIMÍ BEAG

Fada ó shin bhí seanlánúin ina gcónaí i nGaoth Dobhair a raibh mac amháin acu arbh ainm dó Séimí. Bhí Séimí chomh beag sin go dtiocfaí é a chur isteach faoi bhéal pota agus ní raibh sé ag éirí a dhath ar bith mór. Bhíodh athair Shéimí ag obair amuigh sna cuibhrinn achan lá agus ba ghnách a dhinnéar a thabhairt amach chuige.

Lá amháin dúirt Séimí go dtabharfadh seisean amach dhinnéar chuig a athair. Ní raibh an mháthair sásta é a ligean ach sa deireadh le é a shású thug sí cead dó. Thug sí dó scála na bpréataí. Chuir Séimí ar a cheann é agus d'imigh leis. Ní raibh sé i bhfad ar shiúl go dtáinig cioth trom clocha sneachta agus shuigh Séimí síos faoi chrann bheag ar foscadh. Nuair a tháinig an tráthnóna agus gan Séimí ag pilleadh chun an bhaile, thoisigh an cuartú. Sa deireadh chuaigh siad thart le taobh an tairbh riabhaigh agus mhothaigh siad an chaint istigh ann. Maraíodh an tarbh ach ní bhfuair siad Séimí istigh ann. Chaith siad an méadal mór ar an bhealach mhór agus lá tharna mhárach bhí peidléir ag gabháil an bhealaigh agus thóg sé an méadal nó dar leis go ndéanfadh sé dinnéar dó. Thóg sé leis é agus nuair a bhí se ag gabháil trasna ar dhíog hobair dó titim. ''Íosa agus Muire liom'' ar seisean agus labhair an glór as an bhosca ''na bíodh Íosa ná Muire leat''. Scanraigh an corp as an pheidléir. Chaith sé an bosca uaidh agus thug do na bonnaí é. Lá tharna mhárach bhí fear eile ag gabháil an casán. Chonaic sé an bosca agus thóg sé leis chun an bhaile é. Nuair a shroich sé an baile d'fhoscail sé an bosca agus cé tchí sé ina shuí go seascair ann ach Séimí, slán folláin.

Thug sé chun an bhaile chuig a mhuintir é agus níl a fhios goidé an lúcháir a bhí orthu. Rinne siad mionna nach ligfeadh siad Séimí amach as a n-amharc a choíce arís.

1.54.2 AN GASÚR A hITHEADH

Lá amháin bhí gasúr ag gabháil fá choinne lód mónadh agus casadh scaifte saighdiúirí air. Bhí eagla air go mairfeadh siad é agus chuaigh sé isteach i gcluais na hasaile agus thoisigh sé a fheadalaigh. Bhí siad ag cuartú leo ach ní raibh siad ábalta é a fháil. D'imigh na saighdiúirí leo ansin. Agus d'imigh an gasúr leis fá choinne lód na mónadh.

Nuair a tháinig sé chun an bhaile d'ól sé a chuid tae agus chuaigh sé amach a bhuachailleacht. Nuair a bhí sé tamall beag ag buachailleacht thoisigh sé a chur agus ní raibh foscadh ar bith aige. Sa deireadh chuaigh sé isteach i gcroí cáil agus bhí foscadh breá aige ansin. Ina dhiaidh seo tháinig an bhó thart agus d'ith sí an croí cáil. Tháinig sí chun an bhaile ansin agus nuair a bhí athair an ghasúra á cur isteach sa bhóitheach mhothaigh sé an screadach. Bhí a fhios aige ansin gur ith an bhó an gasúr agus mharaigh sé í. Ní raibh sé ábalta an gasúr a fháil.

Tamall beag ina dhiaidh seo tháinig an madadh rua thart agus d'ith sé an méid a bhí istigh sa bhoin agus bhí sé istigh sa mhadadh rua ansin.

Mharaigh sé an madadh rua ansin ach ní raibh an gasúr le fáil aige. B'éigean dó imeacht leis ansin agus gasúr eile a fhostódh.

Lá amháin bhí an gasúr seo amuigh ag cuartú caorach sa chnoc agus cé a casadh air ach an gasúr a d'ith an madadh rua. Chuir duine acu ceist ar an duine (eile) cá raibh sé agus dúirt buachaill na gcaorach gur ar fostódh a bhí sé féin agus dúirt an fear eile gur ar a sheachnadh a bhí sé.

Nuair a tháinig an tráthnóna d'iarr an seirbhíseach ar an ghasúr eile a theacht leis go bhfaigheadh sé braon tae. Nuair a tháinig siad fhad leis an bhaile chonaic an t-athair iad ag teacht agus bhí lúcháir mhór ar an cionn is go bhfaca sé a mhac féin. D'iarr sé ar an bhuachaill eile a bheith ar shiúl nó go mbainfeadh sé na cosa de agus bhí dóigh mhaith orthu féin ariamh ó shin.

1.55   SNEACHTÁN BÁN

Bhí girseach ann uair amháin agus nuair a tháinig sí ar an tsaol fuair a máthair bás. Ansin phós an fear arís. Ní raibh an bhean seo maith do Shneachtán Bán cionn is go raibh sí níos deise ná í féin. Bhí an ghirseach seo chomh deas gur baisteadh Sneachtán Bán uirthi. Ní raibh dúil ag an bhean seo i nduine ar bith a bhí níos deise ná í féin.

Bhí gloine acu a bhí ábalta labhairt agus chuirfeadh sí ceist ar an ghloine "cé acu is deise inniu?"

Déarfadh sé "tá tusa deas ach tá Sneachtán Bán níos deise".

Ní raibh a fhios aici goidé an dóigh a gcuirfeadh sí chun báis í. Chuir sí scéala chuig fear de chuid na comharsan a theacht agus scian a bheith leis go dtí go dtabharfadh sé leis í go dtí coillidh agus í a mharbhadh. Nuair a tháinig sé d'iarr an bhean air í a thabhairt go dtí an choillidh agus í a mharbhadh agus an croí a thabhairt chuicise.

Nuair a tháinig an fear go dtí an choillidh ní ligfeadh an croí dó í a mharbadh. Chonaic sé seabhac ag eiteog san aer. Scaoil sé an seabhac, bhain sé an croí as agus thug chuig an bhean é. D'iarr sé ar Shneachtán Bán imeacht agus gan pilleadh ar an teach feasta. Shíl an bhean go raibh Sneachtán Bán marbh. D'imigh Sneachtán Bán léithe go dtí teach na ndaoine beaga. Shuigh sí ar an chathaoir agus thit sí ina codladh.

Nuair a tháinig na daoine beaga isteach agus chonaic siad an ghirseach ina codladh mhuscail siad í. D'iarr siad uirthi a gcuidsean a dhéanamh agus gan aon duine a ligean isteach. Dúirt sise nach ligfeadh. D'imigh na daoine beaga amach a dh'obair arís.

Ansin chuir an bhean ceist ar an ghloine "cé acu is deise inniu?"

Dúirt sé "tá tusa deas ach tá Sneachtán Bán níos deise".

Bhí a fhios aici ansin go raibh Sneachtán Bán beo ar fad. Chóirigh sí í féin agus chuaigh sí thart a dhíol beilteanna. Chuaigh sí go dtí an teach seo agus d'iarr sí ar Shneachtán Bán beilt a cheannach. Dúirt sí nach gceannóchadh. Dúirt sí "bhéarfaidh mé duit gan dadaidh í". Thug.

Nuair a chuaigh Sneachtán Bán á cur uirthi dúirt an bhean "fan go dteannfaidh mise ort í". Theann an bhean chomh maith í agus thiocfadh

118

léithe. Thit an ghirseach marbh i lár an urláir. Scaoil siad an bheilt agus d'éirigh an ghirseach beo arís.

Nuair a tháinig na daoine beaga isteach d'inis sí an scéal daofa. D'iarr siad uirthi gan aon duine a ligean isteach níos mó agus dúirt sí nach ligfeadh. D'imigh na daoine beaga amach a dh'obair arís. Nuair a chuir an bhean ceist ar an ghloine lá tharna mhárach cé acu is deise inniu dúirt sé "tá tusa deas ach tá Sneachtán Bán nios deise". Bhí a fhios aici ansin go raibh Sneachtán Bán beo ar fad.

Chóirigh sí í féin agus chuaigh sí amach a dhíol úllaí a raibh nimh iontu. Tháinig sí go dtí an teach seo. Chuir sí ceist ar Shneachtán Bán an gceannóchadh sí úllaí agus dúirt sí nach gceannóchadh. Dúirt sí "bhéarfaidh mé duit gan dadaidh iad" agus thug. An chéad ghreim a bhain sí as an úlla thit sí marbh i lár an urláir.

Nuair a tháinig na daoine beaga isteach chonaic siad an ghirseach marbh i lár an urláir. Thoisigh siad a ghabháil daoithe ach ní raibh maith ann. Rinne siad cónair ghloine agus chuir siad an ghirseach isteach inti. Chuir an bhean ceist ar an ghloine an lá seo cé acu is deise inniu. Dúirt an gloine "tusa is deise inniu". Bhí cuid mhór daoine ag teacht a dh'amharc ar Shneachtán Bán nuair a bhí sí marbh.

Aon lá amháin tháinig mac an rí agus d'iarr sé ar na daoine beaga Sneachtán Bán a thabhairt dó. Thug sé féin leis í agus nuair a bhí sé ag teacht anuas an cnoc thit sé agus thit an t-úlla aniar as béal Sneachtán Bán. Déirigh sí beo arís agus phós sí féin agus mac an rí. Cé a bhí ar an bhainis ach an bhean a thug bás Sneachtán Bán. Chuir na daoine beaga iarann dearg lena cosa gur dhóigh siad na cosa aici.

1.56 AN INÍON A MHARAIGH AN LEASMHÁTHAIR

Bhí girseach ann uair amháin uair amháin agus ní raibh aici ach leasmháthair agus ní raibh an leasmháthair rómhaith daoithe. Bhí girseach eile ag an leasmháthair agus bá ghnách leis an bheirt acu bheith ag déanamh cuideachta amuigh ins an gharradh. Achan lá bheadh an t-athair ag obair amuigh ins na cuibhrinn agus thiocfadh sé isteach am dinnéara.

Lá amhán mharaigh an leasmháthair Máire — seo an t-ainm a bhí ar an ghirseach. Nuair a tháinig an t-athair bhí an fheoil bruite fána choinne agus d'ith sé leis í. Shíl sé gur caoireoil a bhí ann. D'fhás an ghirseach suas ina héan bheag dheas. An lá ina dhiaidh sin bhí an t-éan ag gabháil thart agus tháinig sé go dtí áit a raibh fear ag briseadh cloch. D'iarr sí cuid de na clocha air agus thug. Chuaigh an t-éan go dtí áit a raibh bean ag cur amach slipeannaí agus d'iarr sí uirthi cuid de na slipeannaí a thabhairt daoithe agus thug. Chuaigh sí go dtí áit a raibh fear ag baint óir agus d'iarr sí cuid den ór agus thug.

D'imigh sí ansin go dtí an teach a raibh a hathair ina chónaí. Chuaigh sí ar eiteogaí os cionn an toighe. Bhí Máire Bheag amuigh ins an gharradh. Thoisigh Máire Bheag an t-éan a bhí ins an aer a rá:

'Mharaigh mo Mhamaí mé agus d'ith mo Dheaidí mé agus chuir Máire

Bheag mo chnámha amuigh ins an gharradh''.

Seo an t-amhrán a bhí ag an éan a bhí ins an aer. D'imigh Máire Bheag isteach go cistineach an toighe agus d'inis sí go raibh éan os cionn an toighe. Amach leis an athair ar tús agus mhothaigh sé an t-amhrán a bhí ag an éan agus bhí a fhios aige go dtearna an bhean feall ar an ghirseach.

Amach leis an leasmháthair. Chaith an t-éan anuas cnap na gcloch uirthi agus mharaigh sí í. Chaith sí anuas na slipeannaí chuig Máire Bheag agus chaith sí an t-ór anuas chuig an athair. Ansin tháinig sí féin anuas. Chónaigh sí féin agus Máire Bheag agus an t-athair sa teach agus bhí siad go maith ón lá sin go dtí an lá inniu.

1.57   MANAS BÁN AN MHAGAIDH

Bhí fear ann uair amháin arbh aimn do Mánas Bán. Bhí sé ceithre scór go leith bliain agus é chomh díreach le fiodh agus chomh gasta le gealbhan.

Bhíodh sé i gcónaí ag magadh ar sheandaoine na háite nach raibh leath chomh sean leis agus iad ar shiúl ag titim ar a mbataí. Lá amháin nuair a bhí sé ag magadh ar sheanduine de chuid na comharsan fána chuid creapalaigh ghlac an seanduine corraí leis agus dúirt leis ''da siúlfá giota gheofá daoine níos sine ná thú féin agus níos gaiste''.

Smaointigh Mánas go mb'fhéidir go raibh an ceart ag an tseanduine agus maidin lá tharna mhárach bhí sé ina shuí le breacadh an lae agus as go brách leis go bhfeicfeadh sé an raibh fírinne ar bith i scéal an fhir eile.

Shiúil sé leis go raibh neoin bheag agus deireadh an lae ann ach níor casadh aon duine air a bhí ní ba shine ná é féin. Sa deireadh nuair a bhí sé ar an tseol chasta agus é ag gabháil a philleadh chun an bhaile chuala sé glór chaointe. D'amharc sé thart agus chonaic sé fear ina shuí cois claí agus é ag caoineadh.

Chuaigh Mánas fhad leis agus dúirt sé ''an miste domh ceist a chur ort cén aois thú agus goidé fáth do chaointe?''

''Maise, ní miste'' arsa an fear, ''tá mé trí scór bliain agus tá mé ag caoineadh siocair gur bhuail m'athair mé''.

''Agus'' arsa Mánas go hiontach ''an bhfuil d'athair beo go fóill?''

Ach an miste domh anois ceist a chur ort cad tuige ar bhuail d'athair thú? ''Siocair go raibh mé ag caitheamh cloch ar m'athair mór'' arsa an fear eile leis.

Níor fhan Mánas le níos mó a chluinstin ach thug aghaidh ar an bhaile agus bí cinnte nach dtearna sé aon lá magaidh ar sheandaoine na comharsan ó sin amach.

1.58.1   MUIRE, NAOMH IOSEPH AGUS AN LEANBH ÍOSA

Nuair a bhí Naomh Ioseph, an Mhaighdean Mhuire agus An Leanbh Íosa ag teitheadh go hÉigipt bhí an tóir ina ndiaidh. Chuaigh sí tart ag taobh cuibhrinn a raibh triúr fear ag cur síl ann. D'iarr siad ar na fir gan é a inse orthu. D'fhiafraigh na fir daofa an ndéarfadh siad nach dteachaigh siad thart ar chor ar bith agus dúirt an Mhaighdean Mhuire leo gan a rá nó cibé fáth a ndéantar an bhréag tá sí i gcónaí ina peacadh. D'iarr sí orthu a rá go dteachaigh siad thart nuair a bhí siadsan ag cur an tsíl.

D'fhás an coirce agus thoisigh na fir a bhaint. Tháinig na saighdiúirí agus chuir siad ceist an dteachaigh a leithéid seo thart. Dúirt na fir go dteachaigh nuair a bhí siadsan ag cur an tsíl. Shíl na saighdiúirí gurb é sin ráithe roimhe ré agus nach iad an mhuintir chearta iad.

Labhair an chiaróg dhubh agus arsa sise "Inniu, Inniu". Bhí a fhios ag na saighdiúirí ansin goidé mar bhí agus lean siad daofa. Shuigh an Mhaighdean Mhuire ar thaobh an bhealaigh mhóir agus chuir sí an leanbh Íosa isteach ina naprún. Tháinig na saighdiúirí fhad leo agus chuir siad ceist uirthi goidé a bhí aici. Dúirt sise gur uan beag. Tharraing siad an naprún daoithe agus thit an t-uan ar an talamh. Shíl siad gur bean bhocht a bhí inti agus d'imigh siad leo.

D'imigh an Mhaighdean Mhuire, Naomh Ioseph agus an Leanbh íosa an aithghiorra agus casadh gadaí daofa. Ghlac sé truaighe daofa agus chuir sé ar an bhealach cheart iad. Bhí sin ina chuidiú mhór aige féin nuair a crochadh é i gcuideachta Ár Slánaitheora nó fuair sé maithiúnas.

1.58.2   SCÉAL BEANNAITHE

Nuair a chuala rí Herod go dtáinig rí úr chun an tsaoil bhí sé fá choinne é a chur chun báis. Ach ní raibh sé ábalta an áit a raibh sé ina chónaí a fháil amach. D'iarr sé air a chuid saighdiúirí gach naíonán faoi dhá bhliain a chur chun báis. An oíche sin d'inis aingeal do Naomh Iosaf go raibh Herod ag gabháil a mharbhadh an linbh agus d'iarr sé air a bheith ar shiúl go dtí an Éigipt.

Déirigh Naomh Iosaf agus an Mhaighdean agus an leanbh. Fuair siad asal agus d'imigh siad. Chuaigh siad thart le taobh cuibhrinn áit a raibh daoine ag cur choirce. Stop siad agus fuair siad bia. D'imigh siad leo ins an oíche. D'fhás an coirce chomh mór agus go dtiocfadh leo é a bhaint lá tharna mhárach. Tháinig na saighdiúirí agus chuir siad ceist an bhfaca siad fear, bean agus leanbh ag gabháil thart am ar bith agus asal leo ag iompar an linbh. Dúirt na fir a bhí ag obair go dteachaigh an triúr sin thart nuair a bhí siad ag cur an choirce. Dúirt na saighdiúirí "Má chuaigh siad thart an t-am sin beidh siad giota maith ar shiúl anois" agus phill siad chun an bhaile.

1.59.1 AN GABHA AGUS AN FEAR BEAG RIBEACH RUA

Bhí gabha ina chónaí i gCondae Dhún na nGall fadó agus bhí sé pósta ar bhean dholba a bheadh ag troid lena leasmháthair i gcónaí. Lá amháin bhí sé ina sheasamh i ndoras an cheárta agus a ghualainn leis an ursain nuair a chuala sé tormán capaill ag teacht aníos bealach cúil i gcúl an toighe. D'amharc sé thart agus goidé a chonaic sé ach fear beag baoideach, rua agus capall leis nach raibh níos mó ná madadh. D'iarr sé iasacht na tineadh is na scine ar Mhánas an gabha. Thug Mánas cead dó iad a bheith aige agus chuir sé síos tine mhaith dó. Ansin thug an fear rua leis an scian agus chuaigh sé go dtí cloch a bhí taobh amuigh den doras agus bhí sé ag cur faobhar uirthi go dtí go raibh sí chomh géar le rásúr. Ansin ghearr sé na cosa den chapall agus dhing sé isteach faoin tine iad. Shéid sé na boilg agus níorbh fhada gur tharraing sé amach arís iad agus péire úr cruitheacha orthu. Ansin chuir sé ar an chapall arís iad agus thug sé buíochas de Mhánas agus d'imigh sé leis. Tamall ina dhiaidh sin tháinig an Rí go dtí Mánas agus capall leis agus d'iarr sé air cruitheacha a chur ar an chapall. D'imigh sé suas chun an chnoic go bhfeicfeadh sé an raibh Éirinn mar a bhí ariamh. Nuair a fuair Mánas ar shiúl é bhain sé na cosa den chapall agus chuir sé isteach faoin tine iad. Shéid sé na boilg agus níorbh fhada gur chuir sé an tine ar leataobh ach ní raibh cosa ar bith ann. Scanraigh sé agus d'imigh sé amach an doras cúil mar bhí eagla air go muirfeadh an rí é. Nuair a tháinig an rí chonaic sé an capall gan cosa agus bhuail fearg mhór é agus chuir sé amach saighdiúirí a chuartú Mhánais. Ach d'imigh Mánas orthu. Chaith siad sé lá á chuartú agus ní raibh Mánas le fáil. Nuair a chuala Mánas gur stadadh den chuartú tháinig sé chun an bhaile. Cupla lá ina dhiaidh sin tháinig an fear beag rua fhad leis agus d'iarr sé iasacht an cheárta agus thug Mánas dó iad. Chuaigh sé amach agus thug sé isteach dhá sheanchailleach agus dhing sé isteach faoin tine iad. Shéid sé na boilg agus tháinig cailín deas, óg amach agus thug sé leis ar dhroim an chapaill í. Smaointigh Mánas gur mhaith an ceall an bhean agus a leasmháthair a bhruith agus cailín deas, óg a dhéanamh amach astu. Chuaigh sé isteach chun toighe agus fuair sé a bhean agus a leasmháthair agus iad ag caitheamh smug ar a chéile trasna na tineadh. Bheir sé greim orthu agus dhing sé isteach faoin tine iad. Shéid sé na boilg agus níorbh fhada gur chuir sé na haibhleoga ar leataobh agus ní raibh aon dath ann ach na cnámha. D'imigh Mánas amach fríd an choillidh agus d'fhan sé ansin gur bhuail an t-ocras é.

Lá amháin chonaic sé an fear rua ag teacht chuige. Bhí oiread lúchaire air gur rith sé ina araicis. D'inis sé an scéal don fhear rua agus bhí buaireamh mór air agus d'iarr sé ar Mánas a ghabháil leis go dtí an Spáinn. Lean Mánas de agus níor chaith siad i bhfad ar an bhealach. Chuaigh siad go dtí caisleán an Rí agus fuair siad cuid dochtúirí an tsaoil cruinnithe ansin agus gan iad ábalta an Rí a leigheas.

D'iarr an fear rua ar an bhanríon coire uisce a chur ar an tine agus na dochtúirí a chur amach. Ansin ghearr sé an rí ina cheathrúnacha agus chuir sé sa choire é. Thug sé bata do Mhánas agus d'iarr sé air a ghabháil a mheascadh. Mheasc Mánas go dtí gur leárigh an corp. D'iarr an fear rua air stad agus thóg sé fear beag amach as an choire agus d'fhág sé sa leabaidh é. D'éirigh an fear mór go dtí go raibh sé cosúil leis an Rí arís. Ansin lig siad isteach na daoine agus thoisigh an Rí a chomhrá leo.

Thug an bhanríon toirt an fhir ruaidh d'ór do Mhánas agus d'imigh siad ag tarraingt ar an bhaile. Dúirt an fear rua go raibh a chuid ladhra móra amuigh fríd na bróga. "Maise, beidh siad amuigh ar mhaithe liomsa" arsa Mánas nó tá an t-airgead gann. Le sin féin léim an fear rua — sciob sé an t-ór agus suas leis ina na néaltaí. Níor fhan Mánas le níos mó a fheiceáil ach shéid sé ar an rópa ag sílstean go mbeirfeadh sé ar an fhear rua in áit inteacht. Níor mhothaigh sé gur bhuail sé a chloigeann in éadan claí. D'amharc sé suas agus chonaic sé fógra. "Deich mála óir don té a leigheasfadh Rí na Fraince.

Rith Mánas agus níor stad sé go raibh sé sa Fhrainc. Chuaigh sé isteach sa chaisleán. Chuir sé amach na daoine agus ghearr sé an Rí ina ghiotaí agus chuir sé sa choire é. Mheasc sé an coire agus leáigh sé an corp. Ach ní tháinig fear beag ar bith as an choire. D'amharc sé amach ar an fhuinneog agus cé tchí sé ach an fear rua. Tharraing sé a bhróg agus bhris sé an fhuinneog ag ligean isteach an fhir ruaidh. Mheasc Mánas agus ní raibh siad i bhfad ag giollacht an Rí.

Fuair siad deich mála óir agus d'imigh an bheirt chun an bhaile. Nuair a bhí siad giota fada ar shiúl dúirt an fear rua go raibh a chuid bróga caite agus d'iarr Mánas air péire úr a cheannacht. "Is maith liom go bhfuil do chroí mar a bhí" arsa an fear rua. Ansin thug sé Mánas go dtí ardán glas taobh thuas den teach agus dúirt sé "Is tú an fear is saibhre in Éirinn". Dúirt Mánas gurbh é. Chuaigh Mánas chun an bhaile agus bhí a bhean agus a leasmháthair roimhe agus iad níos fearr ná bhí siad ariamh.

1.59.2   AN GABHA AGUS AN FEAR BEAG RIBEACH RUA

Fada ó shin bhí gabha ina chónaí suas i mbarr Ghaoth Beara. Ní raibh aige ach é féin agus a mháthair. Bhí an mháthair ag éirí aosta agus d'iarr sí air a ghabháil amach agus bean a phósadh. Rinne sé mar a hiarradh air. Ní raibh ag an mhnaoi nua a fuair sé ach a máthair fosta agus tháinig siad uilig le cónaí ina thoigh sin. Ní raibh an súiche sa phota ariamh go dtí seo nó throid na seanmhná ó mhaidin go hoíche agus go minic, minic ó oíche go maidin.

Lá amháin tháinig fear beag ribeach rua isteach sa cheárta chuig an ghabha — fear beag, éagsúil a raibh brístí gorma agus casóg dhearg air. Chuir sé ceist ar an ghabha an gcuirfeadh sé péire cruitheacha ar bheathach leis amárach. Dúirt an gabha go gcuirfeadh go cinnte.

Tráthnóna lá tharna mhárach cé a tháinig leis an bheathach ach an fear beag ribeach rua. Tháinig sé isteach chun an chéarta agus cheangal an beathach thíos ag bun an urláir agus scuab amach an teach. Chuaigh sé síos ansin agus ghearr sé na ceithre cosa den bheathach. Chaith isteach sa tine iad agus thoisigh a shéideadh na mboilg ar theann a dhíchill. Nuair

123

a bhí sé tamall ag séideadh léim na ceithre cosa amach as an tine agus ceithre cruitheacha orthu. "Anois" a dúirt sé leis an ghabha "ná féach thusa le sin a dhéanamh a choíche".

Lá tharna mhárach bhí seanbheathach mór ar téad taobh thíos den chéarta. Chuaigh an gabha síos, thóg an téad amach ón bhacán (agus) tharraing ina dhiaidh aníos chun na céarta é agus cheangal ag bun an urláir é. Ghlan thart fán teallach agus scuab an teach mar a chonaic sé an fear beag ribeach rua a dhéanamh. Ghearr na cosa ansin de. Chaith isteach sa tine iad agus thoisigh ar a theann dícheall ag séideadh na mboilg. D'imigh an craiceann de na cosa, an fheoil de na cnámha agus bhí an seanbheathach bocht ag fáil bháis ag bun an urláir nuair a léim an fear beag ribeach rua isteach agus d'fhiafraigh den ghabha goidé a bhí sé a dhéanamh. "Bhí mé ag féachail leis an rud céanna a dhéanamh a chonaic mé tusa a dhéanamh". "Nár inis mise duit nach mbeifeá ábalta sin a dhéanamh?" Chuir sé ceist ar an ghabha an raibh cnámh ar bith fágtha. Dúirt an gabha go raibh. Chuaigh an fear rua suas anois agus thoisigh a shéideadh na mboilg. Nuair a bhí sé tamall ag séideadh léim na ceithre cosa amach as an tine agus ceithre cruitheacha úra orthu. Chuir an fear rua ar an bheathach iad ansin.

Lá tharna mhárach tháinig an fear rua isteach chun na céarta ar ais agus seanbhean ar a dhroim leis. Cheangal sé thíos ag bun an urláir í. Tháinig sé aníos agus ghlan thart fán teallach. Scuab amach an teach agus d'amharc ar an tine. Nuair a bhí sin déanta aige chuaigh síos—scaoil an tseanbhean—d'iompar eadar chorp agus chleiteacha í agus chaith isteach sa tine í. Thoisigh a shéideadh na mboilg agus ní raibh an séideadh i bhfad ag gahbáil ar aghaidh gur léim cailín deas óg bán amach as an tine. "Anois" a dúirt an fear beag ribeach rua leis an ghabha "ná féach thusa le sin a dhéanamh a choíche nó beidh daor ort". D'imigh an fear rua agus an cailín óg bán amach ar an doras agus as go brách leo.

Lá tharna mhárach tháinig an gabha aníos chun na céarta chuig a chuid oibre mar a ba ghnách agus nuair a chuaigh sé síos chuig a dhinnéar bhí an dá sheanbhean ag troid fríd an teach ar ghreim dhá ghrágán agus ba é an deireadh a bhí air gur leag a mháthairsean máthair a mhná isteach sa tine.

Fuair an gabha greim uirthi agus thóg leis idir chorp agus chleiteacha gur cheangal í ag bun an urláir sa chéarta le sreangán iarainn. Chuaigh sé suas ansin agus ghlan sé thart fán teallach. Nuair a bhí sin déanta aige fuair sé greim ar an tseanmhnaoi agus chaith isteach sa tine í. Thoisigh sé ansin ag séideadh na mboilg. D'imigh an craiceann den fheoil agus d'imigh an fheoil dena cnámha go dtí sa deireadh nach raibh fágtha ach na cnámha. Le sin nochtaidh an fear beag ribeach rua é féin sa doras agus d'fhiafraigh den ghabha goidé a bhí sé a dhéanamh. "O, tá" arsa an gabha "bhí dhá sheanbhean thíos fán teach agam a bhí i gcónaí ag troid agus ní raibh suaimhneas agam féin ná acusan agus srnaointigh mé go bhféachfainn an rud a chonaic mé tusa a dhéanamh—is é sin cailín óg a dhéanamh de sheanmhnaoi acu (agus) gurbh fhéidir ansin go dtiocfadh diúcach óg inteacht thart a ghlacfadh spéis daoithe agus go mbeadh suaimhneas agam ansin.

124

Chuir an fear rua ceist air an raibh cnámh ar bith fágtha agus dúirt an gabha go raibh. Chuaigh an fear rua suas ansin agus thoisigh a shéideadh gur léim cailín óg amach as an tine — chaith a dhá láimh thart ar mhuineál an ghabha agus thug póg dó agus bhí léim an dorais aici.

Cupla lá ina dhiaidh seo tháinig an fear rua isteach chun na céarta chuig an ghabha agus d'iarr air a bheith réidh ar maidin amárach agus Baile Átha Cliath a bhaint amach, go raibh comórtas mór le bheith ansin idir gaibhneoirí na hÉireann agus an gabha is fearr go raibh mála mór airgid le fáil aige. "Ní rachaidh mise" arsa an gabha. "Gabh go cinnte agus beidh mise ansin romhat". "Má níonn gaibhneoir ar bith gníomh éifeachtach abair thusa go bhfuil gasúr beag agatsa a bhuailfeas amach é".

Lá tharna mhárach d'imigh an gabha leis ag tarraingt ar Bhaile Átha Cliath. Bhí an gasúr ansin roimhe. Bhí gaibhneoirí ann as gach cearn den tír. Thoisigh an comórtas. Bhí bosca mór iarainn ag ceann tineadh a bhí ann agus clár air. An chéad ghabha a tháinig thoisigh sé a shéideadh na mboilg agus nuair a bhí sé tamall ag séideadh d'imigh an clár den bhosca agus tháinig cioth eorna amach as. "Anois" arsa seisean "an bhfuil duine ar bith a bhuailfeas sin amach?" "Tá gasúr agamsa a buailfeas sin amach" arsa gabha Ghaoth Beara.

Chuaigh an gasúr beag suas ansin, thoisigh a shéideadh na mboilg agus nuair a bhí sé tamall ag séideadh léim scaifte colmán amach as an bhosca agus d'ith siad suas an eorna. Dúirt na gaibhneoirí uilig nach dtiocfaí sin a bhualadh amach agus nuair a bhí an gasúr beag a bhí ag gabha Ghaoth Beara ábalta gníomh éifeachtach mar sin a dhéanamh nach raibh a fhios goidé na heachtraí a thiocfadh leis an mhaighistir a dhéanamh.

Tháinig gabha eile chun tosaigh, thoisigh a shéideadh agus nuair a bhí sé tamall ag séideadh léim capall bán amach as an bhosca — bhí léim an dorais aige agus as go brách leis síos sruthán leathan a bhí cóngarach don toigh. "Anois" a dúirt an gabha seo" buailfidh sin amach an t-iomlán agaibh". "Ní bhuailfidh" arsa gabha Ghaoth Beara. Tá mo gasúr beagsa anseo go fóill" — scairt air agus d'iarr air a ghabháil a dh'obair.

Tháinig an buachaill beag ribeach rua chun tosaigh. Chuaigh suas agus thoisigh a shéideadh na mboilg. Ní raibh sé i bhfad ag séideadh gur léim madadh uisce amach as an bhosca — bhí léim an dorais aige agus as go brách leis síos an sruthán i ndiaidh an chapaill bháin. Fuair greim air agus thug arís chun na ceárta é agus d'ith an fheoil óna cnámha aige os a gcomhair uilig. "Tá an bhuaidh agat, a ghabha Bhaoth Beara" arsa na gaibhneoirí uilig. Fuair an gasúr beag ribeach rua mála óir ansin ar a chuid eachtraí agus d'imigh sé féin agus gabha Ghaoth Beara ag tarraingt ar an bhaile — an t-ór leis an tseanbhoc.

Nuair a bhí siad ag teacht trasna an "Life" d'iarr an gasúr beag ribeach rua luach péire bróg ar an tseanbhoc (bronntanas beag a ba mhaith leis a thabhairt chun an bhaile chuig dearthair beag). Dhiúltaigh an seanbhoc é ag rá gur shaothraigh sé féin go cruaidh é. D'fhág an gasúr beag ansin é agus bhuail amach casán dó féin. Bhí abhainn eile ag an tseanbhoc le ghabháil trasna air, é féin, an capall bán agus an t-ór. Bhí an tuile an-trom agus róláidir agus scuab sí an capall agus an t-ór as amharc sular mhothaigh an seanbhoc. Bhí sé gan dubh gan dath anois agus b'éigean dó imeach leis go brónach. Tamall beag roimhe luí gréine chonaic sé teach mór thuas ar ard agus scaifte daoine thart air. Tharraing sé orthu agus fuair sé eolas gur teach rí a bhí ann agus go raibh iníon an rí sna smeachannaí deireannacha (le bás) agus cé bith a leigheasfadh í go raibh saibhreas an rí uilig le fáil aige. Bhí dochtúirí cliste an domhain i láthair ach ní raibh gar ann. Bhí an bás ansin. Bhí an gabha ina shuí taobh amuigh den chaisleán agus é ag meabhrú. Thug sé a shúil thart agus cé tchí sé ag tarraingt air ach an gasúr beag ribeach rua. D'iarr an gasúr ar an gabha a rá gur dochtúir a bhí ins an tseanghabha agus go dtáinig sé le iníon an rí a leigheas. Dúirt an gasúr "beidh mise sa tseomra romhat ach ní fheicfidh siadsan mé".

Chuaigh an gabha chun tosaigh agus dúirt sé gur dochtúir léannta eisean agus go leigheasadh sé iníon an rí. Ligeadh isteach chun an tseomra é agus druideadh an doras ina dhiaidh. Bhí an gasúr beag istigh roimhe ach ní raibh a fhios ag an rí ná ag an mhuintir eile go raibh sé istigh.

Nuair a bhí siad tamall istigh sa tseomra, chuir an gasúr pota mór uisce ar an tine agus nuair a bhí an t-uisce ag gail, chuaigh sé anonn agus ghearr sé an ceann den chailín a bhí sa leabaidh agus chaith sé isteach i bpota an uisce the é. Thoisigh a mheascadh. Nuair a bhí sé tamall maith ag meascadh thóg sé an chloigeann amach agus chuir arís ar an chailín í. Le sin d'éirigh an cailín aniar chucu agus í slán folláin.

"Anois" arsa an gasúr leis an ghabhainn "ná féach thusa sin a dhéanamh a choíche". Nuair a chonaic an rí agus na móruaisle an cailín ag teacht chucu amach agus biseach uirthi bhí lúcháir agus iontas an domhain orthu. Dúirt iníon an rí leis an ghabha go gcaithfeadh sé í a phósadh ach dhiúltaigh an gabha seo a dhéanamh siocair go raibh bean aige féin. "Bhail" arsa an rí "nuair nach bpósann tú í gabh amach agus pioc an capall is fearr sa stábla". Chuaigh. Ansin thug an rí mála mór óir dó agus d'imigh an gabha, an capall agus an t-ór. Bhí abhainn eile acu le ghabháil trasna air agus nuair a bhí siad cóngarach den abhainn seo tháinig an gasúr beag ribeach rua aníos leo agus labhair mar leanas: "An dtabharfaidh tú luach na mbróg anois domh?" "Ní thabharfaidh" arsa an gabha "nó tá an méid atá agam beag go leor agam féin". D'fhág an gasúr é ansin.

Nuair a bhí an gabha an gabháil trasna ar an abhainn d'éirigh an tuile agus scuab sí léithe an capall agus an t-ór agus d'fhág sí an gabha fuar, folamh ag tarraingt ar an bhaile. Nuair a tháinig sé fhad le caisleán Mhaguidhir chonaic sé scaifte mór daoine thart fán chaisleán agus fuair sé eolas go raibh iníon Mhaguidhir ag fáil bháis. Bhí príomhdhochtúirí na hÉireann ansin ach ní raibh ceachtar acu ábalta biseach a dhéanamh daoithe.

Chuaigh an gabha seo go dtí an caisleán agus dúirt go leigheasfadh seisean í. Chuaigh isteach chun an tseomra, d'ordaigh do gach dochtúir eile a ghabháil amach. Chuir an glas ar an doras. Chuir síos pota mór uisce agus nuair a bhí an t-uisce ag gail, chuaigh anonn agus ghearr an ceann den chailín. Chuir isteach sa phota é agus thoisigh a mheascadh ach ní raibh maith ann. D'imigh an craiceann den cheann. Thit an fheoil de na cnámha agus leáigh na súile. Bhí na daoine ag scairtigh leis an ghabha an doras a fhoscladh ach ní raibh sé ag tabhairt aon aird orthu. D'amharc
126

sé thart go bhfeicfeadh sé an raibh aon pholl ar a dtiocfadh leis imeacht agus dá mbeadh féin bhí an slua thart timpeall an chaisleáin.

Le sin mhothaigh sé scairt amuigh ag an doras agus d'aithin sé glór an ghasúir bhig ribeach ruaidh. Lig isteach é go fáilteach. Chuir sé ceist ar an ghabha goidé a bhí sé a dhéanamh. "Bhí mé ag iarraidh an rud a dhéanamh a chonaic mé tusa a dhéanamh". "Nár inis mise duit nach dtiocfadh leatsa sin a dhéanamh?" Thoisigh an gasúr a mheascadh agus nuair a bhí sé tamall ag meascadh thóg aníos an ceann amach as an phota agus chuir arís ar an chailín é. D'éirigh sí aniar slán folláin. "Anois" a dúirt sí leis an ghabha "caithfidh tú mé a phósadh". "Ní phósfaidh" arsa an gabha "nó tá bean agam féin". Nuair nach bpósfadh sé i thug Maguidhir mála óir dó agus capall breá, láidir leis an ór a iompar chun an bhaile.

D'imigh an gabha, an capall agus an t-ór. Nuair a bhí sé ag gabháil trasna ar abhainn taobh thuas de na Gleanntaí (Tír Chonaill) tháinig an gasúr aníos leis agus dúirt. "Anois, an dtabharfaidh tú domh luach na mbróg?" "Bhéarfaidh mé duit an mála uilig agus an capall le é a iompar chun an bhaile". "Níl de dhíobháil orm ach luach na mbróg". Fuair sé sin agus d'imigh as amharc. Nuair a d'amharc an gabha thart goidé a tchí sé ag tarraingt air anuas an abhainn ach an dá bheathach eile a chaill sé agus a gcuid óir ar a muin. D'imigh sé leis chun an bhaile ansin. Bhí lúchair ar a mhuintir roimhe agus bhí suipéar acu a mhair seacht lá agus seacht n-oíche agus bhí an oíche dheireannach níos fearr ná an chéad oíche.

1.60.1   PÁDRAIG PRIONS AGUS AN CÍOS

Bhí tiarna talamh i Leitir Ceanainn aon uair amháin agus bhí sé ag baint cíos trom de na daoine. Chaithfeadh na daoine a ghabháil chuige uair amháin sa bhliain. Bhí fear ina chónaí a chóir Leitir Ceanainn darbh ainm Pádraig Prions. Chuaigh Pádraig go dtí teach an tiarna. Bhí ocht scilling déag de chíos le díol aige agus ní raibh aige ach deich scillinge agus ní thabharfadh an tiarna páipéar an chíosa dó go ndíolfadh sé na hocht scilling eile.

Chuaigh bliain thart agus níor smaointigh Pádraig ar na hocht scillinge eile a dhíol. Fuair an tiarna bás eadar an dá am agus is é an tiarna óg a bhí ann an dara bliain. Tháinig Pádraig isteach agus na cíos leis. Chuir an tiarna óg ceist air cá raibh páipéar na cíosa. Dúirt Pádraig nach dtug a athair páipéar cíosa ar bith dó cionn is nár dhíol sé an cíos uilig.

"Bhail", arsa an tiarna "caithfidh tú cíos an dá bhliain a dhíol mura bhfaighidh tú páipéar an cíosa".

"Agus cá bhfaighidh mé iad?" arsa Pádraig.

"Nach cuma liomsa", arsa na tiarna "dá rachfá go hIfreann caithfidh tú é a fháil".

D'imigh Pádraig amach agus é ag smaointeamh cá bhfaigheadh sé na páipéir. Mhothaigh sé tormán ag teacht ina dhiaidh. D'amharc se thart agus chonaic sé beathach bán ag teacht ina dhiaidh agus marcach air. Chuir an marcach ceist air goidé a bhí ag déanamh buartha dó. D'inis

127

Pádraig dó goidé mar bhí.

"Bhaill, níl dhá dhóigh ar an scéal", arsa an marcach "caithfidh tú a ghabháil go hIfreann nó tá an tiarna sin thíos in Ifreann". D'iarr sé ar Phádraig léimint ar dhroim an chapaill.

Léim Pádraig ar dhroim an chapaill agus d'imigh siad leo go dtáinig siad isteach fríd bheanna móra arda. Tháinig siad anuas den chapall agus d'iarr an marcach ar Phádraig a ghabháil isteach agus gan a lámh a ligean ar a dhath ansin go dtiocfadh sé amach arís.

D'imigh Pádraig isteach agus chonaic sé an tiarna ina shuí thall i gcoirnéal agus cuma shócúil air.

"Céad míle fáilte romhat anuas go hIfreann", arsa an tiarna leis.

"Chuir do mhac anuas anseo mé", arsa Pádraig "go bhfeicfinn an dtiocfadh leat páipéar na cíosa a thabhairt domh".

"Bhéarfaidh maise agus fáilte", arsa an tiarna leis.

Fuair sé dúch agus páipéar agus peann agus scríobh sé síos dó go raibh na hocht scillinge sin maite dó agus lena chois cíos na bliana sin maite dó fosta.

Bhí oiread lúcháire ar Phádraig agus ní raibh a fhios aige goidé ba cheart dó a rá. Thiontaigh sé thart agus ar seisean "Shíl mé go raibh drocháit anseo".

"Nach bhfuil sé olc go leor", arsa an tiarna "da n-amharcóchfá isteach faoi mo chótasa bheadh a fios agat a athrach".

D'amharc Pádraig isteach faoin chóta agus le sin go díreach léim bladhaire tineadh suas taobh an leithchinn aige agus bruitheadh taobh an leithchinn aige.

Nuair a tháinig sé amach arsa an marcach leis "Nár iarr mé ort gan do lámh a ligean ar rud ar bith dá raibh ansin".

D'imigh Pádraig chun an bhaile agus lúcháir mhór air. Chuaigh sé isteach chuig an tiarna agus thug sé an páipéar dó.

"An bhfaca tú m'athair?", arsa an tiarna.

"Chonaic mé thíos in Ifreann é", arsa Pádraig.

"Dia dar gcumhdach", arsa an tiarna "agus má tá m'athair thíos ansin is maith mar a bheas mise".

Chuaigh an tiarna chuig an tsagart an oíche sin agus thiontaigh sé ina Chaitliceach agus bhí sé umhal don chreideamh ní ba mhó.

1.60.2   CULAITH AN ALBANAIGH

Bhí fear bocht ann aon uair amháin agus ní raibh culaith éadaigh aige le cur air chun Aifrinn Dé Domhnaigh agus smaointigh sé go rachadh sé amach a chruinniú ar na comharsain.

Chuaigh sé isteach i dteach Albanach a raibh fear na mná i ndiaidh bás a fháil. Bhí culaith úr de chuid an fhir aici agus thug sí don fhear bhocht í. D'iarr sí air a ghabháil amach chun Aifrinn an chéad Domhnach eile agus an chulaith a chur air. Nuair a tháinig an Domhnach chuir sé air an chulaith agus d'imigh

128

sé chun Aifrinn. Shuigh sé isteach i suíochán i dtaobh an toigh pobail agus tháinig an sagart amach agus thoisigh sé ar an Aifreann. Ach cé bith a bhí air ní thiocfadh leis an tAifreann a léamh.

Thiontaigh sé thart ar an altóir agus chuir sé ceist an raibh aon Albanach istigh agus char labhair aon duine. Thoisigh sé ar an Aifreann arís ach níor éirigh leis agus thiontaigh sé agus chuir sé an cheist chéanna ach níor labhair duine ar bith. An tríú iarraidh d'éirigh leis mar an gcéanna agus chuir sé ceist ansin an raibh duine ar bith istigh a raibh culaith Albanach air. D'éirigh an seanduine ina sheasamh agus dúirt go raibh culaith Albanach air. D'iarr an sagart air a ghabháil amach go mbeadh an tAifreann léite agus chuaigh.

Nuair a bhí an tAifreann léite ag an tsagart chuaigh sé amach chuig an fhear bhocht agus chuir sé ceist air cá bhfuair sé an chulaith sin. D'inis an fear dó agus d'iarr an sagart air a ghabháil chun an bhaile agus an chulaith a bhaint de agus í a thabhairt don bhean arís, nó go raibh an fear marbh thíos in Ifreann.

Rinne an fear mar a hiarradh air ach nuair a d'inis sé don bhean goidé a dúirt an sagart bhí corraí mhór uirthi. Chuir sí scéala fána choinne agus tháinig an sagart.

Chruinnigh sí a cuid mic uilig an lá seo fá choinne an sagart a mharbhadh. D'iarr seisean orthu ligean dó tamall beag go léighfeadh sé giota beag. Chuaigh sé suas chun tseomra agus thoisigh sé a léamh. Nuair a bhí giota léite aige scairt sé ar an fhear a bhí marbh ach ní tháinig sé. Léigh sé tamall eile agus scairt sé air arís agus cha dtáinig sé. Nuair a scairt sé air an tríú huair tháinig an fear chuige sa tseomra céanna ina bhfuair sé bás.

Chuir an sagart ceist air cá raibh sé nuair a scairt sé air an chéad uair. Dúirt an fear go rabhthar ag scaoileadh na slabhraí. Chuir an sagart ceist air cá raibh sé an dara huair agus dúirt sé go raibh sé ag teacht amach ar gheaftaí Ifrinn agus go raibh sé anseo an tríú huair. Chuir an sagart ceist ar an bhean cén áit a gcuirfeadh sise é. Dúirt sí go gcuirfeadh sí i gcúl an toighe é. Chuir sé ceist ar fhear de na mic agus dúirt seisean go gcuirfeadh sé i gcúl an gharraidh é. Chuir sé ceist ar an tríú duine agus dúirt seisean go gcuirfeadh sé é san áit as a dtáinig sé.

D'imigh an fear bocht leis go hIfreann ag screadaigh agus ag scréachach agus thiontaigh muintir an toighe uilig leis an tsagart.

1.61.1   DÓNALL ÓG

Bhí fear ann fadó darbh ainm Dónall Óg agus bhí sé ag foghlaim le bheith ina shagart. Ach tháinig drochshláinte chuige agus b'éigean dó a theacht chun an bhaile. Achan Domhnach rachadh sé chun Aifrinn agus chrochfadh sé a chóta mór san áit a mbeadh an ghréin ag soilsú. Maidin amháin chonaic sé beirt bhan ag troid agus sheasaigh sé ag éisteacht leo. Nuair a chuaigh sé chun toigh an phobail chroch sé a chóta mór san áit a ba ghnáth leis ach thit sé arís. Smaointigh sé go dtearna sé peacadh agus chuaigh sé chuig an tsagart. D'inis an sagart dó go raibh peacadh marfa déanta aige agus go raibh aige le ghabháil amach san abhainn ar

129

an mheán oíche agus bata leis agus fanacht ansin go mbeadh coinc liath ar bharr an bhata. Nuair a tháinig an mheán oíche dúirt Dónall Óg lena mháthair go raibh pionós cruaidh roimhesan agus d'imigh sé. I dtráthaibh an haon chonaic sé an toirt dhubh ag tarraingt air agus scanraigh sé. Bhí an toirt ag teacht agus ag gabháil trasna na habhna, taobh thuas de. Sa deireadh chonaic sé fear agus labhair sé leis. Chuir an fear ceist air goidé a bhí sé a dhéanamh ansin agus d'inis Dónall Óg dó. "Maise, is maith mar atá mise" arsa an fear, "a bhfuil dhá bhológ déag goidte agam". Bhain sé de na bróga agus chuaigh sé amach san abhainn fosta. Idir sin agus maidin thóg fear acu a bhata agus bhí coinc liath ar a bharr. Ansin thóg an fear a cheann féin agus bhí coinc liath ar (a bhata) san fosta. D'imigh an péire acu chun an bhaile agus rinne Dónall Óg suas a intinn imeacht agus fios a dhéanamh dó féin. D'imigh sé agus casadh maighistir air. Chuir sé ceist air an dtiocfadh leis é a fhostódh. Dúirt an maighistir go dtiocfadh ar dhóigh is nach dtiocfadh ar dhóigh eile. "Tá go leor oibre le déanamh" arsa seisean "ach níl airgead ar bith agam le díol leat". Dúirt Dónall nach raibh airgead ar bith aige le díol leis-sean nó go raibh a chuid rómhaith aige. D'fhan Dónall ag an fheirmeoir ar feadh i bhfad. Ní dhéanfadh sé obair ar bith Dé Sathairn ón dó dhéag agus rachadh sé chun Aifrinn Dé Domhnaigh. Bhí dhá fheirmeoir eile a chóir na háite agus bhí buachaillí ar fostódh acusan fosta. Nuair a chonaic na buachaillí nach raibh Dónall Óg ag déanamh obair ar bith Dé Sathairn ná Dé Domhnaigh ba mhaith leo féin an rud céanna a dhéanamh. D'inis siad do na gcuid maighistirí é agus tháinig siad go dtí maighistir Dhónaill. Ach ní raibh Dónall istigh. Bhí sé amuigh sa pháirc ag treabhú. Chuir siad ceist ar an mhaighistir é féin goidé mar bhí Dónall Óg ábalta stad mar a bhí sé a dhéanamh. Dúirt seisean nach raibh a fhios aigesean a dhath fá dtaobh de sin. "Ach níl aon lá ó tháinig sé ansin nach raibh bonn ag teacht isteach in mo sparán, cé bith áit a bhfuil sé ag teacht as agus go bhfuil a dhá oiread sin ag teacht as an fheirm". Chuaigh siad ansin fhad le Dónall é féin agus chuir siad an cheist air. Dúirt sé go n-inseochadh sé sin daofa nuair a rachadh sé thart ar an pháirc arís agus chuaigh siadsan thart leis. Nuair a chuaigh sé fhad leis an áit ar thoisigh sé, d'iarr sé ar fhear acu a chluas a chur go dtí a chluas-san agus a chos a chur go dtí a chos-san. Rinne seisean seo agus chuir an stócadh ceist air an mothaíonn sé aon dath. Dúirt seisean go mothaíonn sé clog toigh an phobal ag bualadh. "Bhail" arsa an stócach, "sin clog Dé atá ag scairtigh ormsa stad den obair anois agus mise aingeal Dé".

D'imigh na feirmeoirí agus gan iad a dhath níos crínne ná bhí siad ag teacht daofa. Nuair a bhí Dónall ann bliain nó dhó chuir an maighistir dhá ghamhain óga amach chun an chnoic in ainm Dhónaill. Bhuail breoiteacht Dónall agus chuaigh sé a luí. Nuair a mheas Dónall go raibh an bás aige chuir sé fá choinne an tsagairt agus d'iarr sé air eisean a chóiriú sa chónair agus é a fhágáil ar bharr a chnoic. Fuair Dónall bás agus tháinig lá an torraimh. D'imigh an scaifte agus d'fhag siad an corp ar bharr an chnoic. Tháinig an dá bhológ a cuireadh amach chun an cnoic agus thóg siad an chónair ar a gcuid adharca agus d'imigh siad. Ní rachadh na daoine níos faide agus d'imigh siad chun an bhaile ach lean an maighistir an
130

chónair go dtí an choillidh. Nuair a bhí siad go díreach ag gabháil amach as an choillidh chonaic siad teach agus beirt fhear ag déanamh uaighe. Cuireadh an chónair san uaigh agus d'imigh na bológaí chun an bhaile arís ach d'fhan an maighistir ag na fir. D'iarr na fir air a ghabháil isteach agus greim bídh a ithe. Bhí triúr ban istigh agus d'iarr sé greim bídh ar an chéad bhean agus thug sí scála de bhroc coirce dó. Dúirt seisean nach dtiocfadh leis sin a ithe. D'iarr sé bia ar an dara bean agus thug sí scála préataí beaga dó. Ní íosfadh seisean sin agus thug an tríú bean feoil agus plátaí óir agus achan chineál níos fearr ná a chéile dó. D'ith sé a sháith de sin agus dúirt sé go raibh sé ag gabháil chun an bhaile. Thug na fir beathach dó agus d'iarr siad air gan a chos a bhualadh in éadan thalamh na hÉireann nó nach bpillfeadh sé arís a choíche. D'imigh sé agus nuair a bhí sé giota maith siúlta aige chonaic sé fear. D'fhiafraigh sé den fhear cén áit a raibh sé. D'inis an fear dó. Ba ar a dhuiche a bhí sé agus bhí tionóntaithe úra air anois. Bhí mála leis an fhear agus bhí sé ag iarraidh é a chur ar dhroim a chapaill. Léim an feirmeoir anuas den a chapall féin agus chuaigh sé a chuidiú leis an fhear eile ach d'imigh sé ina chréafóg.

1.61.2   COLMCILLE AGUS MAC DÉ

Bhí gnás ag Colmcille bia agus a leithéid a fhágáil ag an chailín achan lá le roinnt le na bochta. An lá seo d'fhág sé gann í agus d'imigh sé leis.

Tháinig fear bocht amháin go dtí an doras agus ní raibh dadamh ag an chailín fána choinne.

Tháinig Colmcille chun an bhaile tráthnóna. Ba ghnách leis a chóta a chrochadh ar gha gréine, ach an lá seo thit an cóta chun talaimh. Chuir sé ceist ar an chailín ar chuir sí duine ar bith ar shiúl folamh. D'inis sí dó goidé mar a bhí. Tharraing sé air a chóta arís agus d'imigh sé i ndiaidh an strainséir.

Bhí giota oibre aige a theacht suas leis nó mar is gaiste a shiúil an Naomh bhí an strainséir ag gabháil lán chomh gasta. Ach sa deireadh d'éirigh leis.

Tháinig sé suas leis agus bheannaigh dó.

"Nach gasta a shiúil tú" arsa Colmcille. "Ó", arsa an coimhthíoch "thiocfadh liomsa siúl níos gaiste ná sin".

"Agus cé tú féin ar scor ar bith" arsa an Naomh.

"Mise Mac Dé".

Seán Mac Monagail
(Scoil An Toir)

Rugadh Seán Mac Monagail ar An Tor sa bhliain 1901. Chuaigh sé chun na bunscoile ar An Tor áit a raibh a athair ina phríomhoide. Chuaigh sé as sin go Coláiste Adhamhnáin i Leitir Ceanainn. Nuair a chríochnaigh sé i Leitir Ceanainn chuaigh sé go hAlbain áit ar fhreastal sé ar Dundee Training College. Cháiligh sé mar mhúinteoir sa bhliain 1926. Ó tharla nach rabhthas ag teagasc 'Teagasc Críostaí' sa Cholaíste seo bhí sé doiligh air post a fháil mar mhúinteoir in Éirinn. Chaith sé tamall ag múineadh go páirtaimseartha i scoileanna éagsúla. Chaith sé tamall i Scoil Dhruim Caoin taobh amuigh de Leitir Ceanainn. Chuaigh sé as sin go Ceathrú na gCanach in aice Bhaile na nGallóglach. Scoil í sin nach bhfuil ann níos mó. Chuaigh sé chuig scoil eile ansin in áit a dtugtar An Cúl air. Bhí sí seo fosta gar do Bhaile na nGallóglach. Nuair a fuair a athair bás ansin tháinig seisean ina áit ar An Tor. Chaith sé cúpla bliain ansin idir 1936-'38. Chuaigh sé as sin go dtí Scoil Na Ceathrú Ceanann áit a raibh sé mar phríomoide go dtí gur éirigh sé as i 1966. Fuair sé bás ar An Chaiseal, Gort An Choirce sa bhliain 1973.

Scoil
An
Toir

Scoil Dhobhair

Seán Mac Monagail.

Gráinne Ní Dhugáin, An Tor, Seanchaí.

Róise Ní Chóill, An Tor, Róise
Phadaí 'ac Cóill.

Nóra Ní Cholla, Loch Caol,
Hanna Thomáis.

133

Nóra Ní Chóill, An Tor, Nóra
Pháidí Ó Cóill.

Nóra Ní Cholla, Loch Caol, Nóra
Hanna.

Pádraig Mac Cóill, Loch Caol, Pádraig Pháidí 'ac Cóill, Seanchaí.

134

1.63 AN TRIÚR MAC A BHÍ LE MARBHADH

Bhí lanúin ann aon uair amháin agus bhí siad iontach bocht. Bhí trí mic acu. Bhí beirt acu ar an scoil agus bhí an fear ab óige acu sa bhaile. Bhí an t-athair agus an mháthair ina suí ag an tine duine acu ar achan taobh den tine. Bhí siad ag caint goidé an dóigh an mbeadh siad beo. Dúirt an mháthair "nuair a bheas siad ina gcodladh rachaidh muid agus maróchaidh muid iad. Ní bheidh aon duine le coinneáil beo againn ach muid féin."

Chuala an fear óg seo agus d'inis sé seo don bheirt eile é. D'imigh an triúr acu — chuir dréimire ina sheasamh. Chuaigh siad suas a luí, d'fhoscail an fhuinneog — chuaigh síos an dréimire agus d'imigh siad. Tháinig siad go dtí croisbhealach. D'imigh duine acu achan bhealach. Dúirt siad "bliain ón lá seo casfar an triúr againn ar a chéile ar ais". Chuaigh duine acu achan bhealach agus chuaigh siad a dh'obair.

Chuaigh duine acu a dh'obair mar charpantóir. Chuaigh duine eile a dh'obair ag péintéir. Chuaigh duine eile a oibriú talaimh. Bliain ón lá casadh iad uilig ar a chéile — canna le fear acu, giota adhmaid leis an fhear eile agus casadh teach mór orthu.

Tháinig fear amach is chuir ceist orthu cé acu fear a d'fhanóchadh sa teach go maidin. Gheobhaidh sé céad punta ar shon na hóiche. Duirt an fear óg go rachadh seisean.

"Maith go leor", arsa an fear.

Tháinig an oíche. Chuaigh an fear óg isteach. Bhíther á chrothadh ó thaobh go taobh an toighe. Maidin lá tharna mharach tháinig an fear isteach — chuir ceist an bhfuil sé beo. Dúirt seisean go raibh. "Is iomaí fear a chaith óiche ansin agus bhí siad uilig marbh ar maidin ach thusa. An rachaidh tú ann anocht?", arsa an fear. Dúirt seisean go rachadh. Thug sé céad punta dó ar shon na hóiche agus duirt go dtabharfadh sé dhá chéad punta dó. D'fhan sé ann an dara hoíche ach bhí sé níos measa. Casadh an fear air ar maidin.

"Ta tú beo arís."

Thug sé dhá chéad punta dó agus chuir ceist air an gcaithfeadh sé oíche eile ann. Dúirt seisean go gcaithfeadh sé oíche eile ann.

"Maith go leor", arsa an fear.

D'fhan sé ann oiche eile. Maidin lá tharna mhárach casadh an fear air.

"Is maith thú, tá tú beo ar ais".

"Ta", a dúirt an gasúr, "ach tá mé ag imeacht inniu".

Ba mhór an truaighe sin" arsa an fear.

Thug sé trí chéad punta dó agus d'imigh sé. Bhí lúcháir ar an ghasúr fáil amach mar bhí a sháith airgid aige. Bhí sé chéad punta aige ar shon na gcupla oíche a chaith sé sa teach mhór seo.

D'imigh sé agus é sásta go leor leis sin. Casadh a chuid dearthaireacha air agus áthas mór orthu cionn is go bhfaca siad é. D'inis sé an scéal daofa mar a d'éirigh leis agus bhí iontas mór orthu nár maraíodh é. Bhí dóigh bhreá ar an triúr acu ón lá sin go dtí an lá a bhfuair siad bás.

I ndiaidh an rud a bhí le héirí daofa i dtús ama, ní dheachaigh siad fhad leis an mháthair ní ba mhó. Bhí drochmheas acu ar an athair agus ar an mháthair ní ba mhó.

1.64   AN GHIRSEACH AGUS AN LEATHCHORÓIN

Bhí girseach as an áit seo thall i Meiriceá an t-am a raibh an drocham ann agus nach raibh mórán airgid ann. Bhí sise ag gabháil thart ag cuartú oibre. Bhí sí lá amháin ag gabháil thart le taobh teach pobail agus ní raibh aici ach leathchoróin amháin. Dar léithe féin go rachadh sí isteach agus go n-ofráilfeadh sí suas an leathchoróin dheireannach ar son an anam is mó a bhí i phian i bPurgadóir. Chuaigh sí isteach agus dúirt sí cupla paidir.

Tháinig sí amach agus go díreach nuair a bhí sí ag teacht amach an geafta chonaic sí gasúr beag ina sheasamh ag an gheafta. Chuir sé ceist uirthi an raibh sí ag obair. Dúirt sise nach raibh. Thug sé giota beag do pháipéar daoithe a raibh rud inteacht scríofa air agus d'iarr sé uirthi a ghabháil go dtí a leithéid seo de theach agus an páipéar a thabhairt do bhean an toighe.

D'imigh an ghirseach léithe go dtí an teach. Thug sí an páipéar do bhean an toighe. D'amharc an bhean ar an pháipéar agus arsa sise leis an ghirseach.

"Dá bhfeicféasa arís an gasúr sin, an aithneochfá é?".

"D'aithneochainn cinnte é", arsa an ghirseach.

Thug an bhean pictiúr chuici agus chuir sí ceist uirthi an sin é.'

"Sin cinnte é" arsa an ghirseach.

"Bhail", arsa an bhean "thug tusa suaimhneas don ghasúr sin. Bhéarfaidh muidinne obair duitse".

Thug siad obair don ghirseach agus bhí sí ag obair acu mar a bheadh duine acu féin ann.

1.65   SAIGHDIÚIRÍ SÍ NA MUCAISE

Bhí fear ar an Dún sa cheantar seo fada ó shin darb ainm Mánas Ó Gallchóir. Chaith sé a shaol ar shiúl ins na cnoic ag buachailleacht caoirigh agus eallaigh. Lá amháin bhí sé ag buachailleacht ar an Mhucais agus tháinig an oíche air. Bhí sé iontach dorcha agus shuigh sé ar thurtóg agus nuair a bhí sé ina shuí tamall chonaic sé solas i bhfad uaidh agus tharraing sé air.

Chuaigh sé isteach agus goidé a bhí ansin ach cúirt mhór agus tine bhréa. Shuigh sé agus théigh sé é féin. Nuair a d'éirigh sé le ghabháil amach chonaic sé léar mor saighdiúr agus a gcinn agus a gcosa le chéile agus na marcaigh ar a gcuid capall agus iad ina gcodladh agus a gcuid claidheamh crochta lena dtaobh. Nuair a bhí sé ag gabháil amach bhuail sé a chos ar dhuine acu agus d'éirigh siad uilig ina seasamh, marcaigh agus eile. Dúirt siad "an bhfuil an lá ann? an bhfuil an lá ann?"

Dúirt seisean "níl" agus this siad uilig ina gcodladh ach fear amháin. Dúirt seisean "An bhfuil an lá ann?" "Tá againn le lá a thabhairt d'Éirinn. Tá cogadh le bheith ann agus tá againne le troid agus beidh na Gaeil ag cailleadh go dtí go rachaidh sinne go Droichead na Leamhna. Beidh tuile mhór ann agus beidh cailleach phisreogach amuigh inti agus í ag tochartadh snáth. Tá fear againne le ghabháil amach agus an ceann a bhaint daoithe le claidheamh agus beidh an lá caillte ag na Sasanaigh ansin agus lámh an uachtair ag fir á dtíre.

1.66   AN FEAR A RAIBH CLUASA CAPAILL AIR

Bhí fear ann fada ó shin agus bhí cluasa capaill air. Níor mhaith leis duine ar bith fios a bheith aige air.

Bhí a chuid gruaige ag éirí rófhada agus ba mhaith leis í a fháil gearrtha. Chuaigh sé chuig bearradóir lena chuid gruaige a fháil gearrtha. Dúirt sé leis an bhearradóir ''má insíonn tú go bhfuil cluasa capaill ormsa do dhuine ar bith, muirfidh mé tú''. Dúirt an bearradóir nach n-inseochadh.

D'éirigh an bearradóir tinn. Tháinig an dochtúir agus dúirt sé leis go raibh rún inteacht nár mhaith leis a inse do dhuine ar bith. D'iarr an dochtúir air éirí agus imeacht go dtí an choillidh agus a rún a inse do chrann ar bith a raibh dúil aige ann agus go bhfaigheadh sé biseach.

Rinne an bearradóir seo. Chuaigh sé go dtí an choillidh agus d'inis sé a rún do chrann. Fuair sé biseach agus tháinig sé chun an bhaile slán.

Bhí fear eile san áit. Ceoltóir a bhí ann. Bhris sé a chruit agus b'éigean dó ceann eile a dhéanamh. D'imigh sé go dtí an choillidh fá choinne giota adhmaid a fháil le cruit úr a dhéanamh. Rinne sé cruit úr. Thoisigh sé a sheinm agus cheol si go raibh cluasa capaill ar an rí.

D'inis an ceoltóir sin d'achan duine agus chuala an rí é. Chuaigh sé fhad leis an bearradóir agus chuir ceist air ar inis sé a rún do dhuine ar bith agus dúirt seisean nár inis ach go mb'éigean dó é a inse do chrann. D'inis an rí goidé mar a chuala sé é agus chuir sé an bhearradóir chun báis agus bhí a fhios ag achan duine go raibh cluais capaill ar an rí.

1.67   AN FEAR   AGUS AN DIABHAL

Bhí fear agus bean ann uair amháin agus bhí an fear ag obair ar sheanscoil Faoi Chnoc. Ba ghnách leis siúl chun an bhaile achan oíche agus d'fhágfadh sé an baile ar a ceathair a chlog ar maidin fá choinne a bheith i Faoi Chnoc achan mhaidin. Is cosúil gur inis sé do dhuine inteacht nach raibh aird aige ar dhiabhal Ifrinn.

Bhí sin maith go leor go dtí oíche amháin bhí sé ag teacht aniar agus bhí sifín cocháin aniar roimhe. Níor shíl sé a dhath de. An dara hóiche a bhí sé ag teacht aniar bhí mála olna aniar roimhe. An tríú hoíche a bhí sé ag teacht aniar casadh gráinneog fhéir air. Ach níor shíl sé a dhath de. An chéad oíche eile a bhí sé ag teacht casadh fear air. Chuir sé ceist air cá háit a raibh sé ag gabháil agus d'inis an fear dó. Dúirt sé go gcaithfeadh sé a ghabháil leis agus go gcaithfeadh sé é a thabhairt leis

137

go dtí an fharraige nó go raibh uaigneas air.

Chuir an fear ceist air cad chuige a raibh sifín cocháin aniar roimhe an chéad oíche agus dúirt an fear go raibh a croí rud beag lag aige. ''Cad chuige a raibh mála olna aniar rómham an dara hoíche a bhí mé ag teacht?'' Agus dúirt an fear go raibh a chroí rud beag níos laige aige. An tríú oíche a bhí sé ag teacht aniar casadh gráinneog fhéir air agus chuir sé ceist air cad chuige a raibh sí sin aniar roimhe. Dúirt an fear go raibh a dhá oiread eagla air. Dúirt an fear go gcaithfeadh sé a ghabháil leis go dtí loch a bhí ann. Chuaigh an fear leis agus chuir sé ceist air cé hé agus d'inis an fear dó gurb eisean an diabhal agus gan eisean a rá le duine ar bith arís nach raibh aird aige ar dhiabhal Ifrinn.

Léim an diabhal isteach ins an loch agus dhruid an loch suas uilig.

1.68   AN PIOCTÚIR NAOFA

Bhí fear ann uair amháin agus bhí sé ag gabháil áit inteacht. Cé bith a sheol é go dtí an áit seo fuair sé pioctúir naofa faoin talamh. Pioctúir a bhí anseo a bhí i bhfolach leis na céadtaí bliain roimhe seo ach ní bhfuairtheas é go dtí seo.

Lá amháin nuair a bhí an fear seo ag siúl thart fuair sé an pioctúir seo tuairim is ar leathmhíle faoin talamh. Nuair a bhí an fear seo ag tógáil an phioctúir amach as an pholl tháinig aingeal fhad leis agus d'iarr air nuair a rachadh sé chun an bhaile a ghabháil go teach an phobail agus gan moill ar bith a dhéanamh fá choinne an pioctúir a choisreacadh.

Bhí go maith. Chuaigh seisean chun an bhaile agus bhí sé iontach tuirseach agus dúirt sé leis féin go bhfágfadh sé é go maidin lá tharna mhárach. Ar maidin bhí sé marbh ach sula bhfuair sé bás d'iarr sé ar a mhnaoi a ghabháil agus é a choisreacadh ar maidin agus dúirt sise go gcoisreochadh. Ach nuair a fuair seisean bás rinne sí dearmad den phioctúir.

Lá amháin nuair a bhí sí ina suí chois na tineadh tháinig bean isteach agus clóca mór geal uirthi agus is ar?? an áit a raibh sé crochta ar an bhalla os cionn na fuinneoige? Agus ní luaithe a chuir sí a ceann isteach ar an doras ná d'umhlaigh an pioctúir daoithe. Chonaic an bhean a bhí ina suí seo agus bhí iontas mór uirthi.

Tháinig an bhean isteach agus dúirt sí léithe gur cheart daoithe an pioctúir a choisreachadh agus ar an bhomaite chaill sí an chaint. Nuair a bhí sí ag imeacht amach ar an doras d'iarr sí uirthí gan dearmad a dhéanamh ar an phioctúir a choisreacadh. Chraith sí a lámha in airde ina diaidh ag iarraidh uirthi a bheith ar shiúl. Ní luaithe a chroith ná tháinig aicíd uirthi mar a bheadh sí lofa. D'éirigh sí agus scairt sí ar an bhean a theacht chun toighe ar ais agus tháinig. D'iarr sí an bhean an toighe a lámh a chumailt don phioctúir agus chumail. Chomh luath agus chumail fuair sí biseach agus ansin d'imigh sí go Teach an Phobail agus coisreacadh an pioctúir.

1.69 AMHARC SA LEATHSHÚIL

Bíonn na daoine beaga ina gcónaí istigh sna beanna, san uisce agus ins an talamh. Caitheann siad éadach dearg agus gorm. Bíonn siad tuairim is ar thrí troithe ar airde. Bíonn sparáin bheaga dhubha acu. Coinníonn siad an t-airgead faoina clocha.

Is iomaí duine a thug siad leo isteach sna beanna. Bhí bean ina cónaí i nDoire Beag uair amháin agus bhí iníon aici. Lá amháin d'imigh an iníon agus níor phill sí ní ba mhó. Tháinig fear fhad leis an mháthair lá amháin agus d'iarr sé uirthi a ghabháil suas ar a dhroim agus d'imigh siad leo. Thug sé isteach sa bhinn í. Chonaic sí an iníon ina luí sa leabaidh agus sin an tuige a rabhthar daoithe fá choinne aire a thabhart don iníon. Lá tharna mhárach nuair a bhí na daoine beaga amuigh d'inis an iníon don mháthair goidé an cineál ama a bhí aici. Dúirt sí léithe nuair a bheadh sise ag gabháil chun an aonaigh go mothóchadh sí callán mór agus gur sin na daoine beaga a bheadh ag déanamh an challáin. Thug sí amharc daoithe ar cheann amháin de na súla le iad a fheiceáil. Nuair a fuair an iníon biseach tháinig an fear leis an mháthair gur fhág sé sa bhaile í arís.

Lá tharna mhárach chuaigh sise chun an aonaigh agus mhothaigh sí an callán. Chonaic sí na daoine beaga. Casadh fear acu uirthi agus dúirt sí leis nach raibh aon duine ar an aonach inniu ach iad féin. D'fhiafraigh sé daoithe cén tsúil a bhfeiceann sise iadsan léithe. Thaispeáin sise dó í. Chuir sé séideog isteach sa tsúil agus ní fhaca sí a dhath ní ba mhó léithe.

1.70   AN BHEIRT CHAILLEACH AGUS AN BÁS

Bhí beirt chailleach ina gcónaí i Machaire Gáthlán fada ó shin. Cromóg Ní Chromóige agus Dumhag Ní Dhumhaig a bhí orthu. Lá amháin chuaigh Cromóg ag buachailleacht agus d'éirigh sí tinn. Tháinig sí isteach agus chaith sí í féin sa leabaidh. D'iarr sí ar Dhumhag a ghabháil a bhuachailleacht. Thug Dumhag léithe an t-eallach agus tháinig go dtí cuid bachtaí na Tulcha leofa. D'amharc sí síos i bpoll uisce agus chonaic sí frog. Thug sí léithe an frog ina láimh agus thug chun an bhaile chuig Cromóg í.

Arsa sise le Cromóig — "A Chromóg Ní Chromóige, seo chugat an bás". Arsa Cromóg — "Maise níor chuala mise agus níor mhothaigh mé an bás ag teacht agus bíodh mar atá".

D'fhág siad Machaire Gáthlán agus d'imigh siad leo go dtáinig siad fhad leis an Chlaídigh. Ní raibh droichead ar bith ar an Chlaídigh san am sin. Bhí beathach bán acu agus chuaigh siad a mharcaíocht air. Ní raibh an madadh rua a bhí leo sásta a ghabháil a mharcaíocht. D'imigh an beathnach bán trasna ar an abhainn. Léim an madadh rua amach ag cosa an bheithigh agus báitheadh uilig iad ach an madadh.

Scanraigh an madadh agus d'imigh sé amach chun an chnoic agus tá sé ansin ó shin.

1.71.1 AN CAPALL AGUS AN SEARRACH

Bhí fear agus bean ann aon uair amháin agus bhí mac amháin acu. Bhí an bhean iontach críonna agus thiocfadh cuid mhór daoine a iarraidh comhairle uirthi. Bhí fear ann agus bhí capall agus searrach aige. Bhí fear eile agus bhí gearrán aige. Ba ghnách leis an ghearrán bheith ag siúl i gcuideachta an chapaill agus an tsearraigh.

Sa deireadh ní shiúlfadh an searrach leis an mháthair ar chor ar bith ach shiúlfadh sé leis an ghearrán. Thoisigh fear an ghearráin a choinneáil an tsearraigh. Chuaigh an fear ar leis an searrach fhad leis an Rí agus d'inis sé an scéal dó. D'iarr an Rí air an triúr a chur isteach i gcuideachta anocht agus ar maidin nuair a bheadh siad ag teacht amach cib bith ceann de na beathaigh a leanfadh an searrach gurb é leis an searrach.

Ar maidin lá tharna mhárach nuair a ligeadh amach an triúr lean an searrach an gearrán agus ba le fear an ghearráin é. Bhí an fear chomh holc ansin agus a bhí sé ariamh. Chuaigh sé fhad leis an bhean chríonna agus chuir sé ceist uirthi. Dúirt sise "nuair a rachas an Rí síos a iascaireacht amárach tabhair thusa leat do shlat agus thig leat a ghabháil síos ina dhiaidh. Tabhair thusa do thóin leis an loch agus caith amach do shlat. Cuirfidh an Rí ceist ortsa nach greannmhar sin. Abair thusa nach bhfuil sé a dhath níos greannmhaire ná searrach a bheith ag an ghearrán.

Lán tharna mhárach bhí an bheirt ag iascaireacht i gcuideachta a chéile. "Nach greannmhar sin" arsa an Rí, "do thóin bheith agat leis an loch".

Dúirt an fear nach raibh sé a dhath níos greannmhaire ná searrach an ghearráin. Dúirt an Rí leis go gcaithfeadh sé an searrach a fháil agus fuair. Chuir fear as Sasain anall scéala chuig an fhear agus chuig a mhac a ghabháil anonn agus caisleán a dhéanamh dó. D'imigh an bheirt ag tarraingt ar an bhád. Ní dheachaigh siad i bhfad gur éirigh an t-athair tuirseach agus b'éigean daofa pilleadh ar ais. Lá tharna mhárach chuir an mac ceist ar a mháthair goidé an dóigh ab fhearr dó a dhéanamh. Arsa an mháthair leis "nuair a abróchas d'athair go bhfuil sé tuirseach toisigh thusa a dh'inse scéil dó agus ní mhothóchaidh sé an t-am ag gabháil isteach.

D'imigh an bheirt lá tharna mhárach ag tarraingt ar an bhád. Ní dheachaigh siad i bhfad gur éirigh an t-athair tuirseach agus thoisigh an mac a dh'inse scéil dó. Níor stad an bheirt go raibh siad ag an bhád. D'imigh an bheirt ansin agus níor stad siad go raibh siad i Sasain ag fear a raibh a sháith de mhaoin shaolta aige agus bhí mac amháin aige. Thoisigh an bheirt a dhéanamh an chaisleáin. Bhí siad bliain ag déanamh an toighe mhóir. Nuair a bhí sé déanta acu dúirt an Sasanach gurb é an caisleán ba deise a chonaic sé ariamh agus níor mhaith leis an tSasanach ceann ar bith eile bheith déanta cosúil leis.

Bhí sé fá choinne an fear agus a mhac a chur chun báis sa chruth nach mbeadh ceann ar bith eile déanta cosúil leis. Phioc an fear suas goidé a bhí sé ag gabháil a dhéanamh. Lá amháin dúirt fear na hÉireann go raibh sé uilig déanta go maith ach an corradh a bhí sa bhinn. Chuir an Sasanach ceist air goidé a leigheasfadh é. Dúirt fear na hÉireann go raibh ball oirnéise aigesean sa bhaile a dtugadh siad corr in aghaidh an choim agus coim in aghaidh an chorr air. Dúirt an Sasanach leis a mhac a chur anonn fána

140

choinne. Dúirt fear na hÉireann nach ndéanfadh sin gnoithe go gcaithfeadh a mhac s'aigesean bheith leis.

Maidin lá tharna mhárach d'imigh an bheirt ag tarraingt go hÉirinn. Sular imigh an bheirt dúirt fear na hÉireann lena mhac go raibh sé thíos ar thóin an chófra. Nuair a chuaigh an dá ógánach isteach rinne bean an toighe réidh bolgam tae daofa.

Nuair a bhí an tae ólta thoisigh an mac a dh'inse goidé a thug anall iad. Phioc an mháthair suas seo goidé a bhí siad ag gabháil a dhéanamh lena fear. Dúirt an mac go raibh sé thíos ar thóin an chófra. D'iarr an bhean ar mhac an tSasanaigh a ghabháil suas agus é a thabhairt aníos ó thóin an chófra gurb é ab fhaide sna sciatháin.

Nuair a fuair an bhean crom síos é d'fhág sí greim dhá chois air agus chaith sí síos i mullach a chinn ins an chófra é. ''Beidh tú ansin'' arsa sise ''go dtiocfaidh m'fhearsa beo slán as Sasain''.

Chuaigh an scéala amach go raibh mac an tSasanaigh ins an chófra. Lig an Sasanach ar shiúl an fear agus ansin lig an bhean ar shiúl mac an tSasanaigh.

1.71.2   BEAN CHRÍONNA

Bhí saor ann uair amháin agus bhí mac aige. Lá amháin duirt an mac lena athair go raibh sé ag gabháil a phósadh agus gur mhaith leis bean mhaith chríonna a fháil. Dúirt an t-athair gur seo mar a gheobhadh sé bean chríonna. Tabhair leat na caoirigh sin chun an aonaigh amárach. Tar chun an bhaile agus bíodh na caoirigh agus a luach (leat).

Ar maidin lá tharna mhárach d'imigh an mac chun an aonaigh. Tháinig cupla ceannaí fhad leis agus d'fhiafraigh siad de cá mhéad a bhí sé a iarraidh ar na caoirigh.

Dúirt sé gur iarr a athair air an t-airgead agus na caoirigh a bheith leis. D'imigh siad agus iad ag gáirí faoi. Tráthnóna tháinig cailín fhad leis. Bhain sí an olainn de na caoirigh. Thug sí léithe an olainn chun an bhaile agus thug sí a luach dó. Tháinig sé chun an bhaile agus d'inis dona athair goidé mar a bhí. Dúirt an t-athair leis ''gabh thusa anois agus pós an cailín sin''. Chuaigh sé agus phós sé í.

Cupla lá ina dhiaidh sin fuair siad scéala a ghabháil anonn go Sasain chuig an rí le caisleán a dhéanamh. D'imigh siad gan mórán moille ansin agus d'fhág siad an bhean istigh. Nuair a bhí siad mí thall bhí an caisleán déanta. Bhí an rí fá choinne iad a chur chun bháis fá choinne gan iad a bheith ábalta aon cheann eile a dhéanamh chomh deas leis. Dúirt an saor leis an rí go raibh an bhinn cam ach dúirt sé tá urnais amháin agus go raibh sí sa bhaile aige. Dúirt sé ''rachaidh mo mhacsa agus do mhacsa anonn fána coinne. Is é an t-ainm atá ar an urnais seo 'cam in aghaidh an choir agus coir in aghaidh an chaim'.''

D'imigh siad ansin ar maidin lá tharna mhárach agus níor stad siad go raibh siad in Éirinn. Tháinig said fhad leis an teach a raibh an saor ina chónaí ann. Dúirt siad leis an bhean go raibh siad ag iarraidh an urnais arbh ainm di 'cam in aghaidh an choir agus coir in aghaidh an bháis'.

141

D'aithin sise go rabhthas ag gabháil a oibriú feall orthu. Dúirt sí go raibh an urnais sin istigh i mbosca thuas sa tseomra. Dúirt sí le mac an rí go raibh lámha maithe fada air. Chuir mac an rí síos a láimh. Bheir sí greim dhá chois air agus d'fhág sí ina luí sa bhosca é agus chuir sí an clár air.

Chuaigh scéala anonn go Sasain ansin nach bhfaigheadh mac an rí anonn go dtiocfadh an fear a bhí thall anall.

Agus fuair sé anall agus chuaigh an fear eile anonn.

1.72   NA TRÍ CHOMHAIRLE

Bhí fear ann aon uair amháin. Bhí sé pósta agus bhí mac aige. Bhí siad iontach bocht. Lá amháin dúirt an fear lena mhnaoi go gcaithfeadh seisean imeacht agus a chuid a shaothrú. D'imigh sé. Shiúil sé leis agus ba ghairid go dtáinig sé fhad le teach mór. Ag doras an toighe seo casadh fear an toighe air agus chuir sé ceist air goidé a bhí sé a iarraidh. Dúirt seisean go raibh sé ag iarraidh oibre. Dúirt fear an toighe go raibh buachaill a dhíth air agus má bhí dúil aige fostódh a dhéanamh leisean go gcoinneochadh sé é.

Rinne siad an margadh agus d'fhan an buachaill aige. D'oibir a searbhóntaí leis ar feadh seacht mblian. Nuair a bhí an t-am thuas dúirt sé gur mhaith leis a ghabháil chun an bhaile tamall chuig a mhnaoi agus chuig a mhac. Dúirt an maighistir go raibh sé buíoch de ar shon a raibh déanta aige agus go dtiocfadh leis imeacht anois má bhí dúil aige. "Tá do thuarastal le fáil anois agat" arsa seisean. "Ach sula dtabharfaidh mé duit é cé acu is fearr leat do thuarastal nó trí chomhairle?"

Thoisigh an searbhóntaí a smaointeamh agus sa deireadh dúirt sé gurbh fhearr leis na trí chomhairle. Thug an maighistir na trí chomhairle dó. An chéad cheann — Siúl díreach an bealach mór agus gan a ghabháil a choíche in aithghiorra. An dara ceann — Gan a ghabháil isteach i dteach ina mbeadh lánúin óg agus seanlánúin. An triú ceann — Nuair a thiocfadh fearg air, toit a tharraingt as a phíopa agus amharc thar a ghualainn agus go n-imeochadh an fhearg dó.

Nuair a bhí an buachaill réidh le himeacht thug an maighistir builbhín dó. Thug an buachaill buíochas dó agus d'imigh sé. Shiúil sé leis leis gur casadh dhá fhidiléir air. Bhí siad san ag gabháil an bealach céanna a raibh seisean ag gabháil. D'iarr siad air a ghabháil in aithghiorra ach smaointigh seisean ar an chomhairle a thug an maighistir dó agus dúirt sé nach rachadh. D'imigh siad leo fríd na cuibhrinn agus shiúil seisean leis an bealach mór.

Nuair a bhí na fidiléirí ag gabháil fríd na cuibhrinn tháinig robairí orthu agus bhain siad daofa a gcuid airgid. Tháinig siad fhad leis an bhealach mhór sa deireadh. Shiúil siad leo agus cha raibh i bhfad go bhfaca siad teach agus smaointigh siad go rachadh siad isteach tamall go ndéanadh siad a scíste. Chuaigh siad isteach.

Bhí an fear eile ag siúl leis i rith an ama. Tháinig tart air agus chuaigh sé isteach sa teach a raibh na fidiléirí ann go dtí go bhfaigheadh sé deoch.

142

Nuair a chuaigh sé isteach chonaic sé go raibh lanúin óg agus seanduine sa teach agus d'imigh sé arís. D'ól sé deoch bhréa uisce i sruthán agus chuaigh sé go dtí cruach le codladh inti go maidin. Cha raibh sé i bhfad ina sheasamh ag an chruaich gur chuala sé callán ar chúl na cruaiche.

Cé a bheadh ann ach an lanúin óg a bhí sa teach a raibh an dá fhidiléir ann. Bhí siad i ndiaidh an seanduine a mharbhadh agus bhí siad fá choinne é a fhágáil ag na fidiléirí. Bhí seisean ag éisteacht leo i rith an ama agus bhí a fhios aige goidé a dúirt siad uilig. Tharlaigh sé go raibh siosúr ina phóca aige agus thug sé amach é. Bhí cóta mór ar an fhear agus bhí seál ar an mhnaoi. Ghearr sé coirnéal beag as cóta mór an fhir agus giota beag eile as seál na mná.

Chuaigh sé suas chun an choirneáil agus chuir sé go cúramach ina phóca iad agus d'imigh sé leis ag tarraingt ar an bhaile. Shroich sé an baile ar an haon déag. Ainneoin go raibh lucht an toighe ina luí bhí solas beag lasta agus ní raibh bolta ar bith ar an doras.

Chuaigh sé isteach agus chuir sé síos tine agus shuigh sé i gcois na tineadh. D'amharc sé siar sa leabaidh agus chonaic sé a mhac ina luí taobh thiar dena mháthair agus shíl sé gur fear eile a bhí ag a bhean agus tháinig fearg mhór air. Ach smaointigh sé ar an chomhairle a thug an maighistir dó. Ansin tharraing sé toit as a phíopa agus d'amharc sé thaire na ghualainn agus d'imigh an chorraí de.

Le sin go díreach mhuscail a bhean agus d'amharc sí aniar agus chonaic sí eisean ina shuí sa chlúdaigh. D'éirigh sí agus chuir sí fáilte mhór roimhe. Fuair sí greim ar an tseáspán fá choinne braon tae a dhéanamh dona fear ach nuair a bhí an tae ar an tseáspán aici smaointigh sí nach raibh arán ar bith déanta aici agus d'inis sí sin dó.

D'iarr seisean uirthi a ghabháil ar aghaidh lena cuid oibre agus go raibh builbhín leis féin ina mhála. Rinne sise réidh an tae agus nuair a bhí sí ag gearradh an bhuilbhín goidé a thit amach as ach tuarastal na seacht mblian. D'ól seisean an tae agus tamall ina dhiaidh sin chuaigh sé a luí.

D'fhan sé sa bhaile ar feadh coicíse. Nuair a bhí an choicís thuas aige chuala sé go raibh dlíodh fá dtaobh den tseanduine a mharbhadh.

D'fhág sé slán ag a mhnaoi agus ag a mhac agus d'imigh sé. Ba é seo an lá a raibh an dlíodh ag gabháil ar aghaidh. D'imigh seisean leis agus char stad sé go raibh sé ag teach an dlí. Chuaigh sé isteach. Chonaic sé na fidiléirí bochta neamhchoirtheach agus an lanúin óg a bhí ciontach ag mionnú bréige orthu. Shiúil seisean leis suas go dána agus chuir sé (ceist) an bhfaigheadh seisean cead labhairt. Dúirt siad go bhfaigheadh.

Chuir sé a lámh ina phóca agus thug sé aníos an dá ghiota a ghearr sé dena gcuid éadaigh an oíche a mharaigh siad an seanduine agus dúirt sé an bheirt a bhfóirfeadh an dá ghiota éadaigh seo don éadach a bhí siad a chaitheamh, gur iad sin an bheirt a mharaigh an seanduine.

Cuartaíodh achan duine go bhfeicfeadh siad cé ar leis na paistí agus fuair siad an dá bhall éadaigh a raibh na paistí fóirstineach daofa ar an lanúin óg seo. Thoisigh an fear ansin agus d'inis sé an scéal ó thús go deireadh.

Crochadh an lanúin agus fuair na fidiléirí ar shiúl saor.

1.73   AN SEANDUINE AGUS AN TRIÚR MAC

Bhí seanduine ann uair amháin agus bhí triúr mac aige. Bhí sé ag éirí aosta, agus scairt sé ar a thriúr mac a theacht chuige. Tháinig siad chuige agus dúirt sé leo go raibh an bás aige agus go raibh sé ag gabháil a thabhairt comhairle daofa. Dúirt sé go raibh cuid mhór airgid i bhfolach in áit inteacht faoin talamh agus dá gcuartaíodh siad an fheirm go maith go bhfaigheadh siad é agus go mbeadh siad saibhir dá bhfaigheadh siad é.

An tráthnóna sin d'éirigh an seanduine níos measa agus tugadh an sagart chuige agus an oíche sin fuair sé bás. Bhí faire air agus bhí na mic iontach buartha. Tráthnóna an tórraimh bhí na mic ina suí ag an tine agus iad ag caint ar an rud a bhí a n-athair a rá.

Chuaigh siad le (chéile) agus rinne siad amach gurbh fhearr daofa an fheirm a rómhar. Ar maidin lá tharna mhárach thoisigh siad a rómhar agus bhí siad ag rómhar leo agus ní raibh dul acu an t-ór a fháil. Nuair a bhí an fheirm uilig rómhraithe agus gan an t-ór le fáil dúirt an mac ba sine leis an bheirt eile "tá cuid mhór oibre déanta againn agus níl a dhath againn ar a shon. Is fearr dúinn cruithneachta a chur".

Cuireadh an chruithneachta agus d'fhás an chruithneachta léithe go dtí an Fómhar. Baineadh ansin í agus díoladh í agus fuair siad cuid mhór airgid uirthi.

An oíche sin nuair a bhí siad ag cuntas an airgid chonaic siad an rud a bhí ar intinn a n-athara.

1.75.1   NA TRÍ CHEIST DHOILÍOCHA

Bhí bean dráíochta ann fada ó shin agus bhí beirt mhac aici. Cúpla a bhí iontu agus bhí an mháthair iontach olc d'fhear acu. Thráthnóna amháin chuir sí isteach i mála an leanbh agus thug sí d'fhear a bhí ag buachailleacht muc é. D'iarr sí air é a thabhairt do na muca le hithe ach in áit é a chaitheamh ag na muca thug sé leis chun an bhaile é agus thóg sé é go raibh sé ina bhuachaill.

Bhí sé ar an scoil ag an tsréadaí seo go raibh sé ina fhear léannta. Lá amháin bhí an sréadaí amuigh ag buachailleacht na muc. Tháinig athair an ghasúra fhad leis agus dúirt sé leis go raibh ceisteannaí doilíocha aige le cur air agus mura bhfuasclóchadh sé iad go mbainfeadh sé an ceann de. D'iarr sé air fios a bheith aige cá raibh lár an domhain agus dúirt seisean go mbeadh a fhios.

Chuaigh sé chun an bhaile an oíche seo agus é iontach scanraithe agus chuir sé ceist air (an mhac) cá raibh lár an domhain agus dúirt seisean leis dá seasóchadh sé ar mhullach a chinn a chosa a chur in airde go mbeadh lár an domhain ins an áit a mbeadh a cheann aige. Bhí go maith agus ní raibh go holc tháinig maidin lá tharna mhárach agus d'imigh sé a choimheád na muc agus casadh an fear seo air.

Chuir sé ceist air an bhfuair sé amach an cheist. Dúirt seisean go bhfuair agus d'inis sé dó. D'iarr sé air an dara hoíche fios a bheith aige cá mhéad galún uisce a bhí san fharraige. Chuaigh sé chun an bhaile an oíche seo agus dúirt sé gur casadh an fear seo air inniu ar ais agus gur chuir sé ceist níos doilíocha inniu agus d'inis sé dó. D'fhreagair an gasúr an cheist agus dúirt sé dá gceapfhadh sé an méid srutháin agus lochannaí is bhí ar an domhan go mbeadh a fhios aige é.

Casadh an fear air maidin lá tharna mhárach agus d'inis sé an freagra dó. Chuir sé ceist eile air an lá seo a bhí trí huaire níos doilíocha ná an chéad cheann. Chuaigh sé chun an bhaile agus d'inis sé don ghasúr gur chuir sé ceist air i bhfad níos doilíocha ná an chéad cheann. D'inis an gasúr an freagra dó.

Casadh an fear air an tríú lá agus d'inis sé an freagra dó. Ansin chuir sé ceist air cé a bhí ag inse dó agus dúirt seisean gur a mhac féin a shábháil sé óna cheann a bhaint de agus shábháil mise eisean ar na muca é ithe nuair a bhí sé ina leanbh.

Bhí lúcháir mhór ar an athair agus thug sé leis an gasúr agus an sréadaí chun an bhaile agus bhí féasta mór acu an lá sin agus bhí siad beo go maith ó sin amach.

1.75.2   LEITIR MAC AN BHAIRD

Fada ó shin nuair a bhí ó Dónaill ina chónaí i gcaisleán Dhún na nGall bhí stócach san áit darbh ainm Mac An Bhaird. Bhí sé iontach cliste agus bhí eagla ar Ó Dónaill go mbainfeadh sé a cháil agus a onóir de féin. Bhí athair an stócaigh ina shearbhóntaí ag Ó Dónaill agus an tseift a ghlac sé le breith air. D'iarr sé ar an athair lá iarraidh ar an mhac a theacht chuige lá tharna mhárach, éadach a bheith air agus gan éadach a bheith air, gan é a bheith ag marcaíocht ná ag siúl lena chosa agus gan é a bheith ag cur nó ina thuradh san am.

Chuaigh an t-athair chun an bhaile agus d'inis sé an scéala seo do na mhac agus bhí sé go buartha brónach nó shíl sé nach mbeadh an mac ábalta seo a dhéanamh.

''Ná bíodh imní ar bith ort fá dtaobh domhsa'' a dúirt an mac leis ''níl rún ar bith agamsa ligean do Ó Dónaill an bhuaidh a fháil orm go fóill''.

Goidé a tháinig lá tharna mhárach ach lá mór ceo. Bhí an lá fóirstineach go leor. Cibé ar bith ní raibh sé ag cur nó ina thuradh. Thug an stócach leis leadhb eangaigh. Chaith sé de a cheirteach agus chas sé an eangach thart air féin agus d'imigh leis chun bóthair. Nuair a shroich sé an caisleán chuaigh sé go dtí cró na muc. Thug sé leis an chéad mhuc a casadh air. Fuair sé greim cluaise uirthi. Chaith sé é féin trasna ar a droim agus chuaigh sé i láthair Ó Dónaill. Níor fágadh focal ag Ó Dónaill nó bhí éadach air agus ní raibh éadach air. Ní raibh sé ag siúl nó ag marcaíocht. Bhí sé ar dhroim na muice agus ní raibh sé ag cur nó ina thuradh. Bhí ceo ann.

''Tchím'' arsa Ó Dónaill ''tá an lá inniu bainte agat orm. Imigh anois agus cóirigh thú féin agus tar ar ais chugamsa''. Rinne Mac An Bhaird mar a hiarradh air agus dúirt Ó Dónaill leis ansin go raibh sé fá choinne Gaeilge a fhoghlaim dó anois.

''Mise Rí an Domhain'' arsa Ó Dónaill. ''Sin sodar'' a dúirt sé leis an mhadadh.

''Sin sonas'' a dúirt sé leis an chat. ''Sin sócal boinn'' a dúirt sé leis na buataisí a bhí air féin. ''Sin suaimhneas codlata'' leis an leabaidh. ''Sin aghaidh léite" leis an Bhíobla. "Sin inneach" leis an bhó agus "Sin Dibba" leis an chailín aimsire.

"Bíodh cuimhne agatsa orthu sin uilig ar maidin" arsa seisean leis an stócach agus d'imigh sé leis a luí.

Thug Mac An Bhaird leis im agus chuimil sé isteach ins na buataisí é agus chaith sé chuig an mhadadh iad agus thoisigh an madadh á n-ithe agus á strócadh. Thug sé leis sop cotháin agus cheangail sé don chat é. Chuir sé lasóg sa tsop ansin agus d'imigh an cat ar thine siar faoin leabaidh. D'fhág sé aghaidh léite ó Dónaill faoin bhó agus luigh an bhó air. Nuair a bhí seo uilig déanta aige chuaigh sé go dtí an leabaidh chuig ó Dónaill.

"An bhfuil tú i do shuí, a rí an tsaoil " arsa seisean leis.

"Níl" arsa ó Dónaill.

"Bhail, bí do shuí nó tá glór le suaimhneas in aice do shuaimhneas. D'ith sodar sócal boinn. Chodlaigh an bhó ar aghaidh léite, sin an Bíobla agus chuaigh mé féin chuig Dibba" agus ansin bhí sé ar shiúl. D'éirigh Ó Dónaill agus bhí an chrostacht seo uilig déanta. D'iarr sé ar a athair air a theacht ar ais go raibh gnoithe aige leis. Bhí dearthár de Ó Dónaill ina chrochadóir agus scríobh sé chuige ag iarraidh air an buachaill a bhéarfadh an buachaill fhad leis a chur chun báis ar an bhomaite agus chuir sé Mac An Bhaird leis an litir.

Nuair a bhí giota maith den bhealach thairis ag Mac An Bhaird casadh síogaí air. D'fhiafraigh an síogaí de cá raibh sé ag gabháil agus d'inis seisean dó.

"Tabhair domh an litir go bhfeice mé goidé atá inti" arsa an síogaí.

"Ní thiocfadh liom sin a dhéanamh" arsa Mac An Bhaird.

"Tabhair domh an litir" arsa an síogaí "nó ní fhaca mise lorg láimhe ariamh nach dtiocfadh liom a dhéanamh ar ais.".

Thug sé dó an litir. Léigh sé í agus d'inis do Mhac An Bhaird an scéal a bhí inti. Scríobh an síogaí litir eile sa chosúlacht chéanna agus d'iarr sé ar Mhac An Bhaird imeacht leis go dtí an áit a raibh sé ag gabháil agus ba é an rud a bhí sa litir nó ordú foghlaim mhaith bliana a thabhairt don teachtaire.

Nuair a chonaic dearthár Ó Dónaill goidé a bhí sa litir chuir sé isteach i seomra é fá choinne urraim mór a thabhairt dó. Rinne sé réidh é agus chuir ar shiúl go Londain é. Bhí ordú ansin an scoil ab airde a thabhairt do go ceann bliana.

Chuaigh an bhliain thart agus níor cuireadh seanchas ar bith fá Mhac An Bhaird go ceann bliana. Shíl Ó Dónaill go raibh sé crochta agus nach mbeadh lá iomráidh níos mó air. Is é an chéad scéal a fuair Ó Dónaill litir agus suim mhór airgid le díol aige ar shon an teagasc a fuair Mac An Bhaird ar feadh na bliana. Nuair a fuair Mac An Bhaird an litir bhí iontas mór air. Thug sé iarraidh ar an dearthár go bhfeicfeadh sé goidé a bhí contráilte agus an litir leis. Dúirt an dearthár leis gur sin an t-ordú a chur sé chuige agus go raibh an litir anseo go fóill le sin a chruthú. D'imigh sé agus thug an litir i láthair Ó Dónaill. Bhí a lorg láimhe féin ar an litir agus ní raibh sé ábalta duifear ar bith a dhéanamh ann. Ní raibh a dhath le déanamh ag Ó Dónaill ansin ach an t-arm a chur i ndiaidh Mhac An Bhaird.

Rinne sé seo agus an t-am a raibh an t-arm ag teacht go Londain bhí Mac An Bhaird agus a chomrádaithe istigh i seomra ag imirt chardaí. Bhí lámh ag achan fhear. Tháinig an chaint go cluas Mhac An Bhaird agus d'aithin sé an glór a bhí ag caint a roimhe leis. Is é a dúirt an chaint:

> Imir an cluiche ar a luas
> Ná lig an uair seo thart
> Ar fhaitíos go mbeifeá mall
> Buail thall sa bheart.

Ní dhearna Mac An Bhaird ach a lámh a fhágáil síos agus a hata a fhágáil ar a mhullach agus ghabh pardún leis an chuideachta. D'éirigh sé agus d'imigh chomh gasta agus a tháinig leis. Ní luaithe a bhí sé as amharc nuair a bhí na saighdiúirí istigh agus an tóir air. Ach bhí Mac An Bhaird ar shiúl fríd Shasain ar feadh dáta blianta agus ní bhfuarthas greim air. Ach ní raibh Ó Dónaill ag fáil trioblóid ar bith fá dtaobh de agus shíl sé go mb'fhéidir go bhfuair sé bás. Tháinig an t-am thart go raibh Ó Dónaill ag cur deis ar a chaisleán agus ba é saorthaí na Sasana a bhí aige agus fhad agus a bheadh fear acu sin ann ní bhfaigheadh saoir na hÉireann a dhath le déanamh.

Nuair a bhí an caisleán gléasta, tá sé tógtha os cionn na farraige, thug an saor Sasanaigh leis crann dhá throithe dhéag agus shín amach os cionn na farraige ar an fhuinneog é. Shiúil sé amach ar an chrann agus sháith tor amuigh ar a bharr. Tháinig sé isteach agus thug a dhúshlán d'fhear in Éirinn an tor a tharraingt. D'fhéach achan fhear acu leis ach theip orthu lig. Bhí seo ag tabhairt buaireamh intinne mór dó Ó Dónaill agus dúirt fear leis:
"Is mór an díobháil Mac An Bhaird anois orainn".
Dúirt Ó Dónaill - "Ó creidim gur fada é marbh".
Chuaigh an scéal thart gur chuala Mac An Bhaird thall i Sasain é. Tharraing Mac An Bhaird ar Éirinn agus níor stad gur shroich Ó Dónaill agus gan air ach seanchulaith bacaigh. Chuaigh sé i láthair Ó Dónaill agus d'fhiafraigh de cá raibh an (t-iontas) seo a bhí déanta ag an tSasanach. Thaispeáin Ó Dónaill dó le fonn mór ach d'aithin na fir ann cé a bhí aige. Shiúil Mac An Bhaird amach ar an tor agus tharraing an tor agus thiontaigh sé bun ós cionn é.
"Anois" ar seisean "sin dúshlán an tSasanaigh a theacht agus sin a tharraingt".

Bhí lúcháir mhór ar Ó Dónaill fán ghníomh a bhí déanta. Níorbh fhada go dteachaigh sé go cluas Ó Dónaill gur Mac An Bhaird a rinne an gníomh. Chuir sé scéala fána choinne. Scríobh sé litir agus thug do Mhac An Bhaird í. Dúirt sé le Mac An Bhaird - "Siúil go gasta agus a thig leat go gcastar an posta ort. Tabhair an litir dó".
D'imigh Mac An Bhaird agus ní raibh deifre ar bith air mar bhí eagla air gur litir chuig tiarna a bhí leis agus nuair a casadh an posta air tugadh an litir dó. D'fhoscail an posta an litir agus léigh sé í agus is é an rud a bhí inti, an fhad agus a bhí siúlta ag Mac An Bhaird an stríog a ghearradh agus gur leis féin an méid a bhí siúlta aige sa dáta sin agus sin paróiste Mhac An Bhaird ón lá sin go dtí an lá inniu.

1.76 AN MINISTIR AGUS AN BUACHAILL

Bhí buachaill ag obair ag ministir ar dhá thuistiún sa lá. Bhí an ministir agus an rí ina gcónaí a chóir a chéile. Lá amháin tháinig an rí thart san áit a raibh an buachaill ag obair. ''Cé aige a bhfuil tú ag obair nó goidé an pháighe atá agat'' ar seisean leis an bhuachaill. ''Dhá thuistiún sa lá'' arsa an buachaill. ''Ní fiú mórán sin'' arsa an rí. ''Ba lúide an cás dá mba liom féin uilig é'' arsa an buachaill. ''Tá mé ag cur dhá phingin ar biseach, dhá phingin sa dul amogha, dhá phingin de sheanfhiacha atá orm agus níl agam féin fágtha ach dhá phingin''. Chuaigh an rí fhad leis an mhinistir agus dúirt sé leis go mbainfeadh sé a cheann agus a choinneáil beatha de mura n-inseochadh sé dó fá dtaobh den fhear a bhí ag obair, agus an dá phingin a bhí sé a chur ar biseach, an dá phingin a bhí sé a chur amogha, fán dá phingin a bhí sé a dhiol de sheanfhiacha agus fán dá phingin a bhí aige dó féin. Ar mhéid is a bhí scanradh ar an mhinistir, thit a dhá lámh fána chrios. Nuair a tháinig an buachaill chun toighe tráthnóna, d'inis an ministir an scéal dó. ''Ná bí buartha'' arsa an buachaill, ''nó fear uasal atá ionatsa agus fear bocht mise''. Bhéarfeidh tú do chulaith domh agus díolachan maith agus má mhuirfear féin mé ní dhéanfaidh sé duifear. ''Béaraidh mé dá scór go leith punta duit má thig tú beo'' arsa an ministir.

Chuaigh an buachaill maidin lá tharna mhárach fhad leis an rí. ''An bhfuil na freagraí sin leat mar d'ordaigh mé duit? Tá siad liom chomh maith is a thig liom. Goidé fán dá phingin atá ag gabháil ar biseach? Mac atá ar scoil aige agus tá sé ag díol dhá phingin sa lá air''. ''An dá phingin atá ag gabháil amogha. ''Sin, leasmhac atá ar scoil aige agus an dá phingin atá sé a dhíol ar a shon, measann sé go bhfuil siad ag gabháil amogha''. ''Dhá phingin de sheanfhiacha is é sin dhá phingin atá sé a thabhairt do na sheanmháthair''. ''Tchím'' arsa an rí. ''Tá na ceisteanna fuascailte agat, ach tá mé ag gabháil a chur ceisteanna níos cruaidhe ort agus mura bhfuasclann tú iad, caillfidh tú an ceann''. An tráthnóna sin chuaigh an rí fhad leis an mhinistir agus dúirt sé, ''caithfidh tú inse domh cá bhfuil Clár an Domhain ina shuí nó goidé is fiú mian mo bheatha, nó goidé an dóigh a bhfuil mé meallta''. Cé bith mar bhí an ministir inné bhí sé níos measa inniu. Dúirt an buachaill leis dá dtabharfadh sé a dhá oiread dó agus a thug sé inné go rachadh sé ina áit. D'imigh an buachaill maidin lá tharna mhárach fhad leis an rí agus culaith an mhinistir air. ''An bhfuil na freagraí sin leat inniu'', arsa an rí. ''Tá siad liom chomh maith is a thig liom''. ''Bhail cén áit a bhfuil Clár an Domhain ina shuí?'' ''Eadar dhá chois an rí sa pharlúr''. ''Goidé is fiú mian mo bheatha? ''Díoladh rí neamhaí ar dheich bpíosa is fiche airgid agus creidim nach fiú leath an méid sin mian do bheathasa''. ''Agus cá háit a bhfuil mé meallta'' arsa an rí. ''Tá síleann tú gur an ministir atá agat agus ní hé ach a bhuachaill.

1.77   SEORSAMH AGUS DÁBHAIDH

Bhí beirt ghasúr ina gcónaí amuigh i nDoire uair amháin darbh ainm Seorsamh agus Dábhaidh. Lá amháin dúirt duine acu leis an duine eile go n-imeochadh siad. D'fhiafraigh Seorsamh cá bhfaigheadh siad an t-airgead. Dúirt Dábhaidh dá ngoidfeadh Seorsamh é go ngoidfeadh seisean é fosta. Ghoid siad an t-airgead agus d'imigh siad anonn go hAlbain. Chuaigh siad a dh'obair agus an méid airgid a shaothróchadh siad sa lá chaithfeadh siad san oíche é. Lá amháin dúirt Seorsamh go rachadh siad go dtí a léithéid seo de chroisbhealach lá tharna mhárach, go rachadh duine acu soir agus an duine eile siar agus nach bpillfeadh siad go ceann seacht mblian. Rinne siad seo lá tharna mhárach agus d'imigh siad. D'oibir siad leo go raibh na seacht mbliana thuas. Phill siad ansin agus casadh ar a chéile iad ag an chroisbhealach a d'fhág siad. Shuigh siad síos agus thoisigh siad a chuntas an airgid. Bhí rud beag ag duine acu de bharraíocht ar an duine eile ach ní raibh mórán. Dúirt Dábhaidh gur cheart daofa a theacht go hÉirinn agus tháinig.

Cuireadh fáilte mhór rompa. Tugadh giota talaimh do gach duine acu agus chuir gach duine suas teach dó féin. Nuair a bhí sin déanta acu phós gach duine acu bean. Bhí iníon ag Seorsamh agus bhí mac ag Dábhaidh. Bhí Seorsamh ag teacht ar aghaidh go maith sa tsaol ach ní raibh Dábhaidh. Bhí Seorsamh ag cur suas toitheach go dtí go raibh caisleán thuas aige. Bhuail an bás Dábhaidh ansin agus chuir sé fá choinne Sheorsamh. Dúirt sé leis nuair a gheobhadh seisean bás é a mhac a thabhairt leis agus aire a thabhairt dó. Fuair sé bás ansin agus thug Seorsamh leis an gasúr. Bhí sé ag tabhairt air obair throm a dhéanamh. Ins an am seo nuair a thiocfadh na páistí ar an tsaol phósfaí iad agus nuair a tháinig iníon Sheorsamh agus mac Dhábhaidh ar an tsaol pósadh iad ach ní raibh a fhios acu féin é.

Lá amháin bhí iníon Sheorsamh ina suí san fhuinneog agus bhí an cailín aimsire aici. Chonaic sí an gasúr seo amuigh sa chlós agus é ag tabhairt a gcuid dona muca. Bhí truaighe mhór aici dó agus dúirt sí leis an chailín aimsire é. Dúirt sise léithe go dtiocfadh léithese cuidiú leis. D'fhiafraigh an ghirseach goidé an dóigh. Dúirt an cailín léithe nuair a bheadh sí ag teacht chun an bhaile ón scoil í féin a chaitheamh isteach i ndreasógaí agus í féin a ghearradh. Nuair a thiocfadh sí chun an bhaile agus d'fhiafróchaí daoithe goidé a tháinig uirthi ise a rá gur na scoláirí a bhuail í agus nach rachadh sí chun na scoile ní ba mhó. Déarfadh a hathair léithe nach dtiocfadh leisean a ghabháil chun na scoile léithe. Ansin ise a rá go raibh gasúr amuigh ansin agus go rachadh sé léithe.

Lá tharna mhárach nuair a bhí sí ag teacht chun an bhaile rinne sí seo agus cuireadh ceist uirthi goidé a tháinig uirthi. Dúirt sise gur na scoláirí a bhuail í agus nach rachadh sí chun na scoile ní ba mhó. Dúirt an t-athair léithe nach dtiocfadh leisean a ghabháil chun na scoile léithe. Dúirt sise go raibh gasúr amuigh ansin agus go dtiocfadh leis a ghabháil léithe. Tugadh isteach é agus cuireadh léithe é chun na scoile lá tharna mhárach. D'éirigh leis go maith ar an scoil agus nuair a d'fhág sé í chuir Seorsamh isteach san oifig é ina áit féin. Ní raibh cead ag an ghirsigh a ghabháil síos á chóir ar chor ar bith.

Lá amháin d'imigh Seorsamh agus rinne sé dearmad de leabhar. Phill sé arís agus bhí an ghirseach thíos ins an oifig ag an ghasúr. Thug sé ordú dó imeacht agus gan pilleadh ní ba mhó. Sular imigh sé d'fhiafraigh an ghirseach de goidé a ba mhaith leis a fháil agus dúirt sé gur soitheach. Thug sise an soitheach dó agus d'imigh sé leis.

Chuaigh sé anonn go hAlbain agus bhí sé ar lóistín i dteach. Bhí bean sa teach agus achan oíche bheadh siad ag imirt cleas agus chuirfeadh siad amach bádaí go bhfeicfeadh siad cé a bhainfeadh iad. Achan lá bheadh seisean ina sheasamh amuigh ar an tsráid agus bheadh daoine ina seasamh ann ag díol úll. D'iarrfadh siad airsean cuid daofa a cheannacht ach ní cheannóchadh sé iad. Nuair a rachadh sé isteach san (oíche) thoiseochadh siad a imirt na mbád. Dhéanfadh sise réidh deoch dó agus nuair a d'ólfadh sé é thitfeadh sé ina chodladh. Bheirfeadh sise air ansin agus chaithfeadh sí siar chun na leapa é. Nuair a mhusclóchadh sé ar maidin déarfadh sise leis gur léithese an bád.

Lá amháin bhí sé amuigh agus scairt bean anall air agus d'iarr sí air cuid de na húllaí a cheannacht agus cheannaigh. Ansin d'inis sí dó fán mhnaoi a raibh sé ag stopadh aici agus dúirt sí leis nuair a rachadh sé isteach an oíche sin gan gath ar bith a ghlacadh uaithi. Nuair a chuaigh sé isteach shuigh sé ar thaobh den tine agus shuigh sise ar an taobh eile. Nuair a labhairfeadh sí ní thabharfadh seisean freagra ar bith uirthi. Líon sí píopa agus shín sí anonn trasna na tineadh chuige é. Rug sé ar an phíopa agus bhuail sé istigh ar chúl na tineadh é. D'éirigh sí ansin agus rinne sí réidh tae. D'iarr sí air a theacht anall agus an tae a ól. D'éirigh sé agus bhuail sé an tábla agus a raibh air thíos ar an bhinn agus bhris sé é. Thoisigh siad a throid ansin agus bhí siad ag troid go maidin.

Ar maidin bheir sé uirthi agus bhris sé a muineál taobh amuigh den doras. Bhí an caisleán agus a raibh ann aige féin ansin. Rinne sé suas a intinn go dtiocfadh sé go hÉirinn. Chuaigh sé a chaint leis an mhnaoi ar cheannaigh sé na húllaí uaithi agus d'iarr sise air ba chuma goidé a tchífeadh sé gan a ghabháil a dh'amharc air go dtí go dtiocfadh sé i dtír in Éirinn. D'imigh sé ansin agus bhí beirt eile sa bhád ina chuideachta. Nuair a bhí siad amuigh i lár na farraige chonaic siad oileán glas agus d'imigh siad a dh'amharc air. Nuair a tháinig siad i dtír ar an oileán chuir siad an bád ar ancaire agus shiúil siad leo suas an t-oileán. Chonaic siad teach agus chuaigh siad isteach ann. Bhí bean, fear agus girseach ann. Nuair a bhí siad tamall istigh d'éirigh fear an toighe agus thug sé slat draíochta anuas ó bharr na leapa agus chuir sé an dá chomrádaí a bhí leis an fhear seo ar an bhád síos faoin tsráid ach níor bhain sé dósan.

Bhí seisean agus an ghirseach seo amuigh ag siúl lá tharna mhárach agus d'iarr seisean uirthi pilleadh agus an tslat draíochta a iarraidh ar eagla go dtiocfadh a dhath orthu. Phill sise agus fuair sí an tslat. Nuair a phill siad chun an bhaile bhí an tae réidh fána gcoinne ach ní ólfadh seisean é ar chor ar bith. Bheir sé ar an tslat draíochta agus leag sé ar gach duine acu é agus chuir sé síos faoin tsráid iad. Bhí an tslat draíochta aige féin ansin. D'imigh sé leis go dtí an áit ar fhág sé an bád ach ní raibh sé ann ar chor ar bith. Bhí sé thíos faoin fharraige agus b'éigean dó é a thabhairt aníos. D'imigh sé leis ansin agus tháinig sé i dtír in Éirinn.

Shiúil sé leis giota agus casadh fear bocht air agus é ag díol úll. D'iarr sé a chuid éadaigh ar an fhear bhocht agus thug sé a chuid éadaigh féin dó ina áit. Thug seisean leis na húllaí ansin in áit an fhir bhoicht. Chuaigh
150

sé ó theach go teach á ndíol agus sa deireadh tháinig sé fhad le teach
Sheorsamh. Bhí an ghirseach ina suí san fhuinneoig agus d'iarr sí ar an
chailín aimsire a ghabháil amach agus cuid de na húllaí a thabhairt isteach
chuici. Cheannaigh an cailín an húllaí. Ghearr seisean ceann acu agus chuir
sé an fáinne istigh ina lár agus d'iarr sé uirthi é a thabhairt don ghirsigh.
Thug sise daoithe é agus nuair a chonaic sí an fáinne d'aithin sí é. D'imigh
sí amach chuige agus nuair a chonaic a hathair amuigh í thug sé ordú
dona searbhóntaí é a mharbhadh. Bheir seisean ar an tslat draíochta agus
chuir sé síos faoin tsráid iad. Chuir sé Seorsamh suas ar an tsimléir. Dúirt
Seorsamh leis dá dtabharfadh sé anuas é go dtabharfadh sé leath an fheirm
dó agus leath an toighe agus an méid a bhí ann. Thug sé Seorsamh anuas
ansin agus fuair sé na rudaí a gealladh dó.

Bhí dóigh mhaith air ó sin amach

1.78   AN PHÉIST CHAPAILL

Bhí girseach ann uair amháin agus nuair a tháinig sí ar an tsaol dúirt an
Mhaighdean Mhuire gurb í an phéist chapaill a chuirfeadh chun báis í.
Lá amháin fágadh istigh léithe féin í agus tháinig an phéist chapaill isteach.
Thug an ghirseach léithe pláta agus chuaigh sí suas chun an tseomra agus
thug sí anuas pláta mine coirce chuig an phéist. Nuair a bhí an mhin ite
aige d'iarr sé ar an ghirsigh amharc amach an raibh aon duine ag teacht.
Dúirt sí nach raibh.
   Thug sí pláta eile mine don phéist agus d'iarr an phéist uirthi amharc
arís an raibh aon duine ag teacht. Dúirt an ghirseach nach raibh. Ansin
thug an ghirseach pláta eile mine dó agus nuair a bhí sin ite aige d'iarr
sé ar an ghirsigh amharc an raibh aon duine ag teacht. Dúirt an ghirseach
go raibh duine inteacht ag teacht an bóthar. D'iarr an phéist uirthi ceist
a chur ar an duine an raibh aon duine sábháilte ariamh. Dúirt an duine
nach raibh ach an té a bhí umhal don bhás.
   Nuair a tháinig an ghirseach isteach d'inis sí dó goidé a dúirt an fear.
   Dúirt an phéist léithe go raibh sise sábháilte anois nó dá dteicheadh
sí go mairfí í ach nuair a bhí sí umhal don bhás nach mbainfí daoithe.

Ba é Íosa Críost a casadh uirthi ar an bhealach mhór agus a d'inis daoithe
cé a bhí sábháilte. Ansin d'imigh an phéist agus tá fuath ag achan duine
air ó shin cionn is go raibh sé ag gabháil a mharbhadh na girsí.

1.79   AN TAIRNGREACHT

Bhí fear ann fada ó shin agus bhí mac amháin aige agus nuair a bhí
sé ina leanbh rinneadh tairngreacht fá dtaobh de agus is é an rud é nuair
a bheadh sé i gceann na bliain agus fiche d'aois go muirfí é le toirneach.
   Nuair a mhothaigh an t-athair seo chruinnigh sé cuid mhór fear agus
thoisigh sé a dhéanamh poll mór isteach i gcloch fá choinne a mhac a
151

ghabháil isteach ann nuair a bheadh na bliain agus fiche thuas. Nuair a bhí an mac an aois seo d'iarr an t-athair air a ghabháil isteach ina an chloich agus dúirt an mac nach rachadh nó dá mbeadh sé in ndán a mharbhadh go muirfí é istigh sa chloich fosta.

Sheasaigh sé ar an talamh cothrom agus thoisigh an toirneach agus réab sí ar shiúl an chloich ina mílte giotaí agus sábháladh an mac ar a mharbhadh.

1.80.1   CROICH BHAILE ÁTHA CLIATH

Bhí fear ann am amháin a raibh Fiontán mar ainm air. Bhí sé le bheith beo go gcuirfeadh a thriúr ua féin chun báis é. Ní tháinig aon duine clainne chun tsaoil chuige nár chuir sé chun báis.

Tháinig gasúr chun an tsaoil chuige agus bhí seisean le cur chun báis ach chuir na mná madadh in áit an linbh. Marbhadh an madadh agus tógadh an leanbh. Cuireadh an gasúr seo ar oiliúint go Connachta. Bhí sé thiar go raibh sé pósta agus triúr mac aige.

Bhí leac ag Fiontán a luighfeadh sé uirthi go bhfaigheadh sé amach rud ar bith a bheadh a dhíth air. Fuair sé amach go raibh mac leis thiar fá Chonnachta agus triúr mac aige. Bhuail eagla é. Bhí ag Fiontán le bheith beo go dtí go gcuirfeadh a thriúr ó trí ceisteannaí air nach mbeadh sé ábalta a fhuascladh.

D'imigh sé leis go Connachta agus chuaigh sé ar lóistín ag na mhac féin ach ní raibh a fhios ag aon duine cé hé féin. Rinne siad a suipéar. Scairt an mac ab óige ar scéal agus d'inis a athair ceann. Mheas Fiontán gur an strainséir a ba cheart tús a chur ar an scéalaíocht. Dúirt sé go gcaithfeadh an triúr óga a bheith aige a leithéid seo de lá agus cibé an cheist an chuirfeadh seisean ar gach fear go gcaithfeadh sé a fhuascladh nó go gcaillfeadh sé a cheann.

D'imigh Fiontán leis chun an bhaile. Chuir sé beathach isteach i ngarradh an áit a raibh cruach fodair i lár na hoíche. D'éirigh sé ansin agus lig sé amach é. Nuair a d'éirigh sé ar maidin d'iarr sé ar an mhac a ba shine amharc an raibh dadamh sa gharradh. Dúirt seisean nach raibh. Chuir sé ceist ar an dara mac agus dúirt seisean nach raibh ach oiread.

Ach chuaigh an fear óg amach. Ar a theacht isteach dúirt sé go raibh gearrán caoch malcach bacach istigh a bhí ag ithe na cruaiche.

"Goidé an dóigh a bhfuil a fhios agat sin?" arsa an seanchuilceach.

Dúirt an fear óg "nuair a chuaigh an gearrán isteach chun an gharraidh shiúil sé ar an taobh chlé den chlaí agus ní fhaca sé an chruach; ar a theacht anuas arís (dó) chonaic sé an chruach agus tharraing sé í. Bhí sé bacach nó níor fhág sé ach lorg crúb tosaigh amháin ar an talamh. Nuair a rollac sé é féin d'fhág sé lorg na ngearb sa talamh".

Chuaigh siad chuig a n-athair mór ansin agus fuair siad lóistín. Fuair siad arán coirce. Dúirt an fear óg nach dtiocfadh leo é a ithe nó go raibh barraíocht sú mianaigh ann. Fuair said brot. Dúirt an fear óg go raibh barraíocht sú luaidhe ann. Fuair siad muiceoil agus dúirt sé go raibh barraíocht sú daoine inti.

152

Beireadh orthu go gcruthóchadh siad goidé an dóigh a raibh an sú sa bhia. Dá mbeadh mianach dhá orlach faoi thalamh san áit ar fhás an coirce go mbainfí na cinn daofa. Dá mbeadh punta luaidhe san áit a dtearnadh an brot go mbainfí na cinn daofa.

Ansin d'imigh siad go teach a n-athar mór ach ní ligfeadh seisean isteach iad. Bhí buitléir, búistéir agus spealadóir a dhíth ar Fhiontán. Chuaigh na mic chuige agus lig sé isteach iad. Bhí an fear óg ag inse a scéil nuair a bhí Fiontán ag titim ina chodladh agus rinne na mic toirt mná, cloigeann capaill agus éadach déanta suas air.

Thoisigh an capall a inse scéil agus d'imigh an triúr eile leo. Sa deireadh arsa an chloigeann "gaoth an diabhail faoi do thóin agus is fada ar shiúl an triúr eile". Dimigh sé ina ndiaidh lena chuid saighdiúir. Dúirt an fear óg dá mbíodh siad ábalta fáil fhad le toigh an phobail go mbeadh siad beo lá eile. Thoisigh an fear ab óige ag léamh Aifrinn. Bhí Fiontán coinnealbháite agus ní ligfeadh an náire dó a ghabháil isteach chun teampaill. Phill sé chun an bhaile.

Luigh sé ar an lic an oíche sin arís agus fuair sé fios gurb iad a thriúr ó féin a bhí ann go cinnte.

D'imigh sé lá tharna mhárach ar a dtóir agus nuair a bhí sé fá ghiota daofa dúirt an fear óg go mbeadh siad beo lá eile dá dtiocfadh leo a ghabháil fhad le trí buailteoirí a bhí giota uathu. Fuair siad an fad sin agus labhair an fear óg go raibh cuma thuirseach orthu agus go mbuailfeadh siadsan steall ina n-áit. Tháinig Fiontán chun tosaigh agus d'fhiafraigh sé an bhfaca siad triúr fear ag gabháil an bealach. Dúirt siadsan go raibh triúr ina suí thall ansin. Mharaigh Fiontán na trí buailteoirí agus phill chun an bhaile. Chodlaigh sé ar an lic an oíche sin agus fuair sé fios gur a thriúr ó féin a bhí ag bualadh an fhodair. D'imigh an triúr óga leo an tríú lá agus an tóir ina ndiaidh. Dúirt an fear óg dá bhfaigheadh siad go dtí an choillidh go mbeadh siad beo lá eile. Chuaigh siad chun na coilleadh agus dúirt fear acu acu gur fhág a athair an choill aigesean crainn agus críon. Dúirt an dara fear gur fágadh aigesean í eadar cham agus dhíreach. Dúirt an tríú fear gur fágadh aigesean í an méid a bhí os cionn agus faoin talamh daoithe.

Ní raibh Fiontán ábalta seo a mhíniú. Gan mhoill ina dhiaidh seo fuair Fiontán bás. Shiúil na buachaillí leo agus chonaic siad Colmcille ag teacht. Luigh siad síos ar thaobh an bhealaigh mhóir. Léigh Colmcille os a gcionn tamall agus dúirt sé leis an chéad fhear go ndéanfadh sé sagart breá. Dúirt sé go ndéanfadh an dara fear dlíodóir maith agus leis an tríú fear gur mhór an truaghe eisean nó go gcaillfí é le Croich Bhaile Átha Cliath. Bhí an chéad bheirt buartha fán tríú fear.

An chéad chroisbhealach a dtáinig siad fhad leis d'imigh achan fhear bealach dó féin. Bhí an fear óg ag tarraingt ar Bhaile Átha Cliath.

Lá amháin ceobráin chuaigh sé isteach i mbaile agus casadh fear air. Chuir sé ceist air.

"Cé an baile é seo?".

Arsa an fear eile leis "an b'é in umhaigh nó i bpoll nó i bplochóig a tógadh tú nuair nach bhfuil a fhios agat gur seo Baile Átha Cliath. Shiúil sé leis fríd an bhaile go dtáinig sé chuig teach gréasaí. Fuair sé lóistín aige.

153

Chuir sé ceist ar an ghréasaí:
"Cé an teach mór é sin thall?".
Dúirt an gréasaí gurb é sin an banc. Dúirt sé leis an ghréasaí:
"Nuair a thiocfas an dó dhéag anocht gheobhaidh muid mála den ór".
Chuaigh an péire an oíche sin agus fuair siad mála óir. Nuair a chonaic
an Maor go raibh an t-ór goidte chuaigh sé chuig dall a bhí ar an bhaile.
Dúirt an dall leis baraille tairr a fhágáil san áit a rachadh toit suas díreach
as an tine. Rinne seisean seo.

Tháinig an gréasaí agus an fear eile an oíche seo. Chuaigh an gréasaí
isteach agus chuaigh sé síos i mbaraille an tairr. Mar sin féin líon sé mála
óir agus shín sé amach chuig an fhear óg é. Bheir seisean air agus steall
sé an ceann den ghréasaí.

Ar maidin ní raibh acu ach colainn gan cheann agus chuaigh an maor
chuig an dall air ais. Dúirt seisean an corp a thógáil leo agus go dtiocfadh
bean amach á chaoineadh agus go bhfaigheadh siad greim ar an ghadaí.
Nuair a bhí an corp ag gabháil thart tháinig bean an ghréasaí á chaoineadh.
Bheir na saighdiúirí ar an fhear a bhí istigh. Dúirt seisean gurbh fhurast
í a chur a chaoineadh. Ghearr sé a mhéar agus thaispeáin sé do na
saighdiúirí í agus dúirt sé gur sin an fáth a raibh sí ag caoineadh.
Chuaigh siad chuig an dall ar ais agus dúirt seisean leo an corp a fhágáil
i lár páirce agus go dtiocfadh an gadaí fá choinne an choirp. Rinne said
seo. Chuir an fear a ghoid an t-ór air éadach dubh agus an bhean braithlín
gheal. Nuair a tháinig siad go dtí an pháirc bhí na saighdiúirí cruinn thart
taobh amuigh den pháirc. Scairt an fear léithe:
"Cé tú féin?"
Dúirt sise gurbh í an Mhaighdean Mhuire a tháinig fá choinne an choirp.
Dúirt seisean gur é féin an diabhal ag teacht fá choinne an choirp nó gurb
é a ba chiontaí leis an fhear seo an t-ór a ghoid. Nuair a mhothaigh na
saighdiúirí seo d'imigh siad. Thug an bhean léithe an corp agus chuir sí
é sa gharradh i gcúl an toighe.

Chuaigh an Maor chuig an dall arís. Dúirt leis go mbainfí an ceann de
mura n-inseochadh sé goidé an dóigh a bhfaigheadh siad greim ar an
ghadaí. D'iarr sé orthu cráin mhuice a choinneáil istigh trí lá agus trí hoíche
— í a ligean amach agus nach stopfadh sí go dtí go dtiocfadh sí go dtí
an áit a raibh an corp curtha. Rinneadh seo agus nuair a ligeadh amach
an chráin d'imigh sí chomh lúthmhar nach (raibh) na saighdiúirí ábalta
coinneáil suas léithe.

Chonaic an fear seo an chráin ag teacht agus mharaigh sé í.

Cuireadh cupla saighdiúir ar lóistín ar gach teach ar an bhaile agus
chuaigh cupla fear chuig bean an ghréasaí. Fuair siad cuid den mhuiceoil
le hithe ansin. Chuir saighdiúir giota muiceola taobh amuigh fá choinne
fios a fháil cá raibh an gadaí. D'éirigh fear an toighe agus chuir sé giota
muiceola os cionn gach doras ar an tsráid agus dhá ghiota os cionn an
dorais ag teach an Mhaoir. B'éigean do na saighdiúirí an fear a ligean
amach arís.

Chuaigh siad chuig an dall ar ais agus d'iarr orthu féasta a choinneáil
agus cuireadh a thabhairt do mhuintir an bhaile uilig. Rinneadh seo agus
bhí Fiontán ann fosta. Chuaigh siad uilig ólta agus cuireadh marc airsean.
154

D'éirigh seisean agus chuir sé marc ar achan duine sa teach.

Bheir siad air ar maidin. Dúirt seisean go raibh marc ar dhaoine diomaite dósan "agus sin fear a bhfuil dhá mharc air". Lig siad cead a chinn leis arís.

Chuaigh said chuig an dall uair eile. D'iarr sé orthu féasta eile a dhéanamh. Chuaigh an gadaí chuige fosta agus fuair sé spideog. Bhí Croich Bhaile Átha Cliath ina suí sa doras agus leanbh aici. Cibé duine a dtabharfadh an leanbh an t-úlla dó ba é sin an gadaí. Nuair a chonaic an leanbh an spideog thug sé an t-úlla don ghadaí agus thug an gadaí an spideog don leanbh. Beireadh arís air. "Thig libh mé a chrochadh nó an ceann a bhaint domh mura dtabharfaidh an leanbh an t-úlla go gach uile fhear sa teach ar an spideog." Tugadh cead a chinn dó.

Pósadh é féin agus Croich Bhaile Átha Cliath agus fuair sé Baile Átha Cliath uilig mar chruth. Nuair a bhí an pósadh thart smaointigh sé ar a bheirt deartháir. D'imigh sé leis gur casadh dó iad. Bhí a gcuid éadaigh stróctha stiallta agus chóirigh sé iad. Rinne sé sagart d'fhear amháin agus dlíodóir den fhear eile. Bhí an bheirt ar an bhainis aige agus mhair an bhainis lá agua bliain agus bhí an lá deireannach ní b'fhearr ná an chéad lá.

1.80.2   AN T-IASCAIRE AGUS A THRIÚR MAC

Bhí iascaire ann uair amháin agus bhí trí mhac aige. Ní mhuirfeadh an t-iascaire ach trí bhradán sa lá agus d'íosfadh na trí mhac iad. Ní raibh an leasmháthair sásta le seo agus dúirt sí go ndéanfadh sí ar shiúl leo. An oíche seo d'iarr sí orthu a ghabháil a luí in áithe aoil agus rinne siad seo. Chuir sí cochán ins an áithe. I lár na hoíche dúirt an mac ab óige gurbh fhearr daofa éirí amach as seo nó nár le intinn mhaith a cuireadh ann iad. D'éirigh an triúr agus chuaigh siad anonn go bun crainn agus nuair a bhí siad thall tamall chonaic siad an áithe ar thine agus dúirt an fear ab óige nach bpillfeadh siad ar an bhaile ní ba mhó. D'imigh siad leo go dtáinig siad go dtí croisbhealach. Dúirt an fear ab óige gur cheart do gach duine acu imeacht bealach ar leith. Shiúl an fear ab óige leis i rith an lae nó go dtí go raibh an oíche ann. Chonaic sé solas i bhfad ar shiúl agus tharraing sé air. Bhuail sé ar an doras agus ligeadh isteach é. D'iarr sé lóistín agus dúirt an tseanbhean a bhí ins an teach go bhfaigheadh agus fáilte agus d'fhan sé go maidin. Nuair a bhí sé ag imeacht ar maidin d'iarr siad air fanacht a choíche acu agus d'fhan. Gréasaí a bhí i bhfear an toighe agus thoisigh an fear óg a fhoghlaim gréasaíochta.

Bhí sé ag foghlaim leis agus lá amháin dúirt sé leis an tseanduine. "An bhfuil dóigh ar bith eile le níos mó airgid a dhéanamh?" Dúirt an seanduine nach raibh ach go raibh banc ag an rí thuas ansin ach nach raibh maith ar bith ansin daofasan. Cúpla lá ina dhiaidh sin dúirt an fear óg, Seán a bhí mar ainm air, dúirt sé go rachadh sé go dtí an banc ins an oíche é féin agus an seanduine agus go dtabharfadh siad leo mála airgid, agus nuair a tháinig an oíche d'imigh sé féin agus an seanduine agus fuair siad dréimire agus chuaigh siad go dtí an banc agus chuir siad an dréimire suas go dtí fuinneog bheag a bhí ann agus chuaigh Seán suas agus isteach

155

leis ar an fhuinneoig agus thug leis mála den airgead agus amach leis ar ais agus d'imigh an bheirt chun an bhaile.

Badh é le Seán é féin an mála agus bhí an seanphéire ag iarraidh an airgid air ar fad agus bhí sé tuirseach leis an dóigh sin. Lá amháin dúirt sé go bhfaidheadh sé mála don tseanduine é féin. Fuair sé é an dóigh chéanna a bhfuair sé an ceann eile. Ach idir an dá am thug an rí fá deara go rabhthar ag tabhairt ar shiúl an airgid agus chuaigh sé go dtí cailleach phisreogach agus chuir ceist uirthi an raibh a fhios aici goidé a bhí ag teacht ar a chuid saibhris nó an raibh eolas ar bith aici an bhfaigheadh sí greim orthu? Dúirt sí go raibh. D'iarr sí air bairille tarr a chur ins an áit a raibh na daoine ag teacht isteach. Rinne an rí seo. An oíche sin chuaigh Seán agus an seanduine go dtí an banc fá choinne mála eile don tseanbhean agus nuair a tháinig siad go dtí an banc, chuir siad suas dréimire go dtí an fhuinneog seo mar rinne siad an dá uair eile.

Dúirt Seán leis an tseanduine gur cheart dósan a ghabháil suas an iarraidh seo nó go dteachaigh seisean suas fá choinne an dá thaiscidh eile. Chuaigh an seanduine bocht é féin suas agus isteach leis ar an fhuinneoig agus chuaigh sé síos ins an bhairille go dtí na mhuinéal agus bhí sé istigh agus ní raibh sé ag teacht amach agus ins an deireadh scairt Seán isteach leis agus dúirt, "nach bhfuil tú ag teacht amach?" "Ó, is furast duitse a bheith ag caint agus mise thíos anseo go dtí mo mhuineál i mbairille tarr". Chuaigh Seán suas an dréimire ansin agus chonaic sé goidé an chaoi a bhí ar an tseanduine agus dúirt sé, "Ní dhéanfaidh do cheann scéal ormsa", agus tharraing sé amach scian agus bhain sé an ceann den tseanduine agus d'imigh sé chun an bhaile agus chuir sé an ceann i gcúl an toighe agus thoisigh sé a ghréasaíocht ar ais.

Ar maidin lá tharna mhárach tháinig an rí agus a mhuintir go dtí an banc agus chonaic siad duine istigh ins an bhairille agus gan ceann ar bith air agus dúirt an rí leis an chailleach phisreogach nach dtearna an cleas sin maith, go raibh duine ins an bhairille ach nach raibh ceann ar bith air. D'iarr sí air an duine sin a thabhairt leo agus é a cheangal de thrí beithigh gorma agus saighdiúirí a chur ar a ndruim agus iad a chur ó theach go teach thart chuig achan dhoras agus cé bith an teach ar leis an seanduine sin go rachadh siad a chaoineadh agus beidh a fhios againn ansin cé aige a bhfuil an t-airgead. Ar maidin lá tharna mhárach chuaigh na saighdiúirí thart chuig achan doras agus nuair a bhí siad ag gabháil thart ag doras Sheáin thoisigh an tseanbhean a chaoineadh agus léim na saighdiúirí de na beithigh agus tháinig siad isteach, ach sula dtáinig siad isteach ghearr Seán an mhéar de féin agus dúirt sé leis na saighdiúirí, "cad chuige nach mbeadh sí ag caoineadh agus a fear a mhéar a bhaint de" agus ní raibh ag na saighdiúirí le déanamh ach pilleadh amach ar ais agus imeacht leo agus ní bhfuair siad rud ar bith.

Ar maidin lá tharna mhárach chuaigh an rí chuig an chailleach phisreogach agus dúirt sé nach dtearna an cleas sin maith ar bith agus go gcaithfeadh sé cleas eile a fhéachailt. D'iarr sí air muc a chur thart ar achan teach agus cé bith a shantaigh an t-airgead go santóchadh sé an mhuc. Chuaigh an mhuc thart chuig achan teach agus nuair a tháinig sí fhad le teach Sheáin, scairt Seán isteach uirthi agus mharaigh sé í.
156

Ansin bhí an mhuc caillte agus ní raibh sí ag teacht. D'iarr an chailleach phisreogach ar an rí fear a chur thart go dtí achan teach agus go bhfaigheadh sé cuid den mhuc ins an teach a raibh sí ann agus thig leis giota a chuir ina phóca agus aithneochaidh mise más an mhuc a chuaigh thart a bhí ann.

Chuaigh an fear thart go dtí achan teach agus nuair a tháinig sé go dtí teach Sheáin bhí pota de mhuicfheoil ar an tine agus fuair an fear a sháith daoithe. Nuair a bhí sé réidh chuir sé giota beag ina phóca agus chonaic Seán é agus chuir sé ceist air, "cad chuige nár chuir tú giota maith in do phóca nuair a bhí tú ar obair" agus chuir Seán é féin giota maith isteach ann agus nuair a bhí an fear ag imeacht dúirt Seán leis nár lig seisean duine ar shiúl ariamh gan deoch a thabhairt dó agus thug sé leis buidéal agus chuir sé an fear ólta agus ansin mharaigh sé é agus chuir sé i gcúl an toighe é.

Ansin bhí an fear caillte agus ní raibh sé ag teacht agus chuaigh an rí chuig an chailleach phisreogach agus dúirt sé léithe go raibh an fear caillte agus an mhuc agus nach raibh sí ach ag magadh air. Ansin d'iarr sí air an seanduine a thabhairt leis agus é a chrochadh ar chrann thíos ag bun na páirce agus na saighdiúirí uilig a chur thart air agus cé bith ar leis an seanduine féachfaidh sé le é a ghoid. Rinne an rí seo an oíche sin. Chonaic Seán seo agus dúirt sé leis féin go ngoidfeadh sé é. D'iarr sé ar an tseanbhean culaith bhán a chur uirthi agus cuirfidh mise dubh uilig orm agus sílfidh na saighdiúirí gur an diabhal agus Mhaighdean Mhuire a bheas ann agus cuirfidh mise pota beag crochta ar mo mhuinéal agus tine ann agus sílfidh siad go bhfuil mé ag caitheamh amach tineadh as mo bhéal. Nuair a chuaigh an bheirt acu síos scanraigh siad na saighdiúirí uilig agus d'imigh siad ina rith agus thug Seán leis an seanduine agus chuir i gcúl an toighe é. Ar maidin lá tharna mhárach chuaigh an rí chuig an chailleach phisreogach agus dúirt sé léithe go raibh sé ag gabháil á scaoileadh. D'iarr sí air an chéad cheann eile a fhéacháilt agus dúirt sé go bhféachfadh. D'iarr sí air cuireadh a chuir ar na fir óga uilig agus iad a chur a luí i seomra amháin agus cuir do iníon a luí i seomra ag a dtaobh agus cé bith a shantaigh an t-airgead santóchaidh sé a ghabháil isteach a luí chuici, agus thig léithe stríoc dhubh a tharraingt trasna ar a éadan. Rinne an rí seo. Thug sé féasta mór daofa agus chuir sé a luí iad. Chuaigh a iníon a luí i seomra ag a dtaobh agus chonaic siad uilig í. I lár na hoíche smaointigh Seán go rachadh sé a luí ag an iníon. D'éirigh sé agus isteach leis. Nuair a bhí sé ina luí tamall mhothaigh sé í ag tarraingt rud éigin trasna ar a éadan. Chuir sé ceist uirthi goidé a bhí ann. Dúirt sí nach raibh a fhios aici. Chuartaigh sé ansin í agus fuair sé an rud a bhí aici agus d'éirigh sé agus tharraing sé stríoc ar gach duine dá raibh istigh. Ar maidin lá tharna mhárach an chéad fhear a d'éirigh fuarthas greim air. Rinneadh an rud céanna leis an dara fear agus an tríú fear agus bhí siad uilig cosúil le chéile agus b'éigean daofa iad a ligean ar shiúl agus ní bhfuarthas greim ar Sheán ariamh agus chuaigh an rí ansin agus scaoil sé an chailleach phisreogach.

1.80.3 NA TRÍ ACHAINE

Bhí fear ann uair amháin agus bhí triúr mac aige. Lá amháin d'inis sé trí achaine daofa agus dúirt sé leo nach dtiocfadh leo a theacht a chóir an toighe go mbeadh a fhios acu iad. Seo na hachaineacha iad. Dúirt sé leis an mhac a ba shine imeacht agus gan a theacht go mbíodh a fhios (aige) cé acu ba deise dó a athair nó a mháthair. Dúirt sé leis an dara mac imeacht agus gan a theacht go mbíodh a fhios aige cé acu ba deise dó Ifreann nó na Falithis. Agus dúirt sé leis an triú mac imeacht agus gan a theacht go mbeadh a fhios aige cé acu be deise dó Alba nó Sasain.

D'imigh an triúr leo ansin agus gan a fhios acu cá raibh siad ag gabháil. Bhí siad ar shiúl leo ar feadh trí bliana. Lá amháin ins an direadh nuair nach raibh siad ábalta iad a dhéanamh amach smaointigh siad go dtabharfadh siad a n-aghaidh ar an bhaile. Níor aithin an t-athair iad. Ba é an tEarrach a bhí ann agus ní raibh duine ar bith ag an athair le cuidiú leis an treabhaire a chur. D'iarr sé orthu seo fanacht aige agus cuidiú leis an tEarrach a dhéanamh agus d'fhan.

Lá amháin bhí fear acu amuigh ag treabhadh — an fear a ba shine agus bhí sé ina sheasamh agus é ag meabhrú. D'fhiafraigh an t-athair de cad chuige a raibh sé ag meabhrú. Dúirt sé nach raibh a fhios aige cé acu ba deise dó a athair nó a mháthair. Dúirt an t-athair leis nach bhfuil a fhios agat gur deise duit (do) mháthair le gaol. Bhí an dara fear eile istigh ar an lofta ag bualadh choirce agus bhí sé ag smaointeamh agus ag meabhrú. D'fhiafraigh an t-athair de cad chuige a raibh sé ag smaointeamh. Dúirt sé nach raibh an fhios aige cé acu be deise dó Ifreann nó na Flaithis. Dúirt an t-athair leis nach bhfuil a fhios agat má tá tú maith gur deise duit na Flaithis agus má tá tú olc gur deise duit Ifreann. Bhí an mac ab óige amuigh ag crothadh choirce agus bhí sé ina sheasamh ag smaointeamh fosta. D'fhiafraigh an t-athair de cad chuige nach raibh sé ag obair. Dúirt sé leis nach raibh a fhios aige cé acu ba deise dó Alba nó Sasain. "Nach bhfuil an fhios agat gur deise (duit) Alba?"

Bhí fios acu anois ar na trí hachaineacha agus d'imigh siad fá choinne a theacht arís fá cheann seachtaine agus a ráit go raibh fios acu orthu. Ach ní raibh siad seachtain ar shiúl gur chuala an t-athair gur a thriúr mac féin a bhí ann. D'imigh sé ina ndiaidh. Nuair a chuala siad go raibh ag teacht chuaigh siad isteach i bpoll graibheáil agus thoisigh siad a bhaint graibheáil.

Chuaigh seisean isteach go poll an ghraibheáil ach níor aithin sé iad. D'fhiafraigh sé daofa an bhfaca siad triúr fear ar bith ag gabháil thart an bealach seo. Dúirt siad go dteachaigh triúr fear thart tá seachtain ó shin ach nach mbeirfeadh sé orthu anois. D'imigh sé chun an bhaile ansin.

Ní dheachaigh sé i bhfad gur chuala sé gur a thriúr mac féin a bhí ann. Phill sé aríst. Nuair a chuala siad go raibh sé ag teacht thoisigh siad a rómhar istigh i gcuibhreann. Tháinig sé fhad leo. Bhuaill sé dorn ar an mhac a ba sine agus dúirt sé go ndéanfadh sé sagart. Bhuail sé dorn ar an mhac ab óige agus dúirt sé déanfaidh tusa caiftín loinge. Bhuail sé dorn ar an fhear eile agus dúirt "dhéanfaidh tusa fear de chuid sráid Bhaile Átha Cliath".

D'imigh an fear ar dhúirt sé leis go ndéanfadh sé fear de chuid sráid Bhaile Átha Cliath, d'imigh seiseann go Baile Átha Cliath. Chuaigh sé isteach i dteach thuas i mBaile Átha Cliath a raibh gréasaí ann. D'iarr an

158

gréasaí air fanacht aige agus cuidiú leisean (ag) gréasaíocht. Cupla oíche ina dhiaidh sin dúirt an fear óg leis an ghréasaí "Cad chuige a bhfuil muidinne ag obair agus an bainc mór airgid atá thall ansin. Rachaidh muidinne agus bhéarfaidh muid linn mála den airgead". Dúirt an gréasaí leis. "Ní rachaidh nó beirfidh na gardaí orainn".

Dúirt an fear óg leis "Ní bheidh a fhios acu cé a rinne é". Agus chuaigh an bheirt acu go dtí an teach agus thóg siad trí scláta den teach agus chuaigh sé síos agus thug sé aníos mála airgid. Ar maidin lá tharna mhárach (chuaigh) an scéala amach go raibh an bainc robáilte. Chuaigh siad fhad leis an tseanduine. D'iarr seisean orthu tine a chur ins na teach agus an áit a rachadh an toit amach gur sin an áit a dtáinig na daoine isteach agus baraille tarr a fhágáil faoin áit a rachadh sí amach. Chuir siad tine ins an toigh agus d'fhág siad baraille tarr faoin áit an dteachaigh an toit amach. An oíche ina dhiaidh sin chuaigh an bheirt acu anonn go dtí an bainc. Dúirt an fear óg leis an ghréasaí "rachaidh tusa síos anocht, chuaigh mise síos aréir".

Chuaigh seisean síos agus chuaigh sé síos ins an tarr. Thoisigh an fear óg á tharraingt gur (bhain) sé an chloigeann de. Ar maidin lá tharna mhárach fuair siad an cholann gan cheann thíos ins an tarr. Bhí siad a fhad ar gcúl ansin agus a bhí siad ón tús. Chuaigh siad fhad leis an tseanduine. Dúirt sé leo cráin muice a chur isteach i dteach agus glas a chur ar an doras agus gan greim ar bith a thabhairt le hithe daointe. Rinne siad seo. Choinnigh siad istigh ar feadh trí seachtaine (í) agus cha dtug siad greim ar bith le hithe daoithe. An lá a lig siad amach í d'imigh sí trasna na gcnoc ach ní raibh aon duine ábalta cois a choinneáil léithe, go dtí go dtáinig sí go dtí an áit a raibh cloigeann an cholann gan cheann curtha.

Ní raibh an fhios ansin goidé a dhéanfadh siad. Chuaigh siad fhad leis an tseanduine agus dúirt seisean leo "Cuirigí an cholann gan cheann ar charr agus nuair a tchífeas bean sibh ag gabháil thart ag taobh an toighe ar leo an cholann gan cheann, tiocfaidh an bhean agus na páistí amach ag caoineadh.

Nuair a bhí siad ag gabháil thart ar taobh an toighe seo tháinig an bhean amach a chaoineadh. Tháinig na gardaí ón charr agus chuaigh siad isteach chun toighe. Nuair a chonaic seisean iad ag teacht thug sé leis scian agus ghearr sé a lámh. D'fhiafraigh siad de an b'ea leis an cholann gan cheann seo. Dúirt sé nach b'ea. D'fhiafraigh siad de "Cad chuige a bhfuil deo bhean agus do pháistí amuigh ag caoineadh"? "Ó tá, ghearr mise mo lámh agus shíl sí sin go raibh mé marbh". D'imigh siad leo ansin. Tháinig an oíche orthu agus ní raibh bean ar bith ag teacht amach a chaoineadh.

D'iarr an seanduine ansin orthu an colann gan cheann a fhágáil amuigh sa chaorán agus garda saighdiúirí a chur thart air agus an té a thiocfas agus a bhéarfas leis é, sin an té a thug leis an t-airgead. Rinne siad seo. Oíche amháin thug an gréasaí leis péire adharc agus chuir sé air iad agus léar cotháin lena chois. D'imigh sé ag tarraingt orthu. Nuair a chonaic siadsan é ag teacht shíl siad gur an diabhal a bhí ann agus d'imigh siad ina reath. Thug seisean leis an cholann gan cheann agus chuir sé ins an gharradh í. Ansin ní raibh a fhios an na gardai cá dteachaigh an cholann gan cheann.

1.80.4 AN TAOISEACH AGUS A THRIÚR UA

Ins an tsean am is é an gnás a bhí acu gach leanbh gasúr a thiocfadh ar an tsaol a chur chun báis. Bhí bean ina cónaí ins na Rosaibh a raibh gasúr beag aici. Chuir sí ar shiúl é agus fuair sí girseach mar mhalairt air. Ba é taoiseach na háite an fear a bhí ag an bhean seo agus nuair a chognóchadh sé a ordóg gheobhadh sé fios ar bith a bheadh a dhíth air. Chogain sé a ordóg agus fuair sé fios nár leis an iníon ar chor ar bith.

Chuaigh sé a chuartú a mhac féin fá choinne é a chur chun báis. Bhí a mhac pósta agus bhí triúr mic aige. Nuair a bhí giota fada siúlta aige, tháinig sé fhad le teach a raibh triúr gasúr ann. Chogain sé a ordóg agus fuair sé fios gur clann a mhic a bhí ann. Dúirt sé leo go gcuirfeadh sé dhá thomhas orthu agus fios a bheith acu orthu roimhe bhliain ón am seo.

An chéad tomhas cé acu an t-athair nó a mháthair a ba mhuinteartha daofa? An dara tomhas cé acu ins na Rosaibh nó anseo a ba chóir daofa bheith ina gcónaí? Nuair a tháinig a n-athair d'inis siad an scéal. I gcionn bliana, d'iarr an t-athair orthu a ghabháil fhad leis an fhear a chur na tomhaiseannaí orthu. Nuair a chuaigh siad fhad leis an teach bhí an teach lán daoine uaisle agus féasta acu agus ní raibh cead ag duine ar bith as áit ar bith a ghabháil chuig an fhéasta ach as an Rosaibh.

Chuaigh siad isteach chun an toighe. Ní raibh siad i bhfad istigh nuair a chuir fear an toighe ceist cé ab fhearr a bhí ábalta caora a mharbhadh. Dúirt an fear a ba shine acu seo go raibh seisean maith ag marbhadh caoirigh. D'iarr fear an toighe air í a mharbhadh. Tugadh scian dó agus nuair a chuirfeadh sé an scian ar chraiceann na caorach, thógadh sé go gasta ar ais í. Chuir fear an toighe ceist air cad chuige nach raibh sé ag marbhadh na caorach. Dúirt an buachaill leis nach raibh a fhios aige cé acu a athair nó a mháthair a ba mhuintearaí dó. Dúirt an fear leis gur muintearaí a mháthair dó. Chuir sé ceist ar ais cé ab fhearr ag déanamh réidh bídh. Dúirt an buachaill céanna go raibh seisean maith ag déanamh réidh bídh. Nuair a chuirfeadh sé na cupaí agus na plátaí amach ar an tábla chruinneochadh sé chuige ar ais iad. Nuair a chonaic fear an toighe an rud a bhí sé a dhéanamh, chuir sé ceist air cad chuige a raibh sé ag déanamh sin. Dúirt seisean leis nach raibh a fhios aige cé acu ins na Rosaibh ná i nGaoth Dobhair a ba chóir dó bheith ina chónaí.

Dúirt seisean leis gur ins na Rosaibh ba chóir dó a bheith ina chónaí. D'imigh an triúr acu chun an bhaile chomh gasta agus a thiocfadh leo. Nuair a bhí siad ar shiúl chogain sé a ordóg agus fuair sé fios gur clann a mhic féin a bhí ann. Tháinig siad fhad le triúr fear a bhí ag buaileadh choirce. Dúirt siad leo go mbuailfeadh siadsan tamall daofa agus go dtiocfadh leo a scríste a dhéanamh. Ansin tháinig an fear agus shíl sé gur clann a mhic féin a bhí ann agus mharaigh sé an triúr a bhí ag déanamh a scríste.

D'imigh an triúr eile leo go dtáinig siad fhad le teach pobail. Nuair a bhí an fear eile ar shiúl giota chogain sé a ordóg agus fuair sé fios gur clann a mhic a bhí ann agus phill sé ar ais. Nuair a chonaic siad é ag teacht, chuaigh siad isteach go teach (an phobail) agus thosaigh siad a léamh Aifreann. Tháinig seisean fhad leis an teach (pobail) agus d'amharc sé
160

isteach agus dúirt sé leis féin nach raibh ansin ach sagairt agus d'imigh sé leis ar a bhealach. Nuair a fuair siad ar shiúl é, d'imigh siad amach as teach an phobail agus chun an bhaile leo slán.

1.81   SEÁN ÓG Ó BAOILL

Bhí fear ann uair amháin a raibh Seán Ó Baoill air. Bhí mac aige a raibh Seán Óg air. Lá amháin chuaigh Seán Mór chun an aonaigh agus cheannaigh sé bó. Chuir sé Seán Óg amach a bhuachailleacht na bó. D'iarr sé air í a choimheád go maith nó go raibh sí ag gabháil a rugaint.

Tráthnóna chuaigh Seán Mór amach lena chuid tae. Nuair a fuair Seán óg ar shiúl isteach é d'imigh sé leis a chuideachta. Nuair a tháinig sé ar ais bhí an bhó rugtha is bhí scaifte cait ina suí thart ar an bhoin agus a ruball faoina dtóin is iad ag ceol. Nuair a bhí an t-amhrán ceolta acu chuir siad ceist ar Sheán goidé a bhéarfadh sé daofa ar an amhrán. Dúirt Seán nach raibh a dhath aige le tabhairt daofa mura dtabharfadh sé an gamhain daofa. Dúirt siad go ndéanfadh sin gnoithe.

D'imigh siad ansin agus d'ith siad an gamhain agus tháinig siad ar ais. Chuir siad a ruball faoina dtóin agus cheol siad amhrán eile. Nuair a bhí an t-amhrán ceolta acu chuir siad ceist ar Sheán goidé a bhéarfadh sé daofa air. Dúirt Seán nach raibh a dhath aige le tabhairt daofa mura dtabharfadh sé an bhó daofa. Dúirt siad go ndéanfadh sin gnoithe. Thug siad leo an bhó agus d'ith siad í.

Ansin tháinig siad ar ais is chuir siad a ruball faoina dtóin is cheol siad amhrán eile. Nuair a bhí an t-amhrán ceolta acu chuir siad ceist ar Sheán goidé a bhéarfadh sé daofa ar an amhrán. Dúirt sé nach raibh a dhath aige le tabhairt daofa mura dtabharfadh siad leo é féin.

Thug siad leo ansin é is nuair a tháinig siad go bun crainn bhuail eagla é is d'imigh sé suas ins an chrann. Bhí siad ag gabháil thart thíos fá bhun an chrainn réidh le é a ithe anuas. Fá dheireadh tháinig sagart thart is shábháil sé é. Tháinig sé anuas as an chrann ansin is bhí eagla air a ghabháil chun an bhaile. Tharraing sé ar sholas i bhfad uaidh agus de dheas dó is chuaigh sé isteach.

Bhí bean ina suí istigh ansin is leanbh aici ag caoineadh. Chuir sé ceist uirthi cad chuige a raibh sí ag caoineadh. Dúirt sí gur fhág fathach ansin í is gur iarr sé uirthi an leanbh a bheith bruite nuair a thiocfadh seisean. Dúirt seisean nach sin mórán. Chuaigh sé amach chun na coilleadh is thug sé isteach muc bheag fhiáin. Scríob sé suas an mhuc is bhain sé an mhéar den leanbh is chuir sé síos sa phota í. D'iarr sé uirthi nuair a thiocfadh an fathach is chuirfeadh sé ceist uirthi ar bhruith sí an leanbh ise a rá gur bhruith is mura gcreidfeadh sé sin í an mhéar a thaispeáint dó. Dúirt an bhean gur chuala sí trup is gurbh fhearr dó a ghabháil i bhfolach. Chuir sé ceist uirthi cá háit a rachadh sé. D'iarr sí air é féin a chaitheamh isteach fríd scaifte daoine marbha a bhí ina luí sa choirnéal. Chuaigh Seán síos is chaith sé é féin isteach ina lár.

Nuair tháinig an fathach chuir sé ceist uirthi ar bhruith sí an leanbh. Dúirt sise gur bhruith is thug sí dó é. Dúirt seisean nach raibh sin cosúil le leanbh Thóg sise an mhéar is thaispeáin sí dó é. Dúirt sí go raibh an mhéar bog is gur imigh sí de. D'ith sé an mhuc is dúirt sé nach raibh a sháith ansin. Dúirt an bhean leis gur é féin ab fhearr ag piocadh. D'iarr sí air a ghabháil síos is giota a bhaint den duine a ba raimhre thíos ansin sa choirnéal. Chuaigh sé síos is chuir sé a lámh thart orthu. Seán Ó Baoill an duine a ba raimhre a bhí ann. Bhain sé giota amach as a mhás is chuir sé síos ar an phota é.

Fhad is bhí sé ag bruith chaith sé é féin síos a chois na tineadh is thit sé ina chodladh. Scairt Seán síos ar an mhnaoi is chuir sé ceist uirthi an raibh dhá ghiota iarainn aici. Dúirt sise go raibh. D'iarr sé uirthi iad a chur ar an tine agus nuair a bheadh siad te é a inse dósan. Nuair a bhí an t-iarann te scairt sí ar Sheán. Tháinig Seán aníos is sháigh sé ceann de na hiarainn isteach i súile an fhathaigh. D'imigh sé amach ar a doras. D'éirigh an fathach is lean sé é. Ní raibh sé ábalta greim a fháil air. Chaith sé fáinne air is chuaigh sé suas ar ordóig mhóir Sheáin. Nuair a chuirfeadh an fathach ceist - "Cá bhfuil tú anois?" déarfadh an fáinne - "Tá mé anseo".

Nuair a tháinig Seán go dtí loch chonaic sé giota de lic is ghearr sé an ordóg mhór de féin is chaith sé amach sa loch í. Nuair a chuir an fathach ceist -"Cá bhfuil tú anois?", dúirt an fáinne - "Tá mé anseo".

Thug an fathach léim amach sa loch agus báitheadh é. Chuaigh Seán chun an bhaile ansin is bhí dóigh bhreá air ó sin amach.

1.82   ANNA AGUS AN FEAR BOCHT

Bhí sin ann agus is fada ó bhí. Bhí fear ann i bhfad ó shin agus bhí sé ina chónaí i dteach bheag leis féin agus lena bhean. Bhí iníon amháin aige. Máire an t-ainm a bhí ar an mhnaoi agus Pádraig an t-ainm a bhí ar an fhear. Anna an t-ainm a bhí ar an iníon. Oíche amháin chuaigh an t-athair agus an mháthair chuig bainis agus d'fhág siad Anna istigh. Tháinig fear bocht isteach agus chuir sé ceist ar Anna an dtabharfadh sí lóistin dó. Dúirt sise go dtabharfadh. Chuaigh an fear bocht a luí a chois na tineadh.

Luigh Anna sa leabaidh. Lig sí uirthi féin go raibh sí ina codladh. Shíl an fear bocht go raibh sí ina codladh. D'imigh an fear bocht agus chuaigh sé anonn go dtí an tábla agus d'fhág sé tuaigh ar an tábla. Ansin chuaigh sé amach.

Nuair a fuair Anna amuigh é dhruid sí an doras agus chuir sí an bolta air. Smaointigh sí nach raibh áit ag duine ar bith le theacht isteach ach in aon áit amháin agus is é an lindéir an áit sin. Thug Anna léithe an tuaigh agus sheas sí ar thaobh amháin den lindéir agus an tuaigh aici. Ní raibh sí i bhfad ansin gur chuir fear inteacht a cheann isteach ar an lindéir. Thug sise buille den tuaigh dó agus bhain sí an chloigeann dé. Bheir sí ar an chloigeann agus chaith siar sa choirnéal é. Bheir sí ansin greim gualainne ar an fhear agus chaith sí siar sa choirnéal é mar a rinne sí leis an cheann. Rinne sí an cleas sin go dtí go raibh cúigear marbh aici.

An seisiú fear d'éist sé tamall agus chuir sé a chluas isteach, agus bhain sí an chluas dé. D'imigh an fear agus gan air ach cluas amháin.

Nuair a chuaigh sé chun an bhaile cuireadh ceist air goidé a tháinig air. D'inis sé daofa. D'imigh Anna ansin agus chuir sí na fir síos i bpoll.

Ceannaitheoir a bhí in athair Anna agus ceannaitheoir a bhí san fhear eile seo nach raibh air ach cluais amháin. Lá amháin bhí athair Anna ar an aonach agus bhí fear na leathchluaise ar an aonach fosta. Bhí an bheirt acu ag comhrá. Sa deireadh chuir fear na leathchluaise ceist ar athair Anna an dtabharfadh sé Anna dó le pósadh. Dúirt seisean go dtabharfadh. Pádraig a bhí ar athair Anna agus Seán a bhí ar an fhear eile.

D'imigh an bheirt acu go toigh Anna. Bhí go maith agus ní raibh go holc. D'imigh Anna agus Seán. Bhí siad ag gabháil fríd choillte go dtí go raibh siad ag teach Sheáin. Nuair a chuaigh Anna isteach bhí seanbhean ina suí sa chlúdaigh agus fiacla aici chomh fada leis an mhaide bhriste. Labhair sí le Anna.

"Creidim gur tusa a mharaigh mo chúigear macsa ach cuirfidh mise deireadh leatsa go fóill".

D'iarr sí ar Sheán a ghabháil amach agus féar tirim a thabhairt isteach go dtí go ndéanfadh siad tine agus go gcuirfeadh siad deireadh le Anna. Chuaigh Seán amach. Thug an tseanbhean iarraidh Anna a chaitheamh isteach sa tine ach chaith Anna an tseanbhean isteach sa tine. Ansin d'imigh sí amach agus chuaigh sí i bhfolach in áit inteacht. Nuair a tháinig Seán isteach bhí oiread deifre air ag tabhairt iarraidh ar a mháthair agus níor amharc sé siar ar rud ar bith.

D'imigh Anna chun an bhaile agus d'inis Anna dona hathair an t-iomlán. Bhí go maith agus ní raibh go holc. Casadh ar a chéile iad. Thoisigh an bheirt acu a chomhrá. Sa deireadh d'iarr Pádraig ar Sheán a ghabháil chun an bhaile leis. D'imigh an bheirt leo go toigh Phádraig. Nuair a fuair Anna agus a hathair ag an teach é mharaigh siad é.

1.84   AN tIASCAIRE

Bhí fear ann uair amháin agus lá amháin chuaigh sé amach a iascaireacht. Nuair a bhí sé ar an tráigh agus é ag gabháil amach a iascaireacht bhí an fharraige ciúin. Chuaigh sé isteach ins an churach agus thoisigh sé a dh'iomramh.

Nuair a bhí sé amuigh giota maith ón tráigh d'éirigh an fharraige garbh agus tháinig an oíche air. Ní raibh sé ábalta tiontódh isteach. D'amharc sé thart agus bhí bean agus greim aici ar thóin an churaigh. Scanraigh an fear nuair a chonaic sé an bhean. Scairt an bhean leis agus dúirt.

"Ná bí eagla ort, tá an curach ag gabháil an cosán ceart".

Níor labhair an fear ach ligean don churach imeacht léithe. Bhí sé trí lá agus trí oíche ar an fharraige agus is é an bia a bhí aige i rith an ama seo an t-iasc a mharaigh sé an chéad lá. Bhí sé ag ithe an éisc na trí lá a raibh sé ar an fharraige.

Lá amháin buaileadh an curach isteach le taobh creige. Bhí cuid mhór creagacha ann. Chuaigh sé suas go barr orthu. Bhí oileán beag ann. Chuaigh sé isteach i dteach. Bhí bean an toighe ina suí i gcois na tineadh. Chuir si ceist air cá raibh sé ag gabháil. D'inis sé daoithe fán rud a tháinig air. Rinne an tseanbhean réidh a chuid don fhear seo. D'fhan an fear sa teach ar feadh seachtaine.

Bhí sé ar an oileán ar feadh míosa agus bhí sé ag siúl ar an oileán. Lá amháin rinne sé suas a intinn go raibh an t-am aige a ghabháil chun an bhaile. D'imigh sé leis agus ní raibh a fhios aige goidé an cosán a bhéarfadh chun an bhaile é.

Shíl an bhean a d'fhág sé sa bhaile ina dhiaidh gur báitheadh é agus rinne sí faire agus tórramh dó. Rinne an fear a bhealach chun an bhaile. Nuair a tháinig sé isteach chun an bhaile bhí an bhean ina suí i gcois na tineadh. Tháinig an fear isteach agus shiúil sé suas go dtí an tine. Scanraigh an bhean nuair a chonaic sí é. D'inis an fear daoithe goidé a tháinig air an lá a chuaigh sé amach a iascaireacht. Dúirt an bhean leis.

"Rinne mé d'fhaire agus do thórramh. Shíl mé gur báitheadh thú".

1.85.1 ÉAMANN Ó DÚGÁIN AGUS NA SÍÓGAÍ

Bhí Éamann Ó Dúgáin as Oileán na Cruite ag gabháil a dh'airnéal oíche amháin. Oíche dheas gheal réaltógach fá Shamhain a bhí ann. Bhí sé ag gabháil thart faoi bheann fá ghiota de Bhéal na Cruite, nuair a mhothaigh sé tormán a bhain stad as. Sheasaigh sé a dh'éisteacht agus chuala sé an ceol a ba bhinne dar chuala sé ariamh.

Le sin fhéin tháinig trí fhear bheaga bhídeacha amach as faoin bhinn agus fuair greim ar Éamann. "Seo Éamann Ó Dúgáin as an Chruit", arsa an triúr acu as béal a chéile. "Agus bhéarfaidh muid linn go Connachta é". Tharraing achan duine acu buachallán buí agus rinne capall de. Chuir siad Éamann ar chapall acu agus as go bráth leo ag tarraingt ar Chonnachta. Nuair a shroich siad Connachta chuaigh siad fhad le teach a raibh damhsa mór ag gabháil ar aghaidh ann. Chuaigh na fir bheaga isteach chun toighe agus scuab leo cailín deas óg. "Anois", arsa seisean, "pillfidh muid chun na Cruite arís". Chuaigh siad a mharcaíocht ar na capaill agus as go bráth leo.

Nuair a tháinig siad fhad le Leitir Mac An Bhaird, labhair Éamann agus dúirt sé "Nach bhfuil an t-am agamsa an cailín óg a thabhairt liom giota ar mo chapaill féin anois?" Cuireadh an cailín óg suas ar a chúl agus d'imigh an bheirt leo. Nuair a bhain siad an Chruit amach léim na fir bheaga dena gcuig capaill agus d'iarr siad ar an chailín óg a theacht leo. Le sin féin léim Éamann dena chapall féin agus finne fáinne thart air féin agus ar an chailín óg. (Ní bhíonn cead ag na fir bheaga a ghabháil taobh istigh den fáinne). Tá an fáinne a rinne Éamann le feiceáil go dtí an lá inniu agus bíonn sé chomh glas sa Gheimhreadh agus a bhíonn sé sa tSamhradh.

Chuaigh an cailín óg rófhada de imeall an fháinne agus bhuail fear de na fir bheaga í agus d'fhág sé bodhar agus balbh í. Thug Éamann leis chun an bhaile í chuig a mháthair ach ní raibh a fhios acu an t-ainm a bhí uirthi nó cá ba as í. D'fhan sí acu ar feadh bliana agus ag deireadh na bliana sin dar le hÉamann go rachadh sé go béal na Cruite arís le súil go gcasfaí na fir bheaga air. D'imigh sé leis oíche dheas chiúin amháin agus nuair a tháinig sé fhad leis an bheann chéanna chuala sé an ceol binn arís. Chuir sé cluas le héisteacht air féin agus chuala sé an glór istigh: Tá an cailín óg ag Éamann le bliain anois agus níor labhair sí focal ó shin ach dá mbeadh an t-uisce atá sa bhuideál aici bheadh sí slán arís. Le sin féin isteach le Éamann agus sciob leis an buidéal. Níor stad sé den rása go raibh sé sa bhaile arís. Thug sé braon den uisce don chailín agus bhí sí slán agus d'inis sí carb as í agus cé leis í.

Dar le hÉamann gurbh fhearr dó í a thabhairt chuig a muintir. D'imigh an bheirt acu leo agus i ndiaidh tamall maith bhain siad Connachta amach agus teach an chailín óg. Bhí seanbhean ina suí sa chlúdaigh agus í ag mairgnigh léithe. "Cad chuige an bhfuil tú ag caoineadh?" arsa Éamann léithe. "Bhí iníon agamsa a bhí iontach cosúil leis an chailín sin atá leatsa", ar sise. "Is í do iníon atá ann" arsa Éamann "agus thug mise chun na bhaile chugat í". "Ní hí leoga arsa an tseanbhean nó tá mo leanbh féin sa chónair". Thosaigh sí ag coimhéad arís agus chruinnigh na comharsain uilig isteach agus d'inis Éamann a scéal arís ach ní raibh siad ach ag déanamh magaidh air. Sa deireadh labhair fear den scaifte agus dúirt sé nach raibh aon dóigh leis an scéal a shocrú ach a ghabháil agus an chónair a fhoscailt. Rinne siad sin. Goidé do bharúil a fuair siad sa chónair ach seanscuab. Phill siad chun an bhaile, a gcroíthe lán lúchair. Pósadh Éamann Ó Dúgáin ar an cháilín óg. Bhí bainis acu a mhair sé lá agus sé oíche. Ba é an lá deireannach an lá a b'fhearr.

1.85.2   AN BAOLLACH AGUS AN CAILÍN BALBH

Bhí bean ina cónaí thiar in íochtar na Rosann uair amháin agus ní raibh aici ach aon mhac amháin. Tháinig oíche Shamhna agus dúirt sé lena mháthair. "Rachaidh mé amach anocht go bhfeicfidh mé goidé chluinfeas mé nó mhothóchas mé. Anocht oíche na ngearrán bán".

"Ó, b'fhéidir nárbh fhearr duit sin" arsa an mháthair, "nó fanacht istigh fán teach". "Rachaidh mé amach ar scor ar bith" arsa seisean.

Chuaigh sé amach agus shiúil sé leis siar go raibh sé ag taobh binne. Bhí an mhuintir bheaga ag teacht amach agus achan duine acu ag tabhairt leis gearrán bán agus ag gabháil a mharcaíocht air. Bhí an Baollach beadaí ina sheasamh ag coimhéad orthu. "Fágaigí gearrán domhsa fosta", arsa seisean. Tharraing fear acu buachallán buí agus shín sé chuige é. "Gabh a mharcaíocht" arsa seisean. Chaith sé cos ar an bhuachallán buí agus bhí sé ina ghearrán chomh maith leis an chuid eile.

D'imigh an t-iomlán leo agus níor siad go raibh siad thiar in íochtar Chonnachta. Bhí cailín óg ansin eadar dáil agus pósadh agus oíche mhór damhsa ann. Chuaigh siadsan isteach fríd an chuideachta agus bhuail siad boc ar an chailín agus thit sí síos ina cnap i laige i lár an urláir, agus bhí sí leo.

D'imigh siad agus í leo amach an bealach céanna ag tarraingt ar an bhaile. D'fhág siad sop inteacht eile thiar ina háit. Acht nuair a bhí siad a chóir an bhaile thiar in íochtar na Rosann dúirt an Baollach, "tá sí tamall ar chúl achan fhear agaibh ó d'fhág sibh thiar agus cha dtug sibh domhsa ar chor ar bith í".

D'fhiafraigh siad den mhaighistir an gcuirfeadh siad ar a chúl í tamall agus d'iarr sé orthu í a chur. Nuair a fuair seisean ar a chúl í bhí sé a chóir an bhaile agus ní dhearna sé féin agus í féin a dhath ach léimniú den ghearrán agus compais a ghearradh thart agus níor lig an eagla daofa-san a theacht isteach agus eisean istigh.

Nuair a chonaic siad ansin nach raibh bealach acu a ghabháil a cóir agus go raibh sí ag an Bhaollach, tharraing fear acu slat agus bhuail sé buille den tslait uirthi agus d'fhág sé bodhar balbh í. D'imigh siad ansin agus chuaigh seisean chun an bhaile leis an chailín bhreá, dhóighiúil nach raibh caint na éisteacht aici.

"Tchím" a deir an mháthair, "is leat atá an siota chugainn".

"Caithfimid cuir suas leis anois" arsa seisean.

Choinnigh siad í go ceann bliana agus í ag obair léithe chomh maith le duine ar bith ach go raibh sí bodhar agus balbh. "Bliain agus an oíche anocht a chuaigh mé amach a roimhe" arsa seisean. "Maise is deas an rud a bhí leat ag teacht duit—ní bhfuair muid mórán de phleisiúr ó shin" arsa a mháthair.

D'imigh an Baollach amach agus chuaigh sé go dtí bun na binne. Bhí an bhinn foscailte agus iad uilig go léir istigh ag ithe agus ag ól agus tréan cuideachta acu.

"Bliain agus an oíche anocht a tháinig an Baollach beadaí gur bhain sé an bhean dúinn" arsa duine acu. "Bhail", arsa fear eile "níl mórán de pléisiúr ó shin aige". "Maise", arsa an fear eile, "is beag an rud a leigheasfadh í. Dá bhfuigheadh sí deoch as an chorn sin thiar bheadh biseach uirthi".

Chuala an Baollach seo agus é amuigh ag bun na binne agus an doras foscailte. Ní dhearna sé acht rachtáil isteach agus an corn a sciobadh leis agus an chroich chéasta a ghearradh eadar é féin agus í féin. D'imigh sé agus an corn leis agus níor stad sé go raibh sé sa bhaile. Thug sé deoch daoithe as an chorn agus fuair sí an chaint agus an t-éisteacht ar an bhomaite.

Ní raibh na daoiné beaga ábalta a theacht thar an doras, agus d'fhág sé an corn amuigh acu. "Anois", arsa seisean "tógaigí libh an corn má tá dúil agaibh ann". "Bhail", arsa an maighistir a bhí orthu, "ó tharla go raibh tú d'fhear chomh cliste sin ní bhainfimid daoithe feasta. Bíodh sí agat agus go ndéana sí maith duit".

Bhí sí ansin agus bhí sí ina cailín ghalánta agus ina bhean bhreá agus lá amháin dúirt sé léithe inse dó carbh as í agus cén áit a raibh a muintir. D'inis sí dó. D'imigh siad lá amháin agus thug siad leo beathach bán agus níor stad go raibh siad ag teach a muintir thiar i gConnachta.

Chuaigh siad isteach agus ní raibh sa teach ach seanbhean. Thoisigh an tseanbhean a ghol nuair a d'amharc sí ar an chailín. "Goidé ábhar do chuid caointe?" arsa an Baollach léithe. "Tá" arsa sise, "cuireadh mo iníon tá bliain ó shin agus mhionnóchainn ar an tsaol gur sin í". "Bhail, b'fhéidir gurbh í", arsa seisean. D'inis sé daoithe óna thús go dtí na dheireadh goidé mar bhí. Tháinig a fear isteach ansin agus bhí áit bhreá cónaí aige. Bhí an-lúcháir orthu agus d'iarr siad air fanacht acu. "Fan againne a choíche agus beidh gléas maith oraibh" ar siad. "Ó bhail" arsa seisean, "caithfidh mise a ghabháil chun an bhaile chuig mo mháthair".

"Má théid tusa chun an bhaile chuig do mháthair beidh mise leat" arsa an cailín. D'imigh an bheirt go raibh siad thiar ins na Rosaibh ag an mháthair. Rinne siad bainis lá agus bliain agus b'fhearr an lá deireannach ná an chéad lá.

1.86.1   AN BUACHAILL A GHEARR NA CLUASA
DEN MHAIGHISTIR

Bhí bean ann uair amháin a raibh triúr mac aici. Lá amháin dúirt an mac a ba shine go gcaithfeadh sé imeacht a shaothrú a chodach.

Nuair a bhí sé ag imeacht rinne a mháthair dhá thoirtín — ceann mór agus ceann beag. D'fhiafraigh sí de cé acu ab fhearr leis toirtín mór agus a mallacht nó toirtín beag agus a beannacht. Dúirt an mac gurbh fhearr leis toirtín mór.

D'imigh sé. Shiúil sé giota fada go dtáinig sé go dtí tobar. Léim éan amach agus d'iarr sé giota den toirtín air. Dúirt seisean nach dtabharfadh. D'imigh sé leis giota eile agus fuair fostódh. Is é an margadh a bhí ann dá gcuirfeadh an maighistir corraí ar an bhuachaill go mbeadh cead aige na cluasa a ghearradh de agus dá dtiocfadh corraí an fhear an toighe go gcaillfeadh seisean na cluasa.

Bhí go maith.

Maidin lá tharna mhárach b'éigean don bhuachail a ghabháil amach a rómhar gan a bhricfeasta. Ag teacht isteach dó bhí an tae réidh. D'iarr an maighistir air a ghabháil síos chun tobair fá choinne dhá channa uisce. Ar a theacht aníos dó bhí a bhricfeasta ite ag péire cú a bhí fán ghríosaigh. Chuir an maighistir ceist air an raibh corraí air agus dúirt an buachaill go raibh agus ceart maith aige air. Caitheadh an dá chluais de agus d'imigh sé chun an bhaile agus giota den bhraithlín ceangailte faoin cheann air.

Ag tarraingt ar an bhaile casadh an dara mac dó agus rinne seisean suas imeacht, nach dtiocfaí corraí a chur airsean. Ach thug sé leis toirtín mór a mháthara agus a mallacht. Rinne sé scíste ag an tobar agus dhiúltaigh sé an t-éan beag. Chuaigh ar aghaidh go dtearna sé margadh leis an fheirmeoir. An chéad mhaidin rinne sé uair oibre ag rómhar amuigh sa chuibhreann. Tháinig sé chun an toighe agus bhí a bhricfeasta réidh ach d'iarr bean an toighe air dhá channa uisce a thabhairt isteach. Thug.

Ach nuair a tháinig sé isteach bhí an tae agus uile slogtha ag dhá chú a bhí fána chosa.

"An bhfuil corraí ort?" arsa fear an toighe.

"Ceart maith agam air" arsa an buachaill agus baineadh na cluasa de. Chuaigh seisean chun an bhaile agus giota eile de bhraithlín casta fána cluasa air.

D'imigh an fear óg a shaothrú a chodach. Ach is é a bhí leis an toirtín beag agus beannacht a mháthara. D'iarr sí air a bheith ar a fhaithchill. "Nó" arsa sise "an bhfeiceann tú goidé a d'éirigh do do dhá dhearbhráir". Chuaigh sé ar aghaidh go dtí an tobar céanna. Léim an t-éan amach agus d'iarr cuid den lón. Fuair sé a leath. Ach d'inis an t-éan dó fán mhaighistir a dhéanfadh an margadh iontach leis. D'inis sé fosta fán bhean agus channaí an uisce. D'iarr sé air bior a bhí faoi cholbha na leapa a sháthadh sa tine agus ar an theacht aníos dó leis an uisce mura mbeadh gach rud ina shásamh na súile a bhaint as conairt ar bith a chasfaí air fána chosa.

Rinne sé fostódh. An chéad lá chuaigh sé amach go dtearna sé uair oibre roimh a bhricfeasta. D'iarr bean an toige air a ghabháil fá choinne dhá channa uisce. Sháith sé an bior sa tine agus chuaigh. Ag teacht aníos dó bhí a bhricfeasta ite ag na madaidh. Bhí siad ag lústar fána chosa ach sháith an fear óg an bior dearg sna súile acu agus dhall iad.

Bhí corraí mhór ar an mhaighistir agus bhain an fear óg na cluasa de. D'imigh sé leis. D'imigh an fear óg amach. Bhí bean an toighe amuigh. Fuair sé greim uirthi agus tharraing sé aniar agus siar fríd na dreasógaí í gur mharaigh sé í. A dhath maith a raibh fán teach thóg sé leis é agus bhí dóigh bhreá air ó sin amach.

1.86.2   AN GASÚR AR FOSTÓDH
          AGUS GEARRADH NA gCLUAS

Bhí fear ann uair amháin agus d'fhostaigh sé gasúr. Badh é an margadh a bhí ann é a chuid a fháil go maith. Nuair a d'éirigh an gasúr ar maidin ní bhfuair sé ach brachán agus bláthach agus cuireadh amach a bhualadh choirce é. Bhí cruach mhór choirce buailte aige in am dinnéara agus é iontach tuirseach.

Scairt an maighistir isteach air chuig a dhinnéar agus ní bhfuair sé ach brachán agus bláthach. Nuair a bhí sé ite aige cuireadh amach a bhualadh choirce arís é agus bhí sé ag obair leis go dtí am tae. Scairt an maighistir isteach air chuig a chuid tae agus fuair sé brachán agus bláthach arís agus chuir an maighistir ceist air an raibh sé sásta agus dúirt an gasúr nach raibh. Dúirt an maighistir duine ar bith nach mbíonn sásta go gcaithfí an chluas a bhaint de agus é a chur chun an bhaile.

Thug sé leis scian agus bhain de an chluas agus chuir chun an bhaile é. An dara lá tháinig an deartháir agus fuair sé fostódh agus cuireadh amach a bhualadh fodair é agus bhí ocras mór air. Ní bhfuair seisean ach an bia céanna a fuair a dheartháir agus ní raibh i bhfad go bhfaca sé capall ag teacht agus é ag ceannach coirce. Dhíol an gasúr mála coirce agus fuair sé luach mór air. Ansin d'imigh sé chun an tsiopa agus cheannaigh sé bia agus d'ith sé a sháith.

Cha raibh an bia ite aige ar dhóigh gur scairteadh isteach air chuig a chuid tae agus ní bhfuair sé ach brachán agus bláthach. D'inis an gasúr dó gur dhíol sé cuid de na chuid coirce. Chuir an gasúr ceist ar an mhaighistir an raibh sé sásta. Dúirt an maighistir go raibh. Bhí féasta mór le bheith acu lá tharna mhárach. Nuair a chuala an gasúr seo d'imigh sé amach go dtí an bóitheach agus ghearr sé sceadamán na bollóige a bhí ann. Ansin tháinig sé isteach agus chuir sé ceist an raibh sé sásta. Dúirt sé go raibh. Lá tharna mhárach cuireadh amach a dh'obair é. Dúirt an maigistir lena mhnaoi go gcaithfeadh sé rud inteacht a dhéanamh leis an ghasúr.

Dúirt an bhean go rachadh sise amach go dtí an áit a raibh sé ag obair agus go scairteadh sí 'cú-cú' trí huaire agus gurb é sin lá Bealtaine agus go gaithfeadh sé a ghabháil chun an bhaile. Chuaigh an maighistir go dtí an gasúr agus dúirt sé leis go raibh 'cú-cú' ag scairtigh agus gurb é sin

168

Lá Bealtaine agus go gcaithfeadh seisean a ghabháil chun an bhaile. Dúirt an gasúr nach b'é, nach dtáinig an chuach go fóill agus nach dtáinig Lá Bealtaine go fóill agus scaoil sé an bhean agus chuir sé ceist ar an mhaighistir an raibh corraí air agus dúirt an fear go raibh cinnte.

Thug sé leis scian agus bhain sé an chluas den fhear. Ansin thug an maighistir a thuarastal dó agus d'imigh sé chun an bhaile.

1.86.3 AN GASÚR AGUS AN CHORRAÍ

Bhí gasúr ann uair amháin agus bhí sé ar fostódh ag maighistir. Is é an margadh a bhí déanta acu an chéad duine a chuirfeadh corraí ar an duine eile stiall a bhaint de ó mhullach a chinn go barr a ladhaire móire. Lá amháin dúirt an maighistir go raibh seisean ag gabháil chuig damhsa agus d'iarr sé airsean súil a choinneáil air fhad agus bheadh sé ag damhsa.

D'imigh an gasúr amach chun an bhóithigh agus phioc sé na súile as na bollógaí uilig agus chuir sé isteach ina phóca iad. An oíche sin nuair a bhí an maighistir ag damhsa thoisigh an gasúr a chaitheamh na súl ar an mhaighistir áit ar bith a rachadh sé. Nuair a tháinig am maighistir an oíche sin chuir an gasúr ceist air an raibh corraí air. Dúirt an maighistir nach raibh.

D'imigh an maighistir ansin agus thug sé leis a mháthair mhór agus chuir sé ina suí amuigh ins na crainn í agus d'iarr sé uirthi bheith ag rá 'Cúcú'.

Chuaigh sé isteach ansin agus dúirt sé leis an ghasúr go raibh an chuach amuigh sna crainn. Amach leis an ghasúr — thóg sé cloch agus mharaigh sé an tseanbhean amuigh ins na crainn. Chuir an buachaill ceist air an raibh corraí air. Dúirt an maighistir nach raibh.

An oíche sin thug an maighistir trí mhála coirce dó agus d'iarr air a ghabháil chun an mhuilinn agus min choirce a dhéanamh. Duine ar bith a bheadh ann go maidin bheadh sé marbh. D'imigh an buachaill leis ag tarraingt ar an mhuileann. Nuair a tháinig sé go dtí é bhí an bheirt a bhí istigh i rith an lae ag imeacht go gasta agus ag cur an ghlais ar an mhuileann.

''Nach mór bhur ndeifre?' arsa seisean ''tabhairigí domh an eochair sin'' agus thug. Thoisigh siadsan a inse dó duine ar bith a beadh istigh ann go maidin go mbeadh sé marbh. Isteach leis. Chuaig sé suas giota fada. Thoisigh sé a dhéanamh na mine agus port feadalaí thuas aige.

I dtráthaibh an dó dhéag a chlog tháinig beirt fhear isteach agus cónair leo. D'fhág siad síos ar an talamh í agus d'éirigh fear amach aisti.

''Tar anuas anseo'' arsa an fear a d'éirigh as an chónair ''go rachaimid a throid''.

''Ní rachaidh'' arsa an buachaill ''tá mé róghnoitheach''.

''Tar anuas'' arsa an fear.

Sa deireadh ghearr an buachaill léim anuas. Thug sé dorn don fhear agus d'fhág sé ina luí istigh sa chónair é.

Suas leis an bhuachaill ar ais agus thoisigh sé a dhéanamh na mine. D'imigh an chónair ar ais. Tháinig an mhaidin agus bhí an buachaill beo.

169

Chuir sé ceist ar an mhaighistir an raibh corraí air. Dúirt an maighistir nach raibh. Lá amháin d'iarr an maighistir air a ghabháil síos go hIfreann agus a mháthair mhór a bhí cupla céad bliain a thabhairt aníos.

D'imigh an buachaill leis an tarraingt go hIfreann. Ní dheachaigh sé i bhfad gur casadh fear air agus cé a bhí ann ach an diabhal a raibh sé ag troid leis sa mhuileann. Chuir sé ceist air cá háit a raibh sé ag gabháil. Dúirt sé go raibh sé ag gabháil síos go hIfreann fá choinne seanbhean a bhí cupla céad bliain. Lean an fear é go dtí geaftaí Ifrinn.

Chuir an diabhal ceist air goidé an sórt bearad a bhí uirthi. Dúirt an buachaill gur bearad dearg. ''Ó'' a dúirt an diabhal ''tá bearad dearg ar a bhfuil istigh anseo uilig''. Dúirt an buachaill leis iad uilig a chur amach chuige. Chuir an diabhal amach iad uilig. D'imigh sé agus na seanmhná leis ag tarraingt ar an mhaighistir. Chuir an buachaill ceist ar an mhaighistir an raibh corraí air.

''Á, chuirfeá corraí ar dhiabhal Ifrinn''.

Bhain an buachaill stiall de mhullach a chinn go barr a ladhaire móire (de) agus d'imigh sé leis.

1.87 EACHTRAÍ SHEÁIN AGUS DHIARMAID

Bhí beirt dearthár ann uair amháin agus bhí siad ina ndílleachtaithe. Is sé an t-ainm a bhí orthu Seán agus Diarmaid. D'imigh siad lá amháin fá choinne a ghabháil a shaothrú. Rinne Seán fostódh le táilliúir fá choinne a bheith ag fuál. Rinne Diarmaid fostódh le feirmeoir. Ní raibh áit rómhaith aige agus bhí sé fá choinne é a fhágáil agus d'iarr sé a thuasastal ar an mhaighistir. Dúirt an maighistir go dtabharfadh sé dó é ach go gcaithfeadh sé a ghabháil amach chun na coille craobhaí fá choinne scaifte eallaigh.

Bhí fathach mór ina chónaí ins an choillidh agus bhí an maighistir ag déanamh go mairfeadh sé Diarmaid agus nach mbeadh tuarastal ar bith le tabhairt dó. Nuair a bhí Diarmaid réidh le himeacht chuir an tseanbhean ceist air goidé a bhéarfadh sé leis fá choinne lón. D'iarr seisean méag agus gruth. Fuair sé sin agus d'imigh sé.

Nuair a shroich sé an choillidh chonaic sé an fathach agus chuaigh sé suas ar chrann agus thug sé leis suas cloch ghorm agus thoisigh sé ag ligean don mhéag agus don ghruth titim anuas. Nuair a tháinig an fathach go bun an chrainn rinne sé gáire mór agus chonaic Diarmaid an dúileagán dubh a bhí thíos ar thón a ghoile.

D'fhiafraigh Diarmaid de goidé ábhar a gháire agus dúirt seisean go raibh plaic de fheoil mhaith ag gabháil a bheith aige.

''A bheithigh shalaigh'' arsa Diarmid ''tá mise ábalta an t-uisce a fháisceadh amach as na clocha glasa, chan é amháin tusa a ghabháil i mo mharbhadh''.

''Más sin mar atá'' arsa an fathach ''bhéarfaidh mé lóistín na hoíche duit anocht''.

D'imigh siad go dtí teach an fhathach agus nuair a shroich siad an teach bhí an oíche ann. Thug seanchailleach a bhí ina cónaí ag an fhathach a

170

shuipéar dó agus d'iarr sí air a ghabháil a luí agus chuaigh.

Nuair a mheas an fathach go raibh Diarmaid ina chodladh thug sé leis an t-ord mór agus chuaigh go dtí an leabaidh. Nuair a chuaigh Diarmaid go dtí an leabaidh chuir sé giota de chrann isteach ins an leabaidh agus luigh sé féin faoin leabaidh. Nuair a bhuail an fathach an chéad bhuille lig Diarmaid osna as agus bhuail an fathach buille eile agus lig Diarmaid osna eile. Bhuail an fathach buille eile agus lig Diarmaid osna eile.

Nuair a d'éirigh Diarmaid ar maidin d'fhiafraigh an chailleach de ar chodlaigh sé go maith aréir.

"Maise" arsa Diarmaid "chodlaigh mé go measartha ach mhothaigh mé trí huaire i ndiaidh a chéile mar a bhaineadh dearnad greim asam."

Dúirt an fathach nach dtiocfaidh a mharbhadh agus d'iarr sé air imeacht.

Chuartaigh Diarmaid an t-eallach agus thug aghaidh ar an bhaile. Nuair a bhí sé ar a bhealach cun an bhaile casadh scaifte ceannaithe air agus dhíol sé an t-eallach leo ach thug sé daofa saor iad cionn is gur thug siad na hearbaill do ar ais.

"Ó dar Dia" arsa Diarmaid "tá siad seo lofa".

D'imigh siad chun an bhaile ansin agus an oíche sin dúirt an maighistir leis go raibh seisean ag gabháil chun coirme an oíche tharna mhárach agus go gcaithfeadh Diarmaid súil a choinneáil roimhe agus súil ina dhiaidh. Dúirt Diarmaid go ndéanfadh seisean sin.

Lá tharna mhárach d'imigh an maighistir áit inteacht agus nuair a fuair Diarmaid ar shiúl é bhain sé na súile as achan ainmhí dá raibh fán teach. An oíche sin chuaigh an gasúr go teach na coirme agus shuigh sé thuas ar an bhalla bheag agus nuair a bheadh an maighistir ag damhsa bhuaileadh Diarmaid súil roimhe agus ceann ina dhiaidh. Dúirt an maighistir leis stad nó go raibh sé salach cáidheach uilig aige. Nuair a bhí an maighistir réidh le himeacht dúirt sé leis an ghasúr go gcaithfeadh sé solas a choinneáil roimhe agus ceann ina dhiaidh. Dúirt Diarmaid go ndéanfadh agus d'imigh sé agus chuir sé garradh na gcruach toigh an mhaighistir ar thine agus ansin chuir sé garradh na gcruach a bhí ag teach na coirme ar thine. Ansin phill sé go teach na coirme agus d'iarr ar an mhaighistir a theacht leis anois má bhí solas a dhíth roimhe agus ceann ina dhiaidh agus é deifre a dhéanamh nó go mbeadh siad as. Nuair a tháinig an maighistir amach ag teach na coirme chonaic sé na cruacha ar thine agus dúirt sé leis an mhuintir a bhí ag teach na coirme nach raibh a fhios aige goidé a dhéanfadh sé leis go raibh an garradh cruacha a bhí ag (an) teach seo ar thine agus go raibh a gharradh féin at thine fosta agus go raibh na súile as achan ainmhí dá raibh fán teach agam.

Nuair a tháinig an maighistir agus an gasúr chun an bhaile bhí corraigh mhór ar an mhaighistir leis agus thug sé a thuarastal dó agus d'iarr sé air imeacht chun an bhaile. D'imigh an gasúr agus bhí an maighistir buíoch beannachtach agus é bheith ar shiúl.

Nuair a d'fhág Diarmaid teach an mhaighistre chuaigh sé go dtí an teach a raibh Seán ag fuál ann agus bhí an bheirt beo go maith ó sin amach.

1.89 EACHTRAÍ MHAC RÍ NA hÉIREANN

Bhí rí in Éirinn fada ó shin agus bhí drochdhóigh air. Bhí mac aige agus bhí crios ag an mhac agus mharaigh sé dhá choileog dhéag le buille amháin. Dúirt sé go raibh sé ag imeacht agus d'imigh sé.

Ní raibh sé i bhfad ar shiúl go bhfaca sé trí fhathach ag tarraingt air. Chruinnigh sé lán a phóca de chlocha beaga agus chuaigh sé suas ar chrann. Bhí abhainn ag taobh an chrainn agus bhí droichead uirthi. Tháinig an triúr agus sheasaigh ag an droichead. Chaith an gasúr cupla cloch ar an fhathach. Shíl an fathach gur an mhuintir eile a bhí ag caitheamh air agus mharaigh iad agus chaith amach san abhainn iad.

Chuir an gasúr ceist air cad chuige ar mharaigh sé iad nó gurb é eisean a chaith na clocha. Ansin chaith sé síos an crios agus bhí na focla seo scríofa air "marbhadh dhá chloigeann déag le buille amháin".

Scanraigh an fathach nuair a chonaic sé seo. Chuaigh an fathach chun an bhaile agus an gasúr leis ar a dhroim. Nuair a chuaigh an fathach isteach chun an toighe chuir an bhean ceist air cá raibh an chuid eile. Dúirt seisean gur mharaigh an gasúr seo iad.

"Caithfear an gasúr a chur ar shiúl nó muirfidh sé uilig muid".

"Cuirfidh muid féacháilt air" arsa an fathach agus thug sé leis dhá ord mhóra, ceann a bhí deich dtonna agus ceann a bhí fiche tonna. Chaith an fathach urchar agus d'iarr sé ar an ghasúr a chur níos faide.

Dúirt an gasúr go raibh gabha ins an áit a raibh seisean agus go gcaithfeadh sé an t-ord anonn chuige.

"Ó, ná caith" arsa an fathach "siúil leat chun an bhaile".

D'imigh an fathach chun an bhaile agus an gasúr leis agus d'inis don bhean goidé mar bhí.

Chuir siad féacháilt eile air. Thug an fathach leis dhá shoitheach a choinneochadh dhá chéad galún go dtí an loch. Líon sé na soithigh agus d'iarr ar an ghasúr cuidiú leis iad a iompar. D'iarr sé an spáid air go gcuirfeadh sé an loch isteach chun toighe chuige. Ní ligfeadh an fathach dó.

Cuireadh an gasúr a luí luath an oíche sin. Nuair a mheas siad go raibh sé ina chodladh chuaigh an fathach suas agus bhuail sé trí bhuille air. Lig an gasúr trí osna as. Bhí an gasúr thiar faoin leabaidh agus bhí giota de chrann ins an leabaidh.

Ar maidin lá tharna mhárach chuir siad ceist goidé mar chodlaigh sé. Dúirt an gasúr gur chodlaigh sé go maith. Chuir an fathach ceist air an rachadh sé chun a bhaile dá bhfaigheadh sé oiread airgid agus a thiocfadh leis a iompar. Dúirt an gasúr go rachadh dá bhfaigheadh sé oiread airgid agus óir agus a thiocfadh leis an bheirt acu a iompar.

Chuaigh an bheirt acu go dtí fá thuairim céad slat de theach an ghasúra.

Phill an fathach chun an bhaile ansin. Thug an gasúr leis an t-airgead ina chnapanna beaga agus chuir i bhfolach é.

Chuaigh an gasúr isteach chun an toighe agus dúirt an mháthair leis "bhí a fhios agam go ndéanfá rud inteacht olc sular phill tú".

"Cha dtearna, a mháthair" arsa seisean agus d'inis sé achan rud ó bhun go barr. Chuaigh sé amach ansin agus thug isteach an t-airgead agus bhí siad breá saibhir ó sin amach.

172

1.91

AN tÉIREANNACH AGUS TRIÚR MHAC AN RÍ IN ALBAIN

Chuaigh fear anonn go hAlbain aon uair amháin agus bhí sé ar fostódh ag triúr mhac an rí. Lá amháin chuaigh sé féin agus na fir amach fá choinne ultach crann. Thug triúr mhac an rí leo ultach de na crainn ar dtús agus ansin d'iarr siad ar an Éireannach ultach a thabhairt leis ansin. Thoisigh an tÉireannach ag gearradh anuas na gcrann ach ní thabharfadh sé leis ultach ar bith mar ní raibh sé ábalta ceann amháin de na crainn a thógáil chan é amháin cupla doisín acu a thabhairt leis ar a dhroim.

D'iarr mac an rí air ultach de na crainn a thabhairt leis go gasta nó go gcaithfeadh sé deifre a dhéanamh nó go raibh teach le déanamh aige anocht den adhmad.

"Ó", arsa an tÉireannach "níl mise ag gabháil a thabhairt liom ultach ar bith go fóill nó caithfidh mé an choillidh uilig a bhabhairt liom in ultach amháin".

"Ó, ná déan sin ar chor ar bith. Tá an chuid eile den choillidh de dhíobháil orainne fá choinne na tineadh. Fág ansin iad agus ná tabhair leat ultach ar bith".

Fuair an tÉireannach réitithe agus níorbh éigean dó ultach ar bith a thabhairt leis. Cupla lá ina dhiaidh sin chuaigh an tÉireannach agus cuid mic an rí amach a chaitheamh liathróid mhór iarainn. Chaith cuid mic an rí an liathróid ar dtús agus ansin d'iarr siad ar an Éireannach í a chaitheamh. Chuaigh sé fhad leis an liathróid ach ní chaithfeadh sé ar chor ar bith í. D'iarr mac an rí air an liathróid a chaitheamh go gasta go bhfeicfeadh sé cé acu a bhainfeadh.

"Ó" arsa an tÉireannach "tá mise ag amharc anonn go hÉirinn. Tá deartháir domh ina ghabha thall in Éirinn agus tá mé ag amharc anonn go dtí go bhfeice mé an teach nó tá mé ag gabháil a bhualadh an liathróid thall ar thaobh an toighe".

"Ó", arsa mac an rí "ná déan sin ar chor ar bith. Tá sé de dhíobháil orainn féin. Fág ansin é agus ná caith ar chor ar bith é." Agus fuair sé réitithe den liathróid a chaitheamh.

Nuair a chuaigh sé a luí an oíche sin dúirt an tseanbhean le mac an rí an t-ord mór a thabhairt leis agus trí bhuille den ord a thabhairt don Éireannach de ach nuair a chuaigh sé síos mhothaigh an tÉireannach é agus chuaigh sé siar faoin leabaidh agus chuir sé bloc siar faoin éadach. Nuair a chuaigh mac an rí síos chun an tseomra shíl sé gurb é an tÉireannach a bhí sa bhloc agus thug sé trí bhuille den ord don bhloc.

"Dhéanfaidh sin gnoithe", arsa an tseanbhean "tá mé ag déanamh go bhfuil sé marbh go leor anois."

Tháinig sé aníos as an tseomra ansin agus bhí an tÉireannach beo leis thiar faoin leabaidh.

D'éirigh an tÉireannach aniar as faoin leabaidh agus chuir sé síos tine de chipíní adhmaid. Tamall ina dhiaidh sin d'éirigh mac an rí agus bhí iontas mór (air) nuair a chonaic sé an tÉireannach i ndiaidh é trí bhuille den ord mhór a thabhairt dó an oíche roimhe sin.

"Bhail, an bhfuair tú oíche mhaith codlata aréir?" arsa mac an rí.

"Fuair" arsa an tÉireannach. "Níor mhothaigh mé a dhath ach dearnad ag baint trí ghreim asam i lár na hoíche."

D'inis mac an rí don tseanbhean goidé a dúirt an tÉireannach agus bhí fearg uirthi agus dúirt sí go gcaithfeadh siad a thuarastal a thabhairt dó agus é a chur a shiúl. Fuair an tÉireannach tuarastal na bliana agus gan mí caite aige acu agus d'imigh sé leis anall go hÉirinn.

1.92.1 SÉAMAS MAC FHIONNAILE AGUS A CHLAIDEAMH

Bhí fear ina chónaí ar an Bhealtaine Bheag fada ó shin a raibh Séamas Mac Fhionnaile mar ainm air. Bhí sé iontach bocht agus ní raibh aige ach beathach bán. Mharaigh sé an beathach lá agus choinnigh sé an craiceann agus na cruitheacha. Fuair sé claidheamh déanta amach as na cruitheacha agus scríobh sé uirthi, "Séamas Mac Fhionnaile, céad marbh le gach buille".

Chuir sé air an craiceann agus chroch sé an claidheamh lena thaobh agus d'imigh leis go dtí an cuan an áit a raibh soitheach réidh le himeacht. Thug sé léim ar bord agus chuir sé amach putógaí gach fear dá raibh ar an bhád.

Tugadh go dtí oileán i bhfad ó bhaile é agus nuair a chuaigh sé i dtír ní raibh teach nó cró le feiceáil aige ach solas beag i bhfad uaidh. Nuair a tháinig sé fhad leis an tsolas, goidé a bhí ann ach teach rí. Bhuail sé ar an doras agus tháinig cailín amach agus chuir sí ceist air goidé a bhí sé a iarraidh. Dúirt seisean "oíche lóistín agus greim le hithe". D'iarr an rí air a theacht isteach agus tháinig. Thoisigh sé féin agus an rí a chomhrá. Dúirt an rí leis go raibh sé ag iarraidh caisleán a chur suas le seacht mbliana agus nach raibh aon chuid de thuas go fóill nó an méid a dhéanfaí sa lá go rabhthar á leagan san oíche.

Dúirt Séamas go gcoimeádóchadh seisean san oíche é. D'éirigh an rí maidin lá tharna mhárach agus chuir sé a dh'obair a chuir fear ar an chaisleán agus bata mór iarainn leis. Chuaigh sé in airde ar an bhalla. Ní raibh sé i bhfad in airde go dtí go dtáinig trí fhathach mhóra amach.

Thug duine acu iarraidh an balla a leagan ach chaith Séamas cloch bheag air. Chuir an fathach eile ceist air goidé a tháinig air. "Tá, spéarbhóg bheag de chloch a tháinig orm". Thug sé iarraidh ar an bhalla ar ais ach chaith Séamas cloch mhór air agus mharaigh sé é.

Thug an dá fhathach eile leo an fear marbh síos go dtí an tráigh an áit a raibh siad ina gcónaí. Ar maidin chuaigh Séamas chun an bhaile agus chuaigh sé a luí. Choimeád sé an áit mar an gcéanna an oíche sin agus mharaigh sé an dara fathach. Ansin chuaigh sé chun an bhaile agus chuaigh sé a luí. I ndiaidh Séamas a ghabháil a luí fuair an rí litir ag iarraidh ar Shéamas a ghabháil síos chuig an fhathach agus an lá a chaitheamh aige. D'éirigh Séamas. Chuir sé air an craiceann agus an claidheamh lena thaobh agus d'imigh sé.

Nuair a chuaigh sé isteach i dtoigh an fhathaigh bhí seanchailleach ina suí fán chlúdaigh agus cár mór fada uirthi. Dúirt sí "dá mbeadh bia ar bith istigh anois thiocfadh libh bhur sáith a ithe". Tá tarbh amuigh sa pháirc agus thig libh é a mharbhadh". Chuaigh siad amach agus mharaigh siad an tarbh. Rinne siad réidh an bia uilig i gcuideachta agus chuir siad ar a tábla é.

An chéad duine a bhí le bheith réidh bhí sé le marbhadh. Bhí siad ag ithe fada go leor agus ansin dúirt Séamas "is é an dóigh a bhí againne sa bhaile, nuair a bheadh a sháith ite ag duine ligfeadh sé amach an méid a bhí ite aige".

D'éirigh sé. Thug leis an claidheamh agus ghearr an craiceann agus lig sé amach an bia a bhí ite. Ní raibh sé ag ithe. Bhí sé ag cur an bhia isteach sa chraiceann. Dúirt an fathach sa deireadh go raibh sé féin lán. Thug sé leis scian agus stróc é féin ach thit sé marbh.

Thoisigh an tseanchailleach a throid le Séamas. "Is deas an rud atá déanta agat le mo thriúr mac" arsa sise. Dúirt Séamas go dtiocfadh leisean iad a dhéanamh beo ar ais. "Déan trí bhall bheaga aráin agus cuir síos ar an tine iad". Rinne sí seo ach déarfadh Séamas achan bhomaite léithe nach raibh siad fada go leor siar aici. Sa deireadh chaith sí í féin isteach sa tine agus dóigheadh í.

Chuaigh Séamas chun an bhaile chuig an rí agus bhí lúchaír mhór airsean nuair a hinseadh an scéal dó.

Rinneadh rí de Shéamas ar an oileán agus fuair sé iníon an rí le pósadh.

1.92.2

ÉAMANN MAC FHIONNAILE AGUS A CHAPALL BÁN

Bhí fear ann uair amháin arbh ainm dó Éamann Mac Fhionnaile as an Bheartaigh Uachtarach. Bhí seanchapall beag bán aige. Lá amháin bhí tórramh thoir i nGort An Choirce. Chuir sé an capall ar téad amuigh sa ghárradh agus d'imigh sé soir chun an tórraimh. Chuaigh sé ar meisce an oíche sin agus luigh sé thoir go maidin. Bhí sé ag plúchadh shneachta an oíche sin agus bhí an capall ar téad amuigh sa pháirc i rith na hoíche.

Nuair a tháinig sé anoir ar maidin bhí an capall marbh. Thug sé amach casúr agus scian agus bhain sé na cruitheacha agus an craiceann de. Chuaigh sé go dtí an gabha agus d'iarr air claidheamh a dhéanamh dó agus rinne an gabha mar a d'iarr sé air.

Nuair a bhí an chlaidheamh déanta d'imigh sé amach soir go Gort An Choirce arís agus bhí daoine ag gearradh léim ard ansin. Léim fear acu agus thit sé amach sa díg. Léim Éamann síos ina mhullach agus mharaigh sé é. Lean an chuid eile é giota agus chuaigh sé amach soir giota eile. Bhí daoine ansin ag caitheamh cloch urchair. Chaith Éamann cloch. Bhí seanduine ag urnaí ar uaigh thíos sa roilig. Bhuail sí isteach sa bhlagóid é agus thit sé marbh. Lean na daoine Éamann ansin agus d'imigh sé orthu.

Chuaigh sé isteach i dteach agus bhí seanbhean agus a beirt mhac istigh. D'iarr siad ar Éamann a ghabháil amach agus an tarbh drochmhúinte a bhí amuigh sa pháirc a thabhairt isteach go maróchadh siad é.

D'imigh Éamann amach agus bhain sé de a chóta agus chaith sé an

175

cóta ar chreig agus luigh sé féin i gcúl na creige. Nuair a chonaic an tarbh an clóca ar an chreig shíl sé gur fear a bhí ann agus thug sé iarraidh air. Nuair a bhí an tarbh ag troid leis an chlóca d'éirigh Éamann agus steall sé an chloigeann de lena chlaidheamh. Thug sé isteach an tarbh ansin agus ghearr siad suas é agus d'ith siad é.

Bhí Éamann ag gearradh leis agus shíl an mhuintir eile gur á hithe a bhí sé. Ina áit sin bhí craiceann an chapaill faoina ascail aige agus bhí sé ag cur na feola isteach sa chraiceann. Luigh Éamann siad ansin sa chathaoir agus dúirt sé:

"Tá mé féin iontach lán".

Chuir sé an scian isteach i gcraiceann an chapaill agus thit an fheoil uilig amach ar an urlár. Dúirt fear de na mic:

"Tá mise iontach lán fosta agus dá gcuirfeá an scian sin isteach i mo bholgsa fosta agus cuid den fheoil a ligean amach bhéarfadh sé faoiseamh domh".

Chuir Éamann an scian isteach ina bholg agus thit an chéad mhac marbh.

D'iarr an dara fear air an scian a chuir isteach ina bholg. Chuir Éamann an scian isteach i mbun an sceadamáin agus ghearr sé síos é go dtí na bholg agus thit seisean marbh.

Dúirt an tseanbhean leis ansin go raibh a beirt mhac marbh aige. Dúirt sé léithe go ndéanfadh sé beo arís daoithe iad. D'iarr sé uirthi dhá bhunnóig aráin choirce a dhéanamh. Rinne sí an t-arán coirce agus d'iarr sé uirthi é a dhingeadh siar go maith sa tine. Nuair a fuair sé í ag dingeadh siar an aráin dhing sé í féin isteach sa tine agus bruitheadh í agus níos baineadh d'Éamann Mac Fhionnaile ní ba mhó.

1.96.1   AN DHÁ FHATHACH

Bhí fathach thall i nAlbain agus smaointigh sé go dtiocfadh sé anall go gcuirfeadh sé troid ar an fathach a bhí abhus in Éirinn. Chuir sé scéala anall go raibh sé ag teacht anall. Bhí eagla ar an fhathach agus d'iarr a mháthair air gan eagla ar bith a bheith air.

Thug sí léithe é agus chuir sí ina luí sa chliabhán é. D'iarr sí air gan bogadh. Tháinig an fathach go dtí an doras agus tháinig sé isteach. Chuir sé ceist cá raibh na fir. Dúirt sise go raibh siad amuigh is go mbeadh siad istigh ar a bhomaite. Chuir sé ceist cé a bhí sa chliabhán. Dúirt sise gur an leanbh. Chuaigh sé go dtí an cliabhán agus chuir sé méar isteach i mbéal an linbh go bhfeicfeadh sé an raibh fiacla aige. Bhain an leanbh an mhéar de.

D'iarr sé ansin giota feola agus arán a thabhairt dó. Dúirt na bhean nach raibh a dhath feola istigh. D'iarr sí air a gabháil amach chun an chnoic agus bollóg a tabhairt isteach agus a rósadh. Chuaigh sé amach agus thug sé isteach í. Rósadh an bhollóg agus d'ith sé í agus d'ith sé bonnóg arán choirce fosta. Bhí tart air ainsin. D'iarr sé deoch uisce uirthi. Dúirt an bhean nach raibh aon deor uisce istigh aici go raibh sruthán beag thuas ansin os cionn an toighe, is go bhfaigheadh sé deoch.

Chuaigh sé suas go dtí an sruthán agus nuair a bhí sé crom. Bhí cipiní thuas ag barr an tsruthán agus leig sí ar shiúl iad agus shlog an fathach iad agus tachtadh é. Bhí an fathach a bhí sa chliabhán sábháilte agus d'ith an héanacha suas corp an fhir a tachtadh.

1.96.2 FIANNA ÉIREANN

Tháinig Fianna eile go hÉirinn fá choinne Fianna Éireann a throid. D'imigh Fianna Éireann a sheilg. Dúirt Fionn go rachadh sé féin sa chliabhán agus go ndéanfadh sé an leanbh. Cuireadh Goll amach a bhuachailleacht an eallaigh.

Nuair a tháinig na Fianna eile bhí bean an toighe ag bogadh an chliabháin agus clocha leis an tine ag déanamh gur arán a bhí aici. Tháinig na Fianna eile isteach agus bhí i bhfad ní ba mhó ná Fianna Éireann. Chuir siad ceist ar an mhnaoi cá raibh na fir. Dúirt sise go raibh siad amuigh ag seilg. Chuir duine acu ceist goidé a dhéanfadh siad nuair a bheadh an ghaoth sa doras. Dúirt sise dá mbeadh na fir sa bhaile go dtiontóchadh siad go dtí an taobh eile an teach. Dúirt fear acu go n-amharcóchadh siad an raibh cár maith ag an leanbh agus chuir sé a mhéar isteach ina bhéal go bhfeicfeadh sé. Bhain Fionn barr na méire de. Dúirt fear acu go raibh sé in am acu an baile a bhaint amach mar gur maith mar a bheadh na fir nuair a bhí an leanbh ábalta barr na méire a bhaint dósan.

Chuir duine eile acu ceist ar an mhnaoi goidé a bhí leis an tine aici agus dúirt sí gur arán. Bheir sé air agus d'fhéach sé le é a bhriseadh ach theip air. Dúirt sé go raibh sé ní ba chosúla le clocha.

Chuaigh said amach go cúl an toighe agus chonaic siad giota mór iarainn ann. Chuir siad ceist ar an mhnaoi cad chuige a rabhthar dó agus dúirt sí gur sin an rud a bhíodh ag na fir á chaitheamh chuig an chéile. D'fhéach siad; é seo chuig a chéile. Dúirt siad gurbh fhearr daofa imeacht nó gur mhaith mar a bheadh na fir nuair a thiocfadh siad nuair a bhí siad ábalta a leithéid sin de ghiota iarainn a chaitheamh chuig a chéile.

Chonaci siad Goll ag buachailleacht an eallaigh. Dúirt duine acu go mbeadh ceann den eallach sin acu sula n-imeochadh siad. Rug sé greim cinn ar cheann de na ba agus rug Goll greim ar na cosa deiridh. Tharraing siad an bhó as a chéile agus bhuail Goll é. Dúirt sé gurbh fhearr daofa imeacht nó gur mhaith mar a bheadh na fir nuair a bhí buachaill na mbó ábalta a sháitha thabhairt dósan. D'imigh siad leo agus ní fhacthas ariamh ní ba mhó in Éirinn iad.

Eoghan Mac Giolla Chóill
(Scoil na Luinnigh)

Tháinig Eoghan Mac Giolla Chóill, mac do Charlie Phaidí Mhóir ar an tsaol i gCroichlí, Gaoth Dobhair ar an 31ú Nollaig, 1876. Chuaigh sé go Scoil Dhobhair áit ar toghadh é le bheith ina ábhar múinteora (ina mhonatóir). Phós sé Nuala Ní Bhaoill (iníon Shéamais Bhroighní) as Mín Doire Damh ar an 25 Iúil, 1909 i dTeach Pobail Dhoirí Beaga. Bhí ceithre dhuine dhéag clainne acu, seisear cailíní agus ochtar buachaillí. Bhí Jimí, Jó, Bernard agus Pádraig ag imirt peile do Ghaoth Dobhair - an triúr dheireannacha ag imirt peile do Chontae Dhún na nGall. Tá Pádraig iarmhúinteoir scoile ina chónaí san Uaimh i gContae na Mí. Bíonn a mhac Colm ag imirt do Chontae na Mí.

Chaith Eoghan seal ina mhúinteoir i Scoil Chnoc na Naomh. Ansin chuaigh sé go Cnoc Fola ina phríomhoide (Siubhán Ní Chobáin, cúntóir). Ina dhiaidh sin chuaigh sé go Scoil Bhun An Inbhir an áit a raibh Bríd agus níos moille Cití Ní Chobáin ag teagasc. Tá Scoil Bhun An Inbhir beagnach ar imeall na farraige móire agus lá amháin, lá gaoithe móire, a rinne mórán damáiste sa pharóiste chonaic comharsa (Nábla Mhór) binn na scoile ag crothadh. Rith sí isteach agus scairt sí leo 'In ainm Dé, bígí amuigh'. Thiomáin Eoghan a chuid scoláirí uilig amach agus ní luaithe a bhí siad amuigh nó thit binn an tí. Bhí an scoil i dteach Annie Phaidí Eoin fada go leor gur cuireadh bail ar an Scoil Mhór.

Tháinig sé go Scoil na Luinnigh i 1929. Bhí Éamonn ó Cathmhaoil agus Minnie ina múinteoirí ansin agus Eoghan ina phríomhoide. Cheannaigh sé teach (agus feirm) ar An Luinnigh agus d'fhan sé ansin go bhfuair sé bás i 1960. Bhí sé ag teagasc na Gaeilge i mBun Cranncha i 1923 agus i gCloch Chionnaola. Bhí Úna Ní Arlaigh ina chara mhór aige. Bhí dúil mhór aige sa cheol agus bhí lámh mhaith aige ar an bhosca ceoil (an meileoidin) le portanna agus foinn thraidisiúnta a bhualadh.

Duine ciúin macánta a bhí ann, suim mhór aige sa tSeanGhaeilge, i seanchas, i míniú agus i gciall ainmneacha na mbailte talaimh, i stair agus i seanscéalta na háite. Bhí uaisleacht ag baint leis agus meas ag aosta agus óg air.

Scoil Na Luinnigh

Bríd Nic Giolla Easpaig, Srath na
Brúigh (Bidí Dhónaill Nedí).

Eoghan Mac Giolla Chóill.

Anna Ní Dhuibhir, An Luinnigh,
Annie Johnny Thaidhg.

Nuala Ní Dhónaill, An Luinnigh
(Nuala Jimí Mhóir).

179

Dónall Mac Giolla Easpaig, Srath na Brúigh (Dan Dhónaill Neidi?).

Caitlín Nic Giolla Chóill, An Luinnigh (Cití Eoghain Coyle).

Máire Ní Dhónaill, An Luinnigh (Méaraí Phádaí Bhillí).

Anna Nic Aodhcháin, An Chorrmhín (Anna Charlie Aodhcháin).

Caitlín Nic Aodhcháin, An Chóirmhín (Cití Mhánais Mhóir) (ina suí).

Tarlach Mac Aodhcháin, An Chóirmhín (Charlie Hughie).

NA FIANNA

Na Fianna a bhí in Éirinn fadó bhí siad iontach láidir. Bhí an t-iomrá amuigh go raibh siad ábalta na Fianna eile uilig ar fud an domhain a bhualadh. Lá amháin tháinig muintir na Norbhuaidhe anall go bhfeicfeadh siad an raibh na Fianna chomh láidir leosan.

Bhí a fhios ag máthair na bhFianna cén lá a bhí siad ag teacht. Chuir sí amch na Fianna a sheilg. Bhí leac mhór istigh ag taobh na tineadh agus chuir sí rud beag mine coirce thart ar mhullach na cloiche agus shílfeadh achan duine gur toirtín deas aráin choirce a bhí ann.

Bhí gasúr ocht mbliana ann agus chuir sí isteach i mbascóid é agus chuir sí éadach thart air agus bhí an ghaoth sa doras aici. Bhí giota mór miotail taobh amuigh den doras. Nuair a tháinig muintir na Norbhuaidhe bhí sí réidh fána gcoinne. Tháinig siad uilig isteach chun an toighe. Nuair a chonaic siad an leac agus an mhin choirce chuir siad ceist uirthi goidé a bhí ansin. Dúirt sise gur arán coirce fá choinne na bhFiann. Chuir siad uilig síos a gcuid lámh ag gabháil a ithe cuid den arán ach ní raibh siad ábalta a dhath den arán a ithe. Chuaigh siad anonn ansin go dtí an bhascóid agus chuir ceist cá mhéad bhliain a bhí an leanbh. Dúirt sí nach raibh sé ach ocht mí. Dúirt fear acu "Mura bhfuil sé ach ocht mí anois goidé mar a bheas sé nuair a bheidh sé fiche bliain?"

"Nach fada atá siad?" arsa fear eile acu.

"Tá mé féin ag fanacht leo fosta, tá an ghaoth sa doras agam" arsa an mháthair, "agus ba mhaith liom an teach a thiontódh thart sa chruth go mbeadh an doras ar thaobh an fhoscaidh".

Dúirt fear acu go dtiocfadh leosan é a thiontódh thart. Chuaigh siad uilig ina cheann ach ní raibh siad ábalta é a bhogadh.

"Nach sibh atá lag? Dá mbeadh fear amháin de na Fianna anseo thógfadh sé an teach thart é féin".

"Ó, más mar sin atá tá sé chomh maith againne a bheith ar shiúl".

Nuair a bhí siad ag imeacht chonaic fear eile acu giota mór miotail agus chuir sé ceist cad chuige an raibh siad don mhiotail. Dúirt sise gur sin rud a bhí acu á chaitheamh chuig na chéile i ndiaidh an dinnéara. Thug fear acu iarraidh é a thógáil agus cha raibh fear san iomlán acu ábalta é a thógáil. D'imigh siad chun an bhaile ansin. Ar a mbealach chonaic siad na Fianna ag teacht agus gach aon bhúirthe acu. Luigh siad síos sa fhraoch le heagla rompu.

AN CAILÍN AGUS AN SPIDEOG

Bhí bean ann uair amháin agus bhí dhá iníon aici. Bhí bean acu amuigh fá choinne canna uisce. Nuair a thóg sí an t-uisce d'éirigh an t-uisce a bhí sa tobar dearg agus smaointigh sí go n-éiríonn sé dearg uair i gceann achan bhliain. Chuaigh sí isteach agus dúirt sí lena máthair cupla bunnóg aráin choirce a dhéanamh daoithe go raibh sí ag imeacht agus dá mbeadh an t-uisce dearg bliain ón lá (seo) go mbeadh sí beo agus dá mbeadh sé gan a bheith dearg go mbeadh sí marbh.

D'imigh sí léithe ansin agus nuair a tháinig sí fhad le crann shuigh sí síos agus d'ith sí cuid den bhunnóg agus tháinig spideog fhad léithe agus d'iarr sí giota aráin a thabhairt daoithe go raibh ocras uirthi. Ní thabharfadh sí giota ar bith daoithe. D'imigh sí léithe gur casadh bean uirthi. Chuir an bhean ceist uirthi an raibh sí fá choinne a ghabháil ar fostódh. Dúirt sí go raibh. Ansin d'iarr an bhean uirthi a ghabháil léithe chun an bhaile.

Nuair a chuaigh siad chun an toighe d'iarr an bhean uirthi siothlán uisce a thabhairt anuas as an tobar. Chuaigh an cailín suas ach cha raibh sí ábalta an t-uisce a thabhairt anuas. Bhí an spideog istigh i bpoll an chlaí.

"Anois", a dúirt an spideog "dá dtabharfá giota den bhunnóg domhsa, d'inseochainnse duit goidé an dóigh a dtabharfá síos an t-uisce." D'imigh sí síos agus dúirt sí leis an bhean nach raibh sí ábalta é a thabhairt anuas. Bhain sí an chloigeann daoithe agus chuir sí chun báis í.

D'amharc an mháthair an raibh an tobar dearg agus bhí a fhios ag an mháthair ansin go riabh sí marbh. Dúirt an dara bean go raibh sí féin ag imeacht agus dá mbeadh an tobar dearg go mbeadh sí marbh. D'imigh sí léithe ansin agus casadh spideog (uirthi) agus d'iarr sí giota uirthi. Thug sí giota aráin daoithe.

Ansin d'imigh sí léithe go dtáinig sí fhad le teach agus chuaigh sí ar fostódh ag an bhean chéanna agus chuir sí chun tobair fá choinne siothlán uisce (i) agus ní raibh sí (ábalta é a thógáil). D'amharc sí thart fá dtaobh (daoithe) agus chonaic sí an spideog in airde ar an chrann agus d'iarr sí ar an cailín cál leannógach a chur ar bhun an tsiothláin agus go dtiocfadh léithe an t-uisce a thabhairt léithe. Rinne sí sin agus d'imigh sí léithe.

Nuair a tháinig sí leis an uisce bhí iontas mór ar an bhean nuair a chonaic sí seo. Ansin d'iarr sí ar an chailín a ceann a chíoradh go dtitfeadh sí ina codladh agus gan í amharc suas an simléir nó go mbainfeadh sí an chloigeann daoithe.

Nuair a bhí an bhean ina codladh d'amharc sí suas sa tsimléir agus chonaic sí mála óir in airde sa tsimléir agus tharraing sí anuas é agus rinne sí trup agus mhuscail sí an bhean agus lean sí fríd an bhaile mhór í agus tháinig roth an mhuilinn uirthi agus bhain sé an ceann den bhean agus bhí a sáith airgid ag an chailín ó sin amach.

1.98   AN FEAR A BHÍ AG CUR A BHÓ SUAS AR AN TEACH

Bhí fear agus bean ann agus bhí bó acu. Bhí féar ag fás thuas i mullach an tí. Ní raibh fios acu goidé an dóigh a mbainfeadh siad an féar. D'iarr an bhean air an bhó a chuir suas ar an teach agus go n-íosfadh sí an féar. Dúirt an fear gurbh é sin an dóigh ab fhearr. Tráthnóna amháin thosaigh an fear ag cur suas an bhó ar mhullach an tí, ach ní raibh sé ábalta í a chur suas. Bhí and bhean ag coimheád air agus d'iarr sí air ligint daoithe. Tháinig bean thart agus chuir sí ceist air goidé a bhí sé a dheánamh. Dúirt seisean go raibh sé ag iarraidh an bhó a chuir suas ar an teach. D'iarr sise air gan a bheith leath chomh haimaideach agus a bhí sé. Díarr sí air corrán a thabhairt leis agus an féar a bhaint agus é a chaitheamh anuas chuig an bhó. Rinne an féar mar hiarradh air. Thug sé leis an corrán agus chuaigh sé suas, bhain an féar agus chaith anuas chuig a bhó é. Bhí an fear an bhuíoch corrán a thabhairt leis, leis and féar a bhaint.

1.99   NA BRÓGA ÚRA

Bhí gasúr ann aon uair amháin agus bhí luach péire bróg aige. Lá amháin d'iarr a mháthair air a ghabháil go dtí an chathair agus bróga a cheannacht.

Bhí siad a dhíth air go cruaidh mar bhí sioc agus sneachta ann. D'imigh an gasúr go dtí go raibh sé ins an chathair. Chuaigh sé isteach i siopa a raibh daoine ag díol bróg ann. Nuair a bhí sé istigh tamall chuir cailín ceist air goidé a bhí a dhíth air. Dúirt sé gur péire bróg a bhí a dhíth air.

Cheannaigh sé na bróga ar shé scillinge. Chuir sé na bróga air sular fhág sé an siopa. Nuair a bhí sé giota amach as an chathair bhain sé de na bróga agus chuaigh sé costarnocht.

Nuair a bhí sé tuairim is míle ón teach bhuail sé a ladhar mhór ar chloich agus ghearr sé í. Dúirt sé leis féin dá mbeadh mo chuid bróga úra orm bheadh an barr briste acu.

1.101   AN FEAR AMAIDEACH

Bhí fear amaideach ann fadó agus chuaigh sé amach a bhaint adhmaid. Tháinig sé go dtí áit a raibh abhainn. Bhí crann ag fás ar thaobh amháin den abhainn agus géag ag fás trasna na habhanna. Dar leis féin gur sin géag bhreá le baint. Chuaigh sé suas agus shuigh sé amuigh ar imeall an ghéag agus thoisigh sé a ghearradh.

Tháinig fear eile thart agus dúirt sé ''nach bhfuil a fhios agat, a amadáin, nuair a ghearrfas tú an ghéag sin go dtitfidh tú féin agus an crann agus an tuaigh isteach san abhainn?'

Níor lig an t-amadán air féin go raibh sé ag éisteacht. D'imigh an fear eile leis agus é ag gáirí.

Ní raibh an t-amadán i bhfad gur ghearr sé an ghéag agus thit sé féin agus an ghéag isteach san abhainn agus chaill sé an tuaigh. Tháinig sé amach as an abhainn le obair mhór agus reath sé amach siar i ndiaidh an fhear eile agus nuair a tháinig sé fhad leis dúirt sé ''nuair atá tú chomh maith agus atá tú inis domh cé acu tá mé beo nó marbh.''

''Tá tú marbh'' arsa seisean agus d'imigh sé leis.

''Má tá mé marbh'' arsa an t-amadán leis féin ''ba cheart domh a bheith i mo luí agus mo dhá láimh sínte amach agam''.

Luigh sé síos agus shín sé amach a dhá láimh mar a bheadh sé marbh. Bhí sé ina luí ansin go dtáinig cupla fear thart agus maidí leo agus thug siad leo é. Shiúil siad leo go dtáinig siad fhad le croisbhealach. Ní raibh a fhios acu ansin cé acu bealach a rachadh siad. Bhí cuid acu ag iarraidh a ghabháil an bealach seo agus an chuid eile an bealach údaí. Bhí siad ag titim amach le chéile agus thoisigh siad a throid.

Shíl an t-amadán go mairfeadh siad é féin agus d'éirigh sé ina shuí agus dúirt sé ''go ndéanaí an rí a mhaith ormsa is é an bealach ó thuaidh a rachainn''.

AN DÁ CHOIS

Sa tseanam bhí dlíodh amuigh ag an rialtas in Éirinn gan solas ar bith a bheith i dteach ar bith ó rachadh an ghrian a luí tráthnóna go mbeadh sí ag éirí ar maidin. Bhí teaghlach amháin sa tír agus bhí siad iontach bocht. Oíche amháin ní raibh a dhath acu le hithe agus d'iarr an t-athair ar a chuid mac a ghabháil amach agus run inteacht a fháil le hithe nuair a bhí achan uile dhuine ina gcodladh.

Chuaigh siad amach go dtí páirc a raibh scaifte caoirigh inti agus bhí gasúr ag coimheád na gcaoraigh. Mharaigh siad an gasúr agus bhain siad na cosa dó agus chroch ar chrann iad. Chuaigh siad chun an bhaile agus caora leo. Bhí aonach ann lá tharna mhárach. Bhí fear ann a bheadh ar an aonach seo i gcónaí agus bheadh sé ar loistín sa teach seo. Tháinig sé fhad leis an teach seo. Nuair a mhothaigh siad é ag teacht d'iarr siad air a ghabháil amach agus luí amuigh sa bhoitheach an áit a raibh an bhó ann. I lár na hoíche bhí an ghealach ag soilsiú go deas. Nuair a chonaic an fear a bhí ina luí sa bhoitheach an solas ag teacht isteach fríd an teach shíl sé gur an ghrian a bhí ann. D'éirigh sé go gasta ag déanamh go mbeadh sé mall ag an aonach.

Nuair a chuaigh sé giota den bhealach bhuail sé a chloigeann ar rud inteacht os a chionn. Nuair a d'amharc sé suas goidé a bhí ann ach dhá chois fir a bhí crochta ar chrann agus bhí péire bróg orthu. Chuaigh sé ag iarraidh na bróga a bhaint daofa ach ní raibh sé ábalta. Ansin chuaigh sé suas ar an chrann agus thug sé leis na cosa agus eile. Thug sé fá deara nuair a chuaigh sé giota eile gur solas na gealaí a bhí ann agus phill sé go dtí an boitheach ar ais.

Nuair a d'éirigh an ghrian d'imigh sé chun an aonaigh ach rinne sé dearmad ar na cosa. Nuair a d'éirigh lucht an toighe chuaigh duine acu amach a iarraidh ar an fhear a bhí amuigh sa bhoitheach a theacht isteach chuig a chuid. Nuair a chuaigh a mhac amach fána choinne thoisigh sé a scairtigh air. Ansin bheir sé greim ar an dá chois a bhí faoin choirce agus tharraing sé iad. Shíl sé gur dhá chois an fhir a bhí sa bhoitheach a bhí ann. Rith sé isteach chun a toighe ag inse do na athair gur ith an bhó an fear a bhí sa bhoitheach. Dúirt an t-athair ansin go gcaithfeadh siad an bhó a thabhairt leo chun an aonaigh agus í a dhíol ach nuair a bhí siad ar an aonach ní rachadh sí isteach ar chor ar bith mar ní raibh sí ar an aonach ariamh roimhe sin ag an cheol agus an gleo a bhí ag na daoine.

Thoisigh an t-athair a scairtigh leo an bealach a fhágáil nó go n-íosfadh an bhó uilig iad nó gur ith sí an fear a bhí an lóistín acu sa bhoitheach aréir. Chuala an fear seo é ag rá seo agus tháinig fhad leis agus d'inis sé an scéal dó mar tháinig na cosa chun an bhoithigh agus d'iarr sé air an bhó a thabhairt leis chun an bhaile agus í a choinneáil.

1.103

AN FEAR AMAIDEACH AGUS AN FEAR CRÍONNA

Bhí fear amaideach agus fear críonna ag siúl an bhealaigh mhoir lá amháin. Dúirt an fear amaideach leis an fhear chríonna "Goidé an cineál leabaidh a mbíonn tú i do luí uirthi?" Dúirt an fear críonna gur leabaidh chluimhrigh. Chuir an fear amaideach ceist air an bhfuil sé deas a bheith i do lúi ar leabaidh chluimhrigh. Dúirt an fear críonna nach raibh sé ina luí ar leabaidh ariamh chomh deas léithe. Lá amháin bhí an fear amaideach ag siúl amuigh ar an bhealach mhór agus casadh cleite air, ar an bhealach mhór. Bhí lúcháir mhór air agus thug sé chun an bhaile í. Nuair a chuaigh sé chun na bhaile d'fhág sé an cleite ina luí ar an urlár agus luigh sé air. Nuair a d'éirigh sé ar maidin bhí a chuid cnámha uilig nimhneach. dúirt sé "is maith mar atá an mhuintir a bhíos ina luí ar na céadtaí. Mise nach raibh ina luí ach ar chleite amháin agus tá mo chnámha uilig nimhneach.

1.105.1   AN tSEANBHEAN BHOCHT

Bhí seanbhean agus a mac ina gcónaí i dteach leo féin agus ba ghnách le bean bhocht a bheith ag gabháil thart achan lá. Lá amháin chonaic an bhean seo í ag teacht. Chuaigh sí i bhfolach síos chun an tseomra agus d'iarr sí ar an tseanduine a rá go raibh sí ar shiúl bealach inteacht. Dúirt an seanduine go ndéarfadh seisean sin.

Nuair a tháinig an bhean bhocht isteach chuir sí ceist cá háit a raibh an bhean a bhí anseo. Dúirt an seanduine go bhfuair sí bás tá cupla lá ó shin agus gur iarr sí an túirne agus an t-éadach a bhí anseo a thabhairt léithe.

Bhí lúcháir mhór ar an bhean bhocht nuair a mhothaigh sí seo agus dúirt sí: "Tá súil a fhios agam go bhfuil sí ins an tseomra is deise do na Flaithis". Bhí an tseanbhean thíos ins an tseomra ag éisteacht leo. Tháinig sí aníos as an tseomra agus thoisigh sí a mhallachtaigh ar an bhean bhocht. D'imigh an bhean bhocht amach ar an doras agus níor phill sí ní ba mhó.

1.105.2   AN FEAR A THIT ÓN TEACH

Bhí fear thuas ag cur tuí ar a theach lá amháin. Bhí a mhac abhus ar talamh a choimheád. Ach nuair a bhí sé tamall thuas thit sé agus níodh go mór é. Chuir siad fá dhéin an dochtúra agus d'amharc sé tseanduine. Dúirt an dochtúir go raibh sé marbh.

a chuala an seanduine seo scanraigh sé. Léim sé suas agus scairt "níl mé marbh, níl mé marbh". D'amharc an mac air agus dúirt ciall agat, a athair. An bhfuil tú ag déanamh go bhfuil a fhios ó ná an dochtúir? Nach cinnte go bhfuil tú marbh."

1.106 AN FEAR AGUS AN GEARRIA

Bhí fear as an bhaile mhór ar an aonach lá amháin Bhí fear ar an aonach ag díol turnapaí. Ní fhaca fear an bhaile mhóir turnapaí ariamh agus chuir sé ceist goidé an rud a bhí sé a dhíol. Dúirt an fear eile gur uibheach láir a bhí ann. Chuir fear an bhaile mhóir ceist cá mhéad a bhí siad.

"Scilling", arsa an fear eile.

Cheannaigh fear an bhaile mhóir ceann acu.

D'imigh sé ag tarraingt ar an bhaile agus lucháir mhór air. Tháinig sé fhad le abhainn agus bhí eagla air go mbrisfeadh sé an ubh agus chaith sé i dtonn feadhacha í. Nuair a thit an turnap sna feadhacha léim gearria mór amach astu. Shíl sé gurb é an ubh a bhris agus gur léim searrach óg aisti a d'imigh ina rith. Thoisigh sé a scairtigh ach níor phill an gearrai.

D'imigh sé chun an bhaile agus é ar mire cionn is nár inis an fear dó go raibh searrach san ubh.

1.107.1 FEAR NACH dTIOCFAÍ A SCANRÚ

Bhí beirt fhear ann uair amháin agus oíche amháin bhí an bheirt acu ag cur gealltacha cé acu a b'fhurasta a scanrú. Dúirt fear acu nach dtiocfaí eisean a scanrú. An oíche seo chuaigh an fear eile síos go béal na toinne agus luigh sé ann.

Tháinig an fear nach raibh eagla ar bith air anuas a chuartú éadáil. Chonaic sé an fear seo ina luí i mbéal na toinne agus an t-uisce ina rith amach agus isteach thairis. Dar leis féin b'fhéidir go n-imeochá amach ar ais agus is fearr domh tú a thógáil aníos ar an mharc.

Thóg sé leis aníos é. Is é an dóigh a dtug sé leis é — chuir sé an dá chois aniar ceann ar gach aon taobh de na mhuineál. De réir mar a bhí seisean ag tabhairt na gcoiscéimneacha bhíothas ag bualadh smut an fhir eile ar chúl a chuid bróg agus bhíthear á ghortú. Thoisigh sé a bhaint greimeannaí amach as cúl na gcos aige agus chaith sé uaidh é. D'imigh sé ag teitheadh mar shíl sé gur fear báite a bhí ann.

An oíche ina dhiaidh seo chuir an fear eile ceist air an raibh sé furasta a scanrú agus dúirt sé go raibh.

1.107.2 CUNTAS NA gCNAIPÍ

Bhí beirt ghasúr ag buachailleacht ag taobh roilige agus bhí siad ag imirt chnaipí. Thoisigh siad a roinnt na gcnaipí eatarthu. Bhí sé ag cur agus bhí fear ar foscadh ag taobh an gheafta. Sá deireadh thit ceann de na cnaipí amach i gcúl an bhalla. Bhí an bheirt ag rá 'Ceann domhsa agus ceann duitse, ceann domhsa agus ceann duitse'.

D'imigh an fear ina rith agus níor stad sé den rása go raibh sé istigh sa teach. Dúirt sé lena mháthair go raibh Dia agus an diabhal thíos sa roilig ag roinnt na n-anamnacha.

1.108   BAINT AN GHAOTHSÁIN AGUS AN MUILEANN GAOTHE

Bhí dhá bhean ina gcónaí thuas i Mín na Lice aon uair amháin. Bríd a bhí ar bhean acu agus Máire a bhí ar an bhean eile. Lá amháin duirt Bríd leis an bhean eile — "Tá muid ag éirí sean anois agus ba cheart dúinn a ghabáil go Loch Dearg uair amháin".

Leag siad amach cén lá a rachadh siad. Nuair a tháinig an lá d'imigh siad. Bhí siad ag siúl leo go dtí go dtáinig siad go dtí dam mór uisce. Dúirt Bríd le Máire — "Bain duit do chuid bróga, tá muid ag teacht deas do Loch Dearg". Bhain an bheirt acu daofa a gcuid bróg agus shiúil siad leo giota eile.

Nuair a tháinig siad go dtí an dam chuaigh siad ar a nglúine lena n-urnaí a rá leis an Chrois. Muileann Gaoithe a bhí anseo agus bhí sé ag gabháil thart leis agus bhain se barr an ghaothsáin de Bhríd.

"Míle moladh duit, a Mháire fan amach uaidh nó níl ansin ach cor thochartaigh an diabhail".

1.111   AN SAGART MAC PHÁIDÍN

Bhí garmháthair agus garathair agam agus ba an t-ainm a bhí orthu Eoin Ó Maolagáin agus Maighréad Ní Dhúgáin. Bhí sagart thíos i nGaoth Dobhair a dtugadh siad an Sagart Mac Pháidin air. Ba ghnách leis a theacht aníos chun na gcnoc a sheilg. Ní raibh tae nó plúr ar bith ag gabháil fán am agus lá amháin tháinig an sagart aníos agus bhí punta tae leis chuig mo gharmháthair. Ní raibh scríobán ar bith aici ins an am agus ghlan sí préataí agus scríob sí ar chloich gharbh a bhí ag tóin an toighe iad. Nuair a bhí sé ag imeacht chun an chnoic d'iarr sé uirthi an t-uisce a bheith bruite nuair a thiocfach sé le braon tae a dhéanamh. Chuir sí pota uisce ar an tine agus chuir sí punta an tae síos air. Nuair a bhí sé ag gail thóg sí é. Chuir sí an tobán i lár an urláir agus bascóid ina bhéal agus shil sí an sú isteach sa tobán agus choinnigh sí na duilleogaí fá choinne an tsagart.

Nuair a tháinig an sagart agus mo gharathair isteach as an chnoc bhí seacht ngiorria leo. Chuir an sagart ceist an raibh an t-uisce bruite. Dúirt sí go raibh an tae réidh. D'iarr an sagart é a chur ar bord. Ní raibh táblaí ar bith ag gabháil san am. Thug sí aníos stól agus shuigh an sagart ar cheann an stóil. Chuir sí pláta ime agus pláta bocstaí roimhe ar an stól. Chuir sé ceist "Cá bhfuil an tae?" agus thug sí aníos bascóid na nduilleog chuige. Chuir an sagart ceist goidé an rud seo. Arsa sise "A athair, sin an tae". "Ó bhó, bhó, cá bhfuil an sú a bhí ar na duilleogaí?" arsa an sagart. "Tá sé ins an tobán" arsa sise. "Ó, tá an tae millte" arsa an sagart, "choíche nuair a bheas tú ag déanamh réidh tae coinnigh an sú agus caith ar shiúl na duilleogaí".

B'éigean daoithe bainne a thabhairt daofa in áit an tae. Nuair a bhí an bia thart, d'éirigh an sagart agus mo gharathair amach go tóin an toighe. Dúirt an sagart le mo gharathair "má thugann tú amach tiománaí leis an chéad scairt, bhéarfaidh mé ceann de na giorraíocha duit''. Bhí an teach giota fada ar shiúl. Rinne sé scairt amháin agus dúirt sé ''scrios ón fhear thuas oraibh bí amuigh''. Thug sé amach an tiománaí leis an chéad scairt. Chuaigh an sagart a gháirí agus dúirt sé ''is agat atá an sceadamán is fearr a chuala mé ariamh de sheanduine chomh haosta leat. Tá do ghiorria bainte agat uaim anois''. Phill mo gharathair isteach chun an toighe leis an ghiorria chuig mo gharmháthair agus dúirt sé léithe — ''bruith seo duit féin nó tá mise ag gabháil síos go Gaoth Dobhair leis an tSagart a sheilg coiníní amárach''. D'imigh siad leo.

Bhí ailse ar liobar mo gharathair. Lá tharna mhárach nuair a bhí siad ag gabháil trasna thráigh Mhachaire Gáthlán d'fhiafraigh an sagart de mo gharathair ''Cá fhad an ailse sin ar do liobar?'' Dúirt sé ''bliain go leith''. Chuir mo gharathair suas a láimh agus dúirt sé ''Ó scrios ar an fhear thuas, tá sé ar shiúl domh''. Arsa an sagart ''An bhfeiceann tú an bhinn dhubh sin istigh i dToraigh?'' Dúirt mo ghararthair go bhfeiceann. ''Chuir mise an ailse isteach sa bhinn sin''. ''Ó scrios ón fhear thuas ort, is tú is fearr a chonaic mé ariamh''.

Thoisigh siad a sheilg coiníní agus fuair siad cuid mhór. Bhí áthas mór ar an tsagart leis an méid coiníní a fuair siad agus bhí áthas mór ar mo gharathair an ailse a fháil ar shiúl de nó bheadh sé ag caint ar fad air. ''Rachaidh muid suas chun an bhaile anois''. Chuaigh siad suas agus fuair siad a ndinnéar agus bhí mo gharathair i dtólamh ag caint ar an ailse a d'imigh de na liobar. Nuair a bhí an dinnéar thart dúirt mo gharathir go raibh sé ag gabháil chun an bhaile. Thug an sagart dhá choinín dó agus punta tae agus d'iarr sé air seo a thabhairt do Mhaighréad agus iarraidh uirthi gan é a mhilleadh mar a rinne sí an lá deireannach.

Tháinig mo garathair chun an bhaile agus rinne sé mar a d'iarr an sagart air. ''Seo dhá choinín agus punta tae a chuir an sagart aníos chugat agus d'iarr sé ort gan é a mhilleadh mar a rinne tú leis an lá deireannach''. ''Is minic a chuala mé ariamh'' arsa Maighréad ''gur fearr an sú nó ceathrú den fheoil''. ''Ó dar fia, a Mhaighréad tá scéal nuaidh agam. Chuir an sagart an ailse a bhí ar mo liobhar isteach i mbinn Thoraigh''. Bhí lúchair mhór ar Mhaighréad. ''Tá an lá leat'' arsa sise.

Tháinig an sagart aníos Dé hAoine ina dhiaidh sin agus d'imigh mo gharathair agus an sagart a sheilg. Arsa an sagart le Maighréad ''bruith an t-uisce agus dhéanfaidh mé féin an tae''. Ghlan sí na préataí agus scríobh sí iad ar chloich gharbh a bhí ag tóin an toighe agus rinne sí arán de na préataí scríobtha fá choinne an tsagairt. Nuair a tháinig mo gharathair agus an sagart as an chnoc thug sí aníos an stól agus d'fhág sí an t-arán agus an t-im ar an stól. Thug sí an seáspán don tsagart agus rinne sí réidh an tae. Dúirt sé le Maighréad ''beidh tú féin ábalta tae a dhéanamh réidh feasta''. Nuair a bhí an tae réidh shuigh an sagart ar cheann an stóil agus Eoin ar an cheann eile agus d'ith siad sáith bhreá. Nuair a bhí an bia thart d'imigh an sagart chun an bhaile agus bhí Maighréad ábalta tae a dhéanamh réidh ó sin amach. Bhí Eoin beo go raibh sé ceithre scór agus dhá bhliain agus bhí Maighréad céad ach dhá bhliain nuair a fuair sí bás. Bhí aois mhór ag na daoine sa tseanam mar nach raibh siad ag ól mórán tae.

1.112.1   CLOG NA nOCHT LÁ

Bhí lanúin ina gcónaí thoir i mBun An Leaca fada ó shin a raibh mac amháin acu. Nuair a bhí sé ocht mbliana déag d'imigh sé leis go hAlbain. Tháinig an Nollaig agus dar leis féin go raibh sé beag go leor aige bronntanas a chur chuig a mhuintir. Chuaigh sé amach agus cheannaigh sé clog dheas agus chuir chucu í.

Iontas mór a bhí sa chlog ag muinti Bhun An Leaca nó ní fhaca siad a leithéid ariamh a roimhe agus chruinneochadh siad uilig isteach achan oíche go n-éisteochadh siad leis an 'tic, tic'. Clog ocht lá a bhí inti agus i gceann na n-ocht lá stad sí. Shíl na daoine uilig gur comhartha seo go raibh rud inteacht cearr leis an stócach in Albain.

Lá amháin smaointigh fear an toighe go bhfoscladh sé an chlog. Goidé do bharúil a fuair sé taobh istigh ach luchóg bheag. Scairt sé lena mhnaoi agus thaispeáin sé an luchóg daoithe.

"Maise nár dhoiligh don chlog a ghabháil" ar seisean "agus an tiománaí marbh".

1.112.2   AN GASÚR GLIC

Bhí gasúr ann uair amháin agus bhí sé amuigh ar an Lagán agus is é séasúr an Fhómhair a bhí ann. Maidin amháin chuir an maighistir amach é a bhaint coirce agus bhí sé féin leis. Chuir sé féin faobhar ar an speal dó agus dúirt go raibh an speal chomh géar agus go ngearrfadh sí uaithi féin.

D'imigh an maigistir chun an bhaile agus chuaigh an gasúr suas an chrann agus d'fhan sé ansin go dtí am dinnéara. Nuair a tháinig an maighistir amach in am dinnéara go bhfeicfeadh sé goidé mar a bhí sé ag teacht ar aghaidh, chonaic sé an gasúr ina shuí thuas ar an chrann agus chuir sé ceist air goidé a bhí sé a dhéanamh thuas ansin agus d'fhreagair an gasúr é.

"Shíl mé" arsa an gasúr, "go raibh an speal chomh géar agus go ngearrfadh sí uaithi féin agus má bhí d'fhág mise aici fein é nó mheas mé nach ndéanfainn ach í a mhilleadh".

1.112.3   AN GASÚR AGUS AN COINÍN

Bhí gasúr ag buachailleacht lá amháin agus chonaic sé coinín ag gabháil isteach i bpoll. D'imigh sé chun an bhaile agus níorbh fhada gur phill sé agus madadh leis. Chuir an madadh an coinín aniar as an pholl ceart go leor. Ach d'imigh an coinín siar i bpoll eile agus ní raibh an madadh ábalta a ghabháil siar sa pholl seo.

Ní raibh a fhios ag an ghasúr goidé a dhéanfadh sé. Sa deireadh smaointigh sé ar phlean. Bhí an iomad fraoich fán áit a raibh sé agus thoisigh sé agus bhain sé léar mór de. Ansin thug sé leis go béal an phoill é. Nuair a bhí sin déanta aige chuartaigh sé a phócaí go bhfuair sé cupla cipín solais agus chuir sé tine sa fhraoch. Shíl sé go gcuirfeadh an teas nó an toit an tseilg air agus is seo an rud a dúirt sé: "Is fearr feannadh agus rósadh ná rósadh agus feannadh".

190

1.112.4 AN GANDAL DROCHMHÚINTE

Bhí gasúr beag ag gabháil chun na scoile maidin amháin agus bhí deifre air ar eagla go mbeadh sé mall. Nuair a bhí sé ag teacht cóngarach don scoil chonaic sé gé agus gandal ar an bhealach mhór. Bhí an gandal iontach drochmhúinte agus nuair a chonaic sé an gasúr spréidh sé amach a chuid eiteog agus thoisigh sé a scréachaigh. Rith sé i ndiaidh an ghasúra agus bhain sé liomóg as a chos. Bhí eagla a choirp ar an ghasúr agus léim sé thar chlaí an bhealaigh mhóir. Ansin chroith sé a dhorn leis an ghandal. "A spagaí mhóir, murab é go bhfuil eagla orm romhat chasfainn an muinéal agat".

1.112.5 SCÉAL GREANNMHAR

Bhí triúr gasúr ina seasamh ag taobh siopa lá amháin agus thoisigh siad a smointeamh cé ab fhearr a bhainfeadh an rása go bhfaigheadh sé sé pingine. D'imigh an dá ghasúr. Nuair a bhí siad giota ar shiúl chaith an fear eile cloch ar an fhuinneog. Tháinig fear an tsiops amach agus chuir sé ceist cé a chaith an chloch agus dúirt seisean gurb é an bheirt a d'imigh. D'iarr sé air a ghabháil isteach agus an siopa a choimeád go bhfaigheadh sé greim orthu.

D'imigh sé ina rith. Nuair a bhí sé tamall ar shiúl thoisigh an gasúr ag tabhairt leis cuid mhór mhór rudaí as an.tsiopa. Bhí clog mhór in airde ar an bhalla agus thoisigh sí an bhualadh. Shíl an gasúr go raibh sí ag gabháil a inse don fhear an tsiopa nuair a thiocfadh sé.

Thug sé anuas í. Bhuail sé ar an urlár í agus briseadh í. Tháinig fear an tsiopa isteach go luath ach nuair a tháinig sé isteach bhí an gasúr ar shiúl chun an bhaile.

1.113.1 FEAR AN LÓISTÍN

Bhí fear ann aon uair amháin agus bhí sé in Albain ach ní raibh leithphingin aige leis an chíos a dhíol. D'iarr a bhean air an bhó a thabhairt chun an aonaigh agus í a dhíol. D'imigh an fear agus dhíol sé an bhó ach chaill sé an t-airgead ar an bhealach chun an bhaile.

"Cá bhfuil luach na bó nó tchím gur dhíol tú í?"

"Ó, lean an luach an bhó".

Bhí lá an chíosa ann lá tharna mhárach ach ní raibh an fear ag díol na bhfiacha. Fá cheann tamaill chuir an tiarna amach as a chuid talaimh é. D'imigh sé féin agus a bhean agus tháinig siad go dtí teach sréadaí. Bhuail sé ag an doras. D'fhoscail bean an doras agus d'fhiafraigh de goidé a shiúl.

"Ba mhaith liom foscadh a fháil go maidin".

"Imigh leat, níl úsáid leat" agus dhruid sí an doras.

Smaointigh sé nach rachadh siad i bhfad. Bhí stábla ag an teach agus chuaigh sé isteach sa stábla.

Tháinig fear go dtí an teach agus chuaigh sé isteach. Arsa seisean leis féin go mbeadh a fhios aigesean goidé a bhí ag gabháil. Bhí fuinneog ón stábla go dtí an teach agus d'amharc sé isteach ar an fhuinneoig agus chonaic sé rudaí maithe ar an tábla. Thoisigh siad a ól agus a ithe ar feadh tamaill ach ní raibh i bhfad go dtáinig an sréadaí agus bhuail sé an doras.

Chuir an bhean an bia isteach faoin driosúr agus an fear faoi chófra sa tseomra. Tháinig an fear isteach agus d'ól sé a chuid tae. Chuaigh sé amach fá choinne féar a thabhairt do na capaill ach goidé a chonaic sé ach an fear. Chuir sé ceist air goidé a bhí sé a dhéanamh anseo.

"Bhí mé thall ag an teach sin thall ach ní bhfaighinn isteach".

"Gabh anonn anois agus gabh isteach".

Shuigh siad ag comhrá fada go leor. Ba ghnách le lucht siuíl neart scéaltaí a bheith acu.

"Tá mé tuirseach ach dá bhfaighinn cuid den uisce beatha atá faoin driosúr b'fhéidir go n-inseochainn scéal".

D'amharc an fear agus chonaic sé uisce beatha. Chuir sé ceist air an raibh rud ar bith eile aige le rá. Amharc an cófra agus cearc ann. Thug an fear amach í agus d'ith siad agus d'ól siad ach nuair a bhí deireadh ite acu chuir sé ceist air an raibh mórán eile aige le hinse.

"Tá neach amháin agam má thuilleann tú é".

"Is (beag) an rud a chuirfeadh eagla ormsa".

"Imigh agus cuartaigh dealg agus bata. Seasaigh ansin agus ná coraigh go n-iarrfaidh mise ort é."

Thug sé leis dealg agus chuir sé isteach faoin bhairille é. Chuaigh an bairille ar leath-thaobh ach chuir sé isteach an dealg arís ach d'éirigh an fear agus bhí an bairille ar a cheann agus cumhdach plúir air.

Thit fear an dorais i laige nuair a chonaic sé é ag tarraingt air. Bhí bean an toighe sa leabaidh agus í scanraithe ach d'éirigh sí amach agus d'iarr sí ar an fhear gan inse goidé a bhí ann. Thug sí cúig phunta dó agus d'imigh sé leis ar maidin.

1.113.2   TEACH AN tSRÉADAÍ

Bhí fear ann aon uair amháin agus bhí sé ag iarraidh lóistín. Chuaigh sé go dtí teach sréadaí agus bhuail sé ag an doras. Chonaic an cailín é agus chuir sé ceist uirthi an dtabharfadh sí lóistín dó. Dúirt sí nach dtiocfadh léithe lóistín ar bith a thabhairt dó.

Bhí scioból ag taobh an toighe agus bhí fuinneog air agus luigh sé faoin fhuinneog. Ní raibh sé i bhfad gur bhuail fear uasal ag an doras agus lig sí isteach é agus shuigh an bheirt acu ag an tine. Ní raibh i bhfad go dtearna an cailín tae. Thug sí feoil, arán milis agus im anuas as an chófra.

Nuair a tháinig an sreádaí chun an bhaile chuir an cailín an fear uasal isteach faoi bhairille plúir thuas sa tseomra. Chuaigh an sréadaí isteach chun an scióbóil fá choinne cocháin. Chonaic sé an fear istigh sa scioból. Chuir sé ceist air cad chuige nach dteachaigh sé isteach. Dúirt sé go raibh sé ag gabháil isteach anois. Chuaigh sé isteach agus shuigh sé féin agus an sréadaí a chos na tineadh. D'imigh an cailín a luí.

192

Bhí an sréadaí agus an fear eile ina suí a chos na tineadh. Chuir an fear eile ceist air ar an tsréadaí an raibh mórán cleasannaí aige. D'iarr an sréadaí air a ghabháil suas chun an chófra agus an pláta aráin mhilis atá thuas sa chófra a thabhairt anuas. Chuaigh sé suas chun an tseomra agus thug sé anuas plata d'arán mhilis agus d'fhág sé ar an tábla é. D'iarr sé air ansin a ghabháil siar go dtí an prios agus an pláta feola a thabhairt aniar as an phrios. Thug sé aniar é agus d'fhág sé ar an tábla é. Dúirt an sréadaí go raibh Dia sa teach seo anocht. D'iarr an sréadaí air a ghabháil suas chun an tseomra agus an bairille atá thuas ins an tseomra a thógáil agus an fear a chur amach as faoi. Sheasaigh an sréadaí ag doras an tseomra agus bata aige.

Nuair a tháinig an fear uasal amach as faoin bhairille bhí sé geal bán agus scanraigh an sréadaí agus thit sé i laige agus fuair an fear uasal ar shiúl chun an bhaile gan buille ar bith a fháil air.

D'imigh an sreadaí leis an fhear eile. Bhí acu le ghabháil fríd an chnoc agus tháinig ceo orthu agus chuaigh siad ar seachrán. Bhí an ceo ann dhá lá agus nuair a d'imigh an ceo fuair na daoine iad marbh thuas i mullach an chnoic.

1.114   SCÉAL GREANNMHAR

Bhí fear agus bean ann am amháin agus lá amháin d'iarr an bhean airsean a ghabháil amach agus gasúr a fhostódh. D'imigh sé leis agus d'fhostoigh sé gasúr agus d'iarr sé air imeacht chun an bhaile roimhe.

Nuair a tháinig an gasúr fhad leis an teach bhí fear eile istigh ag an bhean agus buidéal uisce beatha agus builbhín aráin ar an tábla acu agus cearc sa phota ar an tine.

D'iarr an bhean ar an ghasúr gan a dhath a inse do fhear an toighe nuair a thiocfadh sé agus chuir sí na rudaí uilig i bhfolach agus chuir sí an fear faoi bhéal cléibhe.

Nuair a tháinig fear an toighe isteach chuir sé ceist ar an ghasúr an raibh sé maith ag buachailleacht. Dúirt an gasúr nach raibh sé ach go measartha. "Lá amháin" arsa seisean "bhí m'athair ag buachailleacht. Chuaigh an bhó isteach sa choirce. Thóg sé cloch a bhí chomh mór leis an bhuidéal sin i gcúl na méise agus bhuail sé an bhó. Bhí sé chomh maith aige an bhó a mharbhadh chomh marbh leis an chearc sin sa phota. Ón lá sin amach tá an oiread eagla ar an bhó roimh m'athair agus atá ar an fhear sin i bhíolach faoi chliabh romhatsa".

PAIDÍ NA MÁIRTÍN

Bhí fear ina chonaí i nDún Lúiche agus ba ghnáth leis a bheith ag buachailleacht caorach do fhear anall as Sasain. Am amháin bhí fear na Sasana fá choinne cuid de na caoirigh a thabhairt anonn agus tháinig sé anall fána gcoinne agus bhí aige le iad a thabhairt amach go Doire, agus ní raibh duine ar bith le cuidiú leis agus chuir an fear a bhí dá mbuachailleaht a mhac le cuidiú leis.

Ba ghnáth leis a mhac máirtíní a chaitheamh agus Paidí na Máirtín a thugtaí air, agus nuair a chuaigh siad amach go Doire thug fear na Sasana punta dó agus d'fhág siad slán ag a chéile agus d'imigh Paidí agus chuaigh sé ar lóistín i dteach beag i nDoire ar feadh na hoíche.. Nuair a tháinig an oíche tháinig dhá fhear isteach agus thoisigh fear acu a léamh nuaíochta don mhéid a bhí istigh. Is é an rún a bhí sé a léamh go raibh fear uasal thall i Sasain agus go raibh cruinniú mór le bheith aige go bhfaigheadh sé fear dona iníon. Smaointigh Paidí dá mbeadh sé féin thall go mb'fhéidir go bhfaigheadh sé í ach ní raibh mórán airgid aige. Bhí aintín de ina chónaí giota taobh amuigh de Dhoire agus bhí gráinín beag airgid aici agus chuaigh Paidí fhad léithe agus dúirt sé gur chuir a athair anseo é ag iarraidh cúig phunta a chuideochadh leis teach a dhéanamh.

Dúirt sise go dtabharfadh agus fáilte agus thug sí na cúig phunta dó agus d'imigh sé leis agus chuaigh sé ar an bhád an oíche sin agus lá tharna mhárach bhí sé thall i Sasain agus shiúil sé leis fríd Shasain agus bhí sé ag cur ceist ar dhaoine a casadh air cá raibh an áit a raibh an cruinniú ag an fhear uasal agus fuair sé amach é. Bhí sé ag siúl leis ag tarraingt ar an áit a raibh an cruinniú le bheith. Casadh fear air agus é ar dhroim capaill agus chuaigh sé chun comhráidh leis agus chuir Paidí ceist cá raibh sé ag gabháil. Dúirt sé go raibh sé ag gabháil a dhíol an chíosa agus nach rabh leis ach a leath. ''Creidim nach mbíonn siad sásta leat cionn is nach bhfuil sé uilig leat'' arsa Paidí. Chuir Paidí ceist air goidé an cíos a bhí air agus dúirt sé gur deich bpunta agus fiche a bhí air agus nach raibh leis ach cúig phunta dhéag. Dúirt Paidí má thabhrann tú na cúig phunta dhéag domhsa le coinneáil agus má éiríonn an rud atá in mo cheann liomsa ní chaithfidh tú cíos ar bith a dhíol a choíche agus mura n-éiríonn tiocfaidh mé chugat agus dhéanfaidh mé do chuid oibre.'' Ní thabharfadh an fear dó iad. Bhí sé ag déanamh gur ag magadh air a bhí sé agus nach raibh sé ach fá choinne na t-airgead a fháil uaidh, ach bhí Paidí dá n-iarraidh air agus ins an deireadh thug sé an t-airgead dó agus d'imigh fear an chíosa chun an bhaile agus d'imigh Paidí ag tarraingt ar an áit a raibh an cruinniú seo le bheith agus bhí sé san áit sular éirigh sé dorcha.

Nuair a d'éirigh sé dorcha thoisigh achan duine a chruinniú agus fir óga uilig a bhí ann agus iad uilig cóirithe. Nuair a bhí siad uilig istigh thoisigh an ceol agus an damhsa agus nuair a bhí siad ag damhsa istigh thoisigh Paidí a dhamhsa amuigh agus a leithéid de dhamhsa ní thiocfadh le duine ar bith a fheiceáil agus chonaic an cailín a bhí ar an doras á agus ba mhaith léithe cúrsa damhsa a dhéanamh leis agus d'imigh sí agus chuir sí ceist ar iníon an rí a dtabharfadh sí cead daoithe cúrsa damhsa a dhéanamh le fear a bhí amuigh ar an tsráid a raibh damhsa maith aige. Dúirt iníon an fhir uasail go dtabharfadh agus chuaigh sí amach agus chuir sí ceist air an dtiocfadh sé isteach agus cúrsa damhsa a dhéanamh léithe agus dúirt Paidí go dtiocfadh agus fáilte agus chuaigh sé isteach agus thoisigh an bheirt acu a dhamhsa agus rinne siad cúrsa maith agus nuair a bhí siad réidh thug Paidí giní don fhidileoir agus bhí iontas ar achan duine cionn is go raibh sé chomh bratógach agus é giní a thabhairt don fhidileoir.

Chuaigh Paidí amach ar ais agus thoisigh sé a dhamhsa. Thaitin an damhsa go mór leis an mhnaoi a bhí ag gabháil a bhaoitearacht le iníon an fhir uasail agus chuir sise ceist fosta ar iníon an rí an dtabharfadh sé cead daoithese a ghabháil amach agus cúrsa a dhéanamh leis. Dúirt sí go dtabharfadh agus chuaigh sí amach agus d'iarr sí air a theacht isteach go ndéanfadh siad cúrsa damhsa. Dúirt Paidí go rachadh agus chuaigh an bheirt acu isteach agus rinne Paidí cúrsa níos fearr an iarraidh seo ná rinne sé an iarraidh eile agus nuair a bhí siad réidh thug Paidí dhá ghiní don fhidileoir agus d'imigh sé amach agus dhá oiread iontais ar na daoine an iarraidh seo cionn is go dtug sé an dá ghiní uaidh.

Bhí siad ag damhsa leo ar feadh tamaill agus smaointigh iníon an fhir uasail gur cheart daoithe féin cúrsa a dhéanamh leis agus chuaigh sí amach agus bhí Paidí ag damhsa leis agus d'iarr sí air a theacht isteach go ndéanfadh sí cúrsa leis agus dúirt Paidí go dtiocfadh agus chuaigh sé isteach agus thoisigh siad a dhamhsa agus rinne Paidí cúrsa maith an iarraidh seo i bhfad níos fearr ná aon cheann den bheirt eile agus nuair a bhí sé réidh thug sé trí ghiní don fhidileoir agus d'imigh sé amach.

Tamall maith ina dhiaidh sin tháinig an fear uasal é féin anuas an staighre agus thoisigh sé a dh'amharc thart agus ins an deireadh fuair sé fear don iníon. Bhí Paidí ag amharc isteach ar an fhuinneoig i rith an ama agus bhí sé ag amharc ar achan rud. Thoisigh na daoine uilig a dh'imeacht agus chuaigh Paidí isteach faoin doras an áit a raibh gual istigh agus luigh sé ansin gur imigh achan duine, agus nuair a bhí siad uilig ar shiúl tháinig iníon an fhir uasail agus an fear amach go dtí an doras agus thoisigh siad a chaint agus dúirt an fear go raibh sé ag imeacht agus go mbeadh sé ar ais fá cheann uaire eile agus chuir sé ceist uirthi cá háit a raibh sí ina luí agus thaispeáin sí an fhuinneog dó agus d'iarr sí air gráinín gainimh a chaitheamh ar an fhuinneog agus go mbeadh a fhios aicise cé a bheadh ann. "Maith go leor" a dúirt an fear. D'imigh an bheirt acu. Chuaigh an fear chun an bhaile agus chuaigh sise a luí.

Bhí Paidí istigh faoin doras agus bhí sé ag éisteacht le achan rud agus bhí a fhios aige go raibh an fear eile ag teacht ar ais agus go raibh sé ag gabháil isteach chuig iníon an fhir uasail agus dúirt sé leis féin go bhféachfadh sé féin le fáil isteach agus bhí sé ansin tamall beag agus tháinig cailín amach fá choinne guail a thabhairt isteach a chuirfeadh tine síos ar maidin. Chuir sí a lámh síos fá choinne an gual a thabhairt aníos, ach bheir sí greim ar chois Phaidí agus chuir sí scread aisti féin. "Fuist, fuist," arsa Paidí, "agus ná déan callán ar bith agus tabhair leat do chuid guail, ach inis domh sula n-imí tú cá háit a bhfuil iníon an fhir uasail ina luí? Cén fhuinneog a bhfuil a seomra ann?" Ach ní inseochadh sí dó agus dúirt Paidí léithe go dtabharfadh sé trí ghiní daoithe. Ach ní inseochadh sí dó é. Bhí eagla uirthi go bhfaigheadh muintir an toighe amach é agus dúirt

Paidí ansin go dtabharfadh sé cúig ghiní daoithe. "Maith go leor" a dúirt sí agus d'inis sí dó cá raibh an fhuinneog agus bhí Paidí sásta ansin agus d'iarr sé uirthi imeacht isteach agus nuair a mheas Paidí achan duine a bheith ar shiúl, chuaigh sé go dtí an fhuinneog agus chaith sé grainnín gainimh suas uirthi agus d'éirigh iníon an fhir uasail agus d'fhoscail sí an fhuinneog agus lig sí Paidí isteach agus bhain Paidí de a chuid éadaigh agus chaith sé a chuid máirtíní ar an tábla agus chuaigh sé isteach a luí aici agus shíl sí ar fad gurb é an fear ceart a bhí ann, agus nuair a bhí siad tamall ina luí mhothaigh sí gainimh dá chaitheamh ar an fhuinneoig agus dúirt Paidí gur sin an fear a bhí ag damhsa agus chonaic sé mise ag déanamh an rud chéanna agus dúirt iníon an fhir uasail "éirigh agus caith uisce isteach san aghaidh air" agus d'éirigh Paidí agus chaith sé an t-uisce air isteach sa bhéal agus b'éigean don fhear eile imeacht.

Bhí Paidí ina luí leis ansin go raibh an lá ag glanadh. D'amharc sise aniar agus chonaic sí na máirtíní agus d'aithin sí nárbh an fear ceart a bhí ann agus d'iarr sí air éirí agus a gabháil amach nó dá bhfeicfeadh a hathair é go muirfeadh sé é ach ní thug Paidí aird ar bith uirthi. Luigh sé leis ansin ach nuair a bhí sise tuirseach ag iarraidh air éirí dúirt sí leis go dtabharfadh sí céad punta dó agus é a ghabháil amach agus é féin a chóiriú ins an chuid ab fhearr den éadach agus dá dtaitneochadh sé léithe nuair a thiocfadh sé ar ais go bpósfadh sí é.

D'imigh Paidí agus an céad punta leis agus chuaigh sé isteach ins an tsiopa ab fhearr a raibh éadach ann agus cheannaigh sé an chulaith agus na bróga ab fhearr a bhí sa teach agus chuir sé air iad agus d'imigh sé ag tarraingt ar an teach agus casadh iníon an fhir uasail air agus dúirt sí gurbh eisean an fear is deise a chonaic sí ariamh agus dúirt sí go bpósfadh sí é ach ní raibh a fhios acu goidé an dóigh a n-inseochadh siad don fhear uasal é. Dúirt sí le Paidí go raibh seacht mbád amuigh ar an fharraige ag a hathair agus nár phill siad le trí bliana agus go raibh sé ag déanamh go raibh siad caillte ach níl mise ach i ndiaidh scéala a fháil go bhfuil siad uilig ag teacht. Bhéarfaidh mise seacht míle punta duit agus thig leat a ghabháil síos ansin go dtí an fharraige agus tá sé thíos ansin ag fanacht leo a theacht isteach, ach níl a fhios aige go bhfuil siad ag teacht.

Chuaigh Paidí síos go dtí an fharraige agus bhí sé ag siúl leis thart ansin. Ní raibh sé i bhfad thíos go dtáinig an fear uasal fhad leis agus chuaigh an bheirt acu a chaint. Chuir an fear uasal ceist ar Phaidí goidé an cineál duine a bhí ann. D'inis Paidí dó goidé an cineál duine é. Dúirt sé gur duine a bhí ag gabháil thart ag ceannach bád a bhí caillte, agus cuid acu a thigeas agus cuid nach dtig. Dúirt an fear uasal "tusa an duine atá a dhíobháil ormsa." Tá seacht mbád amuigh ar an fharraige agamsa agus níos phill aon cheann acu le seacht mbliana agus díolfaidh mé leat iad. "Cá mhéad atá tú a iarraidh orthu?" a dúirt Paidí leis. Dúirt sé gur seacht míle punt a bhí sé a iarraidh. Dúirt Paidí go dtabharfadh sé cúig mhíle dó ach ní thabharfadh an fear uasal dó iad gan na seacht míle agus thug Paidí do na seacht míle agus bhí lúchair ar an fhear uasal nuair a fuair sé na seacht míle nó shíl sé nach dtiocfadh aon cheann acu a choíche, agus d'imigh sé chun an bhaile agus d'inis don iníon goidé a tharla, gur dhíol sé na seacht mbád le fear a bhí ag gabháil thart ar sheacht míle punta agus tá
196

mé ag déanamh nach bpilleann aon cheann acu a choíche. "Cad chuige a ndearna tú sin?" a athair, "agus níl mise ach i ndiaidh scéal a fháil go bhfuil siad ag teacht." Ní raibh a fhios ag an fhear uasal goidé a dhéanfadh sé. Chuir an iníon ceist air goidé an cineál duine a bhí ann. Níl a fhios agam an bpósfadh sé mise agus dá bpósadh beidh siad uilig againn féin ar ais. Dúirt an fear uasal go rachadh siad síos go dtí an fharraige agus b'fhéidir go mbeadh sé thíos go fóill agus chuaigh an fear agus a iníon síos go dtí an fharraige agus bhí an fear eile thíos leis agus é ag fanacht leis na bádaí a theacht isteach.

Chuaigh an fear uasal chun comhráidh leis agus chuir sé ceist air an fear pósta a bhí ann. Dúirt sé nach b'é. Ansin d'inis sé dó fána iníon agus chuaigh Paidí a chaint léithe agus dúirt sé léithe go bpósfadh sé í agus lig sé air féin leis an fhear uasal nach raibh a fhios aige rud ar bith fán iníon agus bhí lúcháir mhór ar an fhear. Pósadh Paidí agus iníon an fhir uasail agus bhí Paidí ina mhaighisitir ar achan rud ansin. Fuair na bádaí scéala ansin go raibh maighistir úr orthu. Lá tharna mhárach tháinig siad isteach agus bhí Paidí thíos ag an fharraige rompu agus bhí na caiptíní uilig ag crothadh láimhe leis. Ba leis an fhear uasal seo a dhíolfadh na daoine a gcíos.

Lá amhain chuaigh Paidí isteach ina an áit a raibh siad á chruinniú agus cé a tháinig isteach ach an fear a thug na cúig phunta dhéag do Phaidí nuair a bhí sé ag tarraingt ar an áit seo agus gan leis ach leath an airgid. "Tá cleachtadh agatsa a theacht agus gan leat ach a leath" a dúirt Paidí leis. Dúirt sé nach dtáinig sé ariamh agus a leath leis. Dúirt Paidí "nach dtáinig tú lá amháin agus gan leat ach a leath agus casadh gasúr ort a thoisigh a iarraidh an airgid ort agus thug tú dó é agus dúirt sé leat dá n-éireochadh leis an rud a bhí ina cheann leisean nach gcaithfeá aon leathphingin cíosa a dhíol feasta agus mura n-éireochadh go dtiocfadh sé chugat agus go ndéanfadh sé luach an airgid d'obair. "D'éirigh an rud a bhí i mo cheann liomsa" a dúirt Paidí "agus anois ní chaithfidh tú cíos ar bith a dhíol feasta."

D'imigh an fear leis agus ní tháinig sé ní ba mhó a dhíol an chíosa. Bhí Paidí ina chónaí ina fhear uasal ón lá sin go dtí an lá a fuair sé bás.

1.116   RIDIRÍ NA CRAOIBHE RUAIDHE

Nuair a bhí Cú Chulainn thall i nAlbain ag an Scathaigh Mhór, bhí gabha san áit fosta. Bhí claidheamh ar Cú Chulainn agus thug sé chuig an ghabhainn é le cóireadh. Nuair a bhí sé ag an ghabhainn thoisigh sé a inse scéil dó fá dtaobh de fhathach a tháinig anall as Sasain a chur troid ar Chonall Cearnach. Ní raibh sé féin ach ina ghasúr beag agus ní raibh sé ach ag gabháil go dtí na hioscaidí ar an fhathach. Thóg an fathach é agus chaith sé isteach i gcliabh é, ach thug sé léim amach. Nuair a fuair sé amach thoisigh sé a ghabháil den fhathach sna hioscaidí arís. Thóg an fathach é agus chuir sé síos ina phóca é ach fuair sé amach. Nuair a fuair sé amach bhí sé ag gabháil den fhathach arís. Rug an fathach air

197

agus chuir sé isteach faoina chrios é. Bhí sé ansin agus an t-anam brúite as. Bhí sé ag bogadaigh leis go dtí gur thit sé. Bhí an troid ag gabháil ar aghaidh agus Cú Chulainn ag gabháil den fhathach ar fad. Rug an fathach air agus chaith sé isteach i mbun an chúpla é. Ansin mharaigh Conall Cearnach an fathach. Bhain Cú Chulainn geallstan den ghabhainn gan a dhath ar inis sé dó a inse go brách. Bhí an Scathaigh Mhór ann agus chuir an gabha i bhfolach i sac sa chlúdaigh í fá choinne an scéal uilig a chluinstin. Nuair a d'inis Cú Chulainn don ghabhainn gur caitheadh isteach san adhairc é, dúirt sé nárbh é Cú Chulainn a ba chóir a bheith air ach Cú na hAdhairce. Tharraing sé a chlaideamh agus rinne sé ceithre chuid di agus dúirt sé ''a sheanchailleach bhearnach, dá mbeadh foighid agat d'fhágfainnse finníocht ag fearaibh Éireann.''

1.117 TOMÁS FALSA AGUS MÁLA AN OÍR

Bhí bean ann uair amháin darbh ainm daoithe Máire agus bhí mac aici darbh ainm dó Tomás. Bhí an fear seo iontach falsa. Ní dhéanfadh sé obair ar bith ach amuigh ag briseadh cloch achan lá.

Lá amháin bhí sé amuigh ag briseadh. Chuaigh fear uasal thart. Chaill sé mála óir ar an bhealach agus fuair Tomás é. Thug sé isteach chuig Máire é le cur i bhfolach. D'iarr Máire ar Thomás gan é a inse do dhuine ar bith. Dúirt Tomás nach n-inseochadh agus d'imigh sé amach chuig na clocha arís. Ní raibh Máire sásta é a bheith amuigh nó bhí eagla uirthi go n-inseochadh sé é.

D'iarr sí air a ghabháil chun na scoile cupla lá. Chuaigh. Ach ní raibh sé i bhfad ag éirí tuirseach agus thoisigh sé ar na clocha ar ais. Cé a chuaigh thart lá amháin ach an fear uasal agus d'inis Tomás dó fán mhála. Dúirt Máire nach raibh a leithéid sin fán teach. Chuir sé ceist ar Thomás cá huair a fuair sé é. Dúirt Tomás gur dhá lá sula dteachaigh sé chun na scoile. Shíl an fear uasal gur an t-am a bhí sé beag agus d'imigh sé gan ór ar bith.

1.118 AN BHEAN AMAIDEACH

Bhí lánúin thiar sna Rosa aon uair amháin agus bhí an fear ina fhíodóir. Lá amháin bhí meitheal acu ag baint mhónadh agus d'iarr an fear ar an bhean an dinnéar a bheith réidh aici fána gcoinne. Nuair a fuair an bhean an fear ar shiúl thoisigh sí ar an tseol agus bhris sí é. Smaointigh sí nach raibh duine ar bith le é a inse uirthi ach gamhain a bhí ceangailte i gceann an toighe. Nuair a tháinig an fear chun an bhaile chuir sé ceist ar an bhean goidé a tháinig ar an ghamhain. Dúirt sise gur bhris sí seol an fhíodóra agus nach raibh a dhath le é a inse uirthi ach an gamhain. Chuaigh an fear a gháirí agus dúirt sé — ''Tá mé ag imeacht go bhfeicfidh mé an bhfaighidh mé bean chomh hamaideach leatsa''.

D'imigh sé leis giota fada agus chonaic sé bean ag iarraidh an teach a chur thart. Chuir sé ceist uirthi goidé a bhí sí a dhéanamh. Dúirt sí —

198

"Tá mé ag iarraidh an teach a chur thart in áit a raibh an ghaoth sa doras".
"Nárbh fhearr duit an doras sin a dhruid agus an doras eile a fhoscladh?"
"Char smaointigh mé ariamh air sin", arsa sise.

D'imigh sé leis giota eile agus chonaic sé bean ag iarraidh an bhó a chur suas ar an teach. Chuir sé ceist uirthi goidé a bhí sí a dhéanamh. Dúirt sí — "Tá mé ag iarraidh an bhó a chur suas ar an teach in áit a bhfuil féar maith thuas ar an teach agus is bocht liom é a ligean amogha." Dúirt seisean — "Nárbh fhearr duit a ghabháil suas ar an teach agus an féar a bhaint le corrán agus é a chaiteamh anuas chuici. Dúirt sise — "Char smaointigh mé ariamh air sin".

D'imigh sé leis giota eile agus chuaigh sé isteach i dteach agus chonaic sé bean ag tarraingt an ghráta síos i lár an urláir. Chuir sé ceist uirthi goidé a bhí sí a dhéanamh. Dúirt sise — "Tá mé ag tarraingt an ghráta síos i lár an toighe. Tá mé róthe." "Nárbh fhearr duit an stól a tharraingt amach giota beag ón tine?". "Char smaointigh mé ariamh air sin."

D'imigh sé leis giota eile agus casadh bean air agus bosca mór éadaigh léithe. Chuir sé ceist uirthi cá raibh sí ag gabháil. "Tá mé ag gabháil suas na bhFlaitheas le éadach chuig Naomh Peadar in áit a bhfuair mo mhac bás agus tá sé thuas sna Flaithis".

"Mise Naomh Peadar", arsa seisean "tabhair domhsa an t-éadach agus má tá a dhath airgid agat thabhair domhsa fosta é". Thug sí an t-éadach dó agus an méid airigid a bhí fá theach.

Chuaigh sé chun an bhaile agus bhí dóigh bhreá air féin agus ar a bhean ó shin. Fuair sé mná go leor chomh hamaideach lena mhnaoi féin.

1.120   MÁNAS AGUS BRÍD

Bhí fear agus bean ina gcónaí ar an Mhachaire Loisce uair amháin a raibh Mánas agus Bríd mar ainm orthu. Fear beag gorraigeach a bhí i Mánas. Bhí casaoid le déanamh i gcónaí aige agus ní thabharfadh sé suaimhneas ar bith do na mhnaoi ar chor ar bith. Déarfadh sé céad uair sa lá nach raibh a dhath le déanamh aici ach ina suí agus na cosa sa luaith aici.

D'éist Bríd leis ar feadh tamall maith agus sa deireadh dar léithe go gcuirfeadh sise deireadh lena chuid cainte. D'éirigh sí go luath ar maidin. Scairt sí ar Mhánas agus d'iarr sí air amharc i ndiaidh an toighe nó go raibh sise ag gabháil amach a dh'obair sna cuibhrinn.

D'éirigh Mánas agus thoisigh sé a dheargadh na tineadh ach bhí an mhóin fliuch agus ní raibh cipíní ar bith le fáil aige agus le barr ar an donas d'éirigh na páistí agus thoisigh siad a chaoineadh ag iarraidh a mbricfeasta. Bhí an lá caite nuair a bhí an bricfeasta thart agus bhí sé rómhall le na páistí a ghreadadh chun na scoile agus shuigh siad sa ghríosaigh sa chosán aige.

Nuair a chuaigh sé amach a thabhairt a gcuid do na muca scall sé muc acu agus d'imigh sí léithe le rása fríd an bhaile agus achan scread nimhe aici. Bhí Mánas bocht i ndrochdhóigh ach ní raibh deireadh lena chuid tubáistí go fóill.

Sheasaigh sé ar chathaoir ag cuartú casúir ar mhullaigh an driosúir. Thit sé ón chathaoir agus chuir sé a ghualainn as áit. Bhí a sháith d'obair toighe aige fán am seo agus smaointigh sé gubh fhearr i bhfad ag obair amuigh. Scairt sé ar Bhríd ach cha dtug sí lá airde air agus níor phill sí chun an bhaile go dtí an oíche.

Thug Mánas isteach daoithe ansin go raibh a seacht sáith le déanamh aici agus níor mhothaigh Bríd casaoid uaidh ón lá sin gur cuireadh an ordóig ar an tsúil aige.

1.121   SCÉAL CHLAUD

Bhí gasúr beag ann uair amháin. Is é an t-ainm a bhí air Claud. Bhí sé ar fostódh ag maighistir ar feadh seacht mbliana. Maidin amháin dúirt sé leis an mhaighistir go raibh sé ag imeacht chuig a mháthair agus go raibh a chuid airgid a dhíth air.

Chuaigh sé isteach chun an tseomra agus thug sé amach mála mór leithphingneacha agus thug sé do Chlaud é. D'fhág sé slán ag an mhaighistir agus d'imigh leis. Bhí giota fada aige le ghabháil agus bhí an mála iontach trom. Casadh fear air agus é ag marcaíocht ar chapall.

Dúirt Claud leis "Is maith duitse, tá dóigh bhreá ort ar dhroim beathaigh. Mise a chaithfeas an mála seo a iompar chun an bhaile chuig mo mháthair". D'iarr an fear air an t-airgead a thabhairt dó "agus bhéarfaidh mise an capall duitse".

"Ansin" arsa Claud, "tá an mála trom agus beidh tú sáraithe leis nuair a bheas tú ins an baile. Má bhíonn sé trom bhéarfaidh mise an capall duit arís agus chan ormsa an locht".

"Ghlacfaidh mise an mála cé bith" arsa an fear. Thug Claud an mála dó agus chuaigh Claud a mharcaíocht ar an chapall. D'fhág sé slán aige agus d'imigh leo.

Bhí Claud ag cur an chapaill ina reath. Tháinig fearg ar an chapall agus bhuail Claud é agus bhuail an capall Claud isteach ins na cosa agus chaith sé Claud isteach i gcúl an chlaí. Bhí sé ina luí ansin ar feadh tamaill agus ní thiocfadh leis bogadh.

"Och" arsa Claud "ní fheicfidh duine ar bith mé ar dhroim capaill go brách arís. Dá b'é duine ar bith eile a bheadh ann thitfeadh sé marbh. Ach bhí an t-ádh ormsa".

Déirigh sé suas ins an deireadh agus chuaigh sé i ndiaidh an chapaill. Bhí fear ag teacht an bealach mór agus bó leis agus bheir sé greim ar an chapall. Nuair a tháinig an fear fhad leis thoisigh Claud a inse dó goidé mar a fuair sé an capall. Agus dúirt an fear leis "Tabhair domhsa an capaill agus bhéarfaidh mise an bhó duitse". Dúirt Claud "Nach deas an rud bó". Thug Claud leis an bhó.

Shiúil sé leis giota fada agus bhí sé iontach tuirseach. Sa deireadh tháinig ocras air. Cheangail sé an bhó de chrann agus chuaigh sé síos ar a dhá
200

ghlún agus thoisigh sé a bhleán na bó. Thóg an bhó a cos agus bhuail sí é. Chuaigh fear thart agus muc leis. D'inis Claud an scéal dó. Shíl Claud gur dheas an rud muc in áit bó. Tá dúil mhór agamsa i muca agus beidh féasta ag mo mháthair agus agamsa. Agus thug sé an mhuc leis agus chuaigh sé a mharcaíocht uirthi. Leag an mhuc é. Tháinig fear thart agus gé leis. Thug sé an mhuc don fhear ar an ghé. Beidh lúcháir mhór ar mo mháthair nuair a rachaidh mise chun an bhaile. Thug sé leis an gé agus ní dheachaigh sé i bhfad gur casadh fear air agus dhá chloch mhóra leis agus é ag cur faobhar ar rásúr. Chuir an fear ceist air cá bhfuair sé an gé deas a bhí leis. D'inis Claud an scéal ó thús go deireadh dó.

"Rinne mise mo shaibhreas ar an dá chloch mhóra seo".

Thug Claud leis an dá chloch agus d'iompar giota fada iad. Tráthnóna nuair a bhí sé ag éirí mall tháinig sé fhad le sruthán. Chrom sé síos a ól deoch augs thit an dá chloch mhóra isteach sa tsruthán. D'éirigh sé suas i ndiaidh a bheith ag amharc ar na clocha.

D'imig sé leis ag tarraingt ar a mháthair. Nuair a tháinig sé fhad leis an teach bhí lúcháir mhór ar a mháthair agus dúirt sí leis murab é go dtáinig sé go gcuirfí amach as an teach í lá tharna mhárach cionn is nach raibh airgead ar bith leis an chíos a dhíol. Ach dúirt mise go raibh mo mhac ag teach amárach agus go mbeadh airgead go leor leis a dhíolfadh an cíos.

"Agus a Chlaud, a mhic" ar sise "is maith liom go dtáinig tú".

"Ach, a mháthair" arsa Claud "éist liom tamall beag agus inseochaidh mé duit an t-ádh a bhí orm".

D'inis sé an scéal ó thús go deireadh goidé mar chuaigh an scéal.

Nuair a chuala an mháthair goidé mar chuaigh agus nach raibh airgead ar bith leis chuir sí suas a naprún ar a cuid súl agus thoisigh sí a chaoineadh agus scairt sí amach.

"A Chlauid amaidigh, a Chlauid amaidigh, cuirfear amach sinn a rún ar maidin amárach".

1.122   An Bhean Amaideach

Bhí fear agus bean ann uair amháin. D'imíodh an fear achan mhaidin agus thiocfadh sé ar ais sa tráthnóna agus a pháighe leis. Deireadh sé lena mhnaoi an t-airgead a chur i dtaiscidh fá choinne na coise tinne. Lá amháin tháinig fear isteach a raibh cos bhacach air. "An tú fear na coise tinne?" arsa an bhean. "Is mé leoga" ar seisean. "Bhail" ar sise "tá rud maith anseo fá do choinne" agus thug sí an t-airgead dó. D'imigh seisean leis.

Nuair a tháinig an fear chun an bhaile an tráthnóna sin thug sé an t-airgead daoithe le cur i gcuideachta na codach eile. "Bhí fear na coise tinne anseo ó shin agus thug mé an t-airgead dó" ar sise. Bhí fearg mhór ar an fhear léithe. Ní raibh a dhath aici le tabhairt dó. Dúirt seisean go mairfeadh sé an bhó a bhí sa bhóitheach. Mharaigh sé an bhó agus (chuir) sé an fheoil isteach i bpota agus dúirt lena mhnaoi. "Ní miste cé a thiocfas isteach ná tabhair uait a dhath den fheoil. Tá píosa feola ann os coinne gach ceirtlín cáil atá sa gharradh".

Nuair a fuair an bhean an fear imithe thug sí léithe an fheoil agus spréidh sí amuigh sa gharradh í - píosa os coinne gach ceirtlín. Ach níor shiúil an fheoil ach ar leath an gharraidh. Nuair a tháinig an fear chun an bhaile an oíche sin dúirt an bhean leis - "D'inis tú bréag domh go raibh oiread píosaí sa phota agus bhí de chál sa gharradh. Gabh amach go bhfeice tú. Níl ann ach (a) leath de fheoil.".

Nuair a chuaigh an fear amach chonaic sé madaidh na háite ag ithe na feola. Dúirt sé nach raibh aon bhean ar an tsaol chomh hamaideach lena mhnaoi féin.

Maidin lá tharna mhárach d'imigh sé go bhfeicfeadh sé an gcasfaí air bean ar bith chomh hamaideach léithe. Ní theachaigh sé i bhfad gur bhuail sé suas go dtí teach beag agus bhí bean ansin ag caoineadh. Chuir sé ceist uirthi cad chuige a raibh sí ag caoineadh.

Dúirt sise - "Thit giota de bhalla an toighe agus dá mbeadh an leanbh ansin go mbeadh sé marbh".

"Agus an (bhfuil leanbh) agat?" arsa an fear.

"Níl" ar sise "ach dá mbeadh bheadh sé marbh".

"Maise" arsa an fear "tchím go bhfuil mná ar an tsaol chomh hamaideach le mo mhnaoi féin".

Chuaigh sé giota eile agus chonaic sé bean ag cur gamhna suas ar mhullach an toighe. Chuir sé ceist uirthi goidé a bhí sí a dhéanamh. Dúirt sise go raibh féar thuas ar an teach agus go raibh sí ag cur an ghamhna suas lena ithe.

"Maise" arsa an fear "tá mé cinnte anois go bhfuil bean ar an tsaol atá chomh hamaideach le mo mhnaoi".

Chuaigh sé chun an bhaile agus chónaigh sé ag a mhnaoi.

1.123   AN BHEAN CHRÍONNA

Bhí seanbhean ann uair amháin agus ní raibh aici ach mac amháin. Nuair a d'éirigh an mac seo mór agus aosta rud beag bhí sé fá choinne pósadh. Ach níor mhaith leis pósadh go bhfaigheadh an tseanbhean bás. Sa deireadh fuair sí bás agus ní raibh a fhios aige cá háit a bhfaigheadh sé bean chríonna.

Lá amháin chuaigh sé go dtí Aifreann. Nuair a bhí sé ag siúl ar an bhealach mhór casadh scaifte cailíní air. Dúirt sé cé bith bean acu sin a ba lú a mbeadh cóiríocha uirthi, dúirt sé sin an bhean a bhí críonna. Bhí bean amháin ann agus ní raibh oiread cóiríocha uirthi agus a bhí ar an mhuintir eile agus dúirt sé gur sin an bhean a bhí sé ag gabháil a phósadh. Nuair a bhí an tAifreann thart dúirt sé léithe "tá mé ag coimheád ort ó mhaidin". Dúirt sise "Cad chuige a bhfuil tú ag coimheád orm ó mhaidin?"

"Tá" a dúirt sé "tá mé ag deanamh go bhfuil hí críonna".

"O, bean chríonna mise cinnte", a dúirt sí. Ní thiocfadh leat aon bhean eile a fháil chomh críonna liomsa".

"Maise dá mbeadh fios agam air sin phósfainn thú", a dúirt seisean.

202

D'imigh an bheirt acu agus phós siad. Bhí an fear ag obair sa mhuileann ag déanamh mine coirce. Lá amháin dúirt se lena bhean "Anois" a dúirt sé "bhéarfaidh mé chun an bhaile carr mine coirce agus tá bean chríonna agam le aire a thabhairt daoithe".

D'imigh sé an mhaidin seo chun an mhuilinn. Tháinig sé ar ais agus min choirce leis. An mhaidin ina dhiaidh sin d'imigh se chun an mhuilinn arís. Ar maidin ag éirí don bhean bhí lúcháir mhór uirthi. D'fhoscail sí na málaí agus ní raibh aon mhála dár fhoscail sí nár chuir sí gráinín den mhin ina béal ag amharc goidé an cineál blas a bhí uirthi. Nuair a bhí sí réidh d'amharc sí ina brollach. Bhí snáthad mhór ina brollach ar tús agus chaill sí sa mhin choirce í. Ní raibh a fhios aici goidé a dhéanfadh sí. Chuaigh sí amach go bhfeicfeadh sí a raibh mórán gaoithe ann. Bhí gaoth bheag ghéar ann a bhí níos mó ná (a bhí a dhíobháil) dona cuid oibrese.

Thug sí amach an mhin agus éadach agus spréidh sí an mhin choirce ar an éadach agus thoisigh sí a chuartú na snáthaide. Ní raibh an tsnáthad le fáil aici. Thóg sí an mhin isteach sna málaí arís. Ní raibh ann ach trí mhála agus bhí sé mhála ann ar tús. An méid den mhin a bhí caillte bhí sí greamaithe den fhéar.

Nuair a tháinig a fear chun an bhaile an oíche seo dúirt sé léithe "An raibh sé ag cur sneachta ar bith anseo inniu?"

"Maise ní raibh sé ag cur? Nach bhfuil an talamh geal bán amuigh ansin?" ar seisean.

"Ó, ní sneachta ar bith atá ann ach cuid den mhin choirce. Chaill mise snáthad mhór sa mhin choirce agus bhí eagla orm go rachadh sí i bhfostódh i do sceadamán nuair a bheifeá ag ithe do shuipéar" ar sise.

"Ó, an dtig liom a rá gur bean chríonna thusa? Tá mo chuid min choirce uilig amudha agat. Tá mise ag imeacht anois agus ní fheicfidh tú a choíche arís mé" ar seisean.

D'imigh sé leis agus ní fhaca sí ón lá sin go dtí an lá inniu é.

1.124   **NA TRÍ SHEIRBHÍSEACH**

Bhí fear agus bean ann aon uair amháin agus bhí seirbhíseach a dhíth orthu. Bhí triúr girseach ag cuartú oibre agus tháinig siad go dtí an teach. Ní raibh a fhios cé acu bean a choinneochadh siad.

Nuair a bhí siad ag tarraingt ar an teach dúirt an fear go raibh a fhios aige cé acu bean a choinneochadh sé. Chaith sé scuab ar an tsráid ag taobh an dorais agus chuaigh sé isteach agus d'amharc sé amach ar an fhuinneoig.

Tháinig an chéad ghirseach agus chaith sí an scuab ar shiúl. Dúirt an fear nach ndéanfadh sí sin gnoithe nó go mbeadh sí falsa. Tháinig an dara bean agus léim sí trasna ar an scuab. Dúirt an fear nach ndéanfadh sí sin gnoithe go léimfeadh sí thar a cuid oibre.

Tháinig an tríú bean agus thóg sí an scuab agus d'fhág sí i gcoirnéal go cúramach í. Dúirt an fear gur sin an bhean a choinneochadh siad agus choinnigh siad í.

1.125 RÍ FRAOCH

Bhí seanlanúin ina gcónaí thiar i nGaillimh fada ó shin agus ní raibh acu ach mac amháin agus leoga bhí siad go beo bocht gan oiread acu agus a dhíolfadh an cíos daofa. Ba ghnách leis an athair a bheith i gcónaí ag baint fraoich agus ís é an leasainm a tugadh air nó Rí Fraoch. Uair amháin d'iarr an t-athair ar an mhac an bhó a thabhairt leis chun an aonaigh agus í a dhíol. Chuaigh sé chun an aonaigh leis an bhó agus nuair a fuair sé luach na bó thug sé a aghaidh thar sáile agus rún aige gan pilleadh go deo.

Lá amháin dá raibh sé ag siúl sráide i Sasain casadh cailín óg air agus thit sí í ngrá leis cé go raibh a chuid gruaige níos faide ag fás amach fríd a bhearad agus bhí oiread paistí ar a bhríste agus go raibh siad ag titim i ndiaidh achan choiscéim a dtabharfadh sé. Chuir sí ceist air cé as é nó cén t-ainm a bhí ar a athair agus dúirt seisean "Is as Éirinn mé agus Rí Fraoch is ainm do m'athair". "Ó" arsa an cailín, "Rí Fraoch is ainm do m'athair fosta agus tá sé ina rí ar Albain agus ar Shasain agus ní thig inse a shaibhreas". Thug an cailín óg isteach chun an tsiopa é, chuir culaith ghalánta éadaigh air agus shíl sí nach raibh duine ar bith ar dhroim an domhain cosúil leis. Thug sí isteach go dtí an teach s'aici féin é agus dúirt leis suí síos go bhfeicfeadh sí a hathair. D'inis sí don athair fán dóigh ar casadh uirthi é agus gur Rí Fraoch ab ainm don athair agus go raibh sé an-saibhir. "Maith go leor" arsa an rí "seol isteach chugam é". Chaith sé féin agus an rí tamall fada ag caint. D'inis sé don rí go raibh caisleán galánta acu as bhaile, go raibh geaftaí óir thart air nach bhfacthas a leithéid go fóill agus nach d'tiocfadh saibhreas a athair a inse. "Maith go leor" arsa an rí "tá tusa ag gabháil a fhanacht ins an tseomra a bhfuil tú ann go dtí go dtiocfaidh teachtaire atá mise ag gabháil a chur go hÉirinn arís agus go n-inseochaidh sé os comhair a bhfuil i láthair anseo an cineál cónaí atá ortsa in Éirinn". Cuireadh an teachtaire ar shiúl ar dhroim beathaigh go hÉirinn agus bhí an fear óg ina shuí ansin agus é í gcruachás mhillteanach réidh leis an urlár é a shlugadh isteach agus é ag guí nach bpillfeadh an teachtaire go deo.

Tháinig an teachtaire go hÉirinn agus chuartaigh sé achan áit ach ní raibh trácht nó tuairsc le fáil ar Rí Fraoch thíos na thuas. Tháinig sé go Gaillimh agus lá amháin bhí sé ag gabháil trasna os cionn binne agus chonaic sé fear thíos ina lár ag baint fraoich agus nuair a tháinig sé aníos chuir an teachtaire ceist air an raibh fear ar bith thart fán áit seo darbh ainm Rí Fraoch. D'amharc an seanduine cúpla bomaite air agus ansin chuir sé a lámh ina phóca agus dúirt "níor chuala mé iomrá ariamh air ach siocair go mbíonn mise ar shiúl ag baint fraoich bhaist siad Rí Fraoch orm agus bhí mac agam agus chuir mé chun an aonaigh é le bó a dhíol agus char phill sé féin ná luach na bó ariamh ó shin".

Thug an seanduine leis é ansin go dtí a theach agus is é an chéad rud a casadh orthu ná seangheafta clár agus tairne amach agus tairne isteach ann. Bhí achan chineál clábair, díogacha agus salachair suas go dtí an doras agus ag bun an dorais bhí loch mhór uisce. Bhí poll beag sa doras agus b'éigean don teachtaire cromadh síos le fáil isteach ann. Thug an bhean cliabh dó le suí air agus thug babhal breá de tae láidir dó. Nuair a bhí an tae ólta acu uilig tharraing an seanduine cúpla sifín cocháin amach as an leabaidh, ghlan a lámha agus chaith isteach ar chúl na tineadh é. D'fhág siad slán aige ansin agus d'iarr air dá bhfeicfeadh sé an mac seo acu a choíche iarraidh air a theacht chun an bhaile.

D'imigh an teachtaire arís agus tháinig isteach thall os comhair an rí agus dúirt na focla seo. "Nuair a chuaigh mé go Baile Átha Cliath agus nuair a chuir mé ceist cá háit a raibh an teach, hinseadh domh agus seoladh go dtí an teach mé. Sula dtáinig mé fhad leis an teach ar chor ar bith bhí na gaftaí deasa brass le feiceáil agam agus duine ina sheasamh ag achan gheafta fá choinne iad a fhosgladh agus a dhruid mo dhiaidh agus dá bhfeicfeá bhí achan chineál de chlocha cruinne deasa suas go dtí an doras agus ag bun an dorais bhí lic óir a bhainfeadh an t-amharc as na súile agat agus a chairde, a leithéid de chathaoir ghalánta a fuair mé le suí air cha dtiocfadh liom an déanamh a bhí uirthi a inse daoibh. Bhí togha gach bídh agus rogha gach dí ann agus nuair a bhí an tae ólta ag an rí thug sé amach an ciarsúr ab fhíor dheise dá bhfaca mé ariamh agus nuair a ghlan sé é féin leis chaith sé isteach sa tine é ar eagla go n-úsáidfeadh sé an ceann céanna arís. Sin anois mo scéal agaibh". "Bhail" arsa an rí "tá mé ag tabhairt cead daoibh pósadh anois" agus thug sé cuid mhór airgid don bheirt acu agus pósadh iad. Bhí rud amháin ag cur ar an chailín óg i gcónaí is é sin a theacht go bfheicfeadh sí an teach galánta in Éirinn. Tháinig siad ach faraor géar cailleadh an long agus ní tháinig fá thír ach an tÉireannach. Tháinig sé chun an bhaile ansin agus chónaigh sé lena athair agus lena mháthair i nGaillimh.

1.126.1   SEÁN AN GADAÍ

Bhí gasúr agus a mháthair ann uair amháin agus bhí siad ina gcónaí i dteach daofa féin. Fuair an t-athair bás agus thiocfadh an rí fhad leis an teach achan lá agus chuirfeadh sé ceist goidé an cheird a bhí sí ag gabháil a fhoghlaim don ghasúr agus déarfadh sise gur gadaíocht. Seán a bhí ar an ghasúr seo.

Aon lá amháin d'imigh sé a fhoghlaim a cheirde. Nuair a tháinig sé chun an bhaile tháinig an rí fhad leis an teach agus chuir ceist ar Sheán an raibh a cheird foghlaimithe go maith aige. Dúirt Seán go raibh. "Bhail, má tá" arsa an rí "caithfidh tú a ghabháil anocht agus dhá chapall a ghoid nuair nach bhfuil ceachtar fear á gcoimheád. "Maith go leor" arsa Seán.

D'imigh Seán an oíche sin agus chuaigh sé fhad le toigh leanna agus cheannaigh sé ceithre bhuidéal uisce beatha. Chuaigh sé ansin fhad leis an bhoitheach a raibh na ceithre capaill istigh ann. Tháinig fear amach as an bhoitheach ansin agus chonaic sé Seán amuigh. Rith sé isteach ansin agus dúirt sé go raibh fear taobh amuigh. Léim siadsan anuas óna gcuid capall. Thug siad rása amach agus bhí siad ag brath a ghabháil a throid. Dúirt fear amháin go raibh buidéal leis an fhear seo fá choinne gach duine acu.

Chuaigh siad suas ar na capaill arís agus d'ól siad an t-uisce beatha.

Chomh luath agus a d'ól siad é thit siad anuas óna capaill. Tháinig Seán isteach ansin agus thug sé leis na capaill chuig an rí. ''Maith thú'' arsa an rí ''ach tá níos mó ná sin le déanamh agat. Caithfidh tú mise mé féin a ghoid anocht''. ''Maith go leor'' arsa Seán agus d'fhan sé amuigh ar an chnoc an oíche sin á choimheád. Chuaigh an rí isteach i dTeach an Phobail i bhfolach. Tháinig Seán san oíche go dtí an doras agus rinne sé scread. ''Cé sin?'' arsa an rí. ''Mise Peadar na heochrach'' arsa Seán ''agus má tá dúil agat a ghabháil liom tabharfaidh mé liom thú''. ''Maith go leor'' arsa an rí agus chuaigh sé go dtí an doras agus chuaigh sé isteach i mála agus bhí a cheann ag bualadh ar na clocha i rith an ama. Chuaigh siad giota eile agus casadh bealach maith orthu. ''An bhfuil muid ina na Flaithis anois?'' arsa an rí. 'Tá tú thiar i gcúl mo mháthair'' arsa Seán. ''Scaoil mé anois'' arsa an rí ''agus díolfaidh mé go maith thú''.

1.126.2   AN SEANFHEAR AGUS A MHAC

Bhí seanfhear ina chónaí sna Rosaibh fadó agus ní raibh aige ach aon mhac amháin. Shíl sé go raibh a mhac iontach amaideach. Lá amháin smaointigh sé go gcuirfeadh sé é ag foghlaim críonnachta in áit éigin. Ar maidin lá tharna mhárach d'éirigh sé go luath agus thug sé leis capall agus chuir sé a mhac a mharcaíocht air agus d'imigh siad leo.

Ní raibh siad i bhfad ar shiúl go bhfaca siad coillidh mhór. Chuir siad an capall ar téad ar chrann agus d'imigh siad leo go bhfaca siad teach mór ard. Ní raibh istigh ann ach fear amháin agus bhí sé chomh mór leis an athair agus leis an mhac i gcuideachta a chéile. Chuir sé ceist orthu cá raibh siad ag gabháil.

D'inis an t-athair dó go raibh sé ag cur a mhic ag foghlaim in áit inteacht. Dúirt an fear mór go bhfoghlaimeochadh seisean ceird agus críonnacht dó. D'imigh an t-athair agus d'fhág sé a mhac ag an fhear mhór. Nuair a tháinig an oíche tháinig beirt eile agus d'imigh siad leo go dtí go dteachaigh siad amach as an choillidh. Nuair a bhí siad tamall amuigh as an choillidh chonaic siad teach mór ard. D'iarr siad ar an ghasúr a ghabháil suas go dtí barr an tsimléire agus a ghabháil síos agus mála an óir a bhí istigh i gcófra i dtaobh an toighe a thabhairt amach chucusan agus go rannfadh siad an t-ór leis.

Chuaigh sé in airde agus shleamhnaigh sé síos an simléir. Bhí fear ina luí i leabaidh agus é ag srannfaigh ina chodladh. Fuair an gasúr an t-ór agus chuaigh sé go dtí an simléir agus d'amharc sé suas. Bhí fear acu ag amharc anuas agus chuir sé anuas rópa. Ghreamaigh an gasúr an rópa den mhála agus tharraing an fear eile suas é agus d'fhág sé an gasúr abhus ina dhiaidh agus d'imigh siad leo. Nuair a chonaic an gasúr gur imigh siad chuaigh sé go dtí an cófra agus chuaigh isteach ann. Thoisigh sé ag bualadh an chófra go dtí gur éirigh an fear a bhí ina chodladh agus chuaigh sé go dtí an cófra agus scairt sé amach:

''Cé atá istigh in mo chófra?''

''Mise, anam as Ifreann'' arsa an gasúr ''agus lig amach as seo mé nó cuirfidh mé tú féin isteach i m'áit''.

Bheir an fear greim ar an chófra agus chaith sé amach ar an doras é agus an gasúr istigh ann agus dhruid sé an doras amach.

D'éirigh an gasúr agus chuir sé an cófra ar a dhroim agus tháinig sé go dtí an teacht a bhí i lár na coilleadh. D'amharc sé isteach ar an fhuinneoig agus chonaic sé triúr acusan ag cuntas an airgid.

Chuaigh sé isteach sa chófra agus scairt sé amach:

''Mise an diabhal agus tabhair domh mo chuid airgid nó cuirfidh mé faoi chlár sibh''.

Thug achan duine leis a chuid féin den airgead agus chuir sé isteach sa chófra é agus d'imigh siad isteach chun toighe arís.

Chruinnigh an gasúr suas an t-airgead agus tháinig sé chun an bhaile agus chónaigh sé féin agus a athair i dteach bhreá ar lár na coilleadh go dtí go bhfuair siad bás.

1.127 AN GASÚR AGUS NA TRÍ NÍ

Bhí gasúr ar fostódh ag maighistir agus bhí trí ní le déanamh aige. An chéad rud na caoirigh a bhí thíos sa stábla sin thíos a bheith istigh sa bhóitheach aige nuair a d'éireochadh seisean ar maidin.

Dimigh an gasúr agus fuair sé croiceann bó dhubh agus chuir sé air féin é agus d'imigh sé síos go dtí an stábla. Nuair a chonaic an triúr fear a bhí ag coimheád na gcaoirigh é ag teach d'imigh siad ina rith agus iad ag scairtigh — ''sin an diabhal, sin an diabhal''. Chuaigh an gasúr síos agus thug sé leis na caoirigh agus bhí siad istigh sa bhóitheach aige nuair a d'éirigh an maighistir ar maidin. Dúirt an maighistir ''tá dhá ní eile le déanamh agat go fóill''.

An dara ní, na beathaigh atá thíos sa stábla sin a bheith istigh aige nuair a d'éireochadh seisean ar maidin. D'imigh an gasúr agus fuair sé dhá bhuidéal fá choinne codlata agus buidéal poitín. D'imigh sé síos go dtí an stábla agus d'iarr sé lóistín ar na fir. D'iarr na fir air luí sa choirnéal sin thall.

Luigh an gasúr sa choirnéal agus dhruid sé a shúile ag déanamh go raibh se ina chodladh. Nuair a chonaic na fir seo é ina chodladh chuaigh siad anonn go dtí an coirnéal agus bhain siad an dá bhuidéal amach as a phóca agus d'ól said an dá bhuidéal. Bhí an gasúr beag ag éisteacht leo. Bhí a fhios ag an ghasúr go dtitfeadh siad ina gcodladh. Thit siad ina gcodladh agus nuair a fuair an gasúr na fir ina gcodladh thiomáin sé na beathaigh amach as an bhóitheach agus bhí siad istigh sa stábla aige nuair a d'éirigh an maighistir ar maidin.

Duirt an maighistir ''ta ní amháin eile le déanamh agat — an bhraithlín atá faoi an tseanlánúin sin thíos a bheith istigh agat nuair a éireochas mise ar maidin''.

D'imigh an gasúr agus fuair sé craiceann bó dhubh agus d'imigh sé síos go dtí an roilig agus thóg sé corp duine agus chuir sé craiceann na bó thart ar an chorp agus d'imigh sé go dtí an teach seo. Agus chuaigh sé suas ar an teach agus lig sé an corp síos an simléir. Mhothaigh an fear an tormán ag teacht anuas an simléir. D'éirigh an seanduine agus fuair sé an gunna agus scaoil sé urchar leis an ghunna. Shíl an seanduine gur mharaigh sé duine. D'iarr an bhean air imeacht agus é a chur nó go dtiocfadh na gardaí air.

D'imigh an seanduine leis an chorp agus nuair a fuair an gasúr an seanduine ar shiúl chuaigh sé isteach agus dúirt sé leis an tseanbean "luigh siar, luigh siar, tá oíche fhuar ann''.

Shíl an tseanbhean gurb é an seanduine a bhí ann agus nuair a fuair an gasúr an tseanbhean ina luí siar tharraing sé an bhraithlín amach as faoin tseanbhean agus d'imigh an gasúr agus bhí an bhraithlín istigh sa tseomra aige nuair a d'éirigh an maighistir ar maidin.

Bhí an maighistir iontach sásta den ghasúr agus d'imigh an maighistir agus thug sé a chuid airgid don ghasúr agus d'imigh an gasúr leis chun an bhaile agus a sháith lúcháire air.

1.128 CRAICEANN NA BÓ

Bhí triúr fear ann uair amháin darbh ainm Liam, Pádraig agus Seán. Bhí bó ag achan fhear acu agus bhí an triúr iontach mór le chéile. Lá amháin thit Pádraig agus Seán amach le Liam agus ní raibh a fhios acu goidé ab fhearr daofa a dhéanamh leis. Lá amháin dúirt Pádraig le Seán go mb'fhearr daofa bó Liam a mharbhadh.

Bhí Liam ar shiúl as an bhaile lá amháin agus d'imigh an bheirt acu agus mharaigh siad an bhó. Nuair a tháinig Liam chun an bhaile dúirt a bhean leis go raibh tormán inteacht amuigh sa bhóitheach inniu. Chuaigh sé amach agus fuair sé an bhó marbh amuigh sa bhoitheach. D'imigh sé agus bhain sé an craiceann daoithe agus nuair a bhí sé réidh thug sé leis é amach chun an bhaile mhóir á dhíol ach ní raibh sé ábalta é a dhíol. Nuair a bhí sé ag gabháil fríd an bhaile mhór chaith sé an craicreann trasna ar a ghualainn. Ní raibh sé i bhfad gur mhoithaigh sé rud inteacht ag siúl ar a mhuineál. Chuir sé suas a lámh agus thug sé anuas ciaróg bheag.

Ciaróg a bhí ann a d'inseochadh rud duit dá mbeadh fios de dhíobháil ort. Chuaigh sé isteach i siopa. Chonaic bean an tsiopa an craiceann faoina ascaill.

"Goidé an cineál craiceann é sin atá leat faoi d'ascaill?'' arsa sise leis.

"Ó tá'', arsa seisean "an craiceann a inseochas achan rud duit dá mbeadh fios de dhíobháil ort''.

"Tabhair domhsa an craiceann'', ar sise "agus líonfaidh mé do hata lán airgid duit''.

Thug sé daoithe an craiceann agus líon sí an hata lán airgid dó agus d'imigh sé leis. Nuair a bhí sé ag teacht chun an bhaile bhí Seán agus Pádraig ina suí amuigh ag taobh an toighe.

"Amharc'', arsa Liam "an hata mór airgid a fuair mise ar mo bhó''.

D'imigh Pádraig agus Seán agus mharaigh siad a gcuid bó féin agus d'imigh siad fríd an bhaile mór á ndíol ach níor dhíol siad iad.

Bhí corraí orthu le Liam agus dúirt siad go maróchadh siad é. An oíche sin nuair a bhí Liam ag gabháil a luí d'iarr sé ar a bhean a ghabháil a luí i leabaidh na cistineadh anocht agus go luighfeadh seisean sa tseomra. Chuaigh an bheirt a luí agus nuair a bhí siad ina gcodladh tháinig an bheirt isteach agus mharaigh siad an bhean.

Mhothaigh Liam an tormán agus tháinig sé anuas agus fuair sé a bhean marbh sa leabaidh. Thóg sé ar a dhroim í agus d'imigh sé leis go dtí go dtáinig sé go dtí teach uisce bheatha agus d'fhág sé an bhean ina seasamh ag taobh tobair a bhí ann. Chuaigh sé isteach sa teach agus d'iarr sé gloinne uisce bheatha. Chuir bean an tsiopa ceist air cad chuige nach dtabharann sé isteach an bhean atá amuigh ansin agat go bhfaighidh sí deoch.

"Ó", arsa seisean "bhí mé ag iarraidh uirthi a theacht isteach ach ní thiocfadh sí liom".

"Rachaidh mise amach agus bhéarfaidh mé isteach í", ar sise.

"Caithfidh tú í a chrothadh nó tá sí bodhar", ar seisean.

D'imigh sí amach. Chuaigh sí go dtí an bhean agus chraith sí í agus thit an bhean síos sa tobar ar mhullaigh a cinn. D'imigh sise agus í ag screadaigh agus an scairtigh go raibh an bhean báite. Dúirt Liam léithe go n-inseochadh sé do na gardaí é. D'iarr sí air gan é a inse agus go dtabharfadh sise airgead dó. Líon sí a hata lán airgid dó agus d'imigh sé leis. Nuair a bhí sé ag gabháil bealach theach Sheáin bhí Seán agus Pádraig ina suí amuigh ag taobh an toighe.

"Amharc", arsa Liam "an hata mór airgid a fuair mise ar mo bhean".

D'imigh Seán agus Pádraig agus mharaigh siad a gcuid ban féin. D'imigh siad amach fríd an bhaile mhór á ndíol ach ní raibh siad ábalta iad a dhíol. Bhí corraí mhillteanach orthu le Liam. Dúirt siad go mbáitheadh siad é. Thug siad leo mála agus chuir siad isteach sa mhála é. D'imigh siad le go dtáinig siad go dtí poll. Caith siad síos go tóin an phoill é agus báitheadh é.

1.129   AN DÁ GHADAÍ

Bhí gadaí in Éirinn uair amháin is bhí gadaí eile i Sasain. Chuir gadaí na hÉireann litir chuig gadaí na Sasana a theacht go hÉirinn go bhfeicfeadh siad cé acu ab fhearr. Nuair a tháinig sé chuaigh an bheirt fríd choillidh. Bhí fear ag teacht is caora leis. D'iarr gadaí an hÉireann ar an ghadaí eile an chaora a ghoid. Ní raibh a fhios aige cén dóigh a bhfaigheadh sé an chaora. Dúirt gadaí na hÉireann nach raibh a dhath de mhaith ann. D'imigh sé féin agus bhain sé de buatais dena chuid is d'fhag sé í in áit a bhfeicfeadh (an) fear a raibh an chaora leis í. D'fhág sé an ceann eile giota maith ar shiúl.

Nuair a tháinig an fear go dtí an bhuatais arsa seisean -"Nach breá an rud é dá mbeadh an ceann eile acu seo agam". D'fhág sé ansin í is d'imigh leis. Nuair a tháinig sé go dtí an ceann eile d'fhág sé an chaora ar téad is d'imigh sé fá choinne an chinn eile. Nuair a tháinig sé ar ais ní raibh caora ar bith le fáil aige. Thug gadaí na hÉireann leis í.

Lá tharna mhárach rinne siad an rud céanna is dúirt gadaí na hÉireann leis an ghadaí eile nach raibh a dhath de mhaith ann. D'imigh sé féin leis ansin go dtáinig sé go dtí áit a raibh léar mór caorach. Bhí fear á mbuachailleacht. fear bocht a bhí ann. Bhí sé ina chónaí i dteach beag is bhí bean agus páistí aige. Dúirt an gadaí gurb é a bhí amaideach fear a raibh an oiread sin caorach aige is nach muirfeadh cuid acu leis an fheoil a ithe agus éadach a dhéanamh do na pásítí amach as an olann. Dúirt an fear leis gurb é leis an mhaighistir na caoirigh.

An oíche sin d'imigh an gadaí amach is tháinig sé isteach is caora mharbh leis. D'iarr sé ar an mhnaoi pota breá den fheoil a chur síos is rinne sí sin. Rinne an gadaí an rud céanna achan oíche ach sa deireadh d'aithin an maighistir go raibh rud inteacht ag teacht ar na caoirigh. D'iarr an tseanbhean a bhí sa teach air í a chur isteach i mbosca agus iarraidh ar an tsréadaí é a choinneáil dó.

An oíche sin nuair a tháinig an gadaí isteach chonaic an tseanbhean iad ag bruith na feola is bhí a fhios aici ansin goidé a bhí ag teacht ar na caoirigh. Chonaic an gadaí an bosca foscailte is chuir sé an clár air. Nuair a fuair an maighistir an bosca d'fhoscail sé é is fuair sé an tseanbhean marbh istigh ann.

Bhí faire acu is chuaigh an gadaí chuig an fhaire is bhí sé ag caint leis an mhaighistir. Dúirt sé leis gurb é an gnás a bhí acusan nuair a gheobhadh duine bás trian dena chuid airgid a chur isteach sa chónair leis an duine mharbh. Rinne seisean sin is an oíche a cuireadh an bhean chuaigh an gadaí go dtí an roilig is d'fhoscail sé an uaigh. Thug sé leis an t-airgead agus an bhean. D'fhág sé an tseanbhean ag doras an mhaighistir is nuair a d'fhoscail an cailín an doras ar maidin chonaic sí an tseanbhean is thit sí i laige. D'iarr an gadaí ar an mhaighistir cuid eile den airgead a chur léithe sa chónair ar ais.. Rinne sé an rud céanna an oíche sin is thug sé leis an t-airgead. B'éigean don mhaighistir an méid airgid a bhí aige a chur sa chónair is d'éirigh sé bocht. Dhíol sé an teach is cheannaigh an gadaí é is bhí a sháith airgid aige go bhfuair sé bás.

SÉAMAS Ó BAOILL, AN SEASCANN BEAG (74)

Seo mar a dhéanann Ester Ní Fhearraigh cur síos air roimh an scéal seo thuas:

Níl scéalaí ar bith ar an bhaile seo againne ach aon scéalaí amháin, is é sin Séamas Ó Baoill. Seanduine atá ann is tá sé tuairim is ar cheithre bliana déag is trí scór. Tá sé ina chónaí ar an tSeascann Bheag. Tá scéaltaí agus fiannaíocht aige. Fuair sé na scéaltaí ag mnaoi fada ó shin a raibh Máire Ní Ghallchóir uirthi. Bhí sí ina cónaí ar an tSeascann Bheag fosta. Fuair sé an fhiannaíocht ag a athair. Scéaltaí fada atá aige. Seo ceann amháin acu.

1.130.1 BÁTHADH NA gCRUITEACHÁN

Bhí fear ina chónaí sna Rosa aon uair amháin. Is é an leasainm a bhí ag na daoine air — an cruiteachán, agus bhí cruit air fosta. Lá amháin bhí sé ina sheasamh ag doras ag iarraidh deoch. Tháinig cailín dóighiúil amach agus nuair a bhí siad tamall ag comhrá chuir an cruiteachán ceist cá raibh a hathair. Dúirt an cailín go raibh sé amuigh sna cuibhrinn ag obair. Chuaigh sé go dtí an áit a raibh an t-athair.

"Is é mo shiúl anseo", arsa an cruiteachán "ta mé ag iarraidh do iníon le pósadh".

"Ní miste liomsa", arsa an t-athair "ní a dhath de mo ghnoithe é".

D'imigh sé agus phós an bheirt acu. Chuir sé isteach i dteach mór í agus d'fhág sé cailíní eile istigh aici le bheith ag déanamh cuideachta léithe.

Lá amháin d'imigh an cruiteachán ar chapall. Nuair a bhí sé tamall ar shiúl tháinig trí fhidiléir bheaga go dtí an teach. Bhí achan duine den triúr cosúil leis an chruiteachan é féin. D'iarr an cailín seo ar dhuine de na cailíní eile éirí agus an doras a fhoscladh agus go mbeadh lá breá damhsa agus ceoil acu fhad is a bheadh an cruiteachán ar shiúl.

D'éirigh bean de na cailíní agus lig sí isteach iad. Bhí lá breá damhsa agus ceoil acu. Sa deireadh chonaic siad an cruiteachán ag teacht ar dhroim an chapaill. Thaispeáin an cailín seo seomra do na fidiléirí a dtéadh siad i bhfolach ann. Chuaigh siad isteach sa tseomra agus cuireadh an glas istigh ansin. Ar maidin lá tharna mhárach nuair a d'imigh an cruiteachán arís foscladh an doras do na fidiléiri fá choinne greim bídh a thabhairt daofa. Ach bhí an triúr acu marbh istigh sa tseomra.

Scanraigh an cailín agus chuir sí ceist ar an mhuintir eile goidé a dhéanfadh siad anois.

"Goidé a dhéanfas muid", arsa duine eile acu "crochfar thusa. Chuir tú isteach sa tseomra iad agus thug tú a mbás leis an ocras". Chonaic siad Connachtach mór ag teacht go dtí an doras. D'éirigh sí féin an lá seo agus d'fhoscail sí an doras. Sheasaigh sé ag an doras agus dúirt sé go raibh sé ag iarraidh rud inteacht le hithe. Dúirt sise go bhfaigheadh agus go dtabharfadh sí leathchoróin dó dá ndéanfadh sé gníomh beag amháin daoithe. Dúirt seisean go ndéanfadh sé rud ar bith ach rud inteacht a fháil le hithe.

Chuaigh sí isteach agus tharraing sí duine de na fidiléirí amach as an tseomra. Sin fear bocht a tháinig isteach aréir agus fuair sé bás agus níl a fhios againn goidé a tháinig air. Chuir sí ceist air goidé a dhéanfadh siad leis. Chuir sé isteach i mála é agus chaith sé amach leis an chéidh é. Chonaic na cailíní é ag teacht agus thug siad amach an fear eile agus shín siad ar an urlár é. Nuair a tháinig an Connachtach isteach dúirt siadsan — "Tháinig sé arís".

Bhuail sé cupla buille lena bhróg air agus chaith sé isteach sa mhála é agus chaith sé amach leis an chéidh é. Chonaic na cailíní é ag teacht arís agus tharraing siad amach as an tseomra é agus shín siad ar an urlár é. Nuair a tháinig an Connachtach isteach dúirt siadsan go dtáinig sé arís. Thug sé leis tuaigh agus ghearr sé é ina ghiotaí beaga.

"Cinnte le Dia ní thiocfaidh sé anois", arsa seisean agus chuir sé isteach sa mhála é agus chaith sé amach leis an chéidh é.

Nuair a bhí sé ag tarraingt aníos ar an teach bhí an cruiteachán é féin ag teacht isteach ar an gheafta agus chuir sé a sheanscairt ar an Chonnachtach goidé a bhí sé a dhéanamh istigh ansin.

''A Athair Shíorraí'', arsa an Connachtach ''an bhfuil tú ag teach arís? agus tharraing sé anuas ón chapall é agus bhris sé a chloiginn in éadan an bhalla. D'imigh sé ansin ag tarraingt suas ar an teacht fá choinne a chuid airgid. Nuair a bhí sé ag an doras tháinig an cailín amach agus thug sí céad punta dó le cois an leathchoróin agus bhí sise réithithe den chruiteachán.

1.130.2 AN BHEAN AGUS NA CEITHRE MHINISTIR

Bhí fear agus bean ann aon uair amháin. Buitléir a bhí san fhear agus ba ghnách leis an bhean obair an toighe a dhéanamh. Lá amháin dúirt an fear go raibh seisean ag déanamh airgid agus nach raibh sise ag déanamh a dhath. Lá amháin bhí an buitléir ar shiúl. Chuir an bhean cuireadh ar cheithre mhinistir. Théigh sí an oigheann agus d'fhág sí thíos ag bun an urláir í. Bhí an chéad mhinistir ag teacht ar a sé a chlog, an dara ministir ar a seacht, an tríú ministir ar a hocht agus an ceathrú ministir ar a naoi. Tháinig an chéad mhinistir ar a sé agus chroch sé a chasóg ar an bhalla. Mhothaigh siad an trup ag an doras. Dúirt an bhean gur sin an buitléir agus chuir sí isteach san oigheann é. Goidé a bhí ag an doras ach an dara ministir.

Tháinig seisean isteach agus chroch an chasóg ar an bhalla fosta. Mhothaigh siad trup ag an doras. Dúirt an bhean 'seo an buitléir' agus chuir sí isteach san oigheann é. Goidé a bhí ann ach an ministir deireannach. Chroch seisean a chasóg ar an bhalla fosta. Mhothaigh siad trup ag an doras. Dúirt an bhean 'seo an buitléir' agus chuir sí isteach san oigheann é.

Goidé a tháinig isteach ach an buitléir. Bhain an bhean an t-airgead amach as pócaí na gcasóg. Thaispeáin sí don fhear é. Agus dúirt sí go raibh airgead go leor déanta aicise ó mhaidin. Dúirt an buitléir go mb'fhearr daoithe an mhuintir a bhí san oigheann a ligean amach nó go mbeadh cuartú orthu. Ach nuair a d'amharc siad san oigheann bhí an mhuintir eile rósta. Bhí fear amaideach ar an bhaile agus rud ar bith a d'inseochadh sé ní chreidfeadh aon duine é. D'iarr an bhean air na ceithre mhinistir a chaitheamh amach leis an fharraige. Thug sé leis é (an chéad duine) agus chaith sé amach leis an fharraige é. Nuair a tháinig sé ar ais dúirt an buitléir nár bháigh sé ar chor ar bith é go raibh sé abhus arís. Thug sé leis arís é agus chaith sé amach leis an fharraige é. Sin an dara fear a chaith sé amach.

Nuair a tháinig sé aníos arís dúirt an buitléir nár bháigh sé ar chor ar bith é. Thúg sé leis arís é go dtí an fharraige agus bháigh sé arís é. Nuair a tháinig sé ar ais arís dúirt an buitléir nár bháigh sé ar chor ar bith é.
212

Sin an tríú ministir. Thug sé leis arís é agus chaith sé amach é. Ba é sin an fear deireannach.

Nuair a tháinig sé anuas leis an fhear dheireannach bhí ministir óg ag coimeád go bhfeicfeadh sé goidé a dhéanfadh sé. Chuaigh an ministir isteach i gcúl claí. Ar an bhealach aníos ar ais don fhear chonaic sé an ministir ag cúlchoimeád air. Shíl sé gurb é an ministir a bháigh sé a bhí ann.

"Seo anois" a dúirt an fear "ná síl go mbeidh tú thuas romham arís". Chuaigh sé isteach i gcúl an chlaí agus lean sé é. Fuair sé greim air agus bháigh sé é i bpoll mór doimhin.

"Anois" a dúirt sé leis "thug mise anuas thusa ceithre iarraidh ach cuirfidh mé geall leat nach dtéid tú suas níos mó".

1.131.1   MICHEÁL NA gCLEAS

Bhí seanlánúin ann aon uair amháin agus bhí siad go beo bocht ag streachailt leis an tsaol ag iarraidh a mbeatha a bhaint amach chomh maith agus a thiocfadh leo. Ní raibh acu ach bó amháin agus d'iarr an bhean Eibhlin air í a thabhairt leis chun an aonaigh agus í a dhíol. Thug sé ordú cruaidh dó nuair a gheobhadh sé luach na bó gan pingin amháin a chur amudha nó dá gcuirfeadh gan pilleadh chun an bhaile.

D'imigh Micheál leis an bhó agus nuair a fuair sé a luach chuaigh sé féin agus triúr fear isteach go teach ósta agus d'ordaigh siad tae daofa féin. I ndiaidh an tae d'éirigh Micheál agus thug sé cogar do fhear an toighe ósta go raibh rún aige bob a bhualadh ar na fir seo a bhí leis agus thóg sé amach an t-airgead agus thug luach an tae dó i ngan fhios do na fearaibh eile a bhí leis.

"Anois"", a dúirt Micheál "suífidh mise ar mo chathaoir féin arís agus nuair a bhéas muid réidh le himeacht amharc thusa ormsa agus buailfidh mise mo hata ar an tábla agus déarfaidh mé sin do chuid féin agatsa anois agus abair thusa go raibh maith agat."

Bhí iontas mór ar na fir eile nuair a chonaic siad seo agus dar leo féin — "is cosúil go bhfuil cumhacht inteacht sa hata sin atá air".

Bhí go maith. Thug Micheál isteach go teach leanna iad agus thug a sáith le hól daofa. D'imir sé an cleas céanna orthu. Nuair a chuaigh siad amach as an teach leanna dúirt fear de na fir leis — "Goidé an chumhacht atá agat leis an hata sin?"

"Ó", arsa Micheál "ní thig le duine ar bith sin a inse duit ach an té a chaithfeas an hata agus a gheobhas le ceannach é uaimsa".

Chuir siad ceist ansin air an ndíolfadh sé an hata agus i ndiaidh tamall dúirt Micheál — "Bhail ní thiocfadh liom an hata a dhíol nó bheadh mo bhean ar mire liom. Ach ló tharla go bhfuil mé chomh mór sin libhse bhéarfaidh mé daoibh é ar dhá chéad punta".

Fuair Micheál an t-airgead agus thug aghaidh ar an bhaile agus goidé an lúcháir a bhí ar Eibhlín nuair a tugadh dhá chéad punta isteach i gcúl na doirne daoithe. D'inis sé an bob daoithe ansin agus bhí a fhios acu go maith go dtiocfadh na fir fá choinne é a mharbhadh agus seo an cleas

213

a smaointigh sé a dhéanamh. Dúirt sé go bhfaigheadh sé dhá choinín agus go rachadh sé féin i bhfolach agus go mbeadh ceann acu leis agus go bhfágfadh sé an ceann eile ag Eibhlín agus dá gcuirfeadh na fir ceist cá háit a raibh Micheál déarfadh sise go raibh sé na mílte ar shiúl ach go gcuirfeadh sise teachtaire fána choinne agus ba chuma cá háit a raibh sé go mbeadh sé anseo roimhe chúig bhomaite. Thiocfadh Micheál isteach agus an coinín leis.

Bhí go maith agus ní raibh go holc. D'imigh Micheál amach agus an coinín leis agus ba ghairid ansin go dtáinig na fir agus chuir siad ceist cá háit a raibh Micheál agus d'inis sise daofa. D'éirigh siad ansin fá choinne a ghabháil a chuartú agus dúirt Eibhlin — "Ná buairigí bhur gcloigeann cuirfidh mé féin giolla fána choinne" agus lig sí ar shiúl an coinín. Bhí iontas mór ar na fir nuair a chonaic siad seo.

"O maise", a dúirt Eiblín "ná bíodh iontas ar bith oraibh nó leoga sin an seirbhíseach is fearr a bhí againn ariamh. Téann sé chun an bhainc fá choinne airgid agus achan rud".

Chuir na fir ceist an ndíolfadh siad é agus dúirt Eibhlín — "Braitheann sin ar Mhicheál". Agus leis sin tháinig an coinín isteach agus Micheál ina dhiaidh. Leis an scéal a mharbhadh chuir Eibhlín ceist air an ndíolfadh sé an coinín.

"Bhail", a dúirt sé "ó tharla go gcaithfidh sibh a bhfuil agam a fháil bhéarfaidh mé daoibh é ar chéad punta agus is bocht liom scaradh leis ach toil Dé go raibh déanta".

Díoladh an coinín agus thug na fir a n-aghaidh ar an bhainc. Lig siad isteach an coinín fá choinne airgead a thabhairt amach ach dá mbeadh an coinín istigh ó shin cha dtiocfadh sé amach. Ansin b'éigean daofa pilleadh go teach Mhicheáil agus rún daingean acu é a mharbhadh. Seo an cleas a d'imir an seanphéire an iarraidh seo. Chuaigh Micheál amach agus mharaigh sé caora agus cheap sé an fhuil agus chuir isteach i mbosca í agus chuir isteach i gciabhlach Eibhlín í agus nuair a thiocfadh na fir agus iad fá choinne Micheál a mharbhadh, d'fhágfadh seisean an milleán ar Eibhlín agus thiocfadh leis scian a thabhairt leis agus í a mharbhadh agus ansin thiocfach an méid fola a bhí sa bhosca amach.

Tháinig na fir agus léim an fear a ba shine ar Mhicheál agus dúirt Micheál — "Is ar Eibhlín a bhí an locht uilig agus lig sé air féin go raibh fearg mhór air agus d'éirigh agus mharaigh Eibhlín. Nuair a chonaic na fir a cuid fola ag teacht bhí buaireamh mór orthu.

"Maise" a dúirt Micheál "is furasta sin a leigheas". Chuaigh sé agus thug anuas adharc a bhí crochta ar an bhalla agus labhair sé isteach inti agus dúirt — "A Eibhlín, éirigh agus siúil".

D'éirigh sí ina seasamh. Dhíol siad an adharc leis an fhear a ba shine agus chuaigh sé chun an bhaile. Bhí féasta mór sa bhaile roimhe agus i lár an fhéasta d'éirigh sé agus pholl sé a mháthair. D'amharc achan duine air agus dúirt seisean agus é ag gáirí — "Ó, is furasta sin a leigheas agus shéid sé isteach san adharc ach dá mbeadh sé ag séideadh ó shin cha n-éireochadh sí mar bhí sí marbh. Crochadh ansin é agus bhí dóigh bhreá ar an tseanlánúin ón lá sin go dtí an lá inniu.

1.131.2 AN FEAR A RAIBH ÉIRINN UILIG FAOI FÉIN

Bhí fear ann aon uair amháin agus bhí Éirinn faoi féin. D'imigh sé lá amháin agus threabhaigh sé an talamh. Lá tharna mhárach chuir sé síol agus nuair a tháinig an tráthnóna reath an síol gann air. Bhí capall bán aige agus thug sé leis é agus d'imigh. Nuair a tháinig sé go dtí an fharraige chaith sé an capall trasna na farraige agus ghearr sé féin léim ansin. Fuair sé an coirce agus nuair a tháinig sé go dtí an fharraige rinne sé an cleas céanna a rinne sé ag gabháil anonn dó.

Chuaigh sé chun an bhaile agus chuir sé an chuid eile den choirce tráthnóna. Lá tharna mhárach bhí an coirce apaidh agus bhain sé le speal é. Rinne sé punainn agus stucaí agus cruacha de. Seachtain ina dhiaidh sin thug sé leis an capall lena dhíol agus dúirt sé leis an cheannaí gach uile am a bhéarfá coirce don chapall go mbeadh airgead ins an tubán. Thug an ceannaí leis é chuir isteach in stábla é agus thug coirce dó. Nuair a mheas an fear eile é a bheith réidh chaith sé trí leathchoróin ins an tubán agus thaispeáin don cheannaí é. Nuair a chonaic an ceannaí seo thug sé dhá scór punta dó air. D'imigh sé chun an bhaile.

Thug an ceannaí coirce don bheathach ach má thug féin sin a raibh ar a shon. Lá amháin chonaic an fear a dhíol an beathach an ceannaí agus fear eile ag tarraingt air. Scanraigh an bhean. D'iarr seisean uirthi gan eagla ar bith a bheith uirthi. Bhí siad i ndiaidh muc a mharbhadh agus thug an fear eile leis an scrathóg agus líon lán fola é. Nuair a tháinig na fir eile isteach thoisigh siad a scamhlóir air. Thoisigh an bhean a scamhlóir air fán chleas chéanna. Thug seisean leis scian agus bhuail sé an scian ar an scrathóg agus bhuail í. Thit sí siar ar an leabaidh agus tháinig a cuid fola. Thug sé leis fideog agus thoisigh sé a shéideadh isteach ina cluas agus d'éirigh sí beo ar ais. Thoisigh na fir eile a iarraidh air í a thabhairt daofa. Dúirt siad go raibh iníonacha acu a bhíodh ag scamhlóir orthu agus nach raibh acu ach a marbhadh agus a ndéanamh beo leis an fhideog.

Thug sé daofa ins an deireadh í agus d'imigh siad chun an bhaile agus thoisigh na mná a scamhlóir leo. Cha dtearna siadsan ach an scian a thabhairt leo agus iad a mharbhadh. Thug siad leo an fhideog ansin agus sin a raibh ar a shon — ní éireochadh na hiníonacha beo.

Tháinig siad ar ais chuig an fhear agus thug siad leo é. Chuir siad isteach i mála é. Thug siad leo é fá choinne é a bháthadh. Ach nuair a tháinig siad go dtí an chéad teach leanna chaith siad an mála síos ar thaobh an bhealaigh mhóir agus chuaigh siad isteach. An fhad agus a bhí siad istigh tháinig fear thart agus an iomad eallaigh leis. Chuir sé ceist air goidé a bhí sé a dhéanamh ansin agus dúirt seisean go raibh dóigh bhreá air. D'fhiafraigh fear an eallaigh de an ligfeadh sé isteach eisean ins an mhála agus dúirt seisean "maith go leor". Thug sé leis an t-eallach agus d'imigh leis agus chuaigh an fear eile isteach sa mhála. Nuair a tháinig an mhuintir a bhí istigh amach shíl siad gur fear na fideoige a bhí leo i rith an ama agus thug siad leo é agus bháith é.

Tamall ina dhiaidh sin casadh an dhá fhear ar fhear na fideoige. D'fhiafraigh siad de goidé an dóigh a dtáinig sé as an fharraige. Dúirt seisean an áit ar chaith siad amach é go raibh saibhreas an domhain ann agus go bhfuair seisean cuid mhór eallaigh ann.

Thug sé leis an bheirt go dtí an fharraige agus thaispeáin an áit daofa. D'iarr sé orthu léimneadh amach. Léim siad amach ach in áit saibhreas a fháil báitheadh iad.

Ní raibh a dhath ag cur trioblóide air ó shin amach.

1.131.3   AN FEAR AGUS NA TRÍ ASAL

Bhí fear ann uair amháin agus bhí trí asal aige agus ní raibh a fhios aige cá háit a ndíolfadh sé iad. Dúirt seisean leis féin go rachadh sé anonn go Glaschú agus go ndíolfadh sé iad. D'imigh siad anonn. Dhíol sé iad agus cha raibh a fhios aige goidé an dóigh a dtaisceadh sé an t-airgead. Fuair sé deich bpunta an ceann orthu. Chuaigh sé fhad le teach uisce bheatha agus chuir ceist air an dtaisceochadh sé deich bpunta. Dúirt an fear go dtaisceochadh. ''Goidé an dóigh a mbeidh a fhios agamsa thusa nuair a thiocfas tú ar ais?'' Dúirt an fear eile ''déarfaidh mise, an bhfuil cuimhne agat nuair a bhí an seanhata seo úr?''

''Maith go leor'', arsa fear an toigh leanna. D'imigh an fear seo agus casadh teach leanna eile air. Chuaigh sé isteach agus chuir ceist ar an fhear an dtaisceochadh sé deich bpunta dó. Dúirt an fear go dtaisceochadh ''ach goidé an dóigh a mbeidh a fhios agamsa thusa nuair a thiocfas tú ar ais?''

Déarfaidh mise ''an bhfuil cuimhne agat nuair a bhí an seanhata seo úr?'' ''Maith go leor'' arsa fear an toighe leanna.

D'imigh an fear eile agus casadh teach leanna air. Chuir sé ceist ar fhear an toigh leanna an dtaisceochadh sé deich bpunta dó. Dúirt seisean go dtaisceochadh sé é.

''Goidé an dóigh a mbeidh a fhios agamsa thusa nuair a thiocfas tú ar ais?'' Déarfaidh mise ''an bhfuil cuimhne agat nuair a bhí an seanhata seo úr?'' 'Maith go leor'', arsa fear an toighe leanna.

D'imigh sé chuig an Fhómhar. Ag teacht ar ais dó chuaigh sé fhad le teach an leanna. Dúirt leis an fhear seo ''an bhfuil cuimhne agat nuair a bhí an seanhata seo úr?''

Chaith an fear anall deich bpunta chuige. Bhí dhá stócach eile istigh Cheannaigh sé deoch daofa. D'imigh sé ansin ach lean an dá stócach é. Chuaigh sé isteach sa dara teach leanna agus dúirt ''an bhfuil cuimhne agat nuair a bhí an seanhata seo úr?''

Chaith sé anall deich bpunta chuige. D'imigh sé ar ais ach lean an dá stócach é. Chuaigh sé isteach i dteach leanna eile. Dúirt ''an bhfuil cuimhne agat nuair a bhí an seanhata seo úr?''

Chaith an fear anall deich bpunta chuige.

D'imigh sé ag tarraingt ar an bhád ach lean siad seo é. Chuir ceist air an ndíolfadh sé an hata leo. Dúirt seisean go ndíolfadh dá dtabharfadh siad trí chéad punta dó agus hata úr a cheannach dó. Duirt siadsan go ndéanfadh sin gnoithe ach dúirt seisean go gcaithfeadh siad é a chur ar an bhád.

Dúirt siadsan go raibh sin beag go leor acu é a chur ar an bhád agus an hata bréa a thug sé dúinn. D'imigh siad ag tarraingt ar an bhád.Chuir siad ar an bhád é agus d'imigh sé anall chun an bhaile. Chuaigh an dá stócach fhad leis an chéad teach leanna agus dúirt "an bhfuil cuimhne agat nuair a bhí an seanhata seo úr?"

Chuir an fear amach iad. Dúirt siad nach raibh maith ar bith ansin. Chuaigh siad fhad leis an dara teach agus dúirt "an bhfuil cuimhne agat nuair a bhí an seanhata seo úr?".

"Gabhaigí amach nó cuirfidh mé na gardaí bhur ndiaidh. D'imigh siad chun an bhaile agus bhí siad buíoch as fáil amach as teach an leanna le himeacht chun an bhaile.

1.131.4   AN CAPALL BÁN

Bhí fear agus bean ann agus bhí capall acu ach bhí sé iontach aosta agus ní raibh sé ábalta obair ar bith a dhéanamh agus bhí eagla orthu go bhfiagheadh siad oiread airgid air is cheannóchadh capall eile daofa. Bhí an fear iontach róganta agus bhí eagla ar an bhean go n-imreochadh sé feall agus go mb'fhéidir go bhfaigheadh siad isteach i dtrioblóid fá dtaobh de. Chuaigh sé chun an aonaigh leis.

Tháinig fear go dtí é agus thairg sé punta air dó. Dúirt seisean nach ndíolfadh go bhfaigheadh sé trí scór punta air nó go raibh a shaibhreas déanta aige air agus go gcruthóchadh sé sin dó. Chuir sé isteach i stábla é agus gach uair a bhéarfadh sé coirce dó braithlín gheal a chur faoin tubán agus go rachadh an coirce le anáil an chapaill agus go rachadh sé a chur amach airgid. Ligfidh muid dó anois leathuair agus nuair a phillfeas muid ar ais beidh airgead amuigh aige. Agus lig siad dó agus nuair a tháinig siad ar ais bhí trí leathchoróin ag maighistir an chapaill ina dhorn. Lig sé air féin gur ag cuartú an airigid a bhí sé agus bhéarfadh sé aníos leathchoróin anois agus leathchoróin ar ais go dtug sé na trí leathchoróin aníos. Chreid an fear eile é. Thug sé na trí scór punta dó agus d'imigh sé chun an bhaile breá sásta.

Lá tharna mhárach thug sé coirce dó agus shíl sé go mbeadh sé saibhir roimh an oíche agus achan am a rachadh sé a chuartú ní bhfaigheadh sé airgead ar bith. Cupla lá ina dhiaidh sin chuaigh sé chuig an fhear. Chonaic an bhean é ag teacht agus dúirt sí leis an fhear go bhfaigheadh siad isteach i dtrioblóid fá dtaobh de. D'iarr sé uirthi gan eagla a bheith uirthi. Bhí siad i ndiaidh muc a mharbhadh. Líon sé an scrathóg lán fola agus chuir síos ar bhrollach na mná í agus d'iarr sé uirthi toiseacht a scamhlóir air agus go dtabharfadh sé scian agus go muirfeadh sé í.

Nuair a tháinig an fear isteach thoisigh sise a scamhlóir air a fear féin cionn is a leithéid dhéanamh. Thug an fear leis scian agus mharbh sé í. Thoisigh an fhuil a theacht agus shíl an fear a tháinig isteach go raibh sí marbh ach níor scanraigh sé. Dúirt a fear féin ansin go gcuirfeadh sé múnadh uirthi agus thug sé leis fideog agus shéid sé isteach ina cluasa é. D'éirigh an bhean beo ar ais.

Thoisigh an fear eile ag iarraidh na fideoige. Dúirt sé go raibh beirt deirfiúr aige agus go raibh siad i gcónaí ag troid agus gur mhaith leis múnadh
217

a chur orthu agus nach dtabharfadh siad trioblóid níos mó dó. Thug sé leis an fhideog chun an bhaile.

Lá tharna mhárach thoisigh siad a throid. Thug sé leis an scian agus mharbh sé iad. Thoisigh sé a shéideadh isteach ina gcluasa leis an fhideog ach dá mbeadh sé ag séideadh ó shin ní éireochadh siad beo. Lá tharna mhárach thug sé leis fear eile agus fuair siad greim ar an fhear a thug a fhideog dó agus chuir siad go dtí an chéad teach leanna chuaigh siad isteach sa teach agus d'fhág eisean amuigh ins an mhála. Bhí fear ag teacht an bealach mór agus chonaic an fear a bhí ins an mhála é. Thoisigh sé a cheol chomh hard is a bhí ina cheann. Chuir an fear a bhí ar an bhealach mhór ceist air goidé a bhí sé a dhéanamh ins an mhála. Dúirt seisean go raibh sé ag gabháil chun na bhFlaitheas agus má bhí dúil aige ann go ligfeadh sé eisean isteach. Tháinig an fear amach agus lig an fear eile isteach. D'imigh an fear eile leis chun an bhaile. Nuair a tháinig na fir a bhí istigh amach thug siad leo an mála agus chaith siad amach ins an fharraige é. Lá tharna mhárach bhí siad ag gabháil thart an bealach mór. Chonaic siad an chéad fhear ag coimheád caorach. Dúirt siad nach raibh maith ar bith a bheith leis — go raibh sé ábalta fáil amach as gach uile rud.

1.132.1   DÓNALL MÓR AGUS DÓNALL BEAG

Bhí beirt fhear ann am amháin arbh ainm daofa Dónall Mór agus Dónall Beag. Lá amháin d'imigh Dónall Mór a chuartú oibre agus ní dheachaigh sé i bhfad gur casadh fear uasal air. Chuir an fear uasal ceist ar Dhónall goidé an siúl a bhí air. D'inis Dónall dó agus d'fhostaigh an fear é. Chuaigh Dónall Mór chun an bhaile agus dúirt sé le Dónall Beag go raibh sé ag gabháil a dh'obair agus go gcaithfeadh seisean an bhricfeasta a thabhairt chuige achan mhaidin. Maidin amháin bhí sé ag gabháil le bricfeasta Dhónaill Mhóir agus chonaic sé scála roimhe ar an bóthar. An bhfuil tusa ag iarraidh cuid fosta?'' arsa seisean leis an scála agus chaitheadh sé spúnóg brachaín anois agus arís chuige go raibh an brachán uilig caite ar shiúl aige.

Nuair a chuaigh sé fhad le Dónall Mór cuireadh ceist air cá raibh an bricfeasta agus d'fhreagair Dónall Beag gur casadh gasúr beag air ar an bhóthar agus gur chaith sé an brachán uilig chuige. ''Bhail'' arsa Dónall leis ''suighfidh tú anseo agus coinneochaidh tú do shúil ar an eallach go bhfaighidh mise mo bhricfeasta. Bhí an t-eallach crosta i gceart agus ní raibh Dónall Beag ábalta iad a choinnéail amach as an treabhaire. Sa deireadh d'amharc sé thart agus chonaic sé fear ag gearradh craobhacha de chrann. Chuaigh sé anonn fhad leis agus d'iarr sé an tuaigh air. Thug an fear dó í agus goidé a rinne Dónall Beag ach na cosa a stealladh den eallach uilig. ''Anois'', arsa seisean, ''b'fhéidir go mbeadh múnadh oraibh.''

Phill Dónall Mór agus nuair a chonaic sé goidé an scrios a bhí déanta, bhí sé ar daoraí. D'iarr sé ar Dhónall Beag giota a bhaint de go gasta agus shéid an rása acu a mbeirt go raibh siad sa bhaile. Bhí roinnt airgid ag Dónall Mór agus chuir sé i dtaiscidh é, dar leis gur mhaith an oiread sin ar leataobh fá choinne lá na coise tineadh. Chuaigh sé suas chun an tseomra fá choinne a chuid éadaigh agus ar theach anuas dó dúirt Dónall Beag ''Tháinig fear na coise tineadh isteach ó shin agus thug mé a t-airgead dó.'' ''A spailpín gan chéill'' arsa Dónall Mór,'' Fá mo choinne féin a bhí sin i dtaiscidh ar eagla go mbeirfí gairid orainn.'' Ar scor ar bith dúirt Dónall Mór go raibh seisean ag imeacht leis arís agus dúirt an fear eile go mbeadh sé leis. Nuair a bhí siad ag imeacht dúirt Dónall Mór, ''tarraing an doras sin amach i do dhiaidh.'' Thóg Dónall Beag an doras den chomhlaigh agus tharraing sé in a dhiaidh í. Teacht na hoiche tháinig siad fhad le coillidh agus chuaigh siad suas ar chrann agus tharraing Dónall Beag an doras suas leis. I ndiaidh tamaill tháinig trí ghadaí agus trí mhála óir leo agus shuigh siad a chomhrá ag bun an chrainn ina raibh an bheirt eile an gcodladh. Chaith Dónall Beag síos an doras agus d'imigh na gadaithe ina reath agus eagla a gcraicinn orthu nó ní raibh a fhios acu goidé a bhí ann agus níor phill siad ní bá mhó. Tháinig Dónall Beag agus Dónall Mór anuas ón chrann, thóg leo na trí málaí óir agus bhain an baile amach. Thóg siad caisleán mór agus bhí saol an mhadaidh bháin acu ó shin amach.

1.132.2   AN LÁNÚIN BHOCHT

Bhí fear agus bean ann uair amháin·agus bhí siad iontacht bocht. Chuirfeadh an fear airgead i dtaiscidh i gcónaí fá choinne na coise tine. Chuaigh an fear amach lá amháin agus tháinig fear bocht isteach. Shíl an bhean gurbh é seo an fear 'na raibh airgead na coise tine fá na choinne agus thug sí dó é.

Nuair a tháinig an fear chun an bhaile an oíche sin d'inis sí dó go dtáinig an fear úd(aí) inniu. Chuir seisean ceist cérbh é an fear. Dúirt sise gurbh é an fear 'na raibh airgead na coise tine fána choinne agus go dtug sí an t-airgead dó. Bhí fearg mhór air nuair a chuala sé seo. Dúirt an bhean go gcaithfeadh siad an bhó a mharbhadh agus an fheoil a shnáthadh leis an chál a bhí sa gharradh.

Mharaigh siad an bhó agus chuir seisean giota feola ar gach ceairtlín cháil. Nuair a tháinig maidin lá tharna mhárach bhí an fheoil uilig ar shiúl leis an mhadadh agus cait a bhí san áit.

Dúirt an bhean ansin nach raibh níos fearr le déanamh ná a ghabháil amach a chruinniú. Nuair a bhí siad ag imeacht d'iarr an bhean ar an fhear an doras a tharraingt amach ina dhiaidh. Nuair a chuaigh sí giota fada b'fhada léithe gan an fear a bheith ag tarraingt suas léithe agus ar amharc thart daoithe chonaic sí é ag teacht agus an chomhlaidh leis ar a dhroim. Nuair a chonaic sise seo d'iarr sí air an chomhlaidh a thabhairt leis giota eile nuair a thug sé leis an fad sin í. Nuair a chuaigh siad giota d'éirigh siad tuirseach agus chuaigh siad suas ar chrann lena scíste a dhéanamh.

Bhí siad tamall thuas nuair a tháinig scaifte fear thart agus shuigh siad ag bun an chrainn. Drochdhaoine a bhí sna fir seo agus bhí mórán airgid acu. Thoisigh siad a chuntas an airgid. Chaith an fear a bhí thuas sa chrann an chomhlaidh anuas agus, mar gur shíl na fir a bhí ag bun an chrainn go raibh an domhan ag titim orthu, scanraigh siad agus d'imigh siad ina rith. Ansin tháinig an bheirt a bhí thuas sa chrann anuas fuair siad an t-airgead uilig. Chuaigh siad chun an bhaile agus bhí siad breá saibhir ón lá sin amach.

1.133 BODACH AN OCRAIS

Bhí fear ann a raibh Bodach An Ocrais air. Ba ghnách le dhá bhuachaill a bheith ar fostódh aige. Bhí an bheirt iontach maith ag obair agus bhí siad maith ag léimt agus ina reath. Ach ní raibh siad ag fáil a sáith le hithe. Lá amháin tháinig fear fhad leo agus dúirt sé leo ''Shíl mise go raibh sibh am amháin a raibh sibh maith ag obair''.

Níor dhúirt siadsan ach ''níl mise ná an fear eile ag fáil ár sáith le hithe''.

''Bhail'', arsa seisean ''bhéarfaidh mise ocras do Bhodach an Ocrais é féin anocht agus ná hinseadh sibhse d'aon duine é''.

Nuair a tháinig an oíche chuaigh an fear a dh'airnéal ag Bodach an Ocrais. Nuair a tháinig am luí bhí sé ag cur sneachta agus ní raibh an fear ábalta a ghabháil amach chun an bhaile. Thaispeáin siad an leabaidh dó. Dúirt sé gur an dóigh a bhí aigesean ag luí agus ag éirí achan bhomaite.

Luigh sé a chóir na tineadh. Lig sé air féin go raibh sé ina chodladh. D'iarr Bodach an Ocrais ar a bhean éirí agus toirtín a dhéanamh dó nó go mbeadh sé marbh roimhe mhaidin. D'éirigh sí agus rinne sí toirtín. Chuir sí siar faoin luaith é. Mhuscail an fear agus thoisigh sé a inse scéal daoithe. Dúirt sé ''Bhí deartháir agamsa agus ní raibh muid ag teacht le chéile fá dtaobh den talamh. Rinne muid dhá leath don talamh agus ní raibh muid ag teacht le chéile ina dhiaidh sin. Mheasc muid suas uilig an talamh arís.'' Chuaigh an bhean a luí gus d'éirigh an fear agus thug sé leis an t-arán agus thug se dona buachaillí é.

1.134 AN DÁ IASCAIRE AG URNAÍ

Bhí dhá fhear ann uair amháin agus chuaigh siad amach a iascaireacht. Nuair a bhí siad amach giota san fharraige thoisigh sé a dh'éirigh garbh agus bhí eagla orthu go gcaillfí iad. Ach bhí fear acu iontach maith ag urnaí. Déarfadh sé a urnaí gach maidin agus gach tráthnóna. Níor dhúirt an fear eile aon fhocal urnaí le fiche bliain. Rinne sé dearmad dena urnaí. Ach arsa an fear eile ''Toisigh thusa a dh'urnaí nó caillfear muid''. ''Ó'' arsa seisean ''níor dhúirt mise focal urnaí le fiche bliain. Chaill mé m'urnaí''. ''Ó, toisigh cé bith a dhéanfas tú nó báithfear muid''. Thoisigh sé agus is í an urnaí a bhí aige: ''Ó, a Dhia, níor chuir mé trioblóid le fiche bliain ort agus má bheir tú slán ar thalamh an t-am seo mé, b'fhéidir nach gcuirfinn trioblóid go ceann fiche bliain eile ort''.

1.136 BEAN AN GHAMHNA AGUS NA TRÍ CHEANNAÍ

Bhí seanbhean ar an bhaile seo aon uair amháin agus bhí gamhain aici. Lá amháin tháinig fear agus dúirt sé léithe go dtabharfadh sé trí phunta daoithe ar an ghamhain.

"Maith go leor", arsa an tseanbhean.

Thug sé na trí phunta daoithe agus dúirt sé —

"Fá choinne an ghamhna atá an t-airgead seo", arsa an fear.

"An bhfuil tú ag déanamh gur amadán mise?"

"Tiocfaidh mé fá choinne an ghamhna seo Dé Domhnaigh", arsa an fear.

"Ní miste liomsa" arsa an tseanbhean.

Ní raibh sé i bhfad ar shiúl go dtáinig ógánach óg isteach agus dúirt sé le bean an toighe —

An bhfuil tú ag gabháil a dhíol an ghamhna?"

Dúirt sise go raibh.

"Bhéarfaidh mé trí phunta duit air", arsa an fear.

"Maith go leor", arsa sise.

Thug sé na trí phunta don tseanbhean agus dúirt sé go dtiocfadh sé fá choinne an ghamhna Dé Domhnaigh agus d'imigh sé chun an bhaile.

Ní raibh sé i bhfad ar shiúl go dtáinig fear eile isteach.

"Go mbeannaí Dia sa teach seo", arsa an fear a tháinig isteach.

"Dia is Muire duit", arsa sise.

"An bhfuil tú ag gabháil a dhíol an ghamhna sin?"

"Tá arsa an tseanbhean.

"Bhéarfaidh mé trí phunta duit air", arsa an fear a tháinig isteach.

"Maith go leor", arsa sise.

Thug sé na trí phunta daoithe agus dúirt sé go dtiocfadh sé fá choinne an ghamhna Dé Domhnaigh agus d'imigh sé chun an bhaile.

Nuair a tháinig tráthnóna Dé Domhnaigh tháinig an chéad fhear isteach. Ní raibh sé i bhfad istigh go dtáinig an dara fear isteach. Ní raibh sé sin i bhfad istigh go dtáinig an fear eile isteach. Nuair a bhí an triúr tamall istigh dúirt an chéad fhear go raibh an t-am aige a bheith ag gabháil chun an bhaile leis an ghamhain.

"Ní tusa an fear a cheannaigh an gamhain agus níl baint na páirt agat dó", arsa an dara fear.

Bhí an fear eile ina shuí sa chlúdaidh agus dúirt sé "Cheannaigh mise an gamhain agus bhéarfaidh mé liom é".

"Bhéarfaidh mise liom é", arsa an chéad fhear.

"Go dtachtaí an diabhal tú", arsa an dara fear.

Bhí siad ag caint leo mar sin go dtí go raibh an oíche ann. Dúirt siad le bean an toighe go gcaithfeach sí a bheith thuas lá an dlí.

"Maith go leor", arsa an tseanbhean.

Tháinig lá an dlí agus bhí an tseanbhean ann fosta. Chuir an breitheamh ceist ar na fir goidé a rinne an bhean sin orthu.

"Ó", arsa na fir, "dhíol sí gamhain leis an triúr againn".

Chuir an breitheamh ceist uirthi goidé a thug uirthi sin a dhéanamh.

Thoisigh sise a fheadalaigh. Dúirt an breitheamh leis na fir —

"Níl an bhean sin i gceart".

"Ó", fan go fóill brisfidh mise an cár ag an bhean sin", arsa an dara fear. D'imigh na fir chun an bhaile.

Bhí an tseanbhean ag siúl giota maith ina ndiaidh. Tháinig an tseanbhean fhad le áit a raibh bean bhocht.

"Ó, tá mo leanbh marbh", arsa an tseanbhean.

Thug an bhean bhocht an leanbh daoithe agus d'imigh siad leo go dtí áit a raibh fear ag crathadh choirce. Bhí cnap mór coirce aige. Rith an tseanbhean fríd an choirce. Thóg an fear cloch agus chaith sé ar an bhean í agus bhuail sé an leanbh.

"Ó", arsa an tseanbhean "tá an leanbh marbh agat".

"Bhéarfaidh mé céad punta duit ach ná déan dochar ar bith domh".

"Maith go leor, ní dhéanfaidh mé aon dochar duit".

Thug an fear céad punta don tseanbhean agus chuir sí féin agus an bhean bhocht an leanbh. Nuair a bhí sin déanta acu d'imigh siad leo go dtí teach na seanmhná. Thug an tseanbhean trí phunta don bhean bhocht agus d'imigh sí chun an bhaile.

1.137   SEÁN AMAIDEACH AGUS AN MINISTIR

Bhí Seán amaideach agus a mháthair ann uair amháin. Lá amháin tháinig ministir aniar an bealach mór agus thoisigh sé féin agus Seán a chomhrá. Dúirt an ministir leis go raibh sé ag gabháil a chodladh agus d'iarr sé ar Sheán gan coileog nó a dhath a ligean a chóir. Thit sé ina chodladh. Nuair a bhí sé tamall beag ina chodladh tháinig coileog thart agus luigh sí ar cheann an fhir. Thóg Seán cloch agus bhuail sé an ministir agus mharaigh sé é.

An Domhnach ina dhiadh sin bhí ministir eile ann. Dúirt sé an té a d'inseochadh dó cé a mharaigh an ministir go dtabharfadh sé céad punta dó. D'éirigh Seán ina sheasamh agus dúirt sé "mise a mharaigh é". Dúirt an minister "crochfar thú". Tháinig Seán chun an bhaile agus d'inis sé dona mháthair gur dhúirt an ministir go gcrochfaí é. D'fhiafraigh an mháthair dó cé a d'inis dó é. Dúirt sé gur eisean. "Marochaidh muid caora", arsa an mháthair. Mharaigh siad an chaora agus chuir siad sa gharradh í. Tráthnóna tháinig na gardaí. D'fhiafraigh siad de cá raibh an corp curtha. Dúirt sé gur sa gharradh. "Rachaidh muid go bhfaighidh muid é", arsa na gardaí. Dúirt Seán go rachadh. Fuair siad spáid agus thoisigh siad a chuartú. Sa deireadh chonaic siad an chaora. Bheir Seán greim dhá adhairc uirthi. Duirt sé "An b'é sin an ministir?" Bhuail fear acu dorn air agus d'imigh siad chun an bhaile agus iad ag gáirí agus níor crochadh Seán ná a mháthair.

1.139 AN GASÚR AMAIDEACH

Bhí gasúr ann uair amháin agus lá amháin chuir a mháthair chun an aonaigh é le bó a dhíol. D'imigh sé ag tarraingt ar an aonach. Ní raibh sé i bhfad ar an aonach go dtáinig ceannaitheoir fhad leis agus thug sé ocht bpingin déag dó ar an bhó.

D'imigh an gasúr leis ag tarraingt ar an bhaile agus na hocht bpingin déag leis. Ní raibh sé i bhfad ar shiúl go dtáinig cith fearthanna air agus b'éigean dó a ghabháil ar foscadh a chois binne. Ní raibh sé i bhfad ar foscadh go bhfaca sé cloch agus scoilt inti agus an t-uisce ag gabháil síos sa scoilt.

Bhí truaighe air nó bhí sé ag déanamh go mbeadh an rud a bhí thíos faoi sin go mbeadh sé fliuch báite. Chuir sé cuid de na pingineacha thart ar an scoilt. D'imigh sé giota eile go dtí go dtáinig cith eile air. Chuaigh sé ar foscadh ar ais.

Chonaic sé nóinín agus an ghaoth ag tabhairt tosáil bhocht dó. Chuir sé cúpla ceann eile thart ar an nóinín. D'imigh sé ag tarraingt ar an bhaile. Nuair a tháinig sé chun an bhaile agus gan leis ach cupla pingin ar son na bó thug sí griosáil mhaith dó agus chuir sí ar shiúl é.

D'imigh sé leis go dtáinig sé go dtí áit a raibh ministir ag caint go gorraigeach le daoine.

''Bí do thost, a ghadaí a bhfuil an béal mór ort agus lig do duine inteacht eile scéal a inse.''

Thoisigh sé a inse fán nóinín agus fán scoilt. D'imigh sé leis ag tarraingt ar an bhaile. Nuair a chuaigh sé chun an bhaile thug a mháthair griosáil dó agus chuir ar shiúl é. D'imigh sé leis. Ní raibh sé i bhfad ar shiúl gur casadh an ministir air agus mharaigh sé é. Bhain sé níos mó ná luach na bó de. Fuair na gardaí amach gurb é a mharaigh an ministir. D'imigh sé sula dtáinig na gardaí agus chuir sé reithe ag taobh an mhinistir. Chuir sé créafóg ina mhullach. Chuir na gardaí ceist air cad chuige ar mharaigh sé é. Dúirt an gasúr leo dá bhfeidfeadh siad san é fosta go muirfeadh siad é. D'iarr siad air é a thaispeáint daofa. Thoisigh sé a pholladh san áit a raibh an reithe curtha aige. Leis sin féin nocht dhá adhairc an reithe aníos.

''Sin anois an ministir a chuir mise,'' a dúirt an gasúr.

D'imigh na gardaí ina reath agus ní raibh aon duine acu ag fanacht leis an duine eile.

1.140 AN BHRIONGLÓID

Bhí Éireannach agus Sasanach ann uair amháin. Ní raibh airgead ar bith ag an Éireannach ach bhí trí pingine ag an tSasanach. Chuaigh an Sasanach isteach i siopa a bhí ann agus cheannaigh sé arán. Ach is beag a fuair sé ar na trí pingine a bhí aige.

Tháinig sé amach ainsin agus chuir sé ceist ar an Éireannach an raibh seisean ag iarraidh a dhath. Dúirt sé go raibh sé ag iarraidh lóistín a bhí aigesean agus go rannfadh sé an t-arán leis. Ar an bhealach daofa go dtí an teach dúirt an tÉireannach nach ndéanfadh an t-arán mórán maith do

223

bheirt. Dúirt an Sasanach — ''Cé bith againn is fearr a dhéanfas brionglóid anocht thig leis an t-arán uilig a bheith aige.''

Tháinig siad go dtí an teach lóistín agus chuaigh siad isteach. Nuair a tháinig am luí chuaigh an bheirt go dtí an seomra agus chuaigh siad a luí. Rinne an Sasanach brionglóid go raibh sé ag gabháil suas leis sa spéir agus go bhfaca sé cuid mhór daoine naofa. Mhuscail sé an tÉireannach agus d'inis sé an bhrionglóid dó ach dúirt seisean go dtearna sé ceann i bhfad níos fearr, gur shíl sé go raibh sé a fhad suas sa spéir agus nach bpillfeadh sé níos mó.

Fuair seisean an t-arán.

1.142.1   AN FEAR A RAIBH FIOS AIGE

Bhí fear ann uair amháin darbh ainm Micí Bán agus bhí sé ina chónaí ar an Chaiseal. Bhí saol am mhadaidh bháin ag Micí. Luíodh sé siar le bolg lán agus d'éiríodh sé aniar le bolg folamh fhad is mhair a chuid airgid dó ach tháinig an bhoichtíneacht sa deireadh agus b'éigean do Mhicí a bheith ag smaointeamh ar sheift inteacht lena chuid a shaothrú.

Shocraigh sé go n-imeochadh sé féin agus Máire (a chéile) go Meiriceá. D'fhan siad i nDoire an oíche sin le greim a fháil ar bhád Mheiriceá lá tharna mhárach. Níor chodlaigh Micí bocht mórán an oíche sin nó bhí a chroí á bhriseadh le cumhaidh. Bhí sé ag amharc amach ar fhuinneoig nuair a chonaic sé beirt fhear ag siúl go fáilthí síos an tsráid agus ag cur rud inteacht i bhfolach i bpíopa ag bun na sráide.

Lá tharna mhárach ní raibh amach as béal na ndaoine ach caint ar na hearraí luachmhara a goideadh as siopa i nDoire luach — míle punt agus gealladh suim mhór airgid don té a gheobhadh iad. Smaointigh Micí ar an bheirt a chonaic sé an oíche roimhe ré agus dar leis go bhfaigheadh sé féin an tsuim airgid údaí. Chuaigh se fhad le lucht an tsiopa agus dúirt leo cá bhfaigheadh siad a gcuid earraí uilig. Rinne siad mar a dúirt sé leo. Fuair Micí an t-airgead agus bhain an baile amach agus a sháith lúchaire air. Chuaigh an scéala amach achan áit go raibh fios ag Micí.

Gan mhoill ina dhiaidh sin goideadh roint mhór airgid as siopa i mBéal Feirste agus cuireadh scéala fá choinne Mhicí a theacht go bhfaigheadh sé amach cá raibh na hearraí i bhfolach. D'imigh Micí leis agus gan a fhios faoin spéir aige goidé mar a gheobhadh sé amach cá raibh na hearraí i bhfolach. Bhí sé ina shuí ina sheomra an oíche sin ag meabhrú leis nuair a shiúil fear isteach agus dúirt go n-inseochadh sé áit folacháin na n-earraí dó, dá dtabharfadh sé leithchéad punta dó.

Thug Micí an t-airgead dó agus d'iarr an fear air a ghabháil go roilig áithrid ar maidin agus go bhfaigheadh sé na hearraí taobh istigh den gheafta. Chuaigh Micí chuig na siopadóirí agus d'inis daofa cá bhfaigheadh siad a gcuid earraí, thóg a chuid airgid agus phill chun an bhaile.

Tamall ina dhiaidh sin chuir muintir na hÉireann geall le muintir na hAlbna nach raibh fear acu chomh cliste le Micí. Dúirt muintir na hAlbna go raibh agus socraíodh an bheirt a thabhairt le chéile i mBaile Átha Cliath. Cuireadh ina suí ag bord iad a raibh neart bídh agus dí uirthi. Bhí feoil choinín agus feoil madadh rua ar an tábla agus dúradh le cib bith duine acu a ba ghaiste a d'aithneocheadh an duifear eadar an dá fheoil gur sin an duine a ba chliste.

Bhí dhá chailín freastála acu agus duine acu ag coinneáil súil ghéar ar an duine eile ar eagla go n-inseochadh sí. Bhí Micí ag amharc leis ar an dá phláta agus gan a fhios aige goidé a dhéanfadh sé.

"Ba chliste an madadh rua ach fuarthas greim sa deireadh air," arsa seisean. "Tá an fhírinne agat," arsa cailín freastála Mhicí agus thóg sí an pláta a raibh feoil an mhadaidh ruaidh air.

Bhí an bhuaidh le Micí agus fuair sé suim bhreá airgid. Tháinig sé chun an bhaile agus bhí saol an mhadaidh bháin aige go lá an bháis.

1.142.2 AN tÉIREANNACH GLIC

Bhí Éireannach thall in Albain aon uair amháin fada ó shin. Oíche amháin chodlaigh sé amuigh i bpáirc agus i lár na hoíche chonaic sé triúr fear ag cur rud isteach ag taobh na páirce. Lá tharna mhárach tháinig an fear seo isteach chuig feirmeoir agus chuir sé ceist air an dtabharfadh sé obair dó. Dúirt an fear leis — "ni thiocfadh liomsa obair ar bith a thabhairt duit nó níl airgead ar bith agam. Tháinig robairí agus gadannaí ar mo chuid airgid agus ghoid siad é."

"Bhail," a dúirt an fear, "má thabhrann tusa mo dhinnéar domhsa agus leabaidh mhaith dhéanfaidh mé brionglóideach agus bheid a fhios agam cá háit a bhfuil do chuid airgid."

"Maith go leor," arsa an feirmeoir, "bhéarfaidh mé leabaidh agus do dhinnéar duit" arsa an feirmeoir, agus thug.

Nuair a bhí an fear dhá uair ina chodladh tháinig an feirmeoir fhad leis agus chuir sé ceist air an dtearna sé an bhrionglóid agus dúirt sé go dtearna.

D'iarr sé air a ghabháil amach go dtí an pháirc agus go bhfaigheadh sé a chuid airgid. D'imigh sé agus fuair sé an t-airgead.

Nuair a tháinig sé isteach thug sé a sháith airgid don Éireannach. Chuala cuid mhór daoine iomrá ar an fhear seo agus lá amháin tháinig fear agus ceathrar iníonach leis go dtí an teach a raibh an fear seo ann. Bhí a chuid airgid caillte aigesean fosta agus tháinig sé fhad leis.

Dúirt an tÉireannach leis "má thabhrann tú leabaidh mhaith domhsa agus mo dhinnéar, dhéanfaidh mé brionglóid duit agus beidh a fhios agam cá bhfuil do chuid airgid." Nuair a bhí an tÉireannach uair ina luí tháinig iníon acu isteach agus chuir sí ceist eile air an dtearna sé an bhrionglóid. Dúirt sé nach dtearna. Nuair a bhí sé uair eile ina chodladh tháinig an dara iníon isteach agus chuir sí an cheist air a dtearna sé an bhrionglóid agus dúirt sé nach dtearna ach gur inis an chéad iníon domh gur tusa a thug leat an t-airgead. Dúirt sise nach í ach gur í seo atá ag teacht isteach a bhfuil sé aici.

Nuair a tháinig an ceathrú iníon isteach dúirt sé gur ise a thug léithe
225

an t-airgead. "Bhail", a dúirt an ceathrú bean "má tá fios a dhíth ort lá an t-airgead ag an dara bean agus ag an tríú bean amuigh i gcruach fhéir atá amuigh ins an pháirc."

Ansin tháinig an t-athair isteach agus chuir sé ceist air an dtearna sé an bhrionglóid. Dúirt sé go dtearna. Dúirt sé go raibh an t-airgead ag an dara agus ag an tríú iníon amuigh i bpáirc. Shíl an fear ar inis sé dó cá háit a raibh a chuid airgid go raibh fios aige.

1.143 PÁDRAIG AGUS AN MINISTIR

Bhí fear as an áit seo thall in Albain aon uair amháin. Pádraig an t-ainm a bhí air. Bhí sé ag obair ag feirmeoir. Tráthnóna amháin bhí Pádraig ag gabháil chun an tsiopa. Bhí ministir ag teacht anuas an bealach mór. Bhí uaireadóir ag an mhinistir agus chaith sé ar an bhealach mhór í le mealladh a bhaint as Pádraig.

Nuair a tháinig Pádraig go dtí an t-uaireadóir thóg sé í agus chuir sé ina phóca í. Scairt an ministir leis.

"Mise a chaill an t-uaireadóir", arsa an ministir.

"Agus fuair mise í", arsa Pádraig.

D'iarr an ministir an t-uaireadóir ar Phádraig ach ní thabharfadh Pádraig dó í.

"Mé féin a chaill í" arsa an ministir.

"Agus fuair mise í", arsa Pádraig.

Dúirt an ministir leis go dtabharfadh sé air a bheith ag an dlíodh an tseachtain ina dhiaidh sin.

"Maith go leor", arsa Pádraig.

Tháinig lá an dlí agus tháinig an ministir isteach toigh Phádraig agus dúirt sé leis a ghabháil chuig an dlíodh. Dúirt Pádraig nach raibh cóta ar bith aige.

"Bhéarfaidh mise cóta duit," arsa an ministir agus thug.

Chuaigh Pádraig agus an ministir chuig an dlíodh. Scairt an breitheamh aníos ar an mhinistir. Chuir an breitheamh ceist ar an mhinistir goidé a rinne an fear sin air.

"O", arsa an ministir, "goidé nach dtearna sé orm. Ghoid sé dhá uaireadóir orm," arsa an ministir.

D'éirigh Pádraig ina sheasamh. Ar seisean.

"Bréagach thú. Mhionnóchfá gur leat an cóta sin atá thuas ar mo chraiceann le bliain."

"Is liom an cóta sin cinnte", arsa an ministir.

Thoisigh an breitheamh a gháirí.

"Imígí libh chun an bhaile", arsa an breitheamh.

D'imigh an bheirt chun an bhaile agus sin a raibh dó.

1.144 AN RÍ AGUS A THRIÚR MAC

Bhí rí ann am amháin agus bhí triúr mac aige. Bhí sé bocht agus (nuair a) bhí sé ag fáil bháis d'fhág sé dréimire ag an mhac a ba shine, coileach ag an dara mac agus cat ag an tríú mac.

Lá amháin d'imigh duine de na mic chun an bhaile mhóir agus fuair sé lóistín na hoíche i dteach. Nuair a bhí maidin (ann) scairt an coileach agus bhí iontas ar mhuintir an toighe cionn is nár chuala siad scairt coiligh ariamh. Dúirt an fear go raibh sé ag díol an choiligh. Cheannaigh muintir an toighe an coileach agus fuair sé cuid mhór air agus d'imigh sé chun an bhaile.

Nuair a bhí sé sa bhaile d'imigh fear an chait chun an bhaile mhóir agus fuair sé lóistín na hoíche agus nuair a bhí achan duine ina luí bhí an teach seo lán luchóg agus d'ith an cat na luchógaí. Nuair a chonaic muintir an toighe seo chomh maith agus a bhí an cat cheannaigh siad é agus fuair sé cuid mhór airgid air.

D'imigh sé chun an bhaile agus ní raibh a fhios ag fear an dréimire goidé a dhéanfadh sé. D'imigh sé go dtí an baile mór agus an dréimire leis. Fuair sé lóistín na hoíche i dteach agus ní bhfuair sé airgead ar bith ar an dréimire agus bhí sé ansin ar feadh dhá lá agus ní bhfuair sé an dréimire díolta ar chor ar bith.

Lá amháin tháinig beirt fhear agus dúirt siad leis an dréimire a thabhairt leis agus thug siad leo an dréimire go dtí teach agus chuir siad ina sheasamh air é. Chuaigh duine de na fir suas ar an dréimire agus isteach ar an fhuinneog agus ghoid sé ór agus airgead.

Dímigh sé chun an bhaile agus ní raibh sé i bhfad sa bhaile gur thoisigh na mic a throid agus mharaigh siad é.

1.145 GASÚR AN URRAIDH

Bhí fear agus bean agus gasúr ann uair amháin agus nuair a bhí an fear ag fáil bháis d'iarr sé ar an bhean bia a thabhairt don ghasúr le hithe go mbeadh sé ábalta crainn a tharraingt amach as na fréamhacha le tréan urraidh.

Lá amháin d'iarr a mháthair ar an ghasúr a ghabháil amach agus cupla úll a thabhairt isteach. Chuaigh an gasúr amach agus tharraing sé crann amach as na fréamhacha agus thug sé isteach chun an toighe é. Dúirt a mháthair go raibh sí ag gabháil go hAlbain. Dúirt an gasúr go raibh sé ag gabháil fosta.

Ar maidin lá tharna mhárach d'éirigh siad go luath. Nuair a bhí siad ag imeacht dúirt an mháthair leis an ghasúr "tarraing an doras do dhiaidh".

Bhain an gasúr an doras anuas óna hursa agus thug leis ar a dhroim é. D'imigh leo go dtáinig siad fhad le coillidh. Nuair a tháinig an oíche chuir an gasúr suas an doras ar na crainn agus (chuaigh) sé féin agus a mháthair suas air.

Ní raibh sé i bhfad thuas go dtáinig (beirt agus) dhá mhála óir goidte leo.

Thoisigh an gasúr a chroitheadh an chrainn. D'imigh an bheirt eile agus d'fhág siad an t-ór ina ndiaidh. Tháinig an mháthair agus an gasúr anuas agus fuair siad an dá mhála óir. Bhí dóigh bhreá orthu ina dhiaidh sin.

1.146 AN DÁ CHNÁMH

Fuair fear bás thiar sna Rosa aon uair amháin. An lá a bhíthear ag déanamh na huaighe chuir siad aníos dhá chnámh. Nuair a cuireadh an corp agus an uaigh líonta níor smaointigh siad na cnámha a chur síos. An oíche sin bhí scaifte daoine istigh sa teach a bhfuair an fear bás. Dúirt fear acu ''an té a rachadh soir go Machaire Gáthlán agus bhéarfadh an dá chnámh a d'fhág siad ina ndiaidh inniu thoir a thabhairt anoir. Dúirt fear arbh ainm do Mac Giolla Bhríde go rachadh seisean agus d'imigh sé. Thug an fear eile leis braithlín agus d'imigh sé aniar agus bhí sé ag an roilig roimhe. Chuaigh Mac Giolla Bhríde isteach chun na roilige. Thóg sé ceann dona cnámha agus dúirt sé ''sin cnámh m'athara.'' Thóg sé an ceann eile agus dúirt sé ''sin cnámh mo mháthara.'' Le sin d'éirigh an fear a raibh an bhraithlín air agus lean sé an fear eile fríd na crosannaí ag titim agus ag éirí. Bhí sé ina dhiaidh go raibh sé thiar sna Rosa.

Bhí fear mire ina chónaí thall i Machaire Gáthlán san am sin. Thoisigh seisean a scairtigh amach. ''Maith thú a thaibhse bhán, beir ar an taibhse dhubh agus beirfidh mise ortsa.'' Reath an fear mire fosta agus cib bith an eagla a bhí ar an chéad fhear bhí a dhá oiread eagla ar an fhear a raibh an bhraithlín air agus iad uilig ina reath go raibh siad thiar sna Rosa agus fear na mire ina ndiaidh ar fad. An fear a thug iarraidh an taibhse a dhéanamh bhí a dhá oiread eagla air agus a bhí ar an fhear eile.

1.147.1 AN GASÚR AMAIDEACH

Bhí gasúr beag ann uair amháin agus ba ghnách leis a bheith ag obair ansiúd agus anseo ag achan duine. In áit airgead a thabhairt dó mar thuarastal bhéarfadh siad rud inteacht eile dó.

Lá amháin bhí sé ag obair ag fear agus fuair sé cat. Thug sé an cat leis chun an bhaile ar a dhroim agus nuair a shroich sé an baile bhí sé scríobhtha, gearrtha uilig aige. ''Cad chuige nár chuir tú rópa air agus é a tharraingt do dhiaidh,'' arsa an mháthair. Dúirt an gasúr go mbeadh sé níos críonna an dara lá. Cupla lá ina dhiaidh sin bhí sé ag obair ag búistéir agus fuair sé píosa feola mar thuarastal. Cheangal sé rópa air agus tharraing sé chun an bhaile é. Bhí an fheoil millte nuair a bhí sé sa bhaile agus b'éigean dona mháthair í a chaitheamh amach. ''Ná déan sin níos mó'' arsa an mháthair, ''cad chuige nár chuir tú páipéar uirthi agus í a thabhairt leat in do lámh?''

Lá amháin eile bhí sé ag obair ag fear agus thug sé pigín bainne dó. Chuir an gasúr bocht an bainne isteach i bpáipéar agus thug leis chun an bhaile é. Nuair a bhí sé sa bhaile ní riabh deor ar bith fághtha. ''Nach tú an clairíneach bocht'' arsa an mháthair, ''cad chuige nár chuir tú an pigín ar do cheann?''

Tamall ina dhiaidh sin rinne sé lá oibre do fhear agus fuair sé asal mar thuarastal. Bhí sé ag iarraidh an asal a chur ar an cheann agus gan ag éirí leis rómhaith, ach fá dheireadh fuair sé suas ar dhóigh inteacht í agus siúd leis chun an bhaile. Bhí iníon an rí ag éileamh san am agus dúirt na dochtúirí dá dtiocfaí gáire a bhaint aisti go mbeadh biseach uirthi.

D'fhéach go leor le gáire a bhaint aisti ach ní raibh maith ann, go dtí go bhfaca sí an gasúr agus an asal ar a cheann.

Rinne sí a seacht sáith gáirí ansin agus bhí biseach uirthi. Bhí lúcháir mhór ar an rí agus thug sé cuid mhór airgid don ghasúr agus bhí dóigh mhaith air ó sin amach.

1.147.2   MICHEÁL AMAIDEACH

Bhí gasúr ina chónai ag na mháthair agus ní raibh an chuid ab fhearr den chiall aige. Lá amháin chuir an mháthair chun an bhaile mhóir é cheannacht speile. Cheannaigh sé an speal agus thug sé a aghaidh ar an bhaile.

Ní raibh sé i bhfad ar shiúil gur thoisigh sé a chasadh na speile an dóigh a mbeadh sé ag spealadóireacht. Leis sin féin d'imigh an speal as a lámha agus mharaigh sí uan a bhí ag inilt ar thaobh an bealaigh mhóir. An tráthnona sin tháinig fear an uain chuig máthair Mhicheáil agus b'éigean dó luach an uain a dhíol.

"A ghiolla an chinn mhóir," arsa sise, "cad chuige nár sháith tú isteach í i gceann dena lódaí féir a bhí ag teacht an bealach in do chuideachta."

"Beidh mé níos eolaí an dara huair."

An dara lá chuir an mháthair chun an tsiopa é a cheannacht dornán snáthad. Chuaigh sé chun an tsiopa agus cheannaigh sé na snáthadaí. Tháinig sé amach as an tsiopa. Chonaic sé carr féir ag gabháil an bealach mór. Sháith sé na snáthadaí isteach i gceann de na lódaí féir. Ar a theacht chun an bhaile dó chuir an mháthair ceist air cá raibh na snáthadaí. Dúirt seisean gur sháith sé isteach i gceann de na lódaí féir iad a bhí ag teacht an bealach mór ina chuideachta.

"A ghiolla an chinn mhóir," arsa sise "cad chuige nár sháith tú isteach in do hata iad?"

Dúirt seisean go mbeadh sé níos eolaí an dara huair.

An tríú lá chuir an mháthair chun an tsiopa é a cheannacht meascán ime. Chuir sé an t-im isteach ina hata agus theann an hata ar a chloiginn. Ag teacht chun an bhaile dó bhí an t-im ag sileadh anuas ar a leicne. "A amadáin" arsa sise "ní chuirfidh mé chun an tsiopa feasta thú."

Lá amháin dúirt an mháthair leis "b'fhéidir mura bhfuil tú ábalta ceannacht go bhfuil tú ábalta díol. Tá dhá éan circe ansin. Tabhair leat chun an aonaigh iad agus díol iad."

Thug Micheál leis iad ag tarraingt ar an aonach. Tháinig fear fhad leis.

"Bhéarfaidh mé ocht scilling déag duit orthu."

"Tá mé buíoch duit" arsa seisean "ach d'iarr mo mháthair orm gan an chéad luach a ghlacadh ach fanacht leis an dara tairiscint."

"Tá ciall agat" a dúirt seisean agus d'imigh sé.

Tháinig sé fhad le Micheál arís.

"Bhéarfaidh mé dhá scilling duit orthu."

"Sílim go bhfuil sin níos lú ná an chéad tairiscint ach seo chugat an éanlaith."

Nuair a chuaigh Micheál chun an bhaile agus gan leis ar an éanlaith ach dhá scilling dúirt sise leis nár cheart dó glacadh ach leis an phingin is airde.

Lá amháin dúirt a mháthair le Micheál go raibh caora ansin. "Tabhair leat chun an aonaigh í agus díol í."

D'imigh Micheál. Tháinig fear fhad leis.

"Bhéarfaidh mé ocht scillinge duit uirthi."

"Go raibh maith agat" arsa seisean "ach d'iarr mo mháthair orm an phingin ab airde a ghlacadh."

Scairt gasúr a bhí thuas ar dhréimire amach agus pingin ina mhéara aige "Liomsa an chaora eadar chorp agus chnámha."

"Maise" arsa Micheál "silím go bhfuil sin níos lú".

"Is eadh" arsa an gasúr, "ach d'iarr do mháthair ort an phingin ab airde bheith leat uirthi. Seo an phingin is airde ar an aonach inniu."

"Seo duit an chaora."

Nuair a chuaigh Micheál chun an bhaile agus gan leis ach pingin ar shon na caorach "A ghiolla an chinn mhóir" arsa sise "ní chuirfidh mé a dhíol nó a cheannacht feasta thú nó níl ciall ar bith agat."

Níor cuireadh Michéal chun an tsiopa a cheannacht nó a dhíol ní ba mhó.

1.147.3   PÁDRAIG DUBH AGUS PÁDRAIG BÁN

Bhí dhá fhear ina gcónaí ag taobh a chéile. Is é an t-ainm a bhi orthu Pádraig Dubh agus Pádraig Bán. Bhí Pádraig Bán iontach amaideach. Lá amháin d'imigh an bheirt ar asal. Tháinig siad go dtí fear a bhí ag crothadh choirce. Chuir Pádraig Dubh Pádraig Bán fá choinne scála coirce. Fuair Pádraig Bán scála an choirce. Chuir Pádraig Dubh ceist ar Phádraig Bán an dtug sé buíochas dó. Duirt se nach dtug. Chuir Pádraig Bán suas é ag tabhairt buíochais dó. D'iarr sé air a rá "deich ngráinnín choirce go raibh ar achan ghráinnin amháin a bhí anuraidh aige". Dúirt Pádraig Bán "gráinnín amháin ar achan deich ngráinnín a raibh aige anuraidh." Lean an fear eile anuas é. Chuir Pádraig Dubh ceist air goidé a bhí ag teacht air. D'inis sé dó, gurb é an buíochas a thug Pádraig Bán dó "gráinnin amháin coirce go raibh ar achan deich ngráinnín a raibh anuraidh agat." Ní shin an rud a d'iarr mise air a rá ach deich ngráinnín coirce go raibh ar achan ghráinnín amháin a raibh agat anuraidh.

D'imigh siad leo agus casadh tórramh orthu. Dúirt Pádraig Bán leo "deich ngráinnín coirce go raibh ar achan ghráinnín amháin a raibh agaibh anuraidh." Dúirt Pádraig Dubh le Pádraig Bán, "Ní sin an rud a ba cheart duit a rá ar chor ar bith ach grásta Dé ar a anam."

D'imigh siad leo go taobh na farraige agus bhí daoine uaisle ag snámh. Chuir Pádraig Dubh ceist ar Phádraig Bán cé an bhean acu sin ab fhearr leis. Dúirt Pádraig Bán gurb é an bhean a raibh an t-éadach bán uirthi.

Thug sé leis ar an asal í go dtí a theach féin agus bhí am maith acu ón lá sin go dtí an lá inniu.

1.148   AN tÉIREANNACH GLIC

Bhí trí Éireannach ag siúl sráid Ghlascú agus ní raibh Béarla ar bith acu. Dúirt siad go gcaithfeadh siad Béarla a fhoghlaim. Chuaigh fear acu isteach í siopa agus chuala sé fear ag rá 'us three'.

Nuair a tháinig sé amach dúirt sé leis an bheirt amuigh an méid Béarla a bhí aige. Chuaigh an dara fear isteach agus chuala sé iad rá 'all the better'.

D'imigh siad leo agus chuala an fear eile 'for fifty pounds'.

D'imigh siad leo agus casadh fear marbh orthu agus bhí buaireamh mór orthu.

Ní raibh i bhfad go dtáinig garda agus chuir sé ceist i mBéarla ''Who killed this man?''

Thug an chéad fhear freagra air ''Us three''.

Chuir an garda ceist air ''What for?''

Labhair an fear eile ''For fifty pounds''.

Dúirt an garda ansin ''You must be hung.''

Labhair an fear eile ''All the better.''

Cuireadh an chéad fhear amach chun na coilleadh agus thug sé isteach crann mór agus crochadh é. Rinne siad an cleas céanna leis an dara fear. Cuireadh amach an treas fear fá choinne crann. Thug seisean leis crann spíonóg. Dúirt siad leis nach gcrochadh an crann seo é.

''A'' arsa an tÉireannach ''níl deifre ar bith ormsa, fanóchaidh mé go n-éireochaidh sé mór.'' Fuair an tÉireannach saor de thairbhe a chuid gaisteacht féin.

1.149.1   AN BUACHAILL AIMSIRE

Bhí gasúr as ceantar an Toir ar fostódh ar an Lagán leithchéad bliain ó shin anois agus ní raibh aon fhocal amháin Béarla aige. Rinne sé fostódh ar aonach an tSrath Báin i mí na Bealtaine agus lá tharna mhárach nuair a d'éirigh sé ar maidin d'iarr an maighistir air an boitheach a chartú.

Thug sé leis an barra rotha agus gabhal agus thoisigh sé a dh'obair go dian dícheallach. Ní raibh sé i bhfad ag obair go dtáinig an maighistir chun an bhoithigh go bhfeicfeadh sé goidé an sórt oibrí é. Thaitin an gasúr go mór leis agus dúirt sé ''good''. Fá cheann tamaill eile dúirt sé ''good'' athuair. Níor lig an gasúr a dhath air féin ainneoin go raibh sé míshásta leis. Sa deireadh thiontaigh an maighistir ar a shálaibh ag imeacht agus ag rá lena linn ''very good''.

Ní thiocfadh leis an ghasúr seo a fhulaingt níos faide agus sháith sé síos an grápa gabhal go goirgeach sa tsuinc agus dúirt sé: Chuirfinn suas le ''good'' agus le dhá ''good'' ach i dtaca le ''very good'' dó ní chuirfeadh diabhal Ifrinn suas leis.

1.149.2 AN FEAR NACH RAIBH IN ALBAIN ARIAMH

Bhí fear ann uair amháin. Éireannach a bhí ann agus cha raibh sé in Albain ariamh. D'imigh sé féin agus cupla fear anonn go hAlbain. Bhí siad sin ag inse dó go bhfaigheadh sé bia in achan teach in Albain. Chuaigh siad fhad leis an chéad teach mór a casadh daofa. Ach cha rachadh duine ar bith isteach.

Dúirt an tÉireannach go rachadh seisean isteach. Chuaigh sé suas fhad leis an teach mór ach cha raibh Béarla ar bith aige agus goidé a bhi ann ach teach dochtúra. Tháinig an cailín amach — chuir ceist air goidé a bhí sé a iarraidh. Chuir sé a mhéar suas fhad lena bhéal — "brachán." D'imigh an cailín isteach agus dúirt leis an dochtúir go raibh fear amuigh ansin a bhí go holc leis an déideadh. Chuaigh sé isteach agus shuigh. Chuir an dochtúir ceist air an bhfuil i bhfad ó bhuail an phian é. Chuir sé a mhéar suas fhad lena bhéal ar ais — "brachán." Tharraing an dochtúir fiacail dó.

"Ar imigh an phian?" arsa an dochtúir.

Chuir sé a mhéar suas fhad lena bhéal ar ais — "brachán."

Tharraing an dochtuir ceann eile dó agus chuir ceist air an raibh biseach air.

"Tá", a dúirt an fear.

Chuaigh se amach fhad leis an chuid eile. Chuir siad ceist air an bhfuair sé bia.

"Bigí bhur dtost. Ná hiarr bia i dteach ar bith in Albain feasta nó ní fhágfaidh siad aon fhiacail in do cheann nach dtarraingeochaidh siad.

1.149.3 SEANBHEAN CHELSÍ

Bhí ceathrar as an áit seo ag obair i gcuideachta a chéile i nAlbain, triúr as an Rosann agus fear Ghaoth Dobhair. Níl Domhnach ar bith nach siúlfadh siad isteach go baile Chelsí. Bhí seanbhean ansin a dhéanfadh braon tae daofa achan lá. Albanach a bhí inti.

An lá seo bhí sí go holc leis an déideadh agus ní dhéanfadh sí tae ar bith. Phill fear Ghaoth Dobhair agus dúirt sé go ndéanfadh sé leigheas daoithe ar an déideadh ar shon braon tae. Rinne sí réidh é agus d'ól an fear é.

Ansin d'iarr sé uirthi a ghabháil ar a glúine agus an dilín seo a rá ina dhiaidh:

"A sheanchailleach ghallda nach ngéilleann do Mhuire
Biseach nach bhfaigheann tú go dté tú ar mire."

1.150 AG GABHÁIL CHUN NA bhFLAITHEAS

Bhí seanduine ann uair amháin agus ní raibh aige ach mac amháin. Dúirt an t-athair leis an ghasúr lá amháin go gcaithfeadh siad a ghabháil amach a chuartú úllaí. Thus siad leo mála agus d'imigh siad leo. Ní raibh siad i bhfad go dtí go dtáinig siad go dtí crann úllaí. Chuaigh an seanduine suas ar an chrann agus bhí an gasúr thíos ag bun an chrainn ag coinneáil an mhála. De réir mar a bhí an seanduine ag caitheamh anuas na n-úllaí sa mhála bhí an gasúr á n-ithe. Nuair a bhí na húllai uilig bainte ag an tseanduine tháinig sé anuas ón chrann agus d'amharc sé isteach sa mhála agus ní raibh úlla ar bith ann. Chuir an seanduine ceist ar an ghasúr goidé a tháinig ar na húllaí. Dúirt an gasúr leis de réir mar a bhí seisean á gcaitheamh anuas go raibh sé féin á n-ithe.

Fuair sé greim air agus chuaigh sé síos go dtí abhainn a bhí ar an taobh thíos dó agus chaith sé síos go tóin na habhanna é. Tamall ina dhiaidh sin tháinig fear thart agus scaifte eallaigh leis. Thoisigh an gasúr a scairtigh ''Tá mise ag gabháil chun na bhFlaitheas, tá mise ag gabháil chun na bhFlaithneas.''

''Lig mise síos ansin agus bhéarfaidh mé scaifte an eallaigh seo duit,'' ar seisean.

Thainig an gasúr aníos agus chuaigh an fear síos agus báitheadh é. D'imigh an gasúr leis an eallach. Lá amháin bhí aonach ann agus d'imigh an gasúr chun an aonaigh a dhíol an eallaigh. Ar a bhealach chun an aonaigh dó cé a casadh air ach an seanduine.

''Amharc'', arsa an gasúr, ''an scaifte mór eallaigh, a fuair mise thíos ar thóin na habhanna.''

''Tabhair thusa leat mise'', arsa an seanduine, ''agus caith síos go tóin na habhanna mé agus b'fhéidir go bhfaighinn scaifte eile.''

Thug an gasúr leis é agus chaith sé síos go tóin na habhanna é agus báitheadh é. D'imigh an gasúr leis chun an bhaile agus bhi dóigh bhreá air ón lá sin go dtí an lá inniu.

1.151.1 NANSAÍ NÍ MHAOLAGÁIN

Bhí seanbhean ann uair amháin agus bhí sí thar chéad bliain d'aois. Nansaí Ní Mhaolagáin an t-ainm a bhí uirthi agus bhí trí phlaincéad aici agus ní raibh sí le bás a fháil go ngeallfadh an mac daoithe go gcuirfeadh sé na plaincéid sa chónair. Bhí siad ag éirí tuirseach léithe agus lá amháin dúirt an mac léithe go gcuirfeadh sé uirthi iad nuair a gheobhadh sí bás agus ní luaithe a bhí sin ráite aige na d'éag sí.

Ansin fuair siad cónair daoithe agus chuir siad isteach inti í agus chuir siad na trí phlaincéad uirthi agus an lá bhí siad dá cur bhí scaifte mór daoine ann ag amharc uirthi dá cur ins an chónair agus bhí fear amháin ann agus chonaic sé na trí phlaincéad ag gabháil thart uirthi agus smaointigh sé nár dheas na trí phlaincead sin a bheith aige féin agus a mhnaoi agus ag a dteaghlach le cur orthu agus gan a bheith ina luí faoi na málaí. Cuireadh

233

Nansaí an lá seo agus nuair a tháinig na daoine uilig chun an bhaile agus d'éirigh sé dorcha dúirt an fear seo lena mhnaoi go rachadh sé agus go dtógfadh sé Nansaí agus go dtabharfadh sé leis na plaincéid. Ní raibh an bhean sásta leis agus d'iarr sí air fanacht ins an bhaile ach ní raibh maith daoithe ann.

D'imigh sé agus thug sé spád leis agus nuair a bhí sé ag tarraingt ar an reilig chonaic sé fear ag teacht ina dhiaidh agus labhair sé leis agus dúirt fear na bplaincéad "creidim gur fá choinne an rud amháin atá an bheirt againn". "Níl a fhios agam" a dúirt an fear eile "tá mise ag gabháil fá choinne cuid plaincéad Nansaí ná níl cumhdach agam le cur orm ins an oíche. "Ní sin an rud a bhfuil mise ina dhiaidh ach tá mé ag gabháil fá choinne caora de chuid an tsagairt le tabhairt liom chun an bhaile fá choinne í a ithe ná níl a dhath eile agam". "Má thabharann tusa leath na caorach domhsa" a dúirt fear na bplaincéad "bhéarfaidh mise leath na bplaincéad duitse". "Maith go leor" a dúirt fear na caorach "agus d'imigh an bheirt acu". Chuaigh fear na bplaincéad isteach ins na reilig. D'fhoscail sé an uaigh, ansin an chónair agus fuair sé seilbh ar na hearraí agus tháinig sé amach agus sheasaigh sé ag an gheafta ag fanacht leis an fhear eile a theacht leis an chaora agus bhí sé ina sheasamh ansin tamall fada agus ní raibh fear na caorach ag teacht agus nuair nach dtáinig sé d'imigh sé chun an bhaile.

Bhí fear eile ar an bhaile agus bhí sé ina chónaí leis féin agus lena mháthair agus ba deirfiúr do Nansaí a bhí sa mháthair. Bhí capall ag an mhac agus bhí sé tinn an oíche seo agus thug an mac amach é fá choinne rása a bhaint as le biseach a dhéanamh de. Tháinig sé aníos go dtí geafta na reilige agus chonaic sé an fear agus plaincéid leis agus shíl sé gur Nansaí a bhí ann. Phill sé chun an bhaile go gasta agus a thiocfadh leis agus d'inis sé do na mháthair goidé a chonaic sé agus dúirt sise "Cad chuige nár fhan tú?" Nansaí a bhí ann agus í fá choinne na plaincéid a thabhairt domhsa agus d'iarr sí air a ghabháil suas ar ais ach ní rachadh an mac daoithe.

Ní raibh sí féin ábalta siúl agus dúirt sí dá mbeadh "Is mé a rachadh suas go gasta". "Más sin mar atá" a dúirt an mac "bhéarfaidh mise suas thú" agus thug sé leis a mháthair agus chuir isteach i mbraithlín í agus d'imigh sé agus a mháthair leis ar a dhroim ag tarraingt ar an reilig agus nuair a bhí sé ag tarraingt ar an gheafta chonaic fear na bplaincéad iad ag teacht agus (shíl sé) gur fear na caorach a bhí ann agus í leis ar a dhroim agus dúirt sé leis "An bhfuil sí ramhar?" "Níl a fhios agam" a dúirt an fear "sin agat í" agus chaith sé a mháthair ar an bhealach mhór agus d'imigh sé ina rith agus níor shiúil sí coiscéim le fiche bliain roimhe sin agus bhí sí sa bhaile roimh an mhac agus ní raibh a dhath ag fear na bplaincéad le déanamh ach imeacht chun an bhaile fosta.

Liam Mac Giolla Chóill
(Scoil na mBuachaillí, Doirí Beaga)

Rugadh Liam Mac Giolla Chóill ar An Ghlaisigh sa bhliain 1897. Chuaigh sé chun na scoile i mBun An Inbhir idir 1902-1914. Chuaigh sé as sin go Coláiste Adhamhnáin 1914-1919. Bhí sé i gColáiste Phádraig 1919-1920. Chaith sé bliain i ngéibheann i gCampa An Churraigh 1922-'23. Chuaigh sé ar stailc ocrais coicíse le linn dó a bheith ann. Bhí sé ag múineadh ar Scoil Na Luinnigh idir na blianta 1924-'27 agus chaith sé cuid den am sin gan pingin ar bith a fháil ar a shaothar. Pósadh é sa bhliain 1928. Bhí sé ina phríomoide ar Scoil na mBuachaillí, Doirí Beaga.

Sibéal Ní Ghallchóir
(Scoil na gCailíní, Doirí Beaga)

Ba as Ard na gCeapairí Sibéal. Ba iníon í do Dhualtach Chnochúir Sheáin Uí Ghallchóir. Bhí sé ráite gur fhéad sí a sinsir a ainmniú siar go dtí an bhliain 1700. Ba de shliocht múinteoirí í. Chaith a hathair An Dualtach, mar a thugtaí air, blianta ag teagasc i Scoil Chnoc an Stolaire agus ina dhiaidh sin ar An Luinnigh. Bhí a deirfiúr Peigí, bean rialta in Ord na Trócaire agus a deartháir Jeaic ina múinteoirí chomh maith. Chaith Sibéal cúpla bliain ag múineadh i nGort an Choirce ina hóige agus an chuid eile dá saol tuairim is dhaichead bliain mar phríomhoide i Scoil na gCailíní, Doirí Beaga. Ba dhuine den tseanstoc í, deirtear. Chreid sí go daingean gur gríosáil bhreá den tslat an leigheas abhí ar gach uile fhadhb. Bhí féith an cheoil go smior i Sibéal. Ní hamháin gur mhúin sí ceol sa scoil ach bhí cúram an cheoil eaglasta uirthi chomh maith. Le cois go réitíodh sí An Cór, níor chaill sí Domhnach ar feadh dhaichead bliain nach raibh sí i mbun an orgáin i dTeach Pobail Dhoirí Beaga. Bhí grá mór aici don Ghaeilge agus sáreolas ar stair agus seanchas an phobail. Is é an truaighe nár scríobh sí féin agus Liam Mac Giolla Chóill príomhoide Scoil na mBuachaillí i nDoirí Beaga síos a gcuid eolais, ach faraor tháinig an bás róghasta orthu. Ba chruaidh an t-oibrí Sibéal. Níor chaill sí lá ná bomaite de lá scoile ariamh. Lena chois sin d' oibir sí uaireanta fada sa bharraíocht air sin gan pingin gan bonn le seans a thabhairt do dhaoine óga iad féin a dhéanamh réidh do scrúdú na gColáistí Ullmhúcháin. Is iomaí scoláire a chuir sí ar a bonnaí. D' éirigh Sibéal as an mhúinteoireacht san Fhómhar, 1955. Bhí sí marbh taobh istigh de bhliain.

Scoil Dhoirí Beaga.

Liam Mac Giolla Chóill.

Máire Ní Bhaoill, An Coiteann
(Méaraí Pheadair Bhig)

236

Séamus Ó Cuireáin, Machaire Gáthlán (Jimí Jack).

Bríd Ní Dhónaill, Carraig a' tSeascain (Bidí Bheag Jimí).

Seán Ó Cuireáin, Machaire Gathlán, Jack Pháidí Fheidh Iimí.

1.151.2 AN GASÚR A RAIBH DÚIL MHÓR AIGE I gCNÓITE

Bhí beirt ghasúr ann fada ó shin agus bhí dúil mhór acu i gcnóite. Lá amháin d'imigh siad leo ag tarraingt ar chrann cnóite a bhí ag bean. Tchífeadh an bhean iad ag teacht achan lá go crann na gcnóite ach smaointigh sí go mbainfeadh sí iad agus nach dtabharfadh sí aon cheann daofa.

Tamall beag ina dhiaidh sin fuair an bhean bás agus b'éigean na cnóite a chur isteach sa chónair ag a taobh. Bhí go maith. Cuireadh an bhean.

Ar maidin lá tharna mhárach d'imigh an gasúr leis ag tarraingt ar an uaigh an áit ar cuireadh an bhean an lá roimhe sin. Casadh gasúr beag eile air a bhí ag gabháil fá dhéin molt ramhar a bhí thuas sa chnoc aige agus d'inis sé don ghasúr a bhí ag gabháil chun na roilige go dtiocfadh sé an bealach ag teacht ar ais dó agus d'iarr sé airsean a bheith ansin ag teacht ar ais dó.

Bhí go maith. D'imigh an bheirt leo a mbealach féin. Fear acu ag tarraingt ar an chnoc agus an fear eile ag tarraingt ar an roilig. Nuair a tháinig sé go dtí an roilig thóg sé aníos an chónair agus bhain sé an clár daoithe agus thoisigh a ithe na gcnóite. Chuir sé síos ar ais í agus chuir cumhdach uirthi. Shuigh sé féin i mullach na huaighe agus é ag ithe na gcnóite chomh tiubh géar agus a thiocfadh leis.

Bhí sagart taobh amuigh den roilig ag imirt chamán agus tchí sé an toirt dhubh ina shuí ar an uaigh. Scanraigh sé. Thoisigh sé a léamh os a chionn ag déanamh go gcuirfeadh sé ar shiúl é ach ní raibh maith dó ann.

Bhí seansagart ar an bhaile a raibh sé ina chónaí ann nár éirigh ar a chois le seacht mbliana roimhe sin agus smaointigh seisean go rachadh sé fána choinne.

D'imigh sé leis ag tarraingt ar theach an tseantsagairt agus d'inis sé dó goidé mar tharlaigh. Dúirt seisean leis dá n-iompróchadh sé go dtí an roilig é go gcuirfeadh seisean ar shiúl é gan a bheith i bhfad leis.

Bhí go maith. Hiompraíodh do dtí an roilig é. Thug sé amach a leabhar agus thoisigh sé a léamh os a chionn. Ach dá mbeadh sé ag léamh ó shin ní imeochadh an toirt a bhí ina shuí ar an uaigh ag ithe.

"In ainm Dé" arsa an sagart, "iompar síos go dtí an roilig mé go bhfeicfidh mé goidé an cineál rud atá ann."

D'iompar agus nuair a bhí siad ag balla na roilige scairt an glór amach, "An bhfuil sé ramhar? An bhfuil sé ramhar?"

Ní raibh a shúil ag an toirt a bhí ina shuí ar an uaigh ar dhath ar bith ach ar na cnóite agus nuair a mhothaigh sé an tormán taobh amuigh den bhalla bhí sé cinnte gur an gasúr eile a bhí ann ach ní hé an gasúr a bhí ann. Bhí sé ag cur ceist air an raibh sé ramhar (an molt). Nuair a chuala na sagairt an rud a dúirt an toirt d'imigh siad an méid a bhí ina gcorp. Creapalta agus eile is mar bhí an sagart níor fhan sé lena iompar.

1.152.1 SCÉAL PHÁIDÍN

Bhí fear ann fada ó shin darbh ainm Páidín. Bhí sé ag teacht de dheas de am cíosa agus ní raibh airgead ar bith aige leis an chíos a dhíol. Bhuail sé féin agus an buachaill an fodar agus d'imigh sé féin agus a bheathach le lód den choirce. Nuair a bhí sé giota as baile casadh fear air. Chuir an fear ceist air an raibh sé ag gabháil a dhíol an choirce. Dúirt Páidín go raibh. Dúirt sé le Páidín go raibh teach thuas ansin agus go dtabharfadh siad luach maith dó ar an choirce agus go bhfaigheadh sé féin agus an beathach a gcuid.

Chuaigh sé suas, ceannaíodh an coirce agus fuair siad féin a gcuid. Ní raibh i bhfad gur thit Páidín ina chodladh agus fágadh ansin é. D'imigh muintir an toighe agus chuir siad an beathach chun an bhaile agus chuir siad grágán ar an charr. Nuair a chuaigh an beathach fhad leis an teach, thóg siad amach an grágán as an charr. Shíl siad gur Páidín a bhí ann agus é marbh. Chuir siad cónair air agus rinne siad faire air agus chuir siad é.

Pósadh bean Pháidín agus an buachaill seirbhíse agus ní raibh airgead ar bith acu le tabhairt don tsagart agus thug siad muc dó. Lá tharna mhárach i ndiaidh an bheirt acu pósadh tháinig Páidín ach ní bhfuair sé isteach. Luigh sé amuigh ag na muca. Ar maidin tháinig buachaill an tsagairt fá choinne na muice ach lean Páidín é agus chuir sé isteach ar an doras é agus deifre air.

Dúirt an buachaill go dtáinig Páidín air.

"Shíl tú sin" arsa an sagart "duine inteacht eile a bhí ann".

Dúirt an buachaill nárbh é.

"Rachaidh mise síos leat" arsa an sagart "má théann tusa isteach".

"Maith go leor" arsa an buachaill.

Chuaigh an bheirt síos fá choinne na muice. Nuair a bhí siad thíos dúirt an buachaill - "Ní rachaidh mise isteach go dté tú féin isteach liom".

Chuaigh an sagart agus an buachaill isteach. Lean Páidín iad agus chuir sé isteach ar an doras iad.

D'iarr an sagart ar Pháidín a ghabháil fá chónaí nó go raibh seisean ag urnaí ar a shon nuair a bhí sé marbh.

"Seo anois" a dúirt Páidín "urnaí here nor there fág thusa an mhuc".

D'imigh Páidín chun an toighe a dhíol an chíosa. Nuair a d'fhoscail cailín an tiarna an doras chonaic sí Páidín agus dhruid sí an doras amach go gasta agus d'inis sí don tiarna go raibh Páidín amuigh ansin. D'amharc an tiarna amach ar an fhuinneog. Dúirt Páidín leis gur seo airgead an chíosa.

"Seo" a dúirt an tiarna "tá do chíos díolta".

D'imigh Páidín suas go dtí a theach féin agus d'iarr sé orthu é a ligean isteach. Ní ligfí isteach é. Thug sé leis spáid agus bhris sé an doras agus chuaigh sé isteach. D'iarr sé ar an bhean braon tae a dhéanamh dó.

Smaointigh sí dá n-ólfadh sé an tae gur é a bhí ann. D'ól sé an tae.

Thoisigh muintir an bhaile a chruinniú isteach chuige. D'inis siad dó go raibh faire agus tórramh acu air. Chruinnigh muintir na mbailteach agus chuaigh Páidín leo go dtí an uaigh. D'fhoscail siad an uaigh. Nuair a chuaigh siad fhad leis an chónair bhuail Páidín buille den spáid uirthi agus bhris sé an clár. Léim cat mór dubh amach as an chónair. Lean Páidín é. Chuaigh an cat isteach i dteach mór. Chuaigh Páidín isteach ina dhiaidh. Thiompaigh an cat isteach ina sheanbhean chaite.

240

"Cuirfidh mé an spáid siar i do chraos" arsa Páidín léithi.

"Ó, ná bain domh nó tá mise anseo le fada ariamh, agus tá mo mhac istigh sa tseomra. Labhair leis ach ná bain de".

Bhí cupla mála airgid agus óir sa teach. Chuir sé ceist ar Pháidín an gcuideochadh sé leo. Dúirt Páidín go gcuideochadh. Bhain siad léar buachallán buí agus ní raibh i bhfad go raibh Páidín ar dhroim beathaigh agus é ag troid. Bhain an mhuintir eile an troid orthu. Nuair a bhí an mhuintir eile ag imeacht thiompaigh Pádraig agus an mhuintir eile orthu agus bhuail siad iad. D'imigh an tseanbhean agus a mac agus ní fhacthas ní ba mhó iad. Chuaigh Pádraig isteach sa teach agus thug sé leis an t-airgead agus n t-ór. Chuaigh sé suas chun an tiarna a cheannach an toighe a raibh an tseanbhean (ann) agus giota den talamh. Dúirt an tiarna nach nglacfadh sé a dhath ar shon an toighe. Dúirt sé leis nach dtiocfadh le duine ar bith cónaí ann. Dúirt Páidín nach raibh eagla ar bith airsean roimhe thaibhsí.

"Seo anois" arsa an tiarna leis "díolfaidh mé giota den talamh leat. Déan do rogha rud leis an teach". Chuaigh Páidín agus a bhean a chónaí sa teach agus bhí dóigh mhaith air go bhfuair sé bás.

1.152.2   FEAR CHLIABH NA MÓNADH

Bhí beirt fhear ann aon uair amháin arbh ainm daofa Pádraig agus Séamas. Lá amháin chuir Séamas amách Pádraig fá choinne cliabh mónadh. Nuair a bhí cliabh na mónadh lán agus é ag gabháil á thabhairt leis chun an bhaile chonaic sé fear ag tarraingt air agus d'fhan sé leis. Chuir sé ceist air cá háit a raibh sé. Dúirt sé go raibh sé thiar sna Rosaibh in áit a raibh fear marbh. Dúirt sé go raibh sé muintreach dósean agus gur cheart dó a ghabháil chun na faire. Dúirt sé "b'fhéidir go rachaidh ach go bé nach raibh éadach úr air." Dúirt an fear eile go dtabharfadh sé dó an t-éadach a bhí airsean go dtiocfadh sé aniar ar ais. Chuir sé air an t-éadach agus d'imigh sé leis.

Chuir an fear air an t-éadach eile agus chuir sé air an cliabh. Bhí dhá iris sa chliabh, dhá iris mhainne. Cha raibh a fhios aige goidé an dóigh leis an chliabh a chuir air. Chuir sé ceann de na cosa agus ceann de na lámha frid an dá iris. Nuair a bhí an cliabh air bhí sé ag gabháil trasna bachta. Cuireadh é féin agus an cliabh síos sa bhachta ar mhullaigh a chinn agus plúicheadh é. Cuartaíodh é agus fuairtheas é agus rinneadh é a fhaire agus chuir siad é.

Cupla lá ina dhiaidh seo bhí Domhnach ann. Bhí muintir an Aifrinn ar an bhóthar go teach an phobail. Chonaic siad uilig Micheál ag teacht chun an Aifrinn agus bhí iontas mór orthu uilig. Tháinig sé isteach agus níor shuigh duine ar bith ag a thaobh.

D'inis duine inteacht don tsagart go raibh taibhse Mhicheáil ar an Aifreann agus thoisigh an sagart a chaitheamh uisce choisreaca air agus dá mbeadh sé ag caitheamh uisce coisreaca ó shin ní choróchadh Micheál. Ní taibhse a bhí ann.

1.153   AN GADAÍ AGUS AN SAGART

Bhí fear as Rann Na Feirste ar faoiside ag an tsagart. Bhí tobac ar an chathaoir aige. Thug an fear leis é. Nuair a bhí deireadh inste aige d'fhiafraigh an sagart de a raibh a dhath eile ag cur bhuartha air. Dúirt seisean gur ghoid sé tobac. Dúirt an sagart leis go gcaithfeadh sé a luach a dhíol. Chuaigh seisean a thabhairt an airgid dó agus ní ghlacfadh an sagart é.

Arsa an fear "Bhail bhí mé á thabhairt dó agus ní ghlacfadh sé é."

1.154.1   AN GASÚR AGUS AN SAGART

Bhí gasúr ag buachailleacht trí ghabhar istigh i bpáirc mhór agus an chuideachta a bhí aige na gabhair.

Lá amháin tháinig sagart thart agus bhí sé ag caint leis an ghasúr. Chuir sé ceist ar an ghasúr cá mhéad Dia a bhí ann. Dúirt an gasúr nach raibh a fhios aige goidé an rud Dia. Dúirt an sagart go raibh Dia amháin ann agus go raibh trí phearsa i nDia. Dúirt an sagart go raibh sé ag gabháil a chur ceiste air an ráibh a fhios aige sin.

Dimigh an sagart. Fá cheann seachtaine tháinig an sagart ar ais agus chuir sé ceist ar an ghasúr cá mhéad pearsa i nDia. Dúirt an gasúr go raibh dhá phearsa i nDia.

Chuir an sagart ceist air goidé a dúirt sé leis an lá a bhí sé ag caint a roimhe leis — an dóigh a gcoinneochadh sé cuimhne air seo. Dúirt an gasúr go gcuirfeadh na gabhair i gcuimhne dó iad. "Ach" arsa an gasúr "bhí an t-athair agus an mac ag troid agus mharaigh an t-athair an mac agus níl ann anois ach dhá phearsa".

Ní raibh a dhath ag an tsagart le rá.

1.154.2   NA TRÍ PHEARSA

Fada ó shin i ndiaidh Naomh Pádraig a theacht go hÉirinn bhí sé ag teagasc creidimh d'fhear de chuid na hÉireann. Bhí an fear seo ag buachailleacht trí cinn eallaigh. Ní raibh an fear seo ábalta cuimhne a choinneáil cá mhéad pearsa a bhí sa Spiorad Naomh. Thoisigh Pádraig a theaispeáint na dtrí mba dó ag rá sin an tAthair, an Mac agus an Spiorad Naomh.

Cupla lá ina dhiaidh sin tháinig Padraig go dtí an fear agus arsa seisean: "Cá mhéad pearsa ins an Spiorad Naomh inniu?" arsa Pádraig.
"Tá ceithre phearsa ann" arsa an tÉireannach.
"Níl ann ach trí phearsa" arsa Pádraig. "Nár inis mé sin duit an lá deireannach?"
"Ó, is é" arsa an fear eile ,"ach (tá) pearsa eile ann ó shin".

1.155   AN FHAOISIDE

Bhí fear ina chónaí i gCloich Chionnaola uair amháin. Bhí sé fhad gan a ghabháil chuig faoisidin agus go raibh dearmad déanta aige de. Nuair a chuaigh sé isteach i mbosca na faoiside chuir an sagart ceist air cá fhad ó bhí sé ag an tsagart aroimhe. Dúirt sé nach raibh a fhios aige.

Chuir an sagart ceist air an raibh sé bliain.

Dúirt sé go raibh.

Chuir an sagart ceist air an raibh sé cúig bliana.

Dúirt sé go raibh.

Chuir an sagart ceist air an raibh sé deich mbliana.

Dúirt sé go raibh.

Chuir an sagart ceist air an raibh sé cúig bliana déag.

Arsa seisean ''feistigh ansin''.

Nuair a bhí a chuid peacaí inste don tsagart chuir sé ceist air an bhfaigheadh sé chun na bhFlaitheas.

Dúirt an sagart nach bhfaigheadh.

Chuir sé ceist air an bhfaigheadh sé go Purgadóir.

Dúirt an sagart nach bhfaigheadh.

Agus chuir sé ceist air an bhfaigheadh sé go hIfreann.

Agus arsa an sagart ''feistigh ansin''.

D'imigh sé ansin.

1.156   AN BUACHAILL AGUS AN MINISTIR

Chuaigh fear istreach i dtoigh ósta oíche amháin agus chuaigh sé a luí i leabaidh ag taobh lánúin óg a bhí i ndiaidh a bpósadh. Ins an oíche chuaigh an fear a bhí i ndiaidh a phósadh a bhrionglóidigh agus dúirt sé go raibh ocras air. D'éirigh sé agus chuaigh sé amach ach cha dteachaigh sé céad slat gur lean an fear eile é. Mhuscail an fear a bhí ag brionglóidigh agus shíl sé gurb é an diabhal a bhí ag rith ina dhiaidh. Phill sé agus rith sé go dtí an toigh ósta arís an méid a bhí ina chorp agus bhí an diabhal ins na sálaí aige. Chuaigh sé a luí ag taobh a mhná agus thoisigh sé a inse don mhnaoi goidé a d'éirigh dó.

Chuaigh an fear eile a luí i leabaidh eile ag a thaobh agus bhí sé ag éisteacht le gach uile rud fá dtaobh den diabhal. D'éirigh sé agus d'inis sé don fhear gurb eisean a lean é agus d'iarr sé eisean a chur ar fostódh aige. Rinne an fear seo agus thus leis an buachaill go dtí a theach féin agus chuir sé ar fostódh aige é.

Ins an am sin bhí ministir ins an áit agus ba mhaith leis an fhear an buachaill cleas a bhualadh air mar a bhuail sé air féin. D'iarr sé ar an bhuachaill cleas a bhualadh ar an mhinistir agus go dtabharfadh sé a luach go maith dó. Dúirt an gasúr go mbuailfeadh dá bhfaigheadh sé am. Bhí an Domhnach ann lá tharna mhárach agus chuaigh sé go hAifreann na nAlbanach. Rinne an ministir seanmóir go dtiocfadh aingeal as na Flaithis agus go dtógfadh sé eisean eadar chorp agus anam.

D'iarr an buachaill ar a athair cuidiú leis cleas a bhualadh ar an mhinistir.

243

Dúirt an t-athair go ndéanfadh sé a dhícheall. An Domhnach ina dhiaidh sin bhain sé a chuid éadaigh dena athair agus rinne sé dubh é le súiche. Ansin rinne sé é féin suas mar a bheadh aingeal ann agus chuaigh siad i bhfolach in aice na haltóra agus nuair a tháinig an ministir go dtí an chuid den tseanmóir go dtógfadh an t-aingeal suas é, thug an t-aingeal léim amach as taobh amháin den altóraigh agus an diabhal ón taobh eile agus thoisigh an bheirt a throid. Níorbh fhada go bhfuair an t-aingeal an bhuaidh agus thug sé leis an ministir ar a dhroim. ''Anois'' a dúirt sé ''caithfidh tú dallóg a chur ort nó tá bealach cúng chun na bhFlaitheas.'' Thug sé leis é fríd choillidh agus bhuailfeadh sé suas in éadan crainn agus bhí an ministir leathmharbh aige. Ansin thug sé leis é go dtí teach an mhaighistéara agus chuir sé a mhairceacht ar bheathach ins an stábla é. Fuair sé sluasaid aoiligh agus bhuail sé isteach eadar an dá shúil ar an mhinistir í. Nuair a tháinig an maighistir isteach ar maidin fuair sé an ministir ar mhuin an chapaill agus é cumhdaithe le aoileach. Fuair an gasúr lán mála den ór agus tháinig sé chun an bhaile chuig a mháthair.

1.157   UAN DUBH NÓ UAN BÁN

Bhí mac Liam Néill Óig ag buachailleacht caorach lá amháin. Chuaigh an sagart fhad leis agus thoisigh sé a chur Teagasc Críosta air. Ní raibh a fhios ag an ghasúr é agus dúirt sé leis an tsagart - cuirfidh mise ceist ortsa anois - ''Cé acu uan bán nó uan dubh a bheas ag an chaora sin thall?'' Dúirt an sagart gur uan bán.
''Bréagach thú'' arsa an gasúr ''molt atá ann''.

1.158   AN COSÁN CAOL DÍREACH

Bhí fear ann uair amháin agus bhí mac aige agus oíche amháin rinne sé brionglóid go raibh cosán caol dreasóg go hIfreann agus go raibh cosán caol díreach chun na bhFlaitheas.

D'éirigh sé go luath maidin lá tharna mhárach agus d'imigh sé leis agus achan bhealach caol díreach a tháinig air lean sé daofa. Nuair a bhí sé tamall fada ag siúl chonaic sé solas i bhfad uaidh agus shiúil sé leis go dtáinig sé fhad leis.

Ní raibh duine ar bith istigh ach cailín agus d'iarr sé ar an chailín braon tae a thabhairt dó go raibh ocras air. Thoisigh an cailín agus rinne sí braon tae dó. Thug sí suas chun an tseomra an tae agus d'iarr an cailín air a ghabháil suas chun an tseomra chuig a chuid tae.

Chuaigh an fear suas agus bhí pioctúir crochta ar an bhalla agus d'iarr an pioctúir air gan an tae a ól ach a ghabháil chun an bhaile agus iarraidh ar an mháthair an sagart a thabhairt chuige agus an ola a chur air nó go raibh sé ag gabháil a fháil bháis agus go raibh sé ag gabháil suas na bhFlaithneas chomh luath is a gheobhas sé bás.

Chuaigh an fear chun an bhaile agus d'iarr sé ar a mháthair an sagart a thabhairt chuige nó go raibh sé ag gabháil a fháil bháis agus go raibh sé ag gabháil chun na bhFlaitheas agus d'iarr ar a mháthair gan a bheith ag caoineadh fá dtaobh dó. Tháinig an sagart agus fuair sé bás.

244

1.159   FEAR NA bhFREAGRAÍ GASTA

D'imigh Séamas Mac Suibhne as an bhaile seo go Meiriceá a shaothrú a choda fada ó shin; agus dálta go leor dá chineál táisc ná tuairisc ní bhfuairtheas uaidh go ceann fada ina dhiaidh sin. Fear garbh ráscánta a bhí i Séamas agus ba chuma goidé déarfá leis bhí freagra gairid agus an focal gasta aige fá do choinne i gcónaí. Mar sin ní raibh mórán dúil ag muintir na háite ann agus ní dhearna siad lá iontais de nuair nár chuir sé scríob de pheann ar pháipéar ón lá úd a d'imigh sé féin agus a bhagáiste as a n-amharc.

Ach cé bith mar a bhí sé fá bhaile d'éirigh leis go maith thall agus bhí dornán maith airgid cruinnithe aige nuair a bhuail an bás é. Ar leabaidh a bháis dúirt sé leis an dochtúir gur mhaith leis tiomna a dhéanamh agus litir a scríobh chuig a mháthair go hÉirinn. "Maith go leor" a dúirt an dochtúir "tá comrádaí domhsa ina dhlíodoir agus beidh sé liom anseo chugat amárach go socraí muid do ghnoithe."

Rinne an dochtúir agus an dlíodóir amach eatarthu féin an tráthnóna sin pingin mhaith den airgead a bhaint de. Chuaigh siad isteach i seomra an othair agus i ndiaidh tamall comhráidh dúirt an dochtúir go raibh sé go maith acu toiseacht agus an obair bheag a bhí idir lámha acu a fhágáil socair. "Goidé do pháighesa?" arsa an t-othar leis an dochtúir. "Ní bheidh mé róchruaidh ort; dhéanfaidh céad punta go leor" arsa an dochtúir. Thug Séamas sin dó. "Goidé do pháighesa anois?" arsa seisean leis an dlíodóir. "Creidim go ndéanfaidh páighe an dochtúra mo sháithsa fosta": arsa seisean.

"Ní bheidh mé ródhaor leat siocair gur cara an-mhór an dochtúir anseo". Bhí go maith. Nuair a bhí siadsan díolta d'iarr Séamas orthu litir a scríobh chuig a mháthair go hÉirinn agus an chuid eile den airgead a chur chuici. Shuigh an dlíodóir síos agus tharraing chuige peann agus páipéar. "Goidé a déarfas mé léithe" arsa seisean. Abair gur mhaith liom í a fheiceáil sula bhfaighim bás. Ach ó tharla nach féidir sin anois gan buaireamh a bheith uirthi i mo dhiaidh; nó go bhfuair mé bás iontach naofa; bás mar a fuair mac Dé féin, bás idir dhá ghadaí.

1.160   AN BHEAN NÁR ÉIST ACH AIFREANN AMHÁIN

Bhí bean ann am amháin agus bhí mac daoithe ina shagart. Nuair a bhí seisean tamall fada ar shiúl tháinig sé agus d'iarr sé ar a mháthair a ghabháil chun an Aifreann achan Domhnach agus cíos beag a chaitheamh isteach i mbosca na mbocht. Agus dúirt sé léithe mura ndéanfadh sí sin go mbeadh a fhios aigesean cé mhéad Domhnach a raibh sí ar an aifreann agus cé mhéad Domhnach nach raibh.

Fá cheann tamaill ina dhiaidh seo d'imigh an mac ar ais agus rinne an mháthair mar a d'iarr sé uirthi. Bhí sí ag gabháil chun Aifrinn achan Domhnach agus ní bheadh a fhios aici goidé an dóigh a b'fhearr a bheadh sí cóirithe. Tháinig Domhnach amháin agus bhí sé iontach mall nuair a d'éirigh sí agus aici le ghabháil chun an Aifrinn. Cha dtearna sí ach a cuid seanéadaigh a chaitheamh uirthi agus imeacht léithe chomh gasta agus a thiocfadh léithe. D'éist sí an tAifreann an Domhnach seo chomh maith agus i rith an ama a raibh sí ar an Aifreann níor éist sí Aifreann ar bith.

Ina dhiaidh sin bheadh sí ar an Aifreann achan Domhnach agus ní bheadh sí mall Domhnach ar bith agus bheadh sí chomh bródúil agus shílfeadh sí nach mbeadh duine ar bith chomh maith léithe féin.

Tamall maith ina dhiaidh seo tháinig an mac chun an bhaile agus chuir sé ceist uirthi an dtearna sí an rud a d'iarr sé uirthi. Dúirt sí go dtearna agus fosta chuir sé ceist uirthi ar éist sí leis an Aifreann. Dúirt sise gur éist.

"Bhail" arsa an sagart, "bhí tú ar an Aifreann achan Domhnach ó d'imigh mise".

"An bhfuil cuimhne agat" arsa seisean, "ar an lá a bhí tú mall agus níor éist tú ach an tAifreann sin ó d'imigh mise. Bhí tú in am ag na hAifrinn na Domhnaigh eile agus níor éist tú le ceann ar bith acu agus" arsa seisean, "lena chois sin níl ins an bhosca ach aon chloch amháin agus tá sin le tabhairt le taispeáint duitse nár éist tú ach Aifreann amháin. Tá mise ag tabhairt comhairle duit anois gan a bheith róbhródúil níos mó agus an tAifreann a dh'éisteacht."

1.162   AN GASÚR, AN BAIRILLE AGUS AN SIONNACH

Bhí gasúr ann aon uair amháin agus fuair a mháthair agus a athair bás. D'éirigh an gasúr seo iontach bocht agus ní raibh airgead ar bith aige. D'imigh sé leis a chruinniú agus tháinig sé fhad le teach. Ní raibh duine ar bith (ann) ach seanbhean. Bhuail sé ag an doras agus d'iarr sí air a theacht isteach. Chuir sé ceist uirthi an dtabharfadh sí lóistín dó go maidin agus dúirt sí go dtabharfadh. Rinne sí leabaidh dó thiar faoin leabaidh.

D'inis sí dó go raibh a cuid mic amuigh sa chnoc agus go raibh eagla uirthi go mairfeadh siad é nuair a thigeadh siad chun an bhaile. Chuaigh an gasúr a luí agus nuair a bhí sé tamall ina luí buaileadh an doras. D'fhoscail sí an doras daofa agus tháinig siad isteach. Ní raibh solas ar bith fríd an teach ach solas na tineadh. D'imigh an bheirt eile a luí agus d'fhan fear eile acu ina shuí. Nuair a bhí (an choinneal) lasta chonaic sé an toirt thiar faoin leabaidh. Chuaigh sé siar agus thug sé aniar é.. Scairt sé ar an bheirt eile a bhí ina luí éirí.

D'éirigh siad agus dúirt siad leis an ghasúr go raibh siad ag gabháil a mharbhadh. D'iarr sé orthu gan é a mharbhadh. Thug siad leo bairille agus chuir siad isteach sa bhairille é agus thug siad suas go barr cnoic é. Rinne siad trí pholl ar an bhairille agus i lár na hoíche tháinig madadh rua thart.

Chuir an madadh rua a ruball isteach i gceann de na poill. Bheir an gasúr ar ruball an mhadaidh taobh istigh agus tharraing sé leis an bairille go dtí go raibh sé an bhruach na locha. Bhris an bairille ansin agus fuair an gasúr amach. Tháinig soitheach thart agus thug siad leo an gasúr agus bhí dóigh bhreá air ón lá sin go dtí an lá inniu.

1.163   AN CAPALL

Bhí fear ag gabháil go Leitir Ceanainn uair amháin le ceig uisce bheatha. Ba ghnáth leis a chuid préataí a iompar ina chuid bróga. Nuair a tháinig sé fá ghiota de Leitir Ceanainn shuigh sé síos lena chuid préataí a ithe. D'ól sé cupla deoch den uisc beatha. Chaith sé na préataí a bhí fághta isteach ins an cheig agus thit sé ina chodladh.

Ní bhfuair an beathach aon cheann de na préataí. Bhuail sé an cheig a raibh an t-uisce beatha inti. Dhóirt an t-uisce beatha amach. D'ól an capall é agus thit sé ina chodladh.

Nuair a mhuscail an fear chonaic sé an capall ina luí agus shíl sé gur marbh a bhí sé. Bhain sé an craiceann den chapall agus d'imigh sé.

Nuair a bhí sé tamall ina luí an oíche sin mhothaigh siad bualadh ag an doras mar a dhéanadh an capall i gcónaí. Dúirt an bhean gurb é sin an beathach.

Dúirt seisean nach dtiocfadh leis a bheith go raibh an beathach marbh.

D'fhoscail siad an doras agus bhí an beathach ansin gan craiceann ar bith air. Fuair siad olann agus chuir siad i gcuideachta i agus chuir siad air í. Chuir siad suas ar an chaorán é agus an Samhradh sin fuair siad seacht mála olna uaidh.

1.164   AN CRANN IONTACH

Bhí an t-athair agus an mháthair agus an gasúr beag seo ann uair amháin agus mharaigh fathach an t-athair agus thug sé leis an t-airgead uilig orthu. Dhíol siad an t-eallach ach bó amháin. Lá amháin dúirt an mháthair le Seán''. Caithfidh tú a ghabháil chun aonaigh amárach agus an bhó sin a dhíol.''

D'éirigh Seán go bréa luath ar maidin agus d'imigh chun aonaigh. Ní dheachaigh Seán i bhfad gur casadh fear dó a raibh bláthanna leis.

''Dhéanfaidh muid malairt'', arsa Seán. Agus rinne.

D'imigh Seán chun an bhaile agus chuir an mháthair ceist air ''cá bhfuil luach na bó?''

''Sin é'' arsa Seán.

Bheir an mháthair air agus chaith sí amach ar an fhuinneog iad.

Chuaigh Seán a luí an oíche sin gan suipéar ar bith. Nuair a d'éirigh sé ar maidin bhí crann mór ag fás suas le taobh na fuinneoige. Rachaidh mise suas ar an chrann go bhfeicfidh mé goidé a tchífeas mé. Chuaigh Seán suas ar an chrann agus ní fhaca sé dadaidh. Chuaigh sé giota eile ar aghaidh gur casadh teach dó. Bhuail sé ag an doras. Tháinig bean amach a raibh súil ar lár a héadain.

''Tá ocras orm'' arsa Seán.

Thug sí brioscaí dó agus leis sin mhothaigh sí an fathach ag teacht. D'iarr sí ar Sheán a ghabháil i bhfolach sa chófra. Chuaigh. Tháinig an fathach isteach agus arsa seisean —

''Mothaím boladh gasúra anseo''.

"Ní mhothaíonn tú boladh gasúra ar bith ach mhothaíonn tú boladh do dhinnéara. Tá mise ag rósadh gé duit."

Shuigh sé chuig na dhinnéar agus d'ith sé a sháith. Ina dhiaidh sin thit sé ina chodladh. Tháinig Seán isteach agus thug leis mála airgid agus d'imigh sé leis.

Lá eile tháinig Seán aníos. Bhuail sé ag an doras agus tharla an rud céanna a tharla an lá údaidh eile. Nuair a bhí a sháith ite ag an fhathach d'iarr sé an chearc a bhí ag breith na n-uibheacha óir. Nuair a bhí sé ag iarraidh ar an chearc ubh óir a rugaint thit sé ina chodladh. Tháinig an gasúr amach as an chófra agus thug sé leis an chearc.

Lá eile tháinig Seán aníos agus tharla an rud céanna. Nuair a bhí a sháith ite aige d'iarr sé bosca an cheoil. Fhad agus a bhí sé ag iarraidh an bhosca thit sé ina chodladh. Tháinig Seán amach as an chófra agus thug leis bosca an cheoil. Nuair a bhí sé féin agus an bosca ag gabháil amach ar an doras scairt an bosca amach — "A mhaighistir, a mhaighistir."

Mhuscail an fathach agus d'imigh i ndiaidh Sheáin. Nuair a bhí Seán ag bun an chrainn d'iarr sé ar a mháthair an tuaigh a thabhairt amach go gasta. Thug. Ghearr Seán an crann agus thit an fathach agus maraíodh é. Bhí Seán agus a mháthair saibhir ó sin amach.

1.165   AN BHEAN A FUAIR AN NÓTA PUNTA CAILLTE

Bhí bean ann uair amháin agus fuair sí nóta punta caillte agus chuaigh sí chun aonaigh gur cheannaigh sí muc beag. Ar theacht chun an bhaile daoithe bhí claí le trasnú aici agus ní rachadh an mhuc níos faide daoithe. Ansin casadh madadh uirthi agus dúirt sí "A mhadaidh, a mhadaidh, bain greim as an mhuc agus cuir thar an chlaí domh í." "Ní chuirfidh" arsa na madadh. Ansin casadh bata uirthi agus d'iarr si ar an bhata an mhuc a chur thar an chlaí daoithe. "Ní chuirfidh" arsa an bata. Ansin chuaigh sí giota eile agus casadh tine uirthi. "A thine, a thine, dóigh an bata seo" arsa sise. "Ni dhóighfidh" arsa an tine. Ní dhóighfidh an tine an bata agus ní chuirfidh an madadh an mhuc thar an chlaí agus ní bhfaighidh mise chun an bhaile anocht.

Ansin chuaigh sí giota eile agus chonaic sí poll uisce agus d'iarr sí ar an uisce an tine a bháthadh. "Ní bháithfidh" arsa an t-uisce. Ni bháithfidh an t-uisce an tine, ní dhóighfidh an tine an bata, ní bhuailfidh an bata an madadh agus ní chuirfidh an madadh an mhuc thar an chlaí agus ní bhfaighidh mise chun an bhaile anocht.

Ansin casadh tarbh uirthi agus d'iarr sí ar an tarbh an t-uisce a ól. "Ní ólfaidh" arsa an tarbh. Ní ólfaidh an tarbh an t-uisce, ni bháithfidh an t-uisce an tine, ní dhóighfidh an tine an bata, ní bhuailfidh an bata an madadh agus ní chuirfidh an madadh an mhuc thar an chlaí agus ní bhfaighidh mise chun an bhaile anocht.

Ansin casadh búistéir uirthi agus d'iarr sí air an tarbh a mharbhadh. "Ní mharóchaidh" arsa an búistéir. Ní mharóchaidh an búistéir an tarbh, ní ólfaidh an tarbh an t-uisce, ní bháithfidh an t-uisce and tine, ní dhóighfidh an tine an bata, ní bhuailfidh an bata an madadh agus ní chuirfidh an madadh an mhuc thar an chlaí agus ní bhfaighidh mise chun an bhaile anocht.

Ansin casadh rópa uirthi agus d'iarr sí ar an rópa an búistéir a chrochadh agus dúirt an rópa nach gcrochfadh. Ní chrochfaidh an rópa an buistéir, ní mharóchaidh an búistéir an tarbh, ní ólfaidh an tarbh an t-uisce, ní bháithfidh an t-uisce an tine, ní dhóighfidh an tine an bata, ní bhuailfidh an bata an madadh agus ní chuirfidh an madadh an mhuc chun an bhaile.

Ansin casadh luchóg uirthi agus d'iarr sí ar an luchóg an rópa a ghearradh ach ní ghearrfadh. Ní ghearrfaidh an luchóg an rópa, ní chrochfaidh an rópa an búistéir, ní mharóchaidh an búistéir an tarbh, ní ólfaidh an tarbh an t-uisce, ní bháithfidh an t-uisce an tine, ní dhóighfidh an tine an bata, ní bhuailfidh an bata an madadh agus ní chuirfidh an madadh an mhuc chun an bhaile.

Casadh cat uirthi agud d'iarr sí ar an luchóg a mharbhadh ach ní mharóchadh. Ní mharóchadh an cat an luchóg gan bainne. Ansin casadh bó uirthi agus d'iarr sí bainne ar an bhoin ach ní thabharfadh an bhó bainne daointe gan féar. Chuaigh se giota eile agus chonaic sí fir ag obair i gcuibhreann agus d'iarr sí féar orthu agus fuair sí cuid agus thug don bhó le hithe (é). Bhain sí bainne den bhó agus thug don chat é. Ansin d'imigh an cat i ndiaidh an luchóig, an luchóg i ndiaidh an rópa, an rópa i ndiaidh an bhúistéir, an búistéir i ndiaidh an tarbh, an tarbh i ndiaidh an uisce, an t-uisce i ndiaidh an tine, an tine i ndiaidh an bhata, an bata i ndiaidh an mhadaidh, an madadh in ndiaidh an mhuic. Ansin chuaigh an mhuc thar an chlaí don mhnaoi agus fuair sí chun an bhaile roimh an oíche.

1.166.1 COLMCILLE AGUS AN FEAR TINN

Nuair a bhí Colmcille ag siúl thart fríd an tír seo bhí sé ag tarraingt ar theach lá. Chonaictheas ag teacht é agus chuaigh an fear i bhfolach. Chuir an naomh ceist cá raibh sé agus dúirt an bhean go raibh sé tinn. Is é an freagra a fuair sí:

"Má tá sé tinn biseach go bhfaighidh sé agus mara bhfuil sé tinn go mbeidh sé". Fá cheann seachtaine d'éirigh an fear tinn agus ní bhfuair sé biseach go dteachaigh sé chun na cille.

1.166.2 COLMCILLE AGUS NA hIASCAIRÍ

Bhí gnás ann san am fadó duine ar bith a gheobhadh iasc cuid rannta a bheith ann, sin cuid a thabhairt do dhuine a chasfaí orthu idir an cladach agus an baile. Thoir ar an Mhaoil Ruaidh lá amháin bhí dhá fhear amuigh ag iascaireacht. Ní bhfuair siad ach dhá bheathach éisc. Cé tchí siad ag tarraingt orthu ach Colmcille. Dúirt fear acu go mbeadh Colm ag iarraidh sciar den iasc agus go mb'fhearr daofa iad a chur i bhfolach. Cha raibh sé i bhfad go raibh Colmcille ag comhrá leo.

Chuir sé ceist orthu an bhfuair siad dadaidh. Dúirt siadsan nach bhfuair. Ansin dúirt Colm 'mar bhfuair sibh go bhfaighidh sibh agus má fuair nach bhfaigheann"

Chan fhuair aon duine aon bheathach éisc ar an Mhaoil Ruaidh ó shin.

1.167   AN BUACHAILL AGUS AN SEILIDE

Bhí gasúr ann uair amháin agus ní raibh mórán léinn aige. Lá amháin nuair a bhí na scoláirií uilig cruinnithe i gcuideachta a chéile dúirt an mhaighistreás go gcuirfeadh sí amach airgead lá tharna mhárach.

An lá seo bhí Seosamh, seo an t-ainm a bhí ar an ghasúr, bhí sé ina shuí i gcois an chlaí agus é ag caoineadh ag iarraidh bheith ag foghlaim a cheachta. Sa deireadh tháinig bean uasal thart agus chuir sí ceist air cad chuige an raibh sé ag caoineadh.

"Ó, tá an mhaighistreás atá ag gabháil a chur amach airgid, cibé ar bith duine ab fhearr ag léamh go bhfaigheadh sé é."

Dúirt sé nach raibh sé maith ag léamh. Chuir sise ceist air cén focal is measa a chuireadh air. D'inis seisean daoithe.

"Bhail" arsa sise, "an bhfeiceann tú an seilide sin thall? Tá sé ag iarraidh a ghabháil suas ar an chloich agus níl sé ábalta. Ach rachaidh sé go barr agus nuair a bheas beidh an focal foghlaimiste agatsa."

D'fhág sí slán aige agus d'imigh sí.

Nuair a bhí an seilide ag barr bhí an focal foghlaimiste aige. Ar maidin lá tharna mhárach thoisigh an scrúdú agus bhí siad uilig ligthe ach Seosamh agus bhí seisean thíos ag deireadh an ranga. Tháinig an mhaighistreás go dtí Seosamh. Léigh sé agus ba é ab fhearr sa rang.

Sin mar a d'fhoghlaim an seilide léann do Sheosamh.

SEANSCÉALTA HIF

2.1   AN GASÚR AGUS AN MINISTIR

Bhí gasúr ann uair amháin. Lá amháin bhí sé ag buachailleacht agus tháinig ministir fhad leis agus bhí sé ag déanamh teach beag de chac bó. B'éigean don ghasúr stad nó ní raibh a dhath cac bó aige. Chuir an ministir ceist air cad chuige a raibh sé ag déanamh leisce. Dúirt an gasúr nach raibh a dhath cac bó aige go ndéanfadh an bhó cac eile.

An lá ina dhiaidh sin bhí an gasúr ina sheasamh ag taobh abhanna taobh thíos den teach. Tháinig an ministir fhad leis agus chuir sé ceist air an raibh an abhainn sin domhain. Dúirt an gasúr nach raibh sí nó go raibh cuid lachan s'acu sin anonn agus anall uirthi achan lá. Thoisigh an gasúr a dhéanah mórtais go raibh seisean ábalta a ghabháil anonn agus anall ar an chosán sin achan lá trasna na habhanna.

Chuir an ministir ceist air an dtabharfadh sé anonn eisean. Dúirt an gasúr go dtabharfadh. Síos ar an chosán go taobh na habhanna bhí an gasúr ag déanamh mórtais leis agus anonn trasna na habhanna. Chuaigh an ministir ar dhroim an ghasúra anonn trasna na habhanna. Ag gabháil anonn trasna na habhanna dúirt an ministir go raibh an diabhal air le rógaireacht.

Dúirt an gasúr má bhí nach mbeadh i bhfad agus chaith sé an ministir ar mhullach a chinn san abhainn. Is é an rud a shíl an gasúr go raibh an diabhal ar a dhroim.

2.2   AN BHEIRT FHEAR AGUS AN GHIRSEACH

Bhí beirt fhear ann fad ó shin agus bhí fear acu ina chónaí ar na Crois Bhealaí agus an fear eile sna Rosa. Bhí girseach san áit agus thit sí i ngrá leis an fhear a bhí sna Rosa. Oíche amháin chuir sí uirthi éadach bean bhocht agus d'imigh sí chun na Rosann. Chuaigh sí fhad le toigh an fhir ach ní raibh an fear istigh. Dúirt an tseanbhean nach ligfeadh an fhalsacht dó móin a thabhairt isteach. Fá cheann tamaill tháinig an fear.

"Shílfeá go bhfuil bean bhocht agaibh", arsa seisean agus dúirt siad go raibh. Chuir sé ceist goidé a tháinig ar an bhrachán seo. Dúirt siadsan nár bhain aon duine dó. Thug sé leis an brachán agus d'ith sé é.

Ar maidin lá tharna mhárach d'imigh sí chun na gCrois Bhealach. Tháinig sí chun toighe ach ní raibh an fear seo istigh. Fá cheann leathuaire tháinig sé isteach agus cúpla gearria leis. Shuigh sé thart ar an tine agus thoisigh siad a chomhrá go ham luí. Dúirt an fear go raibh a chuid éadaigh salach agus go raibh sé ag gabháil chun an Aifrinn. Dúirt an bhean nach raibh sí ag gabháil a ghlanadh éadaigh anois.

Thug an bhean bhocht léithe an t-éadach agus ghlan sí é. Nuair a bhí an t-éadach tirim d'imigh sí chun an bhaile agus rinne sí réidh fá choinne a ghabháil chun an Aifrinn. Nuair a bhí siad ag teacht chun an bhaile casadh fear acu seo uirthi agus bhí siad ag comhrá. Fá cheann tamaill tháinig an fear eile suas leo. Dúirt sé go raibh ocras air féin.

Arsa sise nach bhféadfadh ocras ar bith a theacht ort nó gur ith tú go leor bracháin an oíche fá dheireadh. Shiúil sé leis.

Chuaigh an bhean leis an fhear seo chun an bhaile ach fá cheann tamaill pósadh í féin agus an fear agus bhí siad ina gcónaí ar na Crois Bhealaí.

2.3   CLANN RÍ NA hIORUAIDHE

Bhí Rí ann aon uair amháin agus bhí triúr mac aige. Is é an t-ainm a bhí orthu Cad, Micheál agus Séamas. D'imigh siad lá amháin chun na hIoruaidhe a sheilg agus tháinig teas mór orthu agus bhí siad ag taobh na farraige agus b'éigean daofa éirí suas ar chnoc a bhí suas os a gcionn le teas. Ansin thoisigh siad a chaint ar Éirinn. I lár na cainte tchí siad soitheach ag tarraingt orthu isteach ón fharraige.

"Anois" arsa Cad lena dheartháireacha "gabhaidh sibhse chun an bhaile agus beidh mé libh amach lá tharna mhárach ar ais agus fanóchaidh mise anseo go bhfeice mé goidé an soitheach í seo".

Sheasaigh sé ansin ar an talamh.

Chonaic sé í ag tarraingt air agus is é an rud a bhí ann curach agus bean uasal óg ina seasamh i lár an churaigh. Bhí slat gheal ina láimh aici agus dhá úlla dhéag léithe agus í á gcaitheamh in airde agus gan í ag ligean d'aon cheann acu titim go talamh.

Tháinig sí isteach go dtí an cladach. Shiúil sí léithe go raibh sí thuas ag Cad. D'fhiafraigh sí de c'ainm a bhí air. Dúirt seisean gur Cad mac Rí na hIoruaidhe.

"Maise más tusa Cad mac Rí na hIoruaidhe is tú ardghaiscigh an domhain".

Dúirt sí gur ise iníon Rí na Gile. Thug Cad iarraidh anonn le greim a fháil uirthi ach d'imigh sí uaidh. Thug sí léim isteach sa churach arís agus d'imigh sí léithe amach chun na farraige agus an tslat gheal ina láimh aici.

Phill Cad chun an bhaile ansin agus tháinig sé isteach go teach a athara. Shuigh sé sa chathaoir mhór agus rinne sé osna. Thit sé síos fríd an chathaoir mhór. Chuala a athair an tuaim a rinne sé agus tháinig sé a fhad leis.

"Goidé a tháinig ort?" arsa an t-athair leis.

D'inis seisean dó an dóigh a dtáinig an bhean air agus an dóigh ar imigh sí chun na farraige arís.

"Ó" arsa an t-athair "ná bíodh buaireamh ar bith ort. Cuirfimid an cabhlach amach amárach agus má tá sí le fáil gheofar í".

"Maise, a athair nuair a chluinfeas na ríthe eile gur chuir tú amach do chabhlach, ní bheidh a fhios acu cén ríocht a bhfuil tú ag gabháil a chur troid air".

Ar maidin lá tharna mhárach rinne siad réidh. Thóg siad a gcuid seolta go dteachaigh siad amach as amharc. Bhí siad ag seoltóireacht leo ar feadh sé seachtainí agus bhí Cad leo i rith an ama. D'iarr a athair ar Chad a ghabháil suas go barr an chnoic agus amharc an bhfeicfeadh sé a dhath.

Dúirt Cad nach raibh a dhath le feiceáil aige ach an t-aer a bhí os cionn mullach a chinn agus an fharraige ar gach taobh de agus go raibh sé féin

252

ábalta sin a fheiceáil. Ansin d'iarr sé ar Mhicheál a ghabháil suas. Tháinig seisean anuas agus dúirt sé nach raibh a dhath le feiceáil aige ach an t-aer os cionn mhullach a chinn agus an fharraige ar gach taobh de agus go raibh sé féin ábalta sin a fheiceáil.

2.4   OISÍN I dTÍR NA nÓG

Bhí Oisín trí chéad bhliain i dTír na nóg nuair a bhuail cumhaidh é. Ba mhaith leis a mhuintir a fheiceáil in Éirinn. Bhí an bhean ag iarraidh air baint faoi. D'inis sí dó chomh luath agus a leagfadh sé a chos ar thalamh na hÉireann go n-éireochadh sé ina sheanduine críonna liath. Ní raibh maith daoithe bheith leis. Thug sí each bán dó agus dúirt sí leis gan a theacht anuas de nó dá dtiocfadh nach bhfeicfeadh sé go deo í.

Chuaigh se a mharcaíocht ar an each agus chuaigh trasna na farraige. Nuair a tháinig sé i dtír in Éirinn d'imigh sé féin is an t-each leo a chois na trá. Chonaic sé buachaill agus mála coirce leis ar dhroim capaill ag gabháil chun an mhuilinn fá choinne min a fháil déanta. Cé a bhí ann ach buachaill Naomh Pádraig. Thit an mála ar an talamh agus ní raibh an buachaill ábalta é a chur suas ar ais. D'iarr Oisín air breith ar shrian an chapaill. Bheir seisean greim scoig ar an mhála agus thóg sé in airde sa spéir é.Scanraigh an buachaill nó bhí eagla air go mbrisfeadh se droim an chapaill dá ligeadh sé anuas an mála go hanacaire. I ngan a fhios de féin tharraing Oisín a chos amach as an tsrian agus leag sé ar an talamh í. D'éirigh sé ina sheanduine críon liath agus d'éirigh sé dall. ''Anois'' ar seisean leis an bhuachaill ''caithfidh tú mé a thabhairt go dtí do mhaighistir''. Thug. Bhí sé ansin bliantaí ag Naomh Pádraig.

Mar bhí sé ina fhear mhór éifeachtach ní raibh siad ábalta a sháith a thabhairt dó le hithe. Bhí sé i gcónaí faoi ocras. Nuair a chuirfeadh an cailín aimsire bonnóg aráin agus meascán ime roimhe déarfadh sé léithe gur minic a chonaic sé duilleog eidhinn a bhí chomh mór lena bonnóig aráin agus caor chaorthainn a bhí chomh mór lena gocaide meascáin.

Bhí sé ansin agus bhíodh Naomh Pádraig ag caint leis go minic ar an Dia Fíor, na Flaithis agus Ifreann ag féachailt an dtiocfadh leis é a thabhairt chun creidimh. Lá amháin ar seisean leis an Naomh ''má tá cumhacht agatsa agus ag do Dhia chomh mór agus atá tú a rá agus má deir tú go bhfuil mo chuid daoinesa uilig in Ifreann, ba mhaith liom amharc a fháil ar Ifreann''. Chuir Naomh Pádraig air a ribín. D'fhoscail Ifreann ag a chosa. Fuair Oisín amharc na súl go bhfeiceadh sé an mhuintir a bhí in Ifreann. Chonaic sé Goll agus súiste aige agus é ag treascairt na ndeamhan. Nuair a chonaic sé sin d'iarr sé achaine ar Naomh Pádraig. Is é an achaine a d'iarr sé iall láidir a chur i súiste Ghoill ins an chruth go mbeadh sé ábalta greadadh maith a thabhairt do na diabhail eile.

Bhí cú ag buachaill Naomh Pádraig agus bhí ál coileán aici. Chuir Oisín suas crann ins an gharradh agus chuir sé seiche bollóige ar an chrann. Thug sé leis na coileáin de réir cinn agus cinn agus chaith sé suas ar an tseiche iad. Ceann ar bith a thitfeadh mheas sé nach mbeadh maith ar bith ann fá choinne seilge. Thit siad uilig ach ceann amháin agus ghreamaigh seisean den tseiche. Bhí a fhios aige go ndéanfadh sé sin gnoithe. Bhí an coileán aige go dtí go raibh sé ina choin mhóir. Arsa seiseann leis an bhuachaill lá ''Caithfidh muid a ghabháil amach a sheilg amárach nó go maróchaidh muid beithíoch le mo sháith a fháil le hithe.'' Chuaigh siad amach. Mharaigh sé (carria).Rinne sé ceathrú(nacha) de agus d'fhág sé ceathrú amháin ar leataobh le tabhairt chuig Naomh Pádraig. Las sé tine agus rós na trí cheathrú eile. Arsa seisean leis an bhuachaill ansin ''Ní maith liom duine ar bith a bheith ag amharc orm ag ithe. Téigh thusa i bhfolach fhad is bheas mise ag ithe agus ar a bhfaca tú ariamh na hamharc orm nó cuirfidh mé chun báis thú.'' Chuaigh an buachaill i gcúl cloiche móire agus má chuaigh bhí sé ag cúlchoimeád ar Oisín ag ithe. Nuair a bhí deireadh ite ag Oisín scairt sé ar an bhuachaill. Arsa seisean leis ''Inis an fhírinne domh anois agus má insíonn bheirim m'fhocal duit nach mbainim leat. Goidé an chosúlacht a bhí orm nuair a bhí mé ag ithe?'' ''Tá'', arsa an buachaill ''bhí sruth ar dhá thaobh do ghéill a chuirfeadh thart roth muilinn''. ''Maith go leor'' arsa Oisín ''ach gurb é gur inis tú an fhírinne ní bheadh an scéal sin le hinse go brách arís agat''.

Ba é an creideamh a bhí ag na Fianna 'le fírinne agus le treise lámh a thig muid slán as gach gleo'.

Bhí Oisín tamall eile beo ag Naomh Pádraig.Bhí siad tuirseach leis mar bhí sé doiligh orthu. Lá amháin dúirt sé le Naomh Pádraig ó tharla go raibh cumhacht aige Ifreann a thaispeáint dó go nglacfadh sé leis an bhaisteadh agus go gcreidfeadh sé ins an Dia fíor. Bhaist Naomh Pádraig é ansin agus nuair a bhí sé ag urnaí chuaigh barr an bhachaill fríd chois Oisín. Ní lig sé dadaidh air. D'fhulaing sé an phian mar shíl sé gur páirt den bhaisteadh é. Nuair a thug an Naomh fá deara go raibh an bachall fríd chois Oisín agus nár éiligh sé pian shil na deora leis. Deirtear gur sin na deora a bhaist Oisín. Gan mhoill ina dhiaidh seo fuair Oisín bás.

2.5   AN LACHA A BHÍ AR DEIREADH

Bhí fear uasal ag siúl ag taobh locha lá amháin. Chonaic sé lach fhiáin amuigh ar an loch. Bhí scaifte éanacha léithi. Bhí ceann acu ag fanacht chun deiridh. Chuaigh sé fhad leis an chailleach agus chuir sé ceist goidé ba chiall do cheann acu a bheith ag fanacht chun deiridh. Dúirt an chailleach go raibh sí ag tabhairt ceann acu don dámhraidh agus gur cheart dósan duine de na mic a thabhairt daofa.
''Goidé an dóigh a ndéanfainn sin?'' a dúirt an fear uasal.
''Nuair a bheas siad ag teacht chun an bhaile, druid an geafta ar an fhear dheireannach''.
Nuair a bhí siad ag teacht chun an bhaile bhí an fear óg ar tús. Dúirt sé leis féin go raibh sé náireach aigesean a bheith ar tús agus an mhuintir atá níos sine ar deireadh. D'fhan sé féin chun deiridh agus nuair a bhí siad ag gabháil isteach ar an gheafta dhruid an fear uasal an geafta ar an fhear dheireannach.
B'éigean dó imeacht leis go dtáinig sé go dtí teach mór. Chuir an fear a bhí sa teach ceist air an ndéanfadh sé fostódh leis. Dúirt an gasúr go ndéanfadh sé fostódh.

Is é an obair a bhí le déanamh bóitheach a ghlanadh amach san oíche gan solas ar bith. Nuair a bhíodh sé ag gabháil a ghlanadh amach an bhoithigh lasadh sé bosca an tsolais. Oíche amháin chonaic an feirmeoir bosca an tsolais ag an ghasúr agus dúirt sé dá lasúr sé an bosca níos mó go gcuirfeadh sé ar shiúl é. Dúirt an gasúr nach ndéanfadh sé níos mó. Bhí sé féin agus an maighistir ag comhrá. Dúirt an maighistir go raibh rásaí le bheith thíos ansin agus ba cheart duit a ghabháil síos go bhfeicfeá iad.

"Ní rachaidh me síos ar chor ar bith", ach dúirt an maighistir go raibh sé amaideach gan a ghabháil síos agus go mb'fhéidir go mbainfeadh sé na rásaí. Ach dúirt seisean nach rachadh go raibh sé róbhratógach le ghabháil síos nó go mbeadh siad uilig ag magadh faoi agus nach raibh gar dó ann.

D'imigh fear an toighe síos chuig na rásaí agus ní raibh sé i bhfad go dtí go dteachaigh seisean síos fosta. Casadh fear uasal air. "Nach maith na... (Tá an scéal seo gan chríoch sa bhun-chóipleabhar).

2.6   AMADÁN AN TAOIS

Bhí rí agus banríon ina gcónaí in Éirinn fada ó shin, mar bhí mórán an uair sin agus beagán anois. Bhí siad seal fada ar dtús nach raibh buaireamh clainne ar bith orthu. Ansin rugadh mac daofa. Nuair a chuaigh sé a fhás aníos bhí cuma air go raibh sé amaideach agus más aosta a bhí sá ag éirí b'amaídí an chuma a bhí ag teacht air. Ní raibh bia ar bith a dhíobháil air ach neart de thaos na gcearc i gcónaí.

Bhí triúr mac eile acu go gearr i ndiaidh sin. Tógadh suas iad le cleasaíocht, le imirt agus le gaisciúlacht mar a thógfaí clann rí. Bhí cuma triúr fear cliste orthu agus smointigh siad go rachadh siad ar shiúl a chruinniú tuilleadh spré.

Maidin amháin shín an triúr leo.

"Spleoid ort, a amadáin an taois dá mbeifeá cosúil le do chuid deartháireacha, chan ag teacht thart anseo inniu a bheifeá ach ar shiúl ina gcuideachta".

"Ná bíodh sin le rá agat" arsa an t-amadán "déan suas meascán taois domh".

Chuir sé air a chuid éadaigh agus airm agus chuaigh sé chun an bhealaigh. Bhí na deartháireacha giota maith ar shiúl fán am seo. Rinne an t-amadán cnoc a léimniú, mullaigh a thúslódh. Bheirfeadh sé ar an Ghaoth Mhárta a bhí roimhe agus ní bheirfeadh an Ghaoth Mhárta a bhí ina dhiaidh air.

I ndiaidh an mheán lae chonaic sé amharc ar na trí deartháireacha roimhe agus char luaithe a chonaic seisean iadsan nó chonaic siadsan é. Stad siad. Chuaigh siad isteach i gcoillidh a bhí lena dtaobh. Thoisigh siad a dhéanamh gadracha. Tháinig an t-amadán go dtí an áit chéanna agus thoisigh sé a dhéanamh gadracha fosta. "Goidé an feidhm ata agatsa ar na gadracha?" arsa an fear a ba sine de na deartháireacha.

"Goidé an feidhm atá agaibh féin orthu?" arsa na t-amadán.

"Fá choinne tusa a cheangal" arsa an fear a ba sine.

"Bhí fá shúil agamsa sibhse bhur dtriúr a cheangal" arsa an t-amadán.

"Stad" a dúirt siad "agus ligfidh muid linn thú".

"Chan eadh ach stadaigí sibhse agus ligfidh mise liom sibhse".

Théid an cheathrar leo go raibh conn na hoíche ag teacht agus spéarthaí an lae ag gabháil thart agus éanacha na coillte craobhaí ag gabháil faoi ghuailneacha bharr slat. Chonaic siad solas beag i bhfad uathu. Tharraing siad air go dian agus go deifreach. Chuaigh siad isteach agus bhí seanduine beag críon liath ina shuí sa chlúdaigh. Labhair sé leo in fios na faisnésie a bhí ann san am sin. Thug siad freagra air sa mhodh chéanna.

"Is é do bheatha, a amadáin an taois agus do chuid deartháireacha. Rinneadh tairngireacht domh go bhfeicfinn sibh sula bhfaighinn bás".

Tháinig cailín caol dubh aniar as an tseomra agus d'iarr an fear aosta uirthi cuid na mbuachaillí seo a dhéanamh réidh. Nuair a d'ith siad agus d'ól siad a sáith, tharraing achan duine a scéal féin air go dtí gur tharraing an t-amadán scéal a ghnoithe chun siúil. Dúirt an seanduine gur mhó an só ná an t-árach agus go raibh trioblóid mhór acu le theacht fríd. Nuair a chuala an duine ba shine de na deartháireacha an drochscéal scin an t-anam as. Nuair a d'éirigh siad ar maidin lá tharna mhárach agus rinne siad a mbricfeasta. "Táimid ag gabháil chun an bhealaigh" arsa na t-amadán "ach má tá féin táimid fear gairid."

Chuaigh siad an lá sin ar an nós chéanna go dtí go bhfaca siad an solas i bhfad uathu agus thug siad iarraidh air go dian agus go deifreach. Chuaigh siad isteach agus bhí seanduine críon liath ina shuí sa chlúdaigh.

"Is é do bheatha, do shláinte, a amadáin an taois, Mac Rí Éireann - tú féin agus do chuid deartháireacha".

Tháinig cailín beag aníos as an tseomra gus d'iarr an fear aosta uirthi suipéar na bhfear uasal a dhéanamh réidh. Nuair a d'ith siad agus d'ól siad a sáith tharraing achan duine a scéal féin air gur tharraing amadán a dtriall ar shiúl air.

"Níl a fhios agam, a mhic rí" arsa an seanduine "tá contúirt mhór romhaibh". Nuair a chuala an dara fear sin scin an t-anam as fosta. D'éirigh siad ar maidin, rinne a mbricfasta.

"Níl muid mórán cuideachta inniu ann " arsa an t-amadán.

Shín siad leo ar an nós céanna go raibh an lá thart. Chonaic siad an solas beag i bhfad uathu agus thug siad iarraidh air go dian agus go deifreach. Chuaigh siad isteach agus bhí an seanduine críon liath ina shuí sa chlúdaigh mar an gcéanna. "Is é do bheatha, a amadáin an taois, Mac Rí Éireann tú féin agus do dheartháir". Tháinig an cailín beag aníos as an tseomra. Rinne siad a suipéar. D'ith siad agus d'ól siad a sáith go dtí gur tharraing achan duine a scéal féin air agus gur tharraing an t-amadán air goidé triall a shiúil." "Níl a fhios agam, a dhuine uasail" arsa an seanduine. "Tá contúirt mhór romhat" agus thit an fear óg marbh mar an gcéanna.

D'éirigh an t-amadán ar maidin lá tharna mhárach, rinne a bhricfeasta. "Tá mé ag imeacht go huaigneach inniu" arsa seisean.

Tharraing sé ar chuan na soitheach. Chuir sé a dhá lámh fá dtaobh de cheann beag éadrom agus chaith sé ar an uisce í. Sheol sé ar shiúl agus tháinig gaoth lom ó thuaidh air. Caitheadh i bhfad ó dheas é agus ní raibh sé ábalta talamh a bhualadh go raibh sé thall san Iodáil. Bhuail sé port ar maidin go luath. Chuir se a dhá láimh fána bhád bheag agus d'fhág sé ar an fhéar ghlas í suas ó ghaineamh na trá.

Shiúil sé leis isteach fríd an tír agus charbh fhada gur bhuail sé isteach i gcúirt an rí. Cha raibh aon duine istigh ach iníon an rí agus chuir sí fearadh na fáilte roimhe. Cha raibh sé i bhfad istigh go dtáinig triúr mhac an rí isteach iad millte, gearrtha, tuirseach, maslach. Chuir siad fáilte mhór roimhe fosta. Bhí cortha? uisce the ar an tine ag an deirfiúr fána gcoinne. Thoisigh siad a ní a gcuid créacha agus gearrthacha. Nuair a bhí siad réidh chuir an t-amadán ceist orthu goidé ba bhrí don mhasla seo a fuair siad. Dúirt siad go raibh slua daoine ag teacht orthu agus an méid acu a mhairfeadh siad san oíche go mbeadh siad slán lá tharna mhárach ar ais agus gur chaill a n-athair an méid saighdiúr agus gaiscíoch a bhí aige ag troid leo ar an dóigh chéanna achan oíche.

"Caithfimid codladh anois go dtí an oíche agus a bheith réidh fána gcoinne anocht" arsa siad "agus tá lúcháir mhór orainn go bhfuil tusa anseo le cuideachta a choinneáil lenár ndeirfiúr anocht".

"Chan sin mar a bheas" arsa an t-amadán "fanóchaidh an fear óg lena dheirfiúr agus rachaidh mise ina áit."

Rinne siad uilig réidh teacht na hoíche, an t-amadán agus eile. Chuaigh siad go dtí an áit a mbeadh an slua achan oíche. Charbh fhada go dtáinig an slua. An méid a ghlacfadh triúr chlann an rí a mharbhadh bhí siad marbh in leathuair.

"Táimid réidh anois go breá luath le ghabháil chun an bhaile" arsa an fear a ba shine.

"Go dubh is go bán" arsa na t-amadán "má dtéimsa chun an bhaile go bhfeice mé goidé atá a ndéanamh beo".

"Na déan sin" arsa mac ana rí "sin an áit ar chaill m'athair an méid gaiscígh mhaithe a bhí ariamh aige, ag fanacht anseo san oíche go bhfeicfeadh siad goidé a bhi dhá ndéanamh beo".

"Bígí shibhse ar shiúl chun an bhaile" arsa an t-amadán. D'imigh siad ar a chomhairle.

D'fhan sé go bodhránacht an lae. Chonaic sé cailleach agus ceathrar bodach ag siúl aníos fríd na coirp. Dúirt an chailleach go raibh marbhadh déanta orthu seo nach ndearnas ariamh aroimhe orthu. Bhí siad caite ina molltaí agus cha raibh a fhios cá háit a bhfaighfí fear acu le cur as deas a chéile. Fuair siad ceann fir acu a chur ar cholann fir eile go bhfuair siad an oiread cainte uaidh agus gur inis sé go dtáinig fear as méid gach fir orthu. Smaointigh an t-amadán nach ligfeadh sé daofa níos mó a dhéanamh beo nó nach leis a chuideochadh siad. Thug sé iarraidh orthu agus mharaigh sé an ceathrar bodach agus ansin an chailleach. Nuair a chonaic an chailleach gur bhás daoithe agus nach beo, arsa sise - "Cuirim faoi gheasa troma draíochta thú gan codladh oíche nó lae (a fháil) go n-inseochaidh tú do Mhacán Mór, mac Rí na Sorcha gur mharaigh tú an chailleach, ceathrar bodach agus a slua".

Cha raibh a fhios aige cá háit a raibh ríocht An Mhacáin Mhóir ach chuartaigh se leis agus fuair sé an chúirt sa deireadh. Bhuail sé ar an doras agus tháinig cailín beag as Éirinn amach.

"An bhfuil Macan Mór istigh?" arsa seisean.

"Tá" arsa sise "ach tá se ina chodladh". "Sin slabhra ansin agus duine ar bith a thig á iarraidh croitheann siad an slabhra fá choinne é a mhuscladh". Bheir an t-amadán ar an tslabhra agus thug sé croitheadh do nach bhfuair sé ariamh aroimhe.

"Cé sin ag mo shlabhra?" arsa Macán Mór. "Gabh amach agus iarr air stad go dtí go bhfaighe mé éirí". Chuaigh an cailín go dtí an doras.

"Croith leat" arsa sise "más mó a chroithfidh tú más mó a lagóchaidh tú é". Nuair nach raibh an slabhra ag stad d'éirigh Macán Mór.

"A bhithiúnaigh bhig bheadaí, goidé an croitheadh atá agat ar mo shlabhra" arsa seisean.

"Cuireadh faoi gheasaibh troma draíochta mé inse duit gur mharaigh mé an chailleach, ceathrar bodach agus a slua".

"Is maith an té a dtáinig tú á inse dó - mo mháthair, mo cheathrar deartháir agus a gcuid fear. Beidh mise go tiothroim (cothroim?) leat go fóill".

"Tá sin le féacháil" arsa an t-amadán.

Thug siad dhá iarraidh ar a chéile agus dá rachfá a dh'amharc ar iontais is ag amharc ar an phéire a rachfá. Ach bhain an t-amadán faoi. Nuair a chonaic An Macán Mór gur bhás dó agus nach beo (dúirt sé) - "Cuirim faoi gheasaibh troma draíochta tú inse do Tharbh Donn na Coille Craobhaí gur mharaigh tú Macán Mór, Mac Rí na Sorcha, an chailleach, ceathrar bodach agus a slua".

Thug an tAmadán leis an cailín óir bhí a fhios aici cá raibh Ríocht an Tairbh. Nuair a chuaigh sé go dtí an pháirc an áit a raibh an Tarbh rinne sé fead. Cha raibh feidhm air inse don Tarbh goidé a ghnoithe, bhí a fhios aige féin é. Thóg sé a ruball agus lig sé trí bhúirthe as agus thug iarraidh anuas an bealach as a dtáinig an fhead. Sheasaigh an tAmadán le cúl creige a bhí sa pháirc agus chuir an Tarbh a dhá adhairc go bun ins an chreig. Ghearr an tAmadán léim ar a dhroim agus ghearr sé an ceann de. Nuair a chonaic an Tarbh gur bhás dó agus nach beo chuir sé faoi gheasaibh troma draíochta é a ghabháil go dtí Molt na Feargaise agus inse dó gur mharaigh sé Tarbh Donn na Coille Craobhaí, Macán Mór, Mac Rí na Sorcha, an chailleach, ceathrar bodach agus a slua.

Thug sé féin agus an cailín iarraidh go Ríocht Mholt na Feargaise. Nuair a mhothaigh an Molt ag teacht é thug sé iarraidh ins na featha fásaibh go dtí an áit ina raibh an tAmadán. Nuair a bhí sé fá phíosa de d'éirigh sé ar a dhá chois deiridh fá choinne go mbeadh croí agus cruógaí an Amadáin leis lena chrúb.

Smaointigh an tAmadán nach raibh áit ar bith a ba thanaí an craiceann ar an chaora ach faoin ascall. Sháith sé an scian faoin ascall ann. Thit sé marbh. Nuair a chonaic an Molt gur bhás dó agus nach beo chuir sé faoi gheasaibh troma draíochta é inse do Chat an Cháir gur mharaigh sé Molt na Feargaise, Tarbh Donn na Coille Craobhaí, Macán Mór, Mac Rí na Sorcha, an chailleach, ceathrar bodach agus a slua.

Bhí an Cat ina chónaí thíos faoi bhinn agus dúirt an cailín gurbh fhéidir nach sa bhaile ar chor ar bith a bhí sé.

"B'fhéidir gur sa Domhan Thoir ata sé ag tógáil Ardchíos".

Cha raibh gléas ar bith síos ins an bhinn agus bhí eagla air go luighfeadh sé faoina chuid geasaibh. Dúirt an cailín go bhfaigheadh sí an cliabhán lúth agus go ligfeadh sí síos sa bhinn é. Fuair sí é agus ligfeadh síos é. Chuaigh sé go dtí uamhach an Chait agus bhuail sé trí bhuille ar bhéal na humhaiche. Chuir an Cat a cheann amach agus má chuir féin ba chonafach an ceann a bhí air, achan fhiacail aige a raibh troithe ar fad iontu. Thug an bheirt síneadh santach ar a chéile agus ba mhaith an mhaise don amadán, mharaigh sé é ach nuair a bhí se ag titim marbh bhuail se an tAmadán leis an tsleá nimhe a bhí i mbarr a rubaill agus mharaigh sé é. An mhuintir a bhí ar bharr na binne chuaigh siad go dtí áit eile agus fuair siad síos fhad leis. Bhí truaighe mhór fá dtaobh den Amadán.

"Cha déan truaighe maith" arsa an Cailín "má théid sibhse fhad ar a shon agus a chuaigh seisean ar bhur sonsa, leigheasfaidh sibh go fóill é.

258

Cha bhíonn uamhach an Chait gan íce a bheith ann má chuartaíonn sibh''.

Chuairtaigh siad agus fuair siad an íce. Chumail siad air í agus d'éirigh sé slán folláin.

''Beirigí ar an bheathach ghránna agus caithigí amach san fharraige é'' arsa seisean. Bheir triúr nó cheathrar agus ní raibh ann ach gur thóg siad an ruball ón talamh.

''Is maith mar a throideadh sibh beo leis nuair nach bhfuil sibh ábalta a dhath a dhéanamh marbh leis'' arsa seisean.

Bheir sé féin air lena leathláimh agus chaith sé naoi n-eite agus naoi n-iomaire amach san fharraige é.

Shín siad leo ansin go Cúirt Rí na hIodáile. Bhí féasta mór acu. Dúirt an tAmadán leis a duine ba shine de chlann an rí go gcaithfeadh sé an cailín beag as Éirinn a phósadh agus a Ríocht féin a bheith aige - go raibh sí glan aige. ''An dara mac bhéarfaidh mé Ríocht an Mhacáin Mhóir agus an Tairbh Dhoinn dó. An fear óg bhéarfaidh mé Ríocht Mholt na Feargaise agus Chait an Cháir dó agus chead agaibh féin ach mná chuartú. Agus bhéarfaidh mé fein bhur ndeirfiúr liom chun an bhaile go hÉirinn go ndéanfaidh mé banríon daoithe.''

Sheol siad lá tharna mhárach agus nuair a bhuail siad port thug siad iarraidh ar an áit a raibh an fear óg marbh. Chuimil sé an íce dó agus léim sé suas ina fhear ghéar ghasta ar ais. An dara lá rinne sé an cleas céanna leis an dara fear agus an tríú lá leis an tríú fear.

Shín an cheathrar leo ag tarraingt ar an bhaile agus iníon Rí na hIodáile leo. Bhuail drochsmaointe na deartháireacha. Dá maróchadh siad an tAmadán agus mionna a bhaint as an mhnaoi óig go sílfí gur iad féin a rinne na héifeacht. Char ghaiste a rinne siad an smaoimteamh nó bhí a fhios aigesean é agus duirt sé ach gurb é leisc air gan iad a thabhairt fhad lena máthair arís go maróchadh sé an triúr le cúl a bhoise. Bhuail siad isteach i gcúirt a n-athair an oíche (sin) agus ba mhór an fháilte a bhí rompu. Chuaigh an gháir amach ansin go raibh an tAmadán agus iníon Rí na hIodáile le pósadh. Fuair achan duine cuireadh, bocht agus nocht, lag agus láidir, bacach agus fear uasal. Rinneas bainis a mhair seacht lá agus seacht n-oíche. Bhí an tAmadán ag roinnt seoide agus féiríní ar achan duine. Thug sé a mháthair i leataobh agus dúirt ''tá féirín agam fá do choinnesa. Fáinne fírinne atá ann. Bheidh an lámh ón ghualainn leis agus an sciathán ón chliathán mar n-inseochaidh tú cé leis an mac is sine''.

''Cé leis é ach le d'athair''.

''Níl deor de chuid fola m'athara istigh ann''.

''Nuair a sháraigh uirthi dúirt sí ''Bhí muid tamall maith i ndiaidh tusa a bheith ann sul má raibh duine eile ann. Le Bacaí na Muc é''.

''Cé leis an dara fear?''.

''Cé leis é ach le d'athair''.

''Níl deor de na chuid fola ann''.

''ó bhail, le garradóir an gharraidh é''.

''An tríú fear?''.

''Cé leis é ach le d'athair''.

''Níl aon deor de na chuid fola ann''.

''Le giománaí d'athara é'' arsa sise.

''Maise an deor bheag fola bhí ann aon duine acu, is annsan a bhí sé'' arsa an tAmadán.

Thug sé dúiche bheag do achan fhear acu thart taobh amuigh d'Éirinn agus d'iarr se ar achan fhear acu mná a chuartú daofa féin. Ríocht a athara

259

bhí sé aige féin agus iníon Rí na hIodáile. Chuaigh siadsan chun na trá agus mise chun an bhealaigh mhóir agus níl a fhios agam goidé d'éirigh daofa ó shin.

2.7 AN TARBH AGUS NA LÁMHA GLANA

Bhí bean ann fadó agus bhí triúr iníonach aici. Lá amháin tháinig tarbh agus chuaigh sé isteach ina cuid cáil. Chuir sí amach bean de na hiníonacha le ruaig a chur ar an tarbh agus bata mór léithe. Bhuail an cailín buille den bhata ar an tarbh. Ghreamaigh an bata den tarbh agus ghreamaigh lámh na girsí den bhata. Tharraing an tarbh leis í go dtáinig sí go bun binne. D'iarr sé ar an bhinn foscladh agus d'fhoscail an bhinn. Thug sé an ghirseach isteach sa bhinn agus d'iarr sé uirthi achan rud a dhéanamh go raibh seisean ag imeacht. Agus arsa seisean léithe - "nuair a thiocfas mise caithfidh mé feiceáil cé acu is glaine mo lámhasa nó do lámhasa". D'iarr sé uirthi fosta a ghabháil isteach i ngach seomra á raibh istigh ach seomra amháin. Rinne an ghirseach sin. Chuaigh sí isteach ins an tseomra a bhí crosta uirthi fosta. Ní raibh a dhath sa tseomra seo ach colnacha uilig agus tobar lán fola. Nuair a bhí sí ag druid an dorais thit an eochair a bhí ina láimh aici síos ins an tobar. Chuir sí a lámh síos ins an tobar leis an eochair a thabhairt aníos ach nuair a thug sí aníos a lámh bhí sí chomh dearg le fuil.

Chuaigh an ghirseach amach a bhlighe na bó ansin. Tháinig cat beag fhad léithe agus dúirt sé léithe - "dá dtabharfá braon beag den bhainne domhsa ghlanfainn do lámh duit".
In áit bainne a thabhairt dó bhuail sí buille air agus d'fhág sí ina luí thuas ag an tine é. Tháinig an tarbh ansin agus d'amharc sé ar na lámha. Ba ghlaine lámha an tairbh. Thug sé leis slat draíochta agus thiontaigh sé isteach ina colmán í.
An dara lá a chuaigh an tarbh sa chál chuir an mháthair an dara iníon agus bata mór léithe le ruaig a chur air. Bhuail sí buille den bhata ar an tarbh. Ghreamaigh an bata den tarbh agus ghreamaigh lámh na girsí den bhata.
Tharraing an tarbh leis í go dtáinig sé go bun binne. D'iarr sé ar an bhinn foscladh agus d'fhoscail an bhinn. Thug sé an ghirseach isteach sa bhinn agus d'iarr sé uirthi achan rud a dhéanamh go raibh seisean ag imeacht agus nuair a phillfeadh sé go n-amharcadh sé cé acu ba ghlaine a lámha féin nó lámha na girsí. D'iarr sé uirthi fosta a ghabháil isteach i ngach seomra ach seomra amháin. Rinne an ghirseach seo.
Chuaigh sí isteach ins na seomraí uilig agus chuaigh sí isteach ins an tseomra a bhí crosta uirthi fosta. Ní raibh a dhath ansin ach colnacha uilig agus tobán lán fola. Nuair a bhí sí ag druid an dorais thit an eochair isteach ins an tobar uirthi. Chuir sí a lámh síos ins an tobar leis an eochair a thabhairt aníos. Nuair a thug sí aníos a lámh bhí sí lán fola.
Chuaigh sí amach a bhlighe na bó ansin. Tháinig cat beag fhad léithe agus dúirt sé - "dá dtabharfá braon den bhainne domh ghlanfainn do lámha duit". Thug sí buille dó agus d'fhág sí ina luí thuas ag an tine é. Tháinig an tarbh ansin agus d'amharc sé ar a lámha. Thug sé leis slat draíochta agus thiontaigh sé isteach ina colmán í.

An tríú lá a chuaigh an tarbh sa chál chuir an mháthair an tríú iníon amach agus bata mór léithe. Bhuail sí buille den bhata ar an tarbh. Ghreamaigh an bata den tarbh agus ghreamaigh lámh na girsí den bhata. Tharraing an tarbh leis í go dtáinig sé go bun binne. D'iarr sé ar an bhinn foscladh agus d'fhoscail an bhinn. Thug an tarbh isteach an cailín sa bhinn agus d'iarr sé uirthi achan rud a dhéanamh go raibh seisean ag imeacht agus ar seisean léithe - "nuair a thiocfas mise ar ais amharcochaidh mé cé acu is glaine mo lámhasa nó do lámhasa. Thug sé cead daoithe a ghabháil isteach i ngach seomra ach seomra amháin.

Rinne an ghirseach seo agus chuaigh sí isteach ins an tseomra eile fosta. Ní raibh a dhath sa tseomra seo ach colnacha uilig agus tobán fola. Nuair a bhí sí ag druid an dorais thit an eochair a bhí ina lámh aici síos ins an tobar. Chuir sí síos a lámh ins an tobar leis an eochair a thabhairt aníos ach nuair a thug sí aníos a lámh bhí sí lán fola.

Chuaigh sí amach ansin a bhlighe na bó. Tháinig cat beag fhad léithe agus dúirt sé "dá dtabharfá braon beag den bhainne domh ghlanfainn do lámha duit". Thug sí sin dó agus ghlan sé a lámha daoithe. Tháinig an tarbh ansin agus d'amharc sé ar na lámha. Ba ghlaine lámha na girsí ná lámha an tairbh. Thug an tarbh slat draíochta daoithe agus d'iarr sé uirthi é a thiontódh isteach ina chruth féin arís. Rinne sí seo fosta.

Pósadh an buachaill óg agus an cailín seo. Thug sé slat na draíochta agus mála óir daoithe agus bhí dóigh bhreá orthu ón lá sin amach.

2.8 DÓNALL MÓR

Bhí fear ann uair amháin darbh ainm Dónall Mór. Bhí sé iontach naofa. Domhnach amháin bhí sé ag ní a aghaidh agus bhí beirt bhan ag scamhlóir ar a chéile. Bhí Dónall ag éisteacht leo. Nuair a bhí an sagart ag déanamh an tseanmóir thug sé amach duine a bheadh ag éisteacht le beirt eile ag scamhlóir go mbeadh peacadh déanta aige. Smaointigh Dónall go raibh peacadh déanta aige féin. Chuaigh sé chuig an tsagart lá tharna mhárach. Is é an pionós a chur an sagart air fanacht amuigh san uisce agus bata leis - fanacht amuigh go mbeadh barr cuilinn air.

Rinne Dónall mór a chuid agus síos go dtí an áit a ba tanaí san abhainn leis. Chuaigh sé amach san abhainn agus an bata in airde aige. Tháinig an oíche fá dheireadh. Cha raibh sé i bhfad go dtáinig fear agus deich mbó leis. Ní raibh sé ach i ndiaidh iad a ghoid. Ní raibh sé ábalta iad a chur trasna na hátha. D'imigh sé anonn go bhfeicfeadh sé goidé a bhí contráilte. Chonaic sé Dónall Mór amuigh san uisce agus bata ina lámh aige. Chuir sé ceist ar Dhónall Mór goidé a bhí sé a dhéanamh amuigh ansin. D'inis Dónall dó goidé mar bhí.

"ó" arsa an fear eile "goidé a éireochas domhsa nach dtearna mé a dhath ariamh ach ag gadaíocht eallaigh?"

D'iarr Dónall Mór air cead a chinn a thabhairt daofa agus léim amach san abhainn agus lig ar shiúl an t-eallach. I ndiaidh é a ghabháil amach d'amharc sé ar a bhata agus bhí barr cuilinn air. D'inis sé do Dhónall é.

"Maith thú" arsa Dónall agus d'amharc sé ar a cheann féin agus bhí barr cuilinn air fosta.

Tháinig siad isteach as an abhainn ansin agus d'imigh Dónall leis go dtáinig sé go dtí feirmeoir bocht. Chuir Dónall ceist air an bhfostóchadh sé é. Dúirt an feirmeoir go bhfostóchadh ach nach raibh sé ábalta mórán airgid a thabhairt dó.

Dúirt Dónall go socróchadh sé leis sin go dtí go mbeadh na bliantaí thuas. Lá tharna mhárach d'éirigh Dónall go luath agus chuaigh sé a dh'obair. Nuair a bhí na bliantaí thuas bhí an feirmeoir dhá uair níos saibhre ná a bhí sé ariamh. Chuir an feirmeoir ceist goidé a thuarastal. Dúirt Dónall nach raibh seisean ag iarraidh mórán. Dúirt sé an chéad ghamhain a thiocfas ar an tsaol é a chur suas chun an chnoic ina ainmsean. Rinne an maighistir an rud a d'inis Dónall dó. An chéad cheann a tháinig ar an tsaol bollóg a bhí ann agus chuir sé amach chun an chnoic é. Bhí an feirmeoir ag iarraidh iontach saibhir. Nuair a bhí an dara bliain ann rinne siad an rud céanna agus bollóg a bhí ann fosta.

Ní dhéanfadh Dónall ach leath lae oibre Dé Sathairn. Bhí teach eile taobh thall de agus bhí siadsan ag stopadh ag an leath lae Dé Sathairn fosta nuair a chonaic siad go raibh Dónall ag stopadh.

Dé Sathairn amháin tháinig maighistir an toighe anall chuig Dónall agus chuir sé ceist air cad chuige a stopann sé ag an leath lae Dé Sathairn. Bhí Dónall ag treabhadh san am agus d'iarr sé air fanacht go mbeadh sé thuas ag an taobh eile. Nuair a bhí sé thuas ag an taobh eile d'iarr sé ar an mhaighistir a chois a chur lena chois-sean agus cluais a chur lena chluas-sean.

Nuair a bhí sin déanta aige bhuail clog. Dúirt Dónall ansin - ''Ar mhothaigh tú a dhath?'' Dúirt an maighistir gur mhothaigh sé an chlog ag bualadh. ''Bhail'' arsa Dónall ''sin an chlog a stopann mise''.

D'imigh an maighistir leis agus lig sé do na cailíní stopadh leo ag an leath lae.

Chuir an feirmeoir ceist air goidé a dhéanfadh sé leis dá bhfaigheadh sé bás. D'iarr Dónall air dhá fháinne a chur ar an chónair agus í a fhágáil taobh amuigh den doras. Fuair Dónall bás agus rinne an maighistir an rud a d'iarr sé air. D'fhág sé an chónair taobh amuigh den doras. Cha raibh i bhfad go dtáinig an dá bhollóg anuas ón chnoc agus chuir siad na hadharca isteach sna fáinní agus d'iompair siad an chónair.

Bhí tórramh mór ann. De réir mar a bhí an dá bhollóg ag imeacht bhí na daoine ag pilleadh. Am amháin d'amharc an maighidtir thart agus ní raibh duine ar bith le feiceáil aige. Dúirt an maighistir leis féin - ''Rachaidh mise go bhfeicfidh mé curtha thú'' agus chuaigh.

D'amharc sé amach anonn agus chonaic sé Gleann Mór. Chuaigh an dá bhollóg síos an Gleann agus chonaic am maighistir dhá fhear ag déanamh uaighe. Bhí sí déanta nuair a lig an dá bhollóg síos an chónair. Chuir an dá fhear síos an chónair san uaigh agus chuir an chréafóg ina mullach agus ansin dúirt an maighistir - ''Tá sé chomh maith agamsa pilleadh''.

''Tá cinnte'' arsa fear den mhuintir eile ''ach sula dté tú chun an bhaile gabh suas go dtí an teach sin agus faigh do chuid''.

Bhí beathach leis an mhaighistir agus rinne sé an rud a d'iarr an fear eile air. Chuaigh sé isteach chun toighe agus shuigh sé ag an tábla. Tháinig bean amach agus préataí léithi agus ní raibh préata ar bith acu níos mó ná cnaipe Coróin Mhuire. Dúirt an maighistir nach raibh sé ábalta iad sin a ithe. Thaínig bean eile amach agus dinnéar maith léithi. Chuir sé ceist uirthi cad chuige nach raibh na préataí a thug an chéad bhean amach a dhath níos mó ná siod. Dúirt an bhean - ''Nuair a thiocfas duine bocht go dtí an doras ní thabharfaidh sí a dhath dó ach na trí phréata is lú ann.

262

Níl aici anois ach préataí beaga uilig."

Nuair a bhí a chuid déanta ag an mhaighistir d'iarr sé ar an bhean mála beag coirce a thabhairt dó go rachadh sé chun an bhaile. D'iarr an bhean air fanacht ach ní fhanóchadh sé. Nuair a bhí sé ag imeacht d'iarr an bhean air a theacht ar ais dá dtiocfadh leis é. D'imigh sé ar scor ar bith. Nuair a tháinig sé go dtí an áit a raibh sé ina chónaí ní raibh gath ar bith ann ach seanteach agus é leagtha go dtí an talamh.

Chonaic sé fear ag teacht anuas an cosán. Tháinig sé anuas go dtí an áit a raibh an maighistir. Chuir an maighistir ceist air an raibh feirmeoir ar bith ina chónaí fá seo agus fear ar fostódh aige a raibh Dónall Mór air. Agus dúirt an fear - "Sílim gur mhothaigh mé m'athair mór ag rá gur mhothaigh sé a athair mór a rá go raibh teach ansin agus go raibh feirmeoir ina chónaí ann agus go raibh fear ar fostódh aige arbh ainm Dónall Mór. Agus nuair a fuair sé bás go dtug dhá bhollóg leo é. D'imigh an feirmeoir agus char phill sé ní ba mhó".

"Sin mise a d'imigh agus chonaic mé curtha é". Thit mála an choirce. Tháinig an feirmeoir anuas ón bheathach ag gabháil a thógáil an choirce agus thiontaigh sé isteach ina chloich mhóir.

2.9 SAGART AN DÁ CHOINNEAL

Bhí sagart ina chónaí i dteach agus oíche amháin buaileadh ar an doras. D'fhoscail sé an doras agus chonaic sé dhá choinneal lasta. Dhruid sé an doras arís. Nuair a bhí sé ina shuí buaileadh an doras athuair. D'éirigh an sagart agus d'fhoscail sé an doras arís agus chonaic sé an dá choinneal.

Smaointigh sé gur duine inteacht a raibh an bás aige. Chuaigh sé síos go teach an phobail agus thug leis an ola agus na comaoineacha agus lean sé den (dá) choinneal. Chuaigh siad leo giota fada agus sa deireadh chor siad suas cosán beag uaigneach. Chuaigh siad suas leo go dtí go dtáinig siad fhad le teach beag. D'imigh na coinnle ansin. Chuaigh an sagart isteach sa teach.

Bhí seanbhean ina luí sa leabaidh agus dúirt sí leis go raibh lúcháir uirthi é a fheiceáil. Rinne sí faoistin. D'fhiafraigh an sagart daoithe an raibh sí pósta. Dúirt sí go raibh. Chuir sé ceist uirthi an raibh teaghlach ar bith acu. Dúirt sí go raibh dhá ghasúr acu agus go bhfuair siad bás nuair a bhí siad beag.
"Sin an dá ghasúr a chuaigh fá mo choinne-sa".
Tamall sular imigh an sagart fuair an bhean bás.

263

2.10 AN GASÚR INA PHÁPA

Dúirt an gasúr nuair a bhéarfadh a athair a heapar dó go bhfeicfeadh sé an diabhal ag brú an aingil faoina chosa agus an oíche nach dtabharfadh sé a heapar dó go bhfeicfeadh sé an t-aingeal ag brú an diabhail faoina chosa. Ansin chuir an sagart ceist ar an athair an dtabharfadh sé an gasúr seo dó agus dúirt an t-athair nach dtabharfadh, nach raibh aige féin ach an gasúr sin. Ach mí ina dhiaidh sin lig sé leis é.

Nuair a bhí siad ag teacht thart ag taobh an bhaile mhóir dúirt an sagart go rachadh siad isteach anseo go bhféadfadh an gasúr culaith úr a fháil mar ní raibh air ach bratógaí agus dúirt an gasúr nach rachadh mar go raibh an baile mór ag gabháil ar thine ag uair a dó dhéag.

Nuair a bhí siad giota amach ón bhaile mhór casadh bean orthu agus dúirt siad léithe go raibh an baile mór ag gabháil ar thine ar uair a dó dhéag. D'imigh an bhean agus d'inis do na gardaí é agus lean na gardaí iad agus chuir siad isteach sa phríosún iad. Nuair a bhí sé ag tarraingt ar a dó dhéag d'iarr an gasúr ar an tsagart a leabhar a thabhairt leis agus a ghabháil a léamh go dtí go dtitfeadh ballaí an phríosúin. Chuaigh an sagart a léamh ach ina dhiaidh sin níor thit na ballaí. D'iarr an sagart ar an ghasúr a ghabháil a léamh agus nuair a bhí an gasúr tamall ag léamh thit ballaí an phríosúin agus fuair siad amach. Nuair a fuair siad amach d'imigh siad leo.

Nuair a bhí siad giota amach ón bhaile mhór d'amharc siad thart agus chonaic siad an baile mór ar thine. Dúirt an sagart go raibh teach thuas ansin thuas agus go raibh cailín ann agus duine ar bith a dhéanfadh biseach daoithe go raibh mála óir le fáil aige. Dúirt an gasúr go gcaithfeadh siad a ghabháil suas. Nuair a chuaigh siad isteach dúirt an sagart leis an fhear go raibh gasúr anseo ag gabháil a dhéanamh biseach dona iníon.

D'iarr an fear ar an ghasúr a ghabháil síos chun an tseomra agus chuaigh. Nuair a chuaigh sé síos d'iarr sé ar na daoine a bheith ag amharc go bhfeicfeadh siad agus chuir sé an diabhal amach ar a béal agus rinne sé biseach daoithe. Ansin thug an fear mála óir dó agus ní thug sé leis ach an méid a bhí an dhá mhéar (ábalta) a choinneáil agus nuair a bhí siad giota amach ón teach chuir an sagart ceist ar an ghasúr cad chuige nach dtug sé leis an mála óir. Dúirt an gasúr nach é féin a rinne biseach daoithe ach Dia. Nuair a tháinig siad go teach an tsagairt bhí easpag agus scaifte ansin. Ní raibh siad sásta leis an tsagart cionn is go raibh gasúr bratógach leis.

Nuair a bhí an dinnéar réidh acu bhí an gasúr ag gabháil a shuí ag taobh an easpaig agus ní ligfeadh sé dó. Bhí cat dubh ag gabháil síos an t-urlár agus tharraing an gasúr an ruball as agus rinne sé diabhal dó ina shuí ag taobh an easpaig. D'iarr an t-easpag air é a chur ar shiúl agus go ligfeadh sé dó suí ag na thaobh. Chuir sé ar shiúl é agus shuigh sé ag taobh an easpaig agus d'ith sé a chuid.

Nuair a bhí a gcuid déanta acu chuaigh sé leis isteach i seomra agus bhí féileacán ag gabháil thart agus an duine a luighfeadh an féileacán air go mbeadh sé ina Phápa.

Cúpla lá roimhe sin fuair an Pápa bás agus bhí duine isteacht le fáil isteach ina áit. Bhí an féileacán ag gabháil thart agus sa deireadh luigh sé ar cheann an ghasúir agus fuair sé isteach ina Phápa agus bhí dóigh bhreá air ón lá sin go dtí an lá inniu.

2.12
AN BHRIONGLÓID, AN SAGART AGUS AN DIABHAL

Fada ó shin nuair a bhí géarleanúint ag muintir na Sasana ar an Gaeil in Éirinn chaitheadh na sagairt a bheith ar shiúl i bhfolach. Bhí fear ina chónaí leis féin thoir ar na Crois Bhealaí. Oíche amháin rinne sé brionglóideach go raibh sagart taobh thoir den bhaile agus é i bhfolach in uaimh mhóir. Mhuscail sé i lár na hoíche agus d'éirigh sé. Chuir sé air a chuid éadaigh agus d'imigh sé leis go dtí an uaimh. Nuair a shroich sé an áit chuaigh sé isteach san uaimh agus bhí an sagart ansin ceart go leor. Chuir sé ceist ar an fhear cé a d'inis dó go raibh seisean i bhfolach ansin. D'inis an fear dó fán bhrionglóideach a bhí aige agus d'iarr an sagart air a theacht agus a inse dósan an chéad uair eile a dhéanfadh sé brionglóideach.

"Ó tharla in áit na garaíochta anois tú", arsa an sagart "déarfaidh muid an tAifreann."

Nuair a bhí an tAifreann ráite d'ith achan duine acu ceapaire agus d'imigh an fear leis chun an bhaile ansin.

Cupla oíche ina dhiaidh sin rinne an fear brionglóideach eile agus is é an bhrionglóid í nó go raibh fia marbh thuas ag bun na Mucaise. Maidin lá tharna mhárach thug sé leis scian agus d'imigh sé leis go bun na Mucaise. Bhí an fia ansin ceart go leor. Dar leis nach n-inseochadh sé don tsagart fá seo ar chor ar bith ach rinne sé athsmaointeamh agus d'imigh leis agus d'inis don tsagart é.

Chuaigh sé féin agus an sagart go dtí an áit a raibh an fia marbh. Nuair a shroich siad an áit thoisigh an sagart a léamh as leabhar urnaí os cionn an fhia. Nuair a bhí sé tamall ag léamh d'éirigh an fia agus d'imigh leis go géar gasta an méid a bhí ina chnámha.

"Char bhac duitse", arsa an sagart leis an fhear "nár ith tú feoil an fhia sin nó dá n-íosfá, bheifeá damnaithe anseo".

Goidé a bhí ann ach an diabhal.

2.13   AN FEAR BOCHT AGUS AN FEAR SAIBHIR

Bhí beirt fhear ann aon uair amháin. Bhí fear acu saibhir agus an fear eile bocht. Lá amháin bhí an fear bocht ag cruinniú. Chuaigh sé go dtí teach an fhear shaibhir ach ní thug seisean a dhath dó. Dúirt an fear saibhir — "níl aon phingin (agam) inniu maise". "Ní raibh aon cheann inné ach oiread", arsa (an fear bocht).

D'imigh sé amach agus nuair a bhí sé ag gabháil amach ar an doras duirt sé — "mí agus an lá inniu ní bheidh leathphingin agat". Lá tharna mhárach bhí an fear (saibhir) sa bhaile mhór agus cheannaigh sé fáinne.

Chuir sé an fáinne suas ar a mhéar. "Anois", arsa seisean "ní bheidh mo chuid airgid caite mar tá sé ar mo mhéar".

Cupla lá ina dhiaidh sin bhí an fear saibhir amuigh ag iascaireacht agus chaill sé an fáinne. Dhá lá ina dhiaidh sin bhí an fear bocht ag iascaireacht agus fuair sé iasc mór. Ach goidé a bhí istigh ann ach fáinne an fhear shaibhir. Dhíol sé an fáinne agus fuair sé trí chéad punta air.

Lá amháin casadh an fear saibhir air agus dúirt sé — chaill tú do chuid airgid agus fuair mise é.

Dúirt sé ar ais — "Ar chuala tú an seanfhocal seo? Tá an t-am ag gabháil thart ar rothaí".

2.14   BROIGHNÍ OSAID AGUS AN MHUC

Bhí buachaill óg as an áit seo a dtabharfadh siad Broighní Osaid air ar fostódh ag maighistreás ar an Lagán. Ní raibh Broighní ag fáil a sháith le hithe in am ar bith. Bhí cráin mhór mhuice sa teach agus ba mhaith le Broighní an maighistir an mhuc a mharbhadh ach ní mhirfeadh an maighistir an mhuc.

D'imigh Broighní amach agus sháith sé snáthad mhór isteach fríd an mhuic. Thoisigh an mhuc a léimtigh agus a screadaigh. Chuaigh Broighní isteach agus dúirt sé leis an mhaighistir go raibh an mhuc ar mire. Chuaigh sé féin agus an maighistir amach agus mharaigh siad í. Dúirt an maighistir le Broighní go raibh sé chomh maith acu í a chur.

"Ná cuir í" arsa Broighní "ach feann í agus íosfaidh mise le mo dhinnéar achan lá í go mbeidh sí uilig ite".

Rinne an maighistir mar a d'iarr sé air. D'ith sé leis uirthi achan lá. Nuair a chonaic an maighistir nach raibh an mhuicfheoil ag déanamh a dhath ar Bhroighní d'iarr sé ar an bhean cuid daoithe a rósadh fána gcoinne féin. Rós an bhean cuid den mhuicfheoil daofa féin.

D'ith Broighní an dinnéar roimh an bheirt acu an lá seo. Nuair a chonaic Broighní iad ag toiseacht a ithe na muicfheola d'éirigh sé agus thoisigh sé a léimtigh fríd an teach. Shíl an bheirt acusan go raibh an mhuicfheoil á chur ar mire agus d'fhág siad an mhuicfheoil uilig aige féin. D'ith sé féin an mhuicfheoil uilig ansin go raibh deireadh ite aige.

2.15   AN DÁLACH AGUS AN CAILÍN

Bhí Dálach agus a shearbóntaí amuigh ag seilg lá sa chnoc. Casadh cailín orthu. Chuir siad ceist ar an chailín goidé an cineál teach é sin thíos nó an teach ceann tuí atá ann. Dúirt an cailín "tá tuí ar thaobh amháin dó agus níl ar an taobh eile".

Nuair a tháinig an tráthnóna chuaigh na fir síos go dtí an teach. Bhí an teach cosúil le teach ar bith eile. Bhí an cailín céanna istigh sa teach.

Chuir siad ceist uirthi goidé a dúirt sí leo. Dúirt sise leis an Dálach go raibh tuí ar an taobh amuigh don teach agus nach raibh tuí ar bith ar an taobh istigh. Dúirt an Dálach léithe an chéad uair eile a tchífidh tú mise bhéarfaidh mé bronntanas duit.

Chuaigh an Dálach amach ar an doras a dtáinig sé isteach air. Chuaigh an cailín amach ar an doras cúil agus casadh an bheirt acu ar a chéile ag binn an toighe. Dúirt an cailín leis ''tá súil agam gur duine do d'fhocal thú''.

Ní raibh le déanamh ag an Dálach ach a chapall féin agus capall a shearbhóntaí a thabhairt daoithe. Agus b'éigean daofa imeacht chun an bhaile agus iad ag siúl.

SEANSCÉALTA GAN AICMIÚ

3.1 AN BAINTREACH AGUS A INÍON

Bhí baintreach ann fad ó shin agus ní raibh aici ach iníon amháin agus bhí sí iontach falsa.

Lá amháin bhí an girseach ag léamh leabhair. Tháinig an mháthair isteach uirthi agus bhuail sí í. Bhí fear uasal ag gabháil an bealach agus chuala sé an girseach ag caoineadh. Chuaigh sé isteach. Chuir sé ceist goidé bhí ar an ghirseach. Dúirt an bhean go raibh sí ag déanamh barraíocht oibre agus nach raibh maith aici iarraidh uirthi scíste a ghlacadh.

"Sin an cineál cailín a bheidh a dhíth ar mo mháthair" arsa seisean. "Ba mhaith liom dá dtabharfá dom í le tabhairt liom chuici".

Lig an mháthair uirthi féin nach raibh sí sásta a ligean leis ach sa deireadh thoiligh sí seo a dhéanamh. D'imigh an beirt acu leo go raibh siad ag teach an fhir uasail. Chuir máthair an fhir fáilte roimh an chailín nuair a tháinig sí isteach. Chuir sí ceist ar an mhac goidé an cineál cailín a bhí leis. Dúirt seisean gur cailín a bhí iontach maith ag obair agus go raibh a máthair cruaidh uirthi.

Dúirt an bhean uasal go dtabharfadh sí a mac le pósadh daoithe dá ndéanfadh sí a cuid oibre go maith. Chuir sí amach í agus d'iarr sí uirthi oiread olna a thabhairt isteach agus dhéanfadh culaith éadaigh. Chuaigh an cailín amach ach ní raibh fios aici cá bhfaigheadh sí an olann. Ní raibh sí a bhfad mar seo go dtáinig bean fhad léithe. Chuir an bhean ceist uirthi cad chuige a raibh sí ag caoineadh. Dúirt an cailín gur chuir bhean an toighe sin thall amach í a chuartú olna le éadach a dhéanamh. Dúirt an bhean go raibh neart caorach aicise agus dá dtiocfadh sí léithe go dtabharfadh sí olainn daoithe. Fuair an ghirseach an olainn agus chuaigh sí fhad leis an mhnaoi uasail agus an olann léithe. Dúirt an bhean gur cailín maith í. D'iarr sí uirthi an olann a shníomh agus gréasán a dhéanamh agus culaith a dhéanamh den éadach. Chuaigh an cailín isteach i seomra, shuigh sí ar an chathaoir agus thoisigh sí a chaoineadh. Tháinig bean isteach ar an fhuinneog, chuir an bhean seo ceist cad chuige a raibh sí ag caoineadh. Dúirt an cailín gur iarr an bhean an toighe uirthi éadach a dhéanamh as an olainn agus culaith a dhéanamh den éadach.

"Dhéanfaidh mise sin duit", arsa an bhean "agus cha mhaireann an obair i bhfad".

Nuair a tháinig bean an toighe isteach sa tseomra fuair sí an obair déanta. Mhol sí an cailín agus dúirt sí go bhfaigheadh sí a mac le pósadh. Pósadh iad lá arna mhárach agus bhí dóigh bhreá ar an ghirseach ó sin amach.

3.2 AN tSNÁTHAD DRAÍOCHTA

Bhí lanúin ann uair agus bhí iníon amháin acu. Fuair an mháthair bás nuair nach raibh an iníon ach trí bliana. Phós an t-athair arís agus bhí trí iníon aige leis an dara bean. Ní raibh an leasmháthair maith don dílleachta ar chor ar bith.

Oíche amháin d'imigh na leasiníonacha leo chuig damhsa agus b'éigean don dílleachta fanacht sa baile. Thosaigh sí ag caoineadh nuair a d'imigh an mhuintir eile. Tháinig bean bheag dhearg isteach agus bosca léithe. Chuir sí ceist ar an ghirseach goidé a bhí contráilte léithe. D'inis an dílleachta daoithe goidé mar tharlaigh gur imigh na leasdeirfiúracha chuig an damhsa agus nach dtiocfadh léithe gabháil mar nach raibh éadach deas ar bith aici le cur uirthi. "An bhfuil seanéadach ar bith agat?" arsa an bhean bheag rua. "Tá" arsa an ghirseach.

"Faigh oiread agus a dhéanfas culaith duit".

Chuaigh an ghirseach go dtí an seomra agus fuair sí seanéadach. Thug sí don bhean bheag dhearg é. Thug an bhean bheag snáthad amach as an bhosca agus rinne sí culaith dheas don ghirseach ansin. Chuir sí ceist ar an ghirseach an rachadh sí léithe. Dúirt an ghirseach nár mhaith léithe a cuid leasdeirfiúracha a fhágáil. Thug an bhean slat draíochta amach as a póca. Bhuail buille ar an ghirseach agus rinne síóg bheag daoithe. Chuir an bhean bheag clóca dearg uirthi agus thug sí léithe í. Nuair a tháinig siad go dtí binn mhór d'fhoscail an bhinn agus shiúil siad isteach. Druideadh an doras ina ndiaidh agus ní fhacthas an dílleachta ón lá sin go dtí an lá inniu.

3.3 SCÉAL CHLAUD

Bhí gasúr beag ann uair amháin. Is é an t-ainm a bhí air Claud. Bhí sé ar fostódh ag maighistir ar feadh seacht mbliana. Maidin amháin dúirt sé leis an mhaighistir go raibh sé ag imeacht chuig a mháthair agus go raibh a chuid airgid a dhíth air.

Chuaigh sé isteach chun an tseomra agus thug sé amach mála mór leithphingneacha agus thug sé do Chlaud é. D'fhág sé slán ag an mhaighistir agus d'imigh leis. Bhí giota fada aige le ghabháil agus bhí an mála iontach trom. Casadh fear air agus é ag marcaíocht ar chapall.

Dúirt Claud leis "is maith duitse, tá dóigh bhreá ort ar dhroim beathaigh. Mise a chaithfeas an mála seo a iompar chun an bhaile chuig mo mháthair".

D'iarr an fear air an t-airgead a thabhairt dó "agus bhéarfaidh mise an capall duitse" "Ansin" arsa Claud "tá an mála trom agus beidh tú sáraithe leis nuair a bheas tú ins an bhaile. Má bhíonn sé trom bhéarfaidh mise an capall duit arís agus chan ormsa a bheas an locht".

"Ghlacfaidh mise an mála cé bith" arsa na fear. Thug Claud an mála dó agus chuaigh Claud a mharcaíocht ar an chapall. D'fhág sé slán aige agus d'imigh leo.

Bhí Claud ag cur an chapall ina reath. Tháinig fearg ar an chapall agus bhuail Claud é agus bhuail an capall Claud isteach ins na cosa agus chaith

269

sé Claud isteach i gcúl an chlaí. Bhí sé ina luí ansin ar feadh tamaill agus ní thiocfadh leis bogadh.

"Och" arsa Claud "ní fheicfidh duine ar bith mé ar dhroim capaill go brách arís. Dá b'é duine ar bith eile a bheadh ann thitfeadh sé marbh. Ach bhí an t-ádh ormsa".

D'éirigh sé suas ins an deireadh agus chuaigh sé i ndiaidh an chapaill. Bhí fear ag teacht an bealach mór agus bó leis agus bheir sé greim ar an chapall.

Nuair a tháinig an fear fhad leis thoisigh Claud a inse dó goidé mar a fuair sé an capall. Agus dúirt an fear leis "tabhair domhsa an capall agus bhéarfaidh mise an bhó duitse". Dúirt Claud "nach deas an rud bó". Thug Claud leis an bhó.

Shiúil sé leis giota fada agus bhí sé iontach tuirseach. Sa deireadh tháinig ocras air. Cheangail sé an bhó de chrann agus chuaigh sé síos ar a dhá ghlún agus thoisigh sé a bhleán na bó. Thóg an bhó a cos agus bhuail sí é.

Chuaigh fear thart agus muc leis. D'inis Claud an scéal dó. Shíl Claud gur dheas an rud muc in áit bó. Tá dúil mhór agamsa i muca agus beidh féasta ag mo mháthair agus agamsa. Agus thug sé an mhuc leis agus chuaigh sé a mharcaíocht uirthi. Leag an mhuc é.

Tháinig fear thart agus gé leis. Thug sé an mhuc don fhear ar an ghé. Beidh lúcháir mhór ar mo mháthair nuair a rachaidh mise chun an bhaile. Thug sé leis an gé agus ní dheachaigh sé i bhfad gur casadh fear air agus dhá chloch mhóra leis agus é ag cur faobhar ar rásúr. Chuir an fear ceist air cá bhfuair sé an gé deas a bhí leis. D'inis Claud an scéal ó thús go deireadh dó.

"Rinne mise mo shaibhreas ar an dá chloch mhóra seo".

Thug Claud leis an dá chloch agus d'iompar giota fada iad. Tráthnóna nuair a bhí sé ag éirí mall tháinig sé fhad le sruthán. Chrom sé síos a ól deoch agus thit an dá chloch mhóra isteach sa tsruthán. D'éirigh sé suas i ndiaidh a bheith ag amharc ar na clocha.

D'imigh sé leis ag tarraingt ar a mháthair. Nuair a tháinig sé fhad leis an teach bhí lúcháir mhór ar a mháthair agus dúirt sí leis murab é go dtáinig sé go gcuirfí amach as an teach í lá tharna mhárach cionn is nach raibh airgead ar bith leis an chíos a dhíol. Ach dúirt mise go raibh mo mhac ag teacht amárach agus go mbeadh airgead go leor leis a dhíolfadh an cíos.

"Agus a Chlauid, a mhic" ar sise "is maith liom go dtáinig tú".

"Ach, a mháthair" arsa Claud "éist liom tamall beag agus inseochaidh mé duit an t-ádh a bhí orm" D'inis sé an scéal ó thús go deireadh goidé mar chuaigh an scéal.

Nuair a chuala an mháthair goidé mar chuaigh agus nach raibh airgead ar bith leis chuir sí suas a naprún ar a cuid súl agus thoisigh sí a chaoineadh agus scairt sí amach.

"A Chlauid amaidigh, a Chlauid amaidigh, cuirfear amach sinn a rún ar maidin amárach".

3.4 AN FEAR BEAG RIBEACH RUA AGUS SCAIBE BEAG NA nGEARB

Bhí fear agus bean ann uair amháin. Bhí mac acu a raibh Scaibe Beag na nGearb air. Bhí gearba air. Lá amháin dúirt an fear leis an mhnaoi go mbáithfeadh siad é. Dúirt an bhean gur mhór an truaighe sin a dhéanamh leis. Dúirt an bhean leis bosca a dhéanamh agus é a chur isteach ann, lón a thabhairt dó agus é a chur amach san fharraige. Rinne siad sin leis.

Nuair a bhí sé amuigh tamall fada tháinig sé isteach ar thalamh deas tirim.

Shuigh sé síos ag gabháil a ithe an lóin agus chonaic sé fear beag ribeach ag tarraingt air. Choinnigh sé giota den arán fá choinne an fhir. Nuair a tháinig sé go dtí é thug sé giota den arán dó. Nuair a bhí an t-arán ite aige tháinig tart ar Scaibe agus d'inis an fear rua dó cá háit a bhfaigheadh sé deoch. Thaispeáin sé tobar dó agus dúirt sé leis go rithfeadh siad (agus) cér bith a bhainfeadh an rása go bhfaigheadh sé an tobar dó féin. Bhain an fear rua an rása agus d'ól sé an tobar.

Thaispeáin sé ceann eile dó agus rith sé féin agus d'ól sé é. Thaispeáin sé ceann eile dó agus rith sé féin agus d'ol sé leath an tobair. D'iarr sé ar Scaibe an leath eile a ól (agus) nuair a bheadh sé ag ól an uisce a cheann a chur síos ann. Rinne sé sin agus nuair a thóg sé aníos a cheann bhí ceann óir air. Bhí na gearba ar shiúl de. D'inis sé dó teach a rachadh sé ann ar lóistín agus d'iarr sé air a ghabháil leis go mbeadh sé ag taobh cloiche agus go bhfaigheadh sé rud ar bith a bheadh a dhíth air. Chuaigh sé go dtí an chloch agus thóg sé í. Bhí cearc, fideog agus bratóg ann. Thóg sé an fhideog agus chuir sé ina bhéal í agus rinne sé fead. Tháinig teach deas roimhe agus dúirt an fear rua leis a ghabháil isteach ins an teach agus lóistín a iarraidh. Chuaigh ach dúirt an fear nach dtabharfadh sé lóistín dó ach rinne sé féin teach beag dó féin. Chuaigh sé isteach ann. Bheadh iníon an fhir seo ag gabháil isteach lena chuid chuige achan lá. Rachadh sí ar bharr a cuid cos go dtí an doras go bhfeicfeadh sí cad chuige a mbeadh an bhratóg ar a cheann aige.

Lá amháin chuaigh sí go dtí an doras agus bhí sé ag gabháil thart fríd an teach agus gan bratóg ar bith ar a cheann. Chonaic sise an ceann óir.

D'fhoscail sí an doras agus chuaigh sí isteach. Nuair a bhí sí ag gabháil isteach ar an doras bhí Scaibe ag cur air na bratóige. Chuaigh sí isteach.

Chuir sí ceist air an bpósfadh sé í. Dúirt seisean go bpósfadh dá dtabharfadh sí go dtína teach féin é. Dúirt sise go dtabharfadh. Thug sí léithe go dtína teach féin é. Rí a bhí ina hathair. Nuair a chuaigh siad go teach an rí rinne siad bainis agus pósadh iad. An lá tharna mhárach bhí lá mór acu. Bhí sé i dteach an rí go bhfuair an rí bás. Bhí beirt mhac acu. Bhí fear acu míofar.

Lá amháin thug Scaibe leis an fear dóighiúil agus an fear míofar agus mharaigh sé iad. Bhí an bhean iontach buartha agus dúirt sí gur chóir é a chrochadh cionn is go dtearna sé sin. D'iarr sí ar fhear é a mharbhadh. Dúirt an fear nach ndéanfadh sé sin. Nuair a fuair an fear ina luí é fuair sé greim cúl muineáil uirthi agus scoilt sé a cloigeann. Bhí dóigh mhaith air ó sin amach.

Lá amháin bhí sé ina shuí sa chaisleán agus smaointigh sé go mbeadh sé ina rí.

Chuir sé air coróin an rí. Bhí sé ina mhaighistir ar an tír go dtí lá amháin tháinig fear bocht go dtí an doras agus d'iarr sé giota feola air. Ní thabharfadh sé sin dó. Dúirt an fear bocht leis go ndéanfadh seisean rí de (dá) dtabharfadh sé giota na feola dó. Dúirt seisean go raibh sé ina rí agus nach raibh fiachaibh ar aon duine rí a dhéanamh de. Le sin tharraing an fear bocht a bhata agus maraigh sé é. Sin an deireadh a bhí le Scaibe.

3.5   AN FATHACH

Bhí fathach mór ina chónaí ar chreig mhóir a bhí ann agus bhí sé ag tabhairt drochbhail ar na daoine a bhí ins an bhaile. Bhí sé ag tabhairt leis a gcuid eallaigh fosta.

Chruinnigh cuid mhór de mhuintir an bhaile fá choinne é a mharbhadh.

Chuirfeadh sé amach coinneal gach uile oíche agus tháinig sé féin amach agus chuaigh fear amháin suas go dtí an chreag agus rith an fathach anuas fá choinne an fear a mharbhadh ach rith seisean amach ins an abhainn a bhí ann agus rug an fathach ar chloich agus chaith sé síos san abhainn í agus goidé a rinne sé ach titim agus briseadh a chos.

Rith an fear go dtí an baile agus d'inis sé daofa gur marbhadh é agus bhí lúcháir mhór orthu uilig. Ní fhaca duine ar bith coinneal san fhuinneog ó shin nó bhí sé ráite duine ar bith a d'amharcóchadh ar an tsolas seo go mbeadh sé marbh roimhe mhaidin agus bhí lúcháir mhór uilig orthu.

Chuaigh an fear a mharaigh an fathach, chuaigh sé go dtí an teach agus bhí caisleán mór anseo a bhí lán óir agus airgid agus chónaigh sé ins an teach seo ó sin amach agus bhí dóigh bhreá air.

3.6   BÁS BEARACHAN

Bhí fear ann fada ó shin a raibh Bearachan air. Rinne sé brionglóideach go bhfaigheadh sé bás nuair a thiocfadh trí rí ar cuairt chuige. Tháinig na ríthe ach ní raibh Bearachan sásta agus d'imigh sé i bhfolach.

Ní raibh i bhfad go dtáinig scairt ag an doras. Chuir na ríthe ceist cé a bhí ann. Dúirt seisean gur duine a raibh dídean na hoíche a dhíth air agus (chuaigh) sé isteach.

Shuigh sé ag an tine agus ní raibh sé i bhfad gur thoisigh sé a sheinm ar fhideog. Nuair a bhí sé tamall ag bualadh thit na ríthe ina gcodladh.

Ar maidin lá tharna mhárach nuair a mhuscail na ríthe ní raibh Bearachan le fáil. Chreid siad ansin an bhrionglóid a rinne sé go bhfaigheadh sé bás nuair a thiocfadh trí rí ar cuairt chuige.

3.7   AN FEAR A GHOID AN VEIST

Bhí scaifte fear ag baint fhéir i gcuibhreann lá iontach te agus bhain na fir daofa a gcuid cótaí agus veistí agus d'fhág siad ag an gheafta iad ag taobh an bhealaigh mhóir.

Bhí siad ag obair go cruaidh. Bhí an feirmeoir ar an aonach agus ag teacht dó bhí veist úr air agus d'fhág sé an veist síos ins an áit ina raibh na cótaí agus chuaigh a dh'obair.

Bhí fear bocht ag gabháil thart agus chonaic sé an veist dheas agus bhí seanveist air féin. Bhain sé de an tseanveist agus chuir air an veist úr agus d'fhág an seancheann ina háit.

Nuair a bhí an fear bocht giota fada ar shiúl tháinig sé fhad le siopa. D'amharc sé ins an veist agus ní raibh airgead inti. Smaointigh sé gur fhág sé an t-airgead sa tseanveist agus phill sé.

Nuair a d'imigh an fear bocht bhí na fir ag gabháil chuig a gcuid tae. Bhí siad ag cur orthu a gcuid veistí agus cótaí. Thóg an maighistir an veist a fágadh aige féin agus thaispeáin do na fir í agus le sin thit na scillingeacha amach aisti.

Chonaic siad an fear bocht ag tarraingt orthu agus chuir sé ceist orthu an bhfaca siad seanveist anseo agus í lán airgid. ''Liomsa í sin'' arsa an fear bocht.

''Cá bhfuil mo veist úr?'' arsa an maighistir.

Dúirt an fear bocht go raibh sí air. Thug sé an veist don mhaighistir agus fuair an fear bocht a cheann féin agus dúirt sé nach ngoidfeadh sé a dhath a choíche arís.

3.8 AN FEAR AGUS A THRIÚR MAC

Bhí fear uasal ann fada ó shin agus bhí triúr mac aige agus bhí sé iontach bródúil astu. Bhí bean phisreogach ins an áit agus thug an fear uasal a chuid mac chuici. (Léigh) sí a gcuid lámh.

Dúirt sí go mbeadh an chéad fhear ina shagart, go mbeadh an dara fear ag marbhadh daoine agus an tríú fear ina chrochadóir. Bhí an fear uasal iontach buartha agus d'imigh sé chuig an tsagart agus d'inis goidé a dúirt an bhean phisreogach.

Dúirt an sagart go mbeadh an chéad fhear ina shagart agus go mbíonn sagairt ag cruinniú airgid, go mbeadh an dara fear ina dhochtúir agus go mbíonn dochtúir ag daoine atá ag fáil bháis agus an tríú fear go mbeadh sé ins an áit ina mbeadh daoine á gcrochadh.

Bhí an fear uasal iontach sásta leis féin agus tháinig an rud a dúirt an sagart isteach fíor.

3.9 FÁ DTAOBH DE GHASÚR CLISTE

Bhí gasúr ann uair amháin agus cuireadh amach ar fostódh chun an Lagáin é.

Bhí sé ar fostódh ag feirmeoir agus bhí áit mhaith aige. Lá amháin bhí sé ag bualadh fodair agus chonaic sé bean an toighe ag teacht agus d'imigh sé i bhfolach san fhodar. Bhí mac ag an mhnaoi seo. Bhí sí pósta dhá uair agus bhí mac aici an chéad uair agus phós sí arís. Tháinig an mac a chaint léithese agus bhí an gasúr ag éisteacht leo

Dúirt an bhean leis an mhac go dtabharfadh sí a dhinnéar amach amárach chuige. Chuir sí ceist goidé an dóigh a mbeadh a fhios aici an áit a mbeadh sé. Dúirt an mac go mbeadh beath ach bán agus beath ach buí aige. Dúirt an bhean go ndéanfadh sin gnoithe. D'imigh sé agus d'imigh an bhean chun an bhaile. Bhí a fhios ag an ghasúr goidé a dúirt siad uilig.

Ar maidin lá tharna mhárach bhí an gasúr ag gabháil amach a dh'obair agus d'iarr an fear air na beathaigh a thabhairt leis. Thug an gasúr leis an beathaigh agus fuair sé éadach bán agus chuir sé ar cheann de na beathaigh é agus fuair sé beathach buí agus d'imigh sé. Chuir an maighistir ceist air cad chuige a raibh éadach bán aige ar an bheathach. Dúirt an gasúr gurb é sin gnás a bhí acu ins (an) bhaile. Dúirt an maighistir gur cuma leisean.

Nuair a tháinig am dinnéara tháinig an bhean amach agus an dinnéar léithe. Dúirt an gasúr go raibh an bhean ag teacht leis an dinnéar. Dúirt an fear nár ghnách léithe a theacht lá ar bith eile. Bhí sí fá choinne a dhinnéar a thabhairt do na mac agus shíl sí an fear a raibh an beathach bán aige gurb é sin a mac. Tháinig sí fhad leis an bheathach bhán agus níobh é an mac a bhí ann ar chor ar bith agus d'fhág sí an dinnéar ag a muintir féin agus d'iarr sí ar an ghasúr a ghabháil anonn fá dhéin a mic.

D'imigh an gasúr anonn agus dúirt leis an mhac a bhí thall go dtabharfadh an bhean anall an dinnéar chuigesean fosta agus dá dtigeadh an fear anall é a bheith ar shiúl nó go muirfeadh sé é. Tháinig (an) gasúr anall agus dúirt sé nach dtiocfadh an mac anall ar ais go dtí go bhfeicfeadh sé an fear ag gabháil anonn.

D'iarr an bhean ar an fhear a ghabháil anonn agus nuair a chonaic an mac an fear ag teacht d'imigh sé an méid a bhí ina chorp agus d'imigh an fear i ndiaidh an mhic agus d'imigh an bhean i ndiaidh an fhir agus bhí siad uilig ar shiúl agus d'ith an gasúr a sháith agus thug sé leis an beathach bán agus d'imigh sé.

Casadh air dochtúir. Chuir an dochtúir ceist air an raibh sé ag gabháil ar fostódh. Dúirt an gasúr go raibh sé ag gabháil ar fostódh agus dúirt an dochtúir go raibh seisean ag cuartú seirbhíseach agus dúirt an gasúr go rachadh seisean leis. Dúirt an dochtúir go raibh an bhean agus a iníon ag éileamh le fada agus go dtiocfadh leis féin a dhinnéar a dhéanamh réidh agus tháinig sé fhad leis an teach. Bhí an mháthair ina suí ar thaobh amháin den tine agus an iníon ar an taobh eile.

Rinne an gasúr réidh a dhinnéar agus dúirt leis an mhnaoi agus leis an iníon dá dtabharfadh siad cúig phunta gach duine acu dó go dtiocfadh leisean biseach a dhéanamh daofa. Thug siad sin dó agus d'imigh an gasúr leis ar a chapall bán agus níor phill sé ní ba mhó.

D'imigh sé leis ar an bhealach mhór agus casadh air fear bocht agus d'iarr sé athrach éadaigh air. Dúirt an fear bocht leis gan a bheith ag magadh agus dúirt an gasúr nach b'é ag magadh a bhí sé agus rinne siad seo.

Chuir an gasúr air éadach an fhir bhocht agus an fear bocht air éadach an ghasúir agus d'imigh an bheirt leo ar an bheathach bán agus ní dheachaigh siad i bhfad go dtáinig siad go dtí áit ina raibh aonach agus ní raibh siad i bhfad ansin go bhfaca sé an dochtúir ag tarraingt air.

Chuir sé an fear bocht isteach i mála agus chuaigh sé féin suas ar an chapall agus chuir sé an fear bocht ins an mhála thuas lena thaoibh agus d'imigh sé.

Ní dheachaigh sé i bhfad gur chuir an dochtúir ceist air an dteachaigh gasúr ar bith soir. Dúirt an gasúr go dteachaigh cinnte agus d'iarr sé (ar) an dochtúir an mála a choinneáil go dtí go bhfaigheadh sé an gasúr.

D'imigh sé agus nuair a bhí sé amach as amharc an dochtúra d'imigh sé leis chun an bhaile.

Bhí an fear bocht istigh ins an mhála agus dúirt sé leis an dochtúir - "an fear bocht a chur tú a chuartú, b'fhéidir gurb é sin an gasúr a d'imigh uait".

Lig an dochtúir amach an fear bocht a bhí ins an mhála agus b'éigean dó imeacht chun an bhaile gan gasúr ar bith.

Tháinig an gasúr chun an bhaile agus deich bpunta leis agus beathach bán agus badh é sin an chéad bheathach bán a tháinig go Gaoth Dobhair ariamh.

3.10   AN CLOCHAR

Bhí rí ann fada ó shin agus bhí triúr mac aige. D'imigh siad leo a chuartú oibre. D'imigh siad leo go dtí go dtáinig siad go dtí teach a raibh fathach mór ann. Tháinig siad go dtí an doras agus bhuail siad. Bhí rí ins an teach seo agus bhí triúr mac aige fosta. Fosclaíodh an doras daofa agus chuir an rí ceist ar an fhear a ba shine cá raibh lár an domhain agus cha raibh a fhios aigesean. Chuir sé ceist ar an dara fear fosta agus ní raibha fhios aigesean ach oiread. Chuir sé ceist ar an tríú fear ach ní raibh seisean ábalta a fhuasclú.

Ansin d'imigh siad leo an dara hoíche agus tháinig siad go dtí teach a raibh féasta mór ann agus bhuail siad ag an doras. Chuir an rí ceist ar an fhear a ba shine goidé an cheird a bhí aige agus dúirt sé gurb é an ceoltóir ab fhearr ar an domhan agus dúirt seisean gurb é sin an rud a bhí a dhíth airsean.

Chuir sé ceist ar an dara fear goidé an posta a bhí aigesean agus dúirt sé gurb é eisean an damhsóir ab fhearr ar an domhan. Dúirt an rí gurb é sin an rud a bhí a dhíth airsean. Chuir sé ceist ar an tríú fear agus dúirt seisean gurb é an fear ab fhearr ag ní soitheach ar an domhan agus dúirt an rí go raibh go leor acu sin aigesean agus nach raibh seisean a dhíth air.

Lig an rí isteach an bheirt dhearthaireacha agus b'éigean don fhear eile fanacht amuigh. Thoisigh an damhsóir agus an ceoltóir agus níor shíl an rí mórán daofa - ní raibh a dhath níos fearr ná duine ar bith eile.

Bhí cloch ag an rí seo a d'inseochadh achan rud dó nuair a rachadh sé a luí san oíche uirthi agus is é an rud a d'inis an chloch dó iad a mharbhadh nó nach raibh siad ach fá choinne a chuid mac a mharbhadh. Bhí go maith. D'iarr sé orthu fanacht go dtí maidin lá tharna mhárach.

Fríd an oíche nuair a bhí an rí ina chodladh d'éirigh fear de na fir agus bhain sé an choróin de chlann an rí agus chuir sé i bhfolach iad agus chuaigh sé féin a luí arís. Tamall beag ina dhiaidh sin d'éirigh an rí fá choinne iad a mharbhadh ach is é an leabaidh a dtáinig sé go dtí í an chéad uair an ceann a raibh a chuid mac féin ina luí inti. Bhí an t-éadach suas ar a gceann acu agus nuair a chuaigh seisean a dh'amharc a raibh coróin orthu ní raibh. Ní dhearna sé gath ar bith ach an claidheamh a tharraingt agus iad a mharbhadh.

Ansin d'imigh an bheirt eile amach agus níor marbhaíodh iad ar chor ar bith

3.11   MAC AN BHAILL DUIBH

Bhí fear agus bean ann fada ó shin. Bhí mac amháin acu agus d'imigh sé leis a shaothrú a chodach agus ní raibh a fhios acu cá raibh sé. Lá amháin bhí an t-athair amuigh sa gharradh agus chonaic sé cóiste ag tarraingt air agus tháinig fear amach as agus thoisigh sé a chaint leis.

Bhí cuid mhór crann ins an gharradh agus bhí crann amháin cam ann. Chuir an fear ceist ar an tseanduine cad chuige a raibh an crann sin cam. "Tá" ar seisean "níor cheangail mé suas díreach é nuair a bhí sé ag fás ina óige".

Chuir fear an chóiste ceist air an raibh teaghlach ar bith aige. Dúirt seisean go raibh mac amháin aige ach gur imigh sé leis i mbéal a chinn agus nár chuala sé iomrá ar bith níos mó air.

"An aithneochá an mac sin dá bhfeicfeá é?".

Dúirt sé nach n-aithneochadh ach go raibh ball amháin ar láimh a mhic agus is cuma cén áit ina bhfeicfeadh sé é go n-aithneochadh sé é. Bhain fear an chóiste de a chóta agus ar seisean "an é sin an ball a bhí ar do mhac?".

"Sin an cineál marc a bhí air" arsa an fear.

"Is mé do mhac agus is mé an gadaí is mó ar an domhan".

Nuair a chuala an t-athair seo bhí sé iontach buartha. D'iarr sé air a theacht leis go dtí an teach agus nuair a chuala an mháthair gurb é a mac a bhí ann bhí lúcháir mhór uirthi, ach nuair a d'inis an t-athair daoithe gurb é an gadaí is mó ar an domhan é bhí brón mór uirthi.

"Is fearr duit imeacht" arsa an t-athair "nó tá fear uasal thuas ansin agus scaoilfidh sé thú má chluineann sé gurb é gadaí atá ionat".

Chuaigh an t-athair chuig an fhear uasal agus d'inis sé an scéal dó. Scaoil sé an gadaí agus bhí an t-athair agus an mháthair iontach buartha ó sin amach.

3.12   AN TRIÚR MAC

Bhí triúr mac ann uair amháin. Arsa an chéad fhear go rachadh seisean agus go saothrócahadh sé a chuid airgid féin. Dúirt sé leis an bheirt eile nuair a gheobhadh seisean bás go mbeadh an tobar a bhí acu uilig ina fhuil.

D'imigh sé. Nuair a bhí sé ar shiúl tamall d'amharc siad sa tobar agus bhí sé uilig ina fhuil.

Dúirt an dara fear go n-imeochadh seisean agus go mbeadh an tobar uilig ina fhuil an lá a gheobhadh seisean bás. Bhí sé ar shiúl bliain agus an lá seo d'amharc an tríú fear ins an tobar agus bhí sé uilig ina fhuil.

Dúirt an tríú fear go n-imeochadh seisean agus d'imigh. Thug sé leis builín agus an chéad oíche fuair sé lóistín ag cat. D'iarr an cat ar an fhear bia a thabhairt dó. Thug sé bia dó agus chuir sé ceist air cén áit a bhfaigheadh sé obair.

Dúirt an cat leis go raibh caisleán le déanamh ag an rí agus go gcaithfeadh sé é a bheith déanta aige i gceann na bliana mar mura mbeadh go mbainfeadh sé an ceann de.

Thoisigh an fear ar an chaisleán agus i gceann na bliana bhí an caisleán déanta aige. Dúirt an rí gurbh é an pháighe a bhí sé a thabhairt dó fiche punta. Dúirt seisean nach nglacfadh sé é. Dúirt an rí leis ansin go

dtabharfadh sé cóiste dó. Dúirt an fear nach nglacfadh sé sin ach oiread.
Dúirt an rí leis go dtabharfadh sé a iníon dó le pósadh.
Dúirt seisean go ndéanfadh sin gnoithe agus pósadh iad. Bhí bainis mhór acu, lá agus bliain, agus bhí an lá deireannach chomh maith leis an chéad lá.

3.13   AN TÁILLIÚR AGUS NA DAOINE BEAGA

Bhí fear agus bean ann uair amháin. Bhí siad go measartha bocht agus teaghlach mhór acu. Táilliúr a bhí ins an fhear agus bhíodh sé ag obair go dian dícheallach le luach bídh a shaothrú. Oíche amháin bhí sé iontach tuirseach agus dúirt sé lena mhnaoi go ngearrfadh sé amach cupla culaith agus go n-éireochadh sé go luath ar maidin leis na cultacha a dhéanamh.

Chuaigh an bhean a luí agus d'iarr sí ar an fhear an doras a dhruid agus an solas a chur amach sula rachadh sé a luí. Rinne sé mar a d'iarr sí air.
Bhí sé ina shuí go luath maidin lá tharna mhárach agus bhí iontas mór air nuair a chonaic sé na cultacha a ghearr sé amach déanta. Tháinig fear isteach an lá sin agus thug sé luach maith don táilliúr ar na cultacha.

Chuaigh an táilliúr chun an bhaile mhóir an lá sin agus cheannaigh sé ábhar dhá chulaith. Ghearr sé amach na cultacha agus chuaigh sé a luí mar a rinne sé an oíche roimhe sin. Ar maidin lá tharna mhárach nuair a d'éirigh sé bhí iontas air nuair a chonaic sé na cultacha déanta.

Chuaigh sé chun an bhaile mhóir an dara lá agus cheannaigh sé ábhar trí chulaith. Dúirt sé lena mhnaoi go gcaithfeadh siad suí go maidin go bhfeicfeadh siad cé a bhí ag déanamh na gcultacha. Shuigh an bheirt acu go maidin agus nuair a bhuail sé an dó dhéag tháinig trí fhear bheaga anuas an simléir. Thoisigh siad a dh'obair go raibh na cultacha déanta acu. D'imigh siad ansin suas an simléir.
Bhí an táilliúr iontach buartha cionn is nach dtug sé buíochas do na daoine beaga. Ansin bhí an táilliúr agus a bhean iontach saibhir ina dhiaidh sin.

3.14   AN FEAR A BHÍ AG GABHÁL GO DTÍ
AN DOMHAN THOIR

Bhí fear ann agus bhíodh sé ar shiúl leis ar fad. Chaithfeadh sé oíche ina achan teach agus bhí aithne ag achan duine air. Ins an deireadh ní ligfeadh duine ar bith isteach é.
Oíche amháin bhí sé ag gabháil fríd choillidh agus bhí sé iontach tuirseach agus shuigh sé síos. Bhí caisleán deas anseo ach fathach a bhí ina chónaí ann. D'imigh sé leis agus chuaigh sé isteach agus d'iarr sé lóistín na hoíche. Dúirt an fathach leis - ''Amach leat, seo droch-chaisleán nó tá cuid mhór drochdhaoine ina gcónaí anseo''.
D'imigh sé leis agus chuaigh sé go dtí an fharraige agus casadh fear air a bhí ag gabháil go dtí an Domhan Thoir agus d'iarr sé airsean a bheith

leis.

D'imigh an bheirt acu leo sa bhád agus bhí siad tamall maith ar shiúl. I lár na farraige chonaic siad teach. Dar leo go raibh siad ins an Domhan Thoir agus chuaigh isteach ins an teach agus bhí fear agus bean ann agus chuir siad ceist orthu an b'é seo an Domhan Thoir. Dúirt siad nach b'é agus dúirt an bhean leo - "Duine ar bith a chuaigh ansin ariamh níor phill siad ariamh ní ba mhó".

Ach d'imigh siad leo. An rud a bhí de dhíth ar an fhear a bhí ina sheasamh ag an fharraige buidéal draíochta agus bhí teach ann a raibh an bhean draíochta ina cónaí ann.

Chuaigh siad go dtí an Domhan Thoir agus chuaigh siad go dtí an teach agus bhuail siad. Tháinig an bhean go dtí an doras agus chuir ceist orthu goidé bhí a dhíth orthu. D'inis siad daoithe. Dúirt sise "nár chuala sibh duine ar bith a tháinig an bealach seo nár phill siad ariamh ní ba mhó".

"Is cuma, caithfidh muid an buidéal a fháil".

Chuir an bhean ceist orthu cá háit a bhfaigheadh siad é. Is seo an Domhan Thoir agus mise an bhean atá ábalta buidéal draíochta a thabhairt. D'iarr sí orthu fanacht aici agus go mbeadh dóigh bhreá orthu agus go n-éireochadh siad go húr óg is a bhí siad ariamh. Ní raibh siad sásta le seo ach d'fhan siad. An fear a raibh an buidéal draíochta a dhíth air dúirt sé léithe - "Cionn is go bhfuil mé ag fanacht agat cupla lá déan obair do chuid slataí draíochta agus leigheas m'athair atá ins an bhaile". Lig sise uirthi féin go raibh sí ag déanamh biseach den athair. Ach ina áit sin fuair sé bás.

Bhí brionglóideach ag an bheirt fhear oíche amháin agus ar maidin d'inis siad don bhean draíochta é. Dúirt sise nach raibh a dhath ansin ach amaidí. Ní raibh siad sásta agus dúirt siad léithe go raibh siad ag gabháil chun an bhaile. Dúirt sise nach raibh siad ag gabháil chun an bhaile agus bhí drochdhóigh orthu.

B'éigeann daofa fanacht aici tamall eile agus dar leo féin go nglacfadh siad plean inteacht go dtí go bhfaigheadh siad a ghabháil chun an bhaile. D'imigh siad i lár na hoíche agus fuair siad an buidéal agus chuaigh siad chun an bhaile. Chuaigh siad amach ar dhoras an chaisleáin agus síos go dtí an fharraige agus fuair an long. Bhí siad giota maith i lár na farraige nuair a bhí bánú an lae ann. Nuair a d'éirigh an bhean draíochta ar maidin chonaic sí gur buaileadh bob uirthi agus fuair sí a slat draíochta agus thoisigh sí a dh'obair leis an tslat agus bhí an bheirt eile ins an bhád i rith an ama. Ins an deireadh chonaic siad go raibh an fharraige garbh agus báitheadh an bheirt acu amuigh i lár na farraige.

3.15   AN BUACHAILL AGUS TÍR NA nÓG

Bhí buachaill óg ann aon uair amháin agus bhí sé ina chónaí ag deirfiúr. Ba ghnách leis a bheith ag léamh seanleabharthaí a bhí ag a athair mór nuair a bhí sé ar an scoil. Bhí scéaltaí iontu fá Thír na nÓg agus fá thaibhsí. Lá amháin smaointigh sé go dtiocfadh leis féin a ghabháil go Tír na nóg Ar maidin lá tharna mhárach d'imigh sé leis agus dhá bhunnóg aráin faoina ascaill. Bhí sé ag siúl go raibh na bróga caite aige agus gur thit na bríste lofa anuas de ach ní raibh sé ábalta a theacht go Tír na nÓg.

Lá amháin chonaic sé fear ag tarraingt air. Labhair an fear leis. Dúirt sé "nach deas do chuid bróg agus stocaí úra?" Ní raibh bróga ná stócaí ar an ghasúr agus dúirt sé - "A maise, tá culaith den chineál chéanna agam".

"Is tú an fear céanna atá a dhíth orm nó tá teangaidh mhaith agat" arsa an fear.

D'imigh an bheirt leo go dtáinig siad go teach beag i lár na coilleadh. Bhí bean istigh ann agus d'iarr sé uirthi greim bídh a dhéanamh réidh don ghasúr.

Rinne sise mar a hiarradh uirthi agus ní raibh sí i bhfad go raibh tábla mór bídh aici. Nuair a bhí a sháith ite ag an ghasúr thug an fear capall dó agus d'iarr sé air a ghabháil go dtí páirc a bhí ag bun cnoic agus an t-eallach a bhuachailleacht.

D'imigh an gasúr agus ní raibh sé i bhfad go bhfaca sé fathach ag teacht anuas taobh an chnoic. D'iarr an fathach air a theacht aníos chuige go muirfeadh sé é. Dúirt an gasúr go dtabharfadh sé bonnóg aráin dó ina áit féin agus thug.

Nuair a tháinig sé chun an bhaile an oíche sin d'inis sé don bhean goidé a chonaic sé. Rinne sise dhá bhunnóg mhóra aráin agus chuir sí nimh i gceann acu. D'iarr sí ar an ghasúr ceann na nimhe a choinneáil fá choinne an fhathaigh agus é féin an ceann eile a ithe.

Nuair a tháinig an fathach thug an gasúr an bhonnóg dó agus ní raibh sí ite aige gur thit sé ar chúl a chinn agus fuair sé bás. D'imigh an gasúr agus lean sé lorgacha an fhathaigh go dtí uamhacha ar thaobh an chnoic. Chuartaigh sé na huamhacha agus fuair sé málaí agus boscaí óir a bhí goidte ag an fhathach. Chuaigh sé ar shoitheach de chuid na Fraince agus tháinig sé go Sasain. Chaith sé cuid de na shaol ansin ach tháinig sé go hÉirinn agus deir na seandaoine gurb é a chur cathair Bhaile Átha Cliath ar bun an chéad uair.

3.16 AN GIOTA ÓIR

Bhí fear ina chónaí i dteach bheag uair amháin. Bhí sé ionraice agus críonna agus ní chaitheadh sé gath ar bith de na chuid airgid nó bhí sé cinnte go bhfaigheadh a bhean agus na páistí bás leis an ocras.

Bhí droch-chuma air agus ní raibh dúil ag duine ar bith de na comharsanaigh a bheith ag obair leis ins an deireadh.

Lá amháin san Earrach bhí an ghrian ag soilsiú go loinnreach. Bhí an fear ina shuí ag taobh an bhealaigh mhóir agus cuma iontach bhrónach air. Ins an deireadh tháinig dochtúir thart agus chuir sé ceist air goidé a bhí cearr leis. Dúirt an fear - "Dá n-éirínn tinn agus bás a fháil goidé a thiocfadh ar mo mhnaoi bhocht?" D'éirigh sé iontach buartha ar ais. D'iarr an dochtúir air a theacht leisean. Chuaigh agus thug an dochtúir isteach i seomra mór é agus thaispeáin sé giota óir dó. Dúirt an dochtúir leis gurb é sin giota a d'fhág a athair aige agus bhí sé chomh saibhir le duine ar bith.

Dúirt an dochtúir leis an fhear seo - "Níl an giota óir seo a dhíth ormsa, coinnigh é". Bhí iontas mór ar an fhear agus chuir sé an giota óir i bhfolach. D'imigh sé leis go gasta chun an bhaile agus d'inis an scéal do na mhnaoi. Dúirt sise ansin - "Mura mbeidh muid ag fáil bháis leis an ocras ní thig linn baint leis an ór. Cuirfidh muid i bhfolach go maith é agus caithfidh

279

tú bheith iontach críonna agus neart airgid a shaothrú".

Ina dhiaidh seo ní raibh buaireamh ar bith ar an fhear agus bhí sé ag obair ag feirmeoir agus bhí sé chomh maith sin ag obair gur cuireadh os cionn an mhuintir eile uilig é.

Cupla bliain ina dhiaidh seo cheannaigh sé cuid mhór talaimh agus eallaigh agus bhí sé iontach saibhir. Lá amháin bhí seisean agus a bean ina suí taobh amuigh den doras. Tháinig fear bocht aniar agus d'iarr sé déirce orthu. Bhí a chuid éadaigh stróctha agus é lag leis an ocras. Thug siad bia dó agus nuair a bhí a chuid déanta ag an fhear bhocht thoisigh an fear eile a inse dó go raibh seisean chomh bocht leis am amháin ach go dtí go dtug fear uasal giota breá óir domh (ar seisean). Tá mé á thabhairt duitse anois. Bhí corraí mhór ar a mhnaoi leis. Thug an fear an giota óir don fhear bhocht. Chomh luath géar is rug seisean air dúirt an t-ór leis go raibh sé ag déanamh cearr.

Thug an bhean léithe an t-ór agus chuir isteach i mbosca i bhfolach é. Bhí an fear bocht chomh cliste agus go bhfaca sé an bosca a raibh an t-ór ann agus nuair a bhí siad uilig ina gcodladh thug sé leis an t-ór agus bhí sé go saibhir ó sin amach.

3.17   AN BHEAN GHLAS

Bhí fear uasal ann fada ó shin agus bhí triúr mac aige agus feirm mhór talaimh fosta. Bhí an fharraige ag teacht air. Rinne an fear a ba shine de na mic claí leis an fharraige a choinneáil amach ón talamh. Lá tharna mhárach an claí a bhí déanta bhí sé leagtha go talamh.

Dúirt an dara fear go ndéanfadh seisean claí eile. Rinne sé é agus lá tharna mhárach bhí sé leagtha go talamh arís. Dúirt an fear ab óige go ndéanfadh seisean claí eile anois. Rinne sé teach beag thíos ag a thaoibh. Shuigh sé go maidin á gcoimeád agus deich ngarda aige.

Shuigh sé ag imirt leis féin. Cha raibh i bhfad go bhfaca sé bád caol dubh ag teacht isteach agus an bhean dheas ina suí ins an deireadh. Tháinig sí isteach chuige. D'fhiafraigh sé daoithe an imreochadh sí cluiche. Dúirt sí leis go n-imreochadh. D'imir siad cupla cluiche. Ansin dúirt sí leis go n-imreochadh siad cluiche amháin eile agus dúirt sí leis an té a bhainfeas an cluiche go gcaithfeadh sé an duine a chuartú roimhe lá agus bliain nó go gcaillfeadh sé a cheann ansin.

D'imigh sí ar ais chun an bháid chaol dhuibh. Nuair a bhí lá agus bliain ag tarraingt air d'iarr sé ar a mháthair lón beag aráin a dhéanamh suas dó agus rinne. D'imigh sé leis a chuartú na mná glaise. Nuair a bhí tráthnóna ann chonaic sé solas i bhfad uaidh agus d'imigh sé leis ag tarraingt ar an tsolas.

Teach beag a bhí ann nach raibh bun chleite amach ná barr chleite isteach agus cleite amháin ag coinneáil an tuí agus na súgán air.

Chuaigh sé isteach agus d'iarr sé lóistín. Dúirt fear an toighe nach raibh áit aige dó ach fá dheireadh dúirt sé go gcoinneochadh sé é. D'inis an gasúr seo do fhear an toighe goidé a thug chun toighe é.

Dúirt an fear leis go raibh deartháir dósan ina leithéid seo d'áit agus a bheith aige oíche arna mhárach. Nuair a d'éirigh fear an toighe ar maidin bhí an gasúr seo ina shuí chomh luath leis.

Shéid sé fideog agus cha raibh aon éan ar an tsaol nach raibh cruinnithe i gceann tamaill ach an bhean ghlas - cha raibh an bhean ghlas le fáil.

3.18 AN TEACH SA CHOILLIDH

Bhí girseach ann aon uair amháin agus bhí sí ar shiúl fríd an choillidh.

Chonaic sí teach giota uaithe agus dar léithe féin go dtiocfadh sí go dtí an teach. Tháinig. Nuair a chuaigh sí isteach bhí trí bhabhail bracháin ar an tábla. Bhí an teach folamh óir ní raibh aon duine istigh. Chuaigh sí go dtí babhail fhear an toighe ach bhí sé róthe aici. Chuaigh sí go dtí babhail bhean an toighe agus bhí sé rófhuar aici. Chuaigh sí go dtí babhail eile a bhí ann agus d'ól sí é.

Ina dhiaidh sin chuaigh sí anonn go dtí na cathaoireacha. Chuaigh sí go cathaoir fhear an toighe. Bhí sí róchruaidh aici. Chuaigh sí go dtí cathaoir bhean an toighe. Bhí sí róbhog aici. Chuaigh sí go dtí cathaoir eile. Thit sí uirthi agus bhris sí í.

Chuaigh sí suas go dtí na leapacha ansin. Chuaigh sí go leabaidh fhear an toighe agus bhí sí róchruaidh aici. Chuaigh sí go leabaidh bhean an toighe agus bhí sí róbhog aici. Chuaigh sí go leabaidh eile a bhí ann agus luigh sí inti.

Tháinig lucht an toighe isteach ansin.

"Bhí duine inteacht ag gabháil de mo bhabhailsa" arsa fear an toighe.

"Bhí duine inteacht ag gabháil de mo bhabhailsa" arsa bean an toighe.

"Bhí duine inteacht ag gabháil de mo bhabhailsa agus d'ól sé an brachán as" arsa an duine eile. Chuaigh siad anonn go dtí na cathaoireacha ansin.

"Bhí duine inteacht ag gabháil de mo chathaoirsa" arsa na triúr acu as béal a chéile.

"Bhí duine inteacht ag gabháil de na leapacha" arsa bean an toighe.

"Bhí duine inteacht ag gabháil de mo leabaidhsa agus tá sé ann go fóill" arsa an bhean bheag.

Nuair a chuala an ghirseach seo d'imigh sí amach ar an fhuinneoig.

3.19 SEÁN Ó BAOILL

Fada ó shin ba ghnách leis na gasúraí uilig a gabháil amach chun an Lagáin agus chuaigh Seán Ó Baoill amach mar dhuine. Bhí drocháit ag Seán agus smaointigh sé go rachadh sé chun an bhaile arís. D'imigh sé tráthnóna amháin nuair a bhí sé ag éirí dorcha. Chonaic sé solas i bhfad-uaidh agus tharraing sé air. Chuaigh sé isteach sa teach a raibh an solas ann.

Bhí capall glas thíos i gcionn an toighe. Nuair a bhí sé istigh tamall tháinig scaifte daoine beaga isteach agus dúirt fear acu - "Céad míle fáilte a Sheáin Uí Bhaoill". Ansin dúirt siad uilig - "Céad míle fáilte romhat a Sheáin Uí Bhaoill".

Tamall ina dhiaidh sin dúirt fear acu "Cé a fhanóchas istigh ag an chapall seo?" "Ó", a dúirt fear le fear eile "cé a fhanóchas istigh ach Seán Ó Baoill". D'imigh siad amach ansin agus d'fhág siad Seán Ó Baoill istigh ag an chapall ghlas. Thit Seán ina chodladh. Tháinig an capall glas aníos go dtí an tine agus shín sé é féin ins an chlúdaigh. Nuair a mhuscail Seán mhothaigh sé boladh. Goidé a bhí ach an capall glas agus é a chóir dóite.

D'imigh Seán leis an méid a bhí ina chorp. Chuaigh sé isteach i gcoillidh agus chuaigh sé suas ar chrann. Ní raibh i bhfad go dtáinig na daoine beaga thart agus cónáir leo agus iad ag scairtigh amach "Cé a rachas isteach ins an chónáir seo?''. Ansin scairt siad amach ''Cé a rachas ach Seán O Baoill''.

Ghearr siad an crann a raibh Seán thuas air agus thit sé anuas. Dúirt siad leis go gcaithfeadh sé an chónáir a iompar chun na roilige. Nuair a tháinig sé fhad leis an roilig lig sé síos í. Scairt fear amach ansin ''cé a rachas isteach ins an chónáir seo?''. Ansin scairt siad uilig amach ''Cé a rachas isteach ach Seán O Baoill''.

Thoisigh Seán a chaoineadh agus a screadaigh agus a iarraidh a ligean ar shiúl. Sa deireadh lig siad ar shiúl é. D'imigh Seán leis chun an bhaile.

Nuair a tháinig sé chun an bhaile, d'iarr a athair ar a mháthair cearc a bhruith dó. Ní dheachaigh Seán chun Lagáin ón lá sin go dtí an lá inniu.

3.20   SEON AGUS SEÁN

Fada ó shin bhí beirt ghasúr ann. Seon agus Seán a bhí orthu. Bhí Seán críonna agus ní raibh Seon. B'éigean daofa a ghabháil ar fostódh ar an tSrath Bán. Chuala Seán go raibh sé ar fostódh ag taobh a chomrádaí Seon. Lá amháin chonaic Seon teach deas geal. Chuir sé ceist ar an mhaighistir cad chuige nach raibh duine ar bith ina gcónaí ann. Dúirt an maighistir go raibh a lán taibhsí ann.

Dúirt an gasúr go luighfeadh seisean ann. Dúirt an maighistir go dtabharfadh sé cúig phunta dó. An chéad oíche tháinig dhá fear déag isteach agus cónáir leo. Lig siad síos an chónáir. Léim fear mór dubh aisti agus thoisigh an dá fhear déag á bhuaileadh le súiste. D'iarr sé ar Sheon cuidiú leis. Chuidigh. Chuir siad amach an dá fhear déag. Rinneadh an cleas céanna an dara oíche. Dúirt Seon gurb é seo an oíche dheireannach dósan.

Thug an fear mór dubh mála airgid agus óir dó. Chuaigh an t-iomrá amach go bhfuair Seon mála óir. Chuala Seán é. Chuaigh sé síos an chéad oíche. I dtrátha an mheán oíche, tháinig an dá fhear déag isteach agus cónáir leo. Lig siad síos í agus léim fear mór dubh amach agus thoisigh an dhá fhear déag á bhuaileadh le súiste.

D'iarr an fear mór dubh ar Sheán cuidiú leis. Níor chuidigh. Chuir sé féin amach iad. Agus nuair a fuair sé amuigh iad bhuail sé Seán le súiste agus bhris sé na cnámha aige. B'éigean don mhaighistir a ghabháil síos fá choinne Sheáin. Ní dhearna sé lá maith oibre ní ba mhó. Bhí Seon ag gabháil thart agus dóigh bhreá air. Deireadh Seán go minic ''bhí mise amaideach agus Seon a bhí críonna''.

3.21   AN GASÚR AGUS AN FATHACH

Bhí gasúr beag ann uair amháin agus bhí sé ina chónaí ag a uncal agus ag a aintín. Bhí fathach mór san áit fosta. Ghoideadh sé achan rud as an áit. Strócadh sé achan rud agus d'íosfadh sé na daoine.

Maidin amháin smaointigh sé go gcuirfeadh sé deireadh leis an fhathach.

D'éirigh sé agus thug leis piocóid agus spád agus d'imigh sé go dtí teach an fhathach. Nuair a bhí an gasúr céad slat ón teach d'fhoscail sé poll agus chuir crann ann sa dóigh nach n-aithneochadh sé go raibh poll ar bith ann. Chuaigh an gasúr suas go dtí an caisleán agus rinne trup mór ag an gheafta. Mhothaigh an fathach an tormán agus amach leis. D'imigh an gasúr i bhfolach. Nuair a chuaigh an fathach á chuartú ní raibh aon duine le feiceáil. Rith sé leis agus isteach sa pholl leis. Ní thiocfadh leis fáil amach. Bhuail an gasúr buille den phiocóid air agus mharaigh é.

3.22   AN BOSCA DRAÍOCHTA

Bhí rí ann uair amháin agus bhí triúr mac aige. Lá amháin bhí an mac ag gabháil ar aistear. Tháinig sé fhad le sruthán. Tháinig fear agus sé chloigeann air. Phill an fear chun an bhaile arís. Tamall ina dhiaidh sin d'imigh sé leis arís. Tháinig sé fhad le teach agus bhí seanbhean ann. Thug an bhean bosca draíochta dó agus d'imigh sé leis ar a aistear. Ag teacht chun an bhaile dó d'fhoscail sé an bosca agus chuir sé ceist air goidé a bhí roimhe anois. Dúirt an bosca go raibh triúr fear ag abhainn le é a mharbhadh.

Bhuail sé an bosca síos ar an bhealach mhór agus bhris sé é. Nuair a tháinig an fear go dtí an abhainn bhí triúr fear ansin agus sleánnaí acu. Chuir an fear ceist orthu goidé a bhí siad a dhéanamh ansin. Dúirt siad gur fá choinne eisean a mharbhadh.

Arsa an fear leo - ''An duine a gheobhas an bhuaidh beidh sé ina rí ar Éirinn''.

Tharraing sé amach a chlaidheamh agus mharaigh sé uilig iad agus bhí sé ina rí ar Éirinn.

3.23 INÍON AN RÍ, AN CAT AGUS AN COINÍN

Bhí rí agus banríonn ann uair amháin agus bhí iníon amháin acu. Fuair an mháthair bás agus phós an t-athair bean eile. Thug sé leis an iníon agus chuir sé isteach i gcaisleán í. Bhí trí iníon ag an dara bean. D'imeochadh an t-athair achan lá agus deireadh sé gur ag seilg a bhíodh sé.

Chuaigh sí fhad le cailleach na gcearc agus dúirt sí léithe goidé ab fhearr daoithe a dhéanamh. Dúirt an chailleach léithe éan a dhéanamh de dhuine de na hiníonacha, í a chur ar shiúl i ndiaidh an athair. Rinne sí sin. Chuir sí an chéad iníon ar shiúl. Tháinig an iníon ar ais agus dúirt sí nach raibh an iníon ann. Lá tharna mhárach d'imigh an bhean agus na trí iníon leis an athair. Tháinig siad fhad leis an chaisleán. Bhí an iníon ina suí thuas san fhuinneog.

''Nach deas an iníon í?'' arsa an t-athair leis an bhean.

''Tá'' arsa na mháthair ''ach gurb é chomh gránna léithe''.

''Bheir an t-athair ar an iníon agus chaith sé amach ar an fhuinneog í.

D'imigh sí léithe fríd na coillte go dtáinig sí fhad le teach beag a raibh cat agus coinín ann. D'fhan an ghirseach acu tamall fada. Lá amháin dúirt an coinín go raibh sé ag gabháil ar cuairt chuig an rí. Chuaigh sé fhad leis an chaisleán an áit a raibh an rí ina chónaí. Agus nuair a tháinig an oíche d'iarr an bhean sopóg a chaitheamh ag bun an urláir go luigheadh an coinín uirthi. Dúirt an coinín go gcaithfeadh seisean luí ag cosa an rí.

Chuaigh siad a luí agus dúirt an bhean leis an fhear go bhfuair sí éadach tábla agus nach raibh aici le déanamh ach é a spréadh agus go dtiocfadh achan bhia amach as. D'inis sí cá háit ar fhág sí é. D'éirigh an coinín agus thug sé leis é. D'fhág sé sa bhaile é. Lá tharna mhárach d'imigh an coinín chuig an rí. Nuair a tháinig am luí dúirt an coinín go gcaithfeadh sé luí ag cosa an rí. Luigh sé ag cosa an rí.

Nuair a bhí siad tamall ina luí dúirt an bhean leis an rí go bhfuair sí clóca deas nach raibh aici le déanamh ach é a chur uirthi agus go mbeadh sí ábalta a ghabháil áit ar bith a raibh dúil aici a ghabháil.

"Cinnte" a dúirt an rí "chuir tú sin i bhfolach in áit mhaith".

Dúirt an bhean go raibh sé faoina ceann aici. Thug an coinín leis é agus d'fhág sé sa bhaile é.

"Och, imigh anois nó maróchaidh an rí thú".

'Goidé a bheidh a fhios ag an rí nuair a bheidh mise ina luí ag a chosa ar maidin?"

Lá tharna mhárach d'imigh an rí agus an coinín a sheilg. Bhí tráthnóna ann ag teacht daofa. Caitheadh an coinín isteach ina mullach. Tháinig an bhean agus na trí iníon go dtí croisbhóthar a bhí ann. Chroith siad lámh leis an choinín agus d'imigh sé chun an bhaile. Cúpla lá ina dhiaidh seo fuair an rí greim ar an chat.

3.24   INÍON CHAITLÍN DUIBH SA GHRÉIG

Bhí rí ann uair amháin agus ní raibh aige ach mac amháin. Lá amháin smaointigh sé go mb'fhearr dó tabhairt ar an mhac pósadh agus go mbeadh níos lú oibre le déanamh aige féin nuair a beadh bean óg sa teach aige. D'iarr sé ar an mhac a ghabháil go dtí seanchailleach agus go n-inseochadh sí dó cá bhfaigheadh sé an bhean ba dóighiúla a bhí in Éirinn nó sa domhan.

Rinne seisean mar a hiarradh air agus d'imigh sé go dtí an tseanchailleach.

Chuir sé ceist uirthi cén áit a bhfaigheadh sé bean a mbeadh pluca uirthi chomh dearg le rós agus craiceann uirthi chomh geal leis an tsneachta. Dúirt sí leis nach raibh a leithéid de mhnaoi sa domhan ach bean amháin. Is í sin iníon Chaitlín Duibh sa Ghréig, ach go raibh sí sin doiligh a fháil mar bhí cuid mhór rudaí le déanamh aige.

Nuair a tháinig sé chun an bhaile d'inis sé do na athair goidé a tharlaigh. Rinne an t-athair bád draíochta dó agus d'iarr sé air a ghabháil isteach inti agus go dtabharfadh sí go dtí an Ghréig é. D'imigh sé agus ní raibh sé i bhfad go raibh sé sa Ghréig. Shiúil sé thart agus ní raibh sé i bhfad go bhfaca sé teach breá agus cailín deas dóighiúil ag amharc amach ar an fhuinneoig. Chuir sé ceist cén áit í seo.

"Seo áit Chaitlín Duibh " arsa sise.

Chuaigh sé isteach agus chonaic sé seanbhean ina suí sa chlúdaigh agus í ag cniotáil. Chuir sí fáilte mhór roimhe agus chuir sí ceist air goidé a bhí sé a iarraidh. D'inis sé daoithe go raibh sé ag iarraidh a hiníon le pósadh. "Gheobhaidh tú sin agus fáilte" arsa sise "ach tá mac rí na hIoruaidhe á hiarraidh agus nach raibh a fhios aicise cé acu ab fhearr léithe".

Tháinig an iníon isteach tamall ina dhiaidh sin agus nuair a chonaic sí mac an rí d'iarr sí air an bád a thabhairt leis agus a ghabháil go hÉirinn.

D'imigh siad agus ní raibh siad i bhfad go raibh siad in Éirinn. Bhí leisce air a ghabháil chun an bhaile agus bean leis agus d'imigh sé féin chun an bhaile ach chuir sí faoi gheasa é gan labhairt le haon duine go bpillfeadh sé arís.

Nuair a tháinig sé chun an bhaile níor labhair sé le duine ar bith mar bhí a fhios aige go raibh sé faoi gheasa gan labhairt. Chonaic an cú é agus léim sí in airde agus ligh sí a bhéal. Ó sin amach rinne sé dearmad daoithe go dtí lá amháin chuaigh sé fá choinne gabh uisce.

Chonaic sé scáile circe agus coiligh thíos san uisce. Thitfeadh gráinnín choirce eatorthu agus sciobfadh an coileach é. Chuala sé glór ag rá - "Nach fada a bhí tú?"

Smaointigh sé ansin gur iníon Chaitlín Duibh a bhí ann. D'amharc sé thart agus bhí sí ina seasamh ar a chúl. Thug sé leis chun an bhaile í agus pósadh ina dhiaidh sin iad.

Agus nuair a fuair an seanrí bás bhí siad féin ina rí agus ina mbanríon ar Éirinn agus mhair siad i bhfad ina dhiaidh sin.

3.25 MAC NA BAINTRÍ AGUS RÍ NA nEASCANN

Bhí baintreach ann uair amháin agus ní raibh aici ach mac amháin. Nuair a bhí an gasúr ina bhuachaill ba ghnách leis a bheith ag léamh leabharthaí a bhí ag a athair nuair a bhí sé ina dhochtúir ach ní raibh sé ábalta aon dath a fhoghlaim astu.

Lá amháin tháinig cupla fear go dtí an doras agus d'iarr siad air a theacht leo go dtí an choillidh agus go mbeadh sé ábalta crainn a leagan daofa agus iad a dhíol agus go bhfaigheadh sé cuid den airgead. Dúirt an gasúr go rachadh agus thug sé leis tuaigh agus d'imigh sé isteach sa choillidh i gcuideachta na bhfear. Ní raibh siad i bhfad istigh gur thoisigh sé a chur agus rith achan duine ar foscadh ach an gasúr. Shuigh seisean amuigh agus thoisigh sé a chaitheamh in airde dhá chloich. Thit ceann acu giota ar shiúl agus rinne sí tormán mór nuair a thit sí.

Thug an gasúr leis spád agus thoisigh sé a pholladh. Ní raibh sé i bhfad go bhfaca sé leac mhór. Thóg sé í agus fuair sé tobar fíona faoithe. Nuair a chonaic na fir seo thug siad leo bucóidí agus thoisigh siad a fholmhú an tobair. Ach bhí an tobar ródhomhain agus ní raibh siad ábalta níos mó a fháil aníos de.

Bheir siad ar an ghasúr agus chaith siad síos sa tobar é agus dhíol siad an fíon agus choinnigh siad féin an t-airgead daofa féin. Shiúil an gasúr thart ar thaobh an tobair agus chonaic sé mar a bheadh doras ar an taobh sin agus chuaigh sé isteach ach ní raibh duine ar bith istigh ann. Luigh sé síos sa leabaidh agus ní raibh i bhfad gur thit sé ina chodladh.

Tháinig Rí na nEascann isteach agus nuair a chonaic an rí an gasúr bhí a fhios aige gur mac na baintrí a bhí ann agus mhuscail sé é agus thug sé bia agus deoch dó agus thaispeáin sé an bealach chun an bhaile dó.

Ach nuair a bhí sé ag imeacht bhuail an rí dorn sa droim air agus dúirt sé -"Má tchíonn mise tusa arís aithneochaidh mé thú".

D'imigh an gasúr chun an bhaile agus chónaigh sé ag na mháthair. Bhí rí ina chónaí san áit sin agus d'éirigh sé tinn. Chuir sé fá choinne dochtúirí léannta agus dúirt siad leis go gcaithfeadh sé feoil Rí na nEascann a ithe sula bhfaigheadh sé biseach ach nach raibh ar an domhan ach fear amháin agus thiocfadh leis-sean inse cá raibh sé. Chuir an rí scéala amach go bhfaigheadh an fear a gheobhadh amach cá raibh Rí na nEascann ina chónaí mála óir. Nuair a chuala an gasúr seo chuaigh sé go dtí Rí na nEascann agus d'inis sé dó an scéal fá dtaobh den rí a bhí tinn. D'iarr Rí na nEascann air a ghabháil agus ainmhí inteacht a mharbhadh agus a chuid feola a thabhairt don rí thinn.

Rinne an gasúr seo agus thug sé feoil eascainn don rí thinn. Shíl an rí gur feoil Rí na nEascann a bhí ann agus thug sé mála óir don ghasúr agus d'imigh an gasúr chun an bhaile chuig a mháthair agus chaith sé a shaol ag Rí na nEascann faoin talamh.

3.26 AN FEAR FALSA

Bhí fear ann uair amháin agus bhí sé pósta. Bhí sé iontach falsa agus ní dhéanfadh sé ach suí ag an tine ag léamh leabhair nó páipéar. Lá amháin thoisigh an bheirt a throid agus bhuail an bhean amach as an teach é.

D'imigh sé leis agus chonaic sé dhá choinín ag gabháil isteach i bpoll agus scríob sé amach an poll agus fuair sé na coiníní. Ní theachaigh sé i bhfad go bhfaca sé seanbhean. D'iarr sé uirthi a ghabháil chun an bhaile agus greim bídh a dhéanamh dó. D'iarr sí air fanacht agus nuair a thiocfadh sise arís go dtiocfadh leis a bheith léithese agus go dtabharfadh sí greim le hithe dó. D'fhan seisean agus ní raibh sí i bhfad go dtáinig sí agus í ag caoineadh.

Chuir seisean ceist uirthi cad chuige a raibh sí ag caoineadh agus d'inis sí dó go raibh dhá mhac aici agus gur cuireadh faoi gheasa iad agus go raibh siad ina gcoiníní ach nach raibh siad san áit a raibh siad anois.

"Ó, ná bí ag caoineadh nó gheobhaidh mise duit iad arís" arsa an fear agus d'imigh sé leis go dtí an áit a raibh an poll ina raibh na coiníní. Bhí bascóid mhór bídh ag béal an phoill agus turtóg ina mullach. Thóg sé an turtóg agus chonaic sé gráinníní coirce istigh i bpáipéar agus scríbhinneach ar an pháipéar.

Léigh sé an scríbhinneach agus ba í an tseanchailleach a d'fhág an dá bhascóid agus an bia ansin. Thug sé amach na coiníní agus thug sé na gráinníní daofa. D'ith na coiníní na gráinníní agus d'athraigh siad isteach ina bhfir. D'ith an triúr a sáith den bhia agus chuaigh siad chun an bhaile chuig an tseanbhean. D'inis an tseanbhean dó go raibh cnoc óir faoi chloch an bhaic ina theach féin. Chuaigh an fear chun an bhaile agus fuair sé an t-ór. Rinne sé féin agus a bhean teach úr agus chónaigh siad ann go dtí go bhfuair siad bás.

3.27 MAC NA BAINTRÍ AGUS AN FEAR BOCHT

Bhí lánúin ann aon uair amháin agus ní raibh acu ach mac amháin. Fuair an fear bás agus lá amháin chuir an mháthair ar shiúl é le lód cruithneachta. D'imigh sé á dhíol. Dhíol sé é agus chuaigh seisean isteach i dteach agus bhí siad ag imirt chardaí (ann). D'iarr siad air suí isteach agus lámh a imirt.

"Maith go leor" arsa an stócach.

D'imir sé tamall maith go raibh an méid airgid a bhí aige caite. D'iarr siad air an carr a dhíol. Dúirt seisean nach ndíolfadh nó go mbuailfeadh an mháthair é. Díoladh an carr agus shuigh sé síos agus d'imir sé luach an charr.

Nuair a bhí sin déanta aige d'imigh sé leis agus casadh fear bocht air a ba ghnách le bheith ag stopadh ag a mháthair.

"Siúil leat chun an bhaile anseo" arsa an fear bocht.

"Ná gabh a chóir mo mháthair anocht nó tá buaireamh go leor uirthi".

"Goidé atá cearr léithe?"

"Tá" arsa an gasúr "chuir sí mise ar shiúl a dhíol lód cruithneachta. Dhíol mé é. Chuaigh mé isteach i dteach. Bhí scaifte mór ann ag imirt chardaí. D'iarr siad orm suí isteach. Shuigh mé isteach agus d'imir mé luach na cruithneachta. Dhíol mé an carr ansin agus d'imir mé é agus chuaigh mé chun an bhaile. Chuir mo mháthair ceist orm cá raibh an t-airgead. D'inis mé daoithe gur imir mé é. D'iarr sí orm a bheith ar shiúl chomh gasta agus a thiocfadh liom nó go mbainfeadh sí na cosa domh".

"Rachaidh muid ar lóistín sa teach seo thuas go maidin".

'Maith go leor' arsa an stócach.

D'imigh an bheirt acu suas a chur ceiste an bhfaigheadh siad lóistín go maidin. Fuair siad sin. D'iarr an fear (orthu) suí isteach agus cupa tae (a bheith acu). D'fhág sé neart uisce bheatha acu. Dúirt an fear leo nuair a bheadh sin ólta acu a ghabháil síos agus bairille de na cupla bairille a bhí sa tseomra faoin urlár a fhoscladh agus canna eile a thabhairt aníos.

"Maith go leor" arsa an bheirt acu.

Nuair a bhí deireadh ólta acu chuaigh siad síos fá choinne canna eile. Casadh an diabhal ar an stócach agus dúirt gur leis-sean na bairillí sin agus go mbainfeadh sé an chloigeann den té a bhéarfadh leis an chéad deoch den uisce bheatha.

D'imigh an bheirt acu suas agus dúirt go bhfaca siad an diabhal. Thoisigh an fear a mhagadh agus d'éirigh siad feargach leis. D'iarr an fear bocht air a ghabháil leis síos agus canna leis go bhfeicfeadh sé. Thug sé leis an canna - d'imigh síos agus casadh an fear airsean fosta agus scanraigh sé agus d'imigh sé ar an rása mar dhuine. Ach d'fhan an bheirt acu ann go maidin.

Rinne an bheirt acu suas go dtabharfadh siad iarraidh ar thoigh na máthara ach ní rachadh an gasúr leis ar chor ar bith. D'iarr an fear bocht air a bheith leis-sean agus nach mbainfeadh an mháthair do. Chuaigh sé leis ach bhí buaireamh agus brón ar an ghasúr bhocht siocair an rud a bhí déanta aige. Chuaigh siad go dtí teach na máthara agus ní ligfeadh an mháthair isteach an mac chun an toighe ar chor ar bith.

Thug an fear bocht leis isteach é agus thug an mháthair iarraidh é a chur amach ach ní ligfeadh an fear bocht sin a dhéanamh. D'fhan sé aici go maidin agus ar maidin d'imigh sé ar shiúl ó theach go teach ag cruinniú.

287

Bhí buaireamh mór ar an stócach nuair a d'imigh an fear bocht nó bhí a fhios aige nach mbeadh aon duine le é a shábháil nuair a bheadh a mháthair feargach. Thoisigh an bheirt acu a chomhrá agus dúirt sí gur mhór an náire dó a leithéid a dhéanamh agus iad bocht go leor mar atá siad. Dúirt sé go raibh ach gur iarr siad air sin a dhéanamh agus go raibh leisc air sin a dhéanamh.

"Sin mo locht oraibh go léir" arsa an mháthair "ach tá súil agam nach ndéan tú a leithéid sin go brách arís".

"Tá súil agam féin sin fosta" arsa an stócach.

"Tá sin thart anois go buartha brónach ach caithfear a theacht leis. Ach gurb é an fear bocht ní bheadh" (arsa an mháthair).

Chuir an mháthair ar shiúl suas a luí (é) ach d'iarr sí air gan a leithéid sin a dhéanamh a choíche arís ach dúirt sé nach ndéanfadh. Ón lá sin go dtí an lá inniu níor chuala muid iomrá air goidé a d'éirigh de. Chuaigh sé a luí an oíche sin agus níl a fhios cé acu a d'éirigh sé nó nár éirigh. Nó bhí an mháthair feargach agus níl a fhios againn goidé an rún a bhí aici a dhéanamh. Ach nuair a phill sé ní raibh aon duine le lóistín nó foscadh a thabhairt dó sa teach bheag seo. Bhí an teach seo uaigneach nó ní raibh teach ar bith fá ghiota mhaith de. Ní raibh duine le eolas a thabhairt dó cé acu a bhí siad marbh nó cé acu a bhí siad imithe. D'imigh sé ar ais agus é buartha fá goidé a tháinig ar mhuintir an toighe agus gur iomaí oíche a chaith sé ar lóistín ann.

Bhí an fear bocht san áit uaigneach sin agus an oíche ag titim agus gan a fhios aige cá háit a rachadh sé ar lóistín na hoíche. D'imigh sé agus ar a haon déag a chlog casadh cupla teach air agus d'iarr sé lóistín agus fuair sé sin. Maidin lá tharna mhárach rinne sé suas go n-imeochadh sé giota eile den bhealach agus go mbeadh sé ag déanamh an bhealaigh gairid dó féin. Nuair a bhí an lá caite agus an oíche dorcha bhí sé in áit uaigneach ar ais agus goidé a bhí le déanamh aige. Shiúil sé leis go dtí go dtáinig sé go dtí solas beag. Goidé a bhí ann ach teach beag. D'iarr sé isteach. D'fhoscail an bhean an doras agus dúirt sí nach raibh leabaidh ar bith aici le foscadh a thabhairt dó.

"Níl leabaidh ar bith a dhíth orm" a dúirt an fear bocht "ach tine mhaith agus cead suí aici".

"Bhéarfaidh mise sin duit agus fáilte" ars an bhean.

Chuir sí síos tine mhaith agus shín gráinnín beag cocháin ag na taobh agus d'iarr air luí ansin agus go gcuirfeadh sí éadach air. Thug sí éadach dó ansin. Luigh sé leis go raibh an lá ag glanadh agus d'éirigh bean an toighe - chuir móin ar an tine. D'éirigh seisean ansin - chuir air a chuid éadaigh agus shuigh ag an tine. Rinne sise réidh an bricfeasta agus rinne siad a gcodach. Shuigh an bheirt acu thart ar an tine ag comhrá go dtí go raibh sé a naoi nó a deich a chlog.

D'imigh sé ar ais agus é iontach buíoch den bhean a thug foscadh dó agus dúirt dá mbeadh sé an bealach sin a choíche ar ais gurb ea uirthi a bhéarfadh sé iarraidh. Ach d'imigh sé leis go dtí go dtáinig sé go dtí cupla teach i gcuideachta a chéile. D'iarr sé lóistín. Ní ligfeadh teach ar bith isteach é. B'éigean dó imeacht leis go dtí go dtáinig sé go dtí teach beag eile ansin. D'iarr sé lóistín. Lig an bhean isteach é. Thug sí a shuipéar dó ansin. Chuaigh sé a luí agus ar maidin d'éirigh sé go luath ach bhí an bhean ina suí roimhe agus tine thíos aici. Rinne sí réidh an bricfeasta agus rinne an bheirt acu a gcodach an lá sin agus níor chuala muid iomrá air ón lá sin go dtí an lá inniu.

3.28 AN BHAINTREACH AGUS A BEIRT MHAC

Fada ó shin bhí baintreach ann agus bhí dhá mhac aici darb ainm Conall agus Eoghan. Bhí siad iontach bocht. Lá amháin bhí siad amuigh ag obair agus tháinig Eoghan isteach agus dúirt sé go rachadh sé go bhfeicfeadh sé a bhfaigheadh sé lá páighe áit ar bith. D'iarr sé ar Chonall fanacht ag a mháthair agus d'imigh leis agus ní raibh sé ábalta obair a fháil áit ar bith nó ní ghlacfadh na daoine Gaeil ar bith san am. Bhí sé ar shiúl leis ó áit go háit go dtí go dtáinig sé fhad le Condáidh Thír Eoghain.

Chuaigh sé isteach i dteach ansin agus chuir sé ceist an ndéanfadh siadsan é a fhostódh agus dúirt siad go ndéanfadh nó go raibh buachaill bó a dhíth orthu. Nuair a d'éirigh sé ar maidin chuir siad amach é leis an eallach. D'imigh sé féin agus an t-eallach leo go dtáinig siad fhad leis an fharraige. Nuair a chuir sé isteach iad trathnóna ní raibh oiread mias acu is a choinneochadh an bainne. D'éirigh mar a gcéanna leo an dara lá. An tríú lá lean siad é agus chuaigh siad fhad leis an fharraige. Chuaigh dhá bhollóg síos go dtí creag a bhí ann. Thoisigh siad a scríobadh na creige agus nocht cónair agus é scríofa uirthi, 'Colmcille agus é chur i nDún Phádraig'. Bhí slabhraí ar an chónair. Chuir na bollogaí a n-adharca isteach inti. Lean na daoine iad agus d'fhág siad an chónair ag Dún Phádraig agus cuireadh ansin é.

Eoghan an chéad Ghael a chuaigh go Tír Eoghain.

3.29 AN BHAINTREACH AGUS A TRIÚR MAC

Fado ó shin bhí baintreach ann agus bhí trí mhac aici. Lá amháin bhí siad amuigh ag obair. Tháinig an fear a ba shine isteach agus dúirt sé go raibh sé ag imeacht a shaothrú a chodach. D'iarr sé ar a mháthair dhá bhonnóg aráin a dhéanamh. Rinne sí iad agus nuair a bhí siad déanta aici chuir sí ceist air cé acu ab fhearr leis, an bhonnóg mhór agus a mallacht nó an bhonnóg bheag agus a beannacht. Dúirt sé gurbh fhearr leis an bhonnóg mhór agus a mallacht. D'imigh leis go dtí go dtáinig sé fhad le cúirt mhór. Chuaigh sé isteach agus bhí tine bhréa ansin roimhe. Théigh sé é féin agus nuair a d'amharc sé thart chonaic sé tábla agus é lán gach cineál rud ní b'fhearr ná a chéile. Bhí sé tuirseach agus chuaigh sé isteach i seomra agus bhí leabaidh bhreá ansin agus chuaigh sé a luí ach nuair a bhí sé tamall ina luí tháinig leon isteach agus mharaigh sé é.

Cupla lá ina dhiaidh seo tháinig an dara fear agus dúirt sé an rud céanna. Chuir a mháthair ceist air cé acu ab fhearr leis an bhonnóg mhór agus a mallacht nó an bhonnóg bheag agus a beannacht agus dúirt seisean gurbh fhearr leis an bhonnóg mhór agus a mallacht. D'imigh sé leis go dtáinig sé go dtí an áit chéanna agus mharaigh an leon eisean fosta.

Seachtain ina dhiaidh seo tháinig an tríú fear isteach agus dúirt sé go raibh sé ag imeacht a chuartú a dhá dheartháir nó nach raibh a fhios aige cá dteachaigh siad nó nár scríobh siad litir ar bith ó d'imigh siad. D'iarr sé ar a mháthair dhá bhonnóg aráin a dhéanamh. Rinne sí iad agus nuair a bhí siad déanta chuir sí ceist air cé acu ab fhearr leis an bhonnóg mhór agus a mallacht nó an bhonnóg bheag agus a beannacht. Dúirt seisean gurbh fhearr leis an bhonnóg bheag agus a beannacht agus d'imigh sé leis go dtí go dtainig sé fhad leis an chúirt chéanna. Nuair a bhí sé istigh tamall chuaigh sé isteach i seomra agus fuair sé scian a bhí ag an leon fá choinne na daoine a thiocfadh ansin a mharbhadh. Chuaigh sé a luí agus nuair a bhí sé ina luí tamall tháinig an leon isteach agus dúirt "goidé a thug tusa anseo nó mharaigh mé do dhá dhearth. ir agus muirfidh mé tusa fosta." Thoisigh an bheirt a throid agus mharaigh sé an leon agus bhain sé an ceann de. Chuaigh sé isteach i seomra eile agus bhí cuid mhór cinn daoine ansin. Thug sé leis na cinn agus chuir sé síos i bpoll iad. Ansin d'fhoscail sé doras eile agus bhí an seomra sin lán óir. Fuair seisean an chúirt dó féin ansin. Thug sé leis a mháthair agus bhí siad ing gcónaí ansin go bhfuair siad bás.

3.30   AN CAILÍN DALL AGUS AN BRADÁN

Bhí fear ann fada ó shin a dtugadh siad Seán Phádraig air. Bhí iníon aige agus bhí an iníon seo dall ó tháinig sí ar an tsaol. Bhí ceol binn aici agus d'iarr sí ar a hathair í a fhágáil thíos ag taobh na locha. D'fhág seisean thíos í agus d'iarr sé uirthi fanacht anseo go dtiocfadh sé fána coinne.

Shuigh sí ar an bhruach agus thoisigh sí a cheol ach nuair a chríocnaigh sí an t-amhrán tháinig bradán (ar) imeall an uisce.
"Tá brón orm go bhfuil tú dall ach dá bhfaighfeá craiceann bradáin agus é a chomailt do do shúile bheadh an t-amharc agat gan mhoill".

Tháinig an t-athair fána coinne agus ar an bhealach chun an bhaile d'inis sí dó goidé a dúirt an bradán léithe.
"Caitfidh mé a ghabháil a iascaireacht amárach" (arsa an t-athair).
Thug sé leis an bád agus chuaigh sé amach ar dhoimhneacht na locha agus chaith sé amach an dorga. Tháinig tarraingt ar an dorga.
"Caithfidh mé é a thógáil" (arsa seisean).
Thit Seán amach as an bhád. Chuaigh sé síos go dtí gur shíl sé go raibh sé ag deireadh an tsaoil. Nuair a d'fhoscail sé a shúile fuair sé é féin i láthair rí na locha.
"An bhfuil a fhios agat goidé an dóigh a dtáinig an loch sin anseo. Lá amháin bhí mise ag cur fearg uirthi ach rinne sí loch den talamh agus d'athraigh sí mise i mo bhradán. Tabhair leat an claidheamh atá ar an bhalla nó bíonn bean ag teacht achan oíche agus trí scór cat léithe ag brath mé a bhualadh".

D'fhoscail Seán an doras agus leis sin féin tháinig an bhean isteach agus trí scór cat léithe. Tharraing Seán claidheamh agus leag sé í. D'éirigh sí (go) gasta fá choinne buille an bháis a thabhairt do Sheán ach bhuail an bradán lena ruball agus mharaigh sé í ach rinne Seán obair ghasta leis na cait.
"Is tú an gaiscíoch is fearr in Éirinn" (arsa rí na locha).
D'athraigh sé Seán isteach ina fhaoileog agus shnámh sé go bruach na locha agus d'éirigh Seán ina fhear arís. Dúirt rí na locha leis go raibh

síógaí Chúige Uladh ag gabháil a imirt liathróide le muintir Chúige Laighin ar an dó dhéag.

Chuaigh Seán chun an bhaile agus fuair sé an teach lán daoine agus iad brónach nó shíl siad go raibh sé báite. Reath an iníon agus an mháthair agus chroith siad lámh leis nó bhí lúcháir orthu as é a bheith beo.
"Caithfidh mé amharc a thabhairt do mo iníon" (arsa seisean) agus chomail sé craiceann an bhradáin dona súile agus bhí an t-amharc aici ach ní thearna sí dearmad buíochas a thabhairt do Dhia.

Tamall roimh an dó dhéag d'imigh Seán go dtí caisleán an rí. Chuala Seán callán agus d'amharc sé thart. Chonaic sé scaifte síógaí agus bradán á dteorú.
"Tá an gaiscíoch is fear is fearr in Éirinn anseo againn" (arsa an bradán).
Chroith siad uilig lámh leis agus thug siad sparán óir dó.
"Imigh agus cuir an t-ór i bhfolach go dtige tú arís", (arsa siadsan).

Ar uair an dó dhéag thoisigh siad a dh'imirt. Fá dheireadh bhí an bhuaidh ag cuid síóg Chúige Uladh. D'imigh Seán agus a chuid comrádaithe go dtáinig siad fhad leis an loch.
"Faigh mála an óir agus imigh chun an bhaile chuig do mhnaoi", (arsa siad) ach nuair a chuaigh sé fhad leis an teach bhí muintir an toighe ina luí. Chuaigh Seán isteach is chuir páirt den ór sa bhalla agus nuair a d'éirigh siad ar maidin chonaic siad an t-ór. Bhí lúcháir mhór orthu.

Bhí Seán agus a iníon agus a bhean ina gcónaí go maith. Tá an bradán le feiceáil i mí Mheitheamh ag snámh ar uachtar an uisce.

Seosamh Ó Gallchóir
(Scoil Chnoc An Stolaire, 1882-1970)

Ba é Jó Mhánais Ruaidh a ainm go háitiúil. Rugadh ar An Mhachaire Loisce é. Oileadh mar mhúinteoir náisiúnta é i gColáiste Phádraig, Droim Conrach idir 1900-'02. Ceapadh mar mhúinteoir ar Oileán Ghabhla é áit ar chaith sé 6 bliana mar phríomhoide. Bhíodh scoil oíche aige do dhaoine fásta ar an Oileán fosta. Chuaigh sé ó Scoil Ghabhla go Scoil Bhun an Inbhir agus i ndiaidh seal blianta a chaitheamh ansin ceapadh mar phríomhoide é ar Scoil Dhún Lúiche. agus nuair a tháinig folúntas do phríomhoide i Scoil Chnoc an Stolaire ceapadh é sa phost sin. Leathnaigh a chlú mar mhúinteoir ar fud na tíre agus thuill a chuid iarscoláirí clú agus cáil mar shagairt, mar dhochtúirí, mar mhúinteoirí agus araile. Bhí seanchas leathan béaloideasa aige agus é go mór tugtha don scéalaíocht. D'éirigh sé as an mhúinteoireacht sa bhliain 1947. Fuair sé bás ar An Bhun Bheag sa bhliain 1970.

Scoil Chnoc a' Stolaire

Scoil An Bhunbhíg

Seosamh O Gallchóir.

Máire Mhící Nic Fhionnlaoich, An Mhachaire Loisce, Seanchaí.

Eibhlín Ní Fhearraigh, Muine Dhubh, Néilí Pháidí Eoin Uí Fhearraigh.

TARLÚINTÍ NEAMH SHAOLTA

4.1 AN CAILÍN A FUADAÍODH

Bhí fear agus bean ann uair amháin agus bhí beirt iníonach acu. Bhí an bheirt iníon iontach dóighiúil agus bhí meas mór acu ar a chéile. Nuair a bhí an iníon ab óige fiche bliain fuair sí bás.

Bliain ón am sin fuair an mháthair bás agus ní raibh sa teach ansin ach an t-athair agus an iníon. Lá amháin chuaigh an t-athair agus an iníon chun an aonaigh. Bhí an t-athair ag gabháil a cheannach bó agus an iníon ag gabháil a cheannach culaith.

Bhí an iníon le pósadh lá tharna mhárach agus níor inis sí don athair é go dtí go dtáinig sé ón aonach. Nuair a bhí an t-athair ag ól a chuid tae dúirt an iníon go raibh sí ag gabháil a phósadh.

"Bhail", arsa an t-athair "ní miste liomsa nó tá mise ag éirí aosta agus beidh fear a dhíth orm le cuidiú liom an talamh a oibriú". Sin a raibh. Pósadh iad maidin lá tharna mhárach. Seachtain ón am sin tháinig an fear úr chun toighe. Bhí an seanfhear iontach sásta agus bhí an triúr ag gabháil go maith. Nuair a bhí an lánúin bliain pósta bhí duine clainne acu agus girseach a bhí ann. Ba mhaith leis an mháthair ainm a máthair féin a thabhairt uirthi agus tugadh. D'fhás an ghirseach bheag seo go raibh sí sé bliana d'aois.

Lá amháin bhí an mháthair agus an ghirseach bheag seo amuigh ag siúl ar thaobh an bhealaigh mhóir. Casadh bean orthu agus chuir sí ceist orthu cá raibh siad ag gabháil. "Bhail", a dúirt siadsan "níl muid ach ag siúl giota beag mar tá an lá maith".

Shuigh an triúr síos ar thaobh an bhealaigh mhóir agus thoisigh siad a chomhrá. Nuair a bhí siad tamall ina suí tháinig beirt eile fhad leo agus shuigh siad acu. Ní raibh siad i bhfad ina suí go dtáinig beirt eile ban fhad leo. Shuigh siadsan fosta.

Bhí iontas mór orthu an cineál éadaigh a bhí ar an mhuintir eile, mar bhí cineál amháin éadaigh orthu uilig. Dúirt sí leo gur mhaith léithese an cineál sin éadaigh a bheith aici féin. "Bhail", a dúirt siadsan "má théann tú linne bhéarfaidh muid culaith den chineál sin duit ach caithfidh tú fanacht againne". "Bhail", a dúirt sise "fanóchaidh mé".

D'imigh siad leo ag tarraingt ar an teach a raibh na mná ina gcónaí (ann). Ní fhaca an t-athair an iníon ní ba mhó.

4.2 AN BHRIONGLÓID

Bhí fear ann uair amháin agus bhí iníon aige agus bhí sí thall in Albain agus rinne sé brionglóid an oíche seo go raibh sí le marbhadh ar maidin lá tharna mhárach. Bhí sé i dtrioblóid agus ní raibh a fhios aige goidé a dhéanfadh sé.

Dúirt sé leis féin go rachadh sé anonn go bhfeicfeadh sé í. D'imigh sé leis agus nuair a bhí sé ag tarraingt ar an stáisiún casadh fear air. Fear beag ribeach rua a bhí ann agus chuir sé ceist ar an fhear cá raibh sé ag gabháil agus d'inis an fear dó.

D'iárr an fear beag rua air a ghabháil leisean go bhfeicfeadh sé an áit dheas a bhí aigesean. Chuaigh an fear isteach agus bhí bean dheas istigh ann agus rinne sí braon tae dó. Nuair a bhí an tae ólta aige chuir an fear beag rua ceist ar an fhear an aithneochadh sé a iníon. Dúirt seisean go n-aithneochadh agus d'iarr an fear beag rua air an cailín a bheith leis chun an bhaile.

4.3 AN BHRIONGLÓID

Bhí fear ann uair amháin agus bhí sé pósta agus bhí beirt mhac aige. Nuair a bhí an mac ab óige fiche bhliain fuair an mháthair bás agus bhí siad ina dhá ndílleachta. Nuair a bhí an mháthair trí bliana curtha phós an mac a ba shine agud d'imigh sé féin agus a bhean go hAlbain.

Cupla oíche ina dhiaidh sin rinne an fear seo brionglóideach gur casadh an mac a d'imigh go hAlbain air agus maide briste aibhleog leis. D'imigh an mac ab óige chun an aonaigh an lá seo agus nuair a phill sé fuair sé a athair dóite sa tine.

4.4 AN DÍLLEACHTA

Bhí gasúr beag ann aon uair amháin agus fuair an mháthair agus a athair bás. Bhí a mháthair mhór agus a hiníon ina gcónaí leo féin agus thug siad leo an gasúr agus bhí lúcháir ar an ghasúr nuair a chuaigh sé a chónaí lena mháthair mhór.

Lá amháin d'imigh an gasúr suas go dtí an teach fá choinne bucaeid phréataí. D'fhoscail sé isteach an doras agus chonaic sé a mháthair agus a athair ina suí i gcois na tineadh. Labhair sé leo agus níor labhair siad leis. Chaith sé uaidh an bhucaeid agus d'imigh sé síos agus d'inis sé do na mháthair mhór go bhfaca sé a mháthair agus a athair ina suí i gcois na tineadh.

D'imigh an bheirt acu suas go dtí an teach agus nuair a chuaigh siad isteach ar an doras thit an gasúr i laige agus fuair sé bás.

4.5 AN CAPALL SÍ

Lá amháin bhí beirt fhear ag gabháil amach chun an Lagáin. D'fhág siad an baile ar a ceathair a chlog ar maidin agus d'imigh siad leo. Ins an am seo chaitheadh achan duine siúl amach chun an Lagáin nó áit ar bith eile a mbeadh siad ag gabháil. Bhí beathach dubh leo seo agus nuair a bhí siad ag gabháil amach ag taobh na Mucaise chonaic fear acu an beathach bán agus gan cloigeann ar bith air ag rollagú i lár an bhealaigh mhóir. Sa deireadh chuaigh an beathach thart lena chuid cos agus scanraigh sé. Chuir sé ceist ar an fhear a bhí ag marcaíocht an bhfaca sé a dhath. Dúirt an fear a bhí ag marcaíocht nach bhfacaidh agus thoisigh sé a scamhlóir air. D'iarr an fear a bhí ag marcaíocht ar an fhear a bhí ar íochtar a ghabháil ar an bheathach anois.

Chuaigh sé suas agus nuair a bhí sé thuas chonaic sé an beathach á rollagú féin suas in éadan na malacha go raibh sé thuas ag barr. D'imigh siad leo ansin go dtí go raibh siad amuigh ar an Lagán.

Bhí lá breá acu amuigh ansin go dtí go dtáinig an tráthnóna agus chuir fear acu ceist ar an fhear eile an raibh an t-am acu a ghabháil chun an bhaile agus dúirt sé go raibh. Chuaigh fear acu a mharcaíocht agus thiomáin siad leo go raibh siad ag teacht isteach ag taobh na Mucaise ar ais. Sheasaigh siad ag taobh binne a dhéanamh a scríste. Chonaic siad slua mór daoine ag tarraingt orthu agus sheasaigh siad ag taobh na binne go dteachaigh an slua isteach ins an bhinn. D'imigh siad leo ansin agus bhí siad ag éisteacht leis an trup a bhí acu ag foscladh na ndoirse go dtí go raibh siad giota maith ar shiúl.

Nuair a tháinig siad chun an bhaile bhí a gcroí amuigh ar a mbéal ach ní ba mhó ní fhacthas aon fhear den bheirt ag gabháil an cosán sin.

4.6 LONG A CAILLEADH

Bhí long mhór ag teacht anall as Meiriceá fada ó shin agus lasta mór plúir léithe. Chonaic muintir Thoraigh í agus dúirt siad leo féin gur dheas an rud cuid den lasta breá seo a fháil.

Bhí daoine i dToraigh a dtugtar muintir Dhúgáin orthu. Thiocfadh leo geasa a oibriú le linn cloch atá ar an bhaile a thiontódh. Thiontaigh siad an chloch agus chuaigh an bád ar na carraigeacha agus briseadh í. Fuair siad neart lasta.

Bhí foireann de fhearaibh dubha ar an long seo. Tháinig cuid acu isteach ar an chladach agus iad báite. Cuireadh sa reilig in Ard An Ghliogair iad.

4.7 DÓNALL DEARG

Bhí fear sa tír seo fada ó shin agus an t-ainm a bhí air Dónall Dearg. Bhí caora aige a raibh leathcheann bán agus leathcheann dubh uirthi. Chaithfeadh sí a cuid bia a fháil cosúil leis féin. Nuair a gheobhadh sí tráth d'imíodh sí agus thiocfadh sí agus uan léithe. Bhéarfadh sí diúl don uan agus leanfadh sé í.

Bhí an baile lán uan agus gach aonach a rachadh sé go dtí é, dhíoladh sé scaifte uan. Bhuail náire é agus dhíol sé an baile arís agus chuaigh sé siar go Mhullach Dearg. Nuair a fuair sé bás, ní raibh duine ar bith le amharc ina dhiaidh. Chas siad suas i bplaincéad é. Thug achan duine a mhallacht do Dhónall Dearg.

Chaith siad amach le binn Mhullach Dearg é agus sin an t-amharc deireannach a chonaictheas air. Tá Mullach Dearg ar an áit sin ó shin.

4.8 AN LONG A BRISEADH

Bhí long ag teacht anall as Sasain go hÉirinn aon uair amháin agus bhí scaifte mór daoine uirthi. Bhí oíche iontach gharbh ann agus bhí eagla mhór orthu uilig. Bhí an fharraige iontach garbh agus bhí gaoth mhór agus toirneach ann. An fear a bhí ar an stiúir bhí sé ina sheasamh agus é fuar agus na tonnaí á bhualadh.

Ní raibh a fhios acu cén cosán a raibh an long ag gabháil. Mhair an stoirm ar feadh thrí lá agus ar feadh thrí hoíche agus bhuail an long isteach ar chósta na Fraince agus bhí leath a raibh uirthi marbh leis an ocras mar nár ith siad aon ghreim le trí lá ná le trí hoíche roimhe sin. Nuair a tháinig siad amach ón long bhí an stoirm thart agus bhí oiread bídh ar an long agus go dtearna siad réidh é agus gur ith siad a sáith. Nuair a bhí siad réidh thug siad a n-aghaidh amach ar an fharraige arís.

Thug siad iarraidh a theacht go hÉirinn arís agus bhí lá deas ann. Nuair a bhí siad ag tarraingt go hÉirinn tháinig ceo orthu agus b'éigean daofa seasamh ansin. Mhair an ceo trí lá. Fuair an méid a bhí uirthi bás leis an ocras agus cailleadh an long.

Lá amháin bhí fear ina sheasamh ar an tráigh agus chonaic sé cineál de (churach agus shantaigh sé é). Nuair a bhí sé ag teacht isteach chonaic sé curach eile giota maith siar uaidh agus ar leis féin go rachadh sé fhad leis go bhfeicfeadh sé a raibh sé ag fáil éisc ar bith. D'imigh sé go dtí an curach agus nuair a bhí sé ag teacht ar amharc an churaigh chonaic sé nach raibh duine ar bith ins an churach agus bhí an fear seo iontach santach agus thug sé iarraidh an curach seo nach raibh aon duine ann a thabhairt leis agus shín sé amach ceann de na rámhaí fá choinne greim a fháil air agus thit an rámha amach san fharraige agus chaill sé é.

Bhí ceann eile aige agus bhí eagl air dá gcuirfeadh sé amach an rámha eile go gcaillfeadh sé é. Bhí sé a chóir na trá agus bhí a fhios aige go dtiocfadh leis a ghabháil isteach ar an tráigh. Chuir sé amach an rámha agus thit sé amach ach thug sé iarraidh é a thabhairt isteach ach sháraigh sé air. Ní raibh aige ansin ach a ghabháil isteach ar an tráigh agus bhí curach eile ansin agus thug sé leis rámha a bhí sa churach agus chuaigh sé isteach ar an churach agus tháinig sé chun an bhaile. Ní raibh iasc ar bith leis agus chuaigh a bhean a scamhlóir air goidé a choinnigh amuigh go dtí sin é nó nach raibh sé ag fáil éisc ar bith.

Níor labhair seisean agus ní dheachaigh sé amach ní ba mhó ar an fharraige a iascaireacht.

4.9   AN GIOTA BEAG IARAINN

Bhí girseach agus gasúr ann aon uair amháin agus is é an t-ainm a bhí orthu Eibhlín agus Eoin. Bhí meas mór ag an mháthair orthu. Nuair a thigeadh siad chun an bhaile ón scoil gach lá dhéanadh siad timireacht dona máthair.

Sa deireadh fuair a máthair bás agus bhí leasmháthair acu. Bhí an leasmháthair seo iontach olc daofa. Lá amháin d'imigh siad chun na coilleadh. Bhí madadh acu arbh ainm do Bran agus bhí sé leo. Bhí meas mór acu ar Bhran agus ag Bran orthu. Shuigh siad síos ag bun crainn an lá seo agus thoisigh siad a chaoineadh. D'amharc Bran suas orthu go brónach agus deora lena shúile.

Tamall ina dhiaidh sin d'amharc sé suas ar bharr an chrainn agus é ag crothadh a rubaill. D'amharc an bheirt pháiste suas agus chonaic siad fear beag thuas ar bharr an chrainn. Chuir sé ceist orthu cad chuige a raibh siad ag caoineadh. Dúirt na páistí leis go bhfuair a máthair bás agus go raibh an leasmháthair a bhí acu iontach olc daofa. Bhí truaighe ag an fhear bheag seo daofa agus ní raibh a fhios aige goidé ab fhearr dó a dhéanamh.

Thóg sé giota beag iarainn aníos as a phóca agus thug sé d'Eoin é. "Anois", a dúirt sé "nuair a rachas sibh chun an bhaile, má bhuaileann sí sibh níl agaibh le déanamh ach an giota beag iarainn sin a bhualadh uirthi agus ní bheidh sí beo ach go ceann seachtaine."

Dúirt na páistí go ndéanfadh siad mar a d'iarr sé orthu.

D'imigh siad chun an bhaile agus lúcháir mhór orthu. Chonaic an leasmháthair iad ag tarraingt ar an teach agus tháinig corraí mhillteanach uirthi. Chuaigh sí amach chun an gharraidh agus thug sí isteach slat. Nuair a chuaigh na páistí isteach chun toighe bhuail an mháthair iad. Nuair a bhí sí ag bualadh Eoin bhuail sé an giota beag iarainn seo uirthi i ngan a fhios daoithe.

Ní raibh sí beo ach seachtain amháin ina dhiaidh sin go bhfuair sí bás. Bhí na páistí agus an t-athair ina gcónaí go sona sásta leo féin (ó sin amach).

4.10 SEANBHEAN AN CHEOIL

Bhí bean agus fear ina gcónaí i dteach beag leo féin ag bun an chnoic. Bhí dhá iníon acu darbh ainm Caitlín agus Máire. Bhí siad iontach cúramach ag na máthair.

Théadh siad síos achan lá go dtí an abhainn a bhí taobh thíos den teach. Lá amháin chuaigh siad síos go dtí an abhainn ag déanamh cuideachta daofa féin. Bhí seanbhean ina suí ag an abhainn agus í ag gabháil cheoil. Nuair a chonaic Caitlín agus Máire í chuaigh siad síos go dtí í. Chuir sí fáilte roimh na páistí. Chuir sí ceist orthu cá háit a raibh siad ina gcónaí. Dúirt siad go raibh siad ina gcónaí sa teach bheag sin thuas. Chuir sí ceist orthu an dtiocfadh léithe a ghabháil suas. Dúirt na páistí léithe go dtiocfadh agus fáilte. Chuaigh sí féin agus na páistí suas chun an toighe ansin.

Ar an bhealach ag gabháil suas daofa chuir sí ceist orthu an raibh a máthair go maith. Dúirt na páistí go raibh ach go dteachaigh dealg ina cos seachtain ó shin agus nach raibh sí ábalta a dhath a dhéanamh.

Chuaigh siad isteach chun an toighe agus chuir bean an toighe fáilte roimpi. Nuair a bhí siad ina suí ag comhrá tamall dúirt sí go n-éireochadh sí agus go ndéanfadh sí cupa tae daoithe ach go raibh a cois nimhneach agus nach raibh sí ábalta siúl. D'iarr sí uirthi í a thaispeáint daoithe. Thaispeáin sí daoithe í agus dúirt an tseanbhean go mbeadh biseach uirthi roimhe chupla lá.

D'imigh an bhean bhocht agus bhí biseach ar bhean an toighe roimhe chupla lá. Agus bhí sí ag déanamh gur an tseanbhean a rinne an mhaith daoithe.

4.11 AN DÍLLEACHTA

Bhí cailín ann aon uair amháin agus fuair a máthair bás agus bhí sí bocht. Oíche amháin nuair a bhí an cailín ina luí tháinig bean rua agus fear rua isteach agus dúirt siad léithe éirí agus a bheith leo. Chuir an cailín ceist orthu cá raibh siad ag gabháil agus dúirt siadsan léithe go raibh siad ag gabháil a tabhairt leo fá choinne fanacht acu istigh nuair a rachadh siad áit ar bith.

Dúirt an cailín nach dtiocfadh léithe a teach féin a fhágáil. Dúirt siadsan léithe go gcaithfeadh sí a theacht leo. D'éirigh an cailín agus chuaigh sí leo. Nuair a tháinig sí fhad leis an teach bhí scaifte mór daoine ansin agus bhí siad ag scamhlóir ar an bheirt rua cionn is go raibh a leithéid sin de chailín leo.

Nuair a bhí siad ag gabháil a ól a gcuid tae shuigh an cailín ag taobh cailín a bhí iontach deas agus ní ligfeadh sí daoithe agus d'iarr sí uirthi imeacht ar shiúl uaithi. Tharraing an cailín ribe amach as a gruag agus rinne sí cat dubh de ag taobh an chailín. D'iarr an cailín uirthi é a chur ar shiúl agus go dtabharfadh sí a sáith airgid agus óir daoithe.

Thóg an cailín an cat agus fuair sí a sáith airgid agus óir agus bhí dóigh mhaith uirthi ó sin amach.

4.12 NA SÉ PINGINE

Bhí fear ann uair amháin. Chuaigh sé chun an aonaigh a dhíol rud. Tháinig fear beag chuige agus d'iarr sé sé pingne air. Dúirt an fear nach raibh a dhath déanta aige ach chuir sé a lámh ina phóca agus thug sé dó é. D'imigh an fear rua. Tháinig sé tráthnóna ar ais agus na sé pingne leis. Ní raibh an fear sásta é a ghlacadh ach thug sé air é. Nuair a bhí an fear ar an bhealach chun an bhaile chuaigh sé isteach in teach agus fuair sé a chuid. Thug sé na sé pingne do mhnaoi an toighe ar son an tae. Ansin chuaigh sé isteach in teach tabhairne agus nuair a chur sé a lámh ina phóca bhí na sé pingine aige ar ais. Ba chuma goidé a cheannóchadh sé bheadh siad aige ar ais. D'inis sé don tsagart é. (D'iarr an sagart) air a ghabháil eadar dhá uisce. Rinne an fear sin agus ní raibh sé aige ní ba mhó.

4.13 BEAN AN UALAIGH

Fada ó shin nuair nach raibh traentaí ina reath ba ghnách le muintir Ghaoth Dobhair a ghabháil go Doire lena gcuid earraí a cheannacht. Bhí fear as Machaire Chlochair ag gabháil amach lá amháin ar bheathach agus carr agus gan leis ach é féin.

Ag gabháil thart ag corraíocha Mhín An Droighin chonaic sé bean mhór ard agus éadaí geala uirthi ina suí ar chlaí agus cuma iontach thuirseach uirthi. Stad an fear agus scairt sé léithe a theacht isteach ar an charr agus go dtabharfadh sé go Doire í. Chuaigh sí isteach ar an charr agus bhuail an fear buille den bhata ar an bheathach ach dheamhan bogadh a dhéanfadh an beathach dá mbeadh sé ag gabháil daoithe ó shin. Sheasaigh sí ansin agus í ar crith.

Labhair an fear sa deireadh agus dúirt sé - "A bhean mhodhúil, tá rud inteacht contráilte".

D'fhreagair sise — "Tá oiread contráilte is nach n-iompróchadh a bhfuil de bheithigh sa chondaigh m'ualachsa. Bhí teach leanna agamsa fada ó shin agus an méid uisce a chur mé fríd an bhiotáilte tá sé mar ualach orm go lá na síorraíochta".

Le sin féin léim sí anuas ón charr agus d'imigh an beathach ar chos in airde agus níor stad sé go raibh sé i nDoire. Baineadh an oiread sin scanrú as an fhear nach dtearna sé turas go Doire ariamh ní ba mhó gan duine inteacht a bheith leis.

4.14 AN SEIRBHÍSEACH GIRSÍ

Bhí bean ann fada ó shin agus bhí triúr mac aici. Rinne sí seribhíseach girsí a fhostódh. Dílleachta a bhí inti agus bhí a hathair agus a máthair marbh. Bhí sí ina cónaí i dteach ina raibh fear amháin agus rinne seisean í a fhostódh ar feadh deich mbliana leis an mhnaoi seo. Nuair a bheadh na deich mbliana thuas bhí suim airgid le fáil aici. Bhí go maith agus ní raibh go holc go raibh na deich mbliana istigh agus ní raibh an t-airgead le fáil ag an ghirseach. Smaointigh an bhean seo nach raibh airgead ar bith aici le tabhairt daoithe agus gur mhaith an cleas í a mharbhadh.
300

Bhí an bhean seo iontach olc daoithe agus ní ligfeadh sí daoithe a hurnaí a rá maidin ar bith. Ach nuair a bheadh an ghirseach seo ag déanamh obair an toighe ní stadfadh sí ach ag síor-rá na hurnaí a d'fhoghlaim a máthair daoithe nuair a bhí sí beag. Nuair a chuaigh an ghirseach a luí an oíche sin agus nuair a mheas an bhean go raibh sí ina codladh d'iarr sí air an mhac a ba shine a ghabháil go dtí an leabhaidh agus í a mharbhadh.

Ní luaithe a d'fhoscail sé an doras ná chonaic sé aingeal agus claidheamh leis agus solas aige ag siúl aníos agus síos ag taobh na leapa. Tháinig eagla air agus d'imigh sé agus d'inis se dona mháthair é. D'iarr an mháthair ar an dara mac í a mharbhadh ach nuair a d'fhoscail seisean an doras chonaic sé an rud céanna. Scanraigh seiseann fosta agus d'inis sé dona mháthair goidé a tharlaigh. D'iarr sí ar an tríú mac a ghabháil agus í a mharbhadh agus nuair a d'amharc seisean ag taobh na leapa chonaic sé trí aingeal agus claidheamh agus solas i lámha achan duine acu agus iad ag siúl ag taobh na leapa. Tháinig eagla airsean fosta agus d'imigh sé agus d'inis dona mháthair goidé a chonaic sé. Sin mar a shábháil an urnaí ón bhás í.

SÍOGAÍ

5.1   AN TEACH ÚR AGUS NA SÍOGAÍ

Bhí fear ann uair amháin agus bhí sé ina chónaí i dteach beag leis féin. Lá amháin thug sé leis triúr fear agus thoisigh siad a bhaint cloch. Ní raibh said i bhfad ag baint go dtí gur scairteadh leo "Fágaigí iad, Fágaigí iad". Níor thug siad sin aird ar bith ar an scairteach.

Nuair a bhí an saor ag gabháil a dhéanamh an toighe bhí na clocha thart fán áit a raibh sé ag gabháil á dhéanamh. Thoisigh sé a dhéanamh na mballaí. De réir mar sin is mar a bhí sé ag déanamh na mballaí, bhí siad ag titim achan uile oíche.

Nuair a rachadh an saor chun an bhaile san oíche ar maidin bheadh na ballaí leagtha. Chaith sé trí lá mar sin agus bheadh siad leagtha achan lá. Oíche amháin nuair a bhí an seanduine ina luí chuala sé callán na gcloch ag titim agus scanraigh sé.

Ar maidin lá tharna mhárach nuair a tháinig an saor dúirt an seanduine leis a ghabháil chun an bhaile nó nach gcuirfeadh sé aon chloch i mullach an chloch eile go deo.

Ní raibh an seanduine i bhfad ina dhiaidh sin go bhfuair sé bás agus d'fhág sé an t-airgead ag a chuid daoine muinteartha.

5.2   NA DAOINE BEAGA

Bhí fear ag airneál i dteach oíche amháin agus bhí sé i ndiaidh a bheith ag imirt chardaí agus bhí sé ag gabháil chun an bhaile nuair a casadh scaifte daoine beaga air agus thug siad leo isteach i mbinn mhór é agus bhí sé ansin trí lá gan a theacht amach. Lá amháin d'imigh siad uilig amach as an bhinn agus bhí an fear istigh agus chuartaigh sé leis.

Sa deireadh fuair sé doras agus go díreach nuair a bhí sé ag teacht amach bhí na daoine beaga uilig ag teacht agus phill sé isteach leo ar ais.

D'fhan sé acu tamall fada agus oíche amháin d'imigh sé leis agus bhí sé ag cuartú an bhaile agus ní bhfuair sé é agus phill sé chuig na daoine beaga ar ais. Chónaigh sé acu ó sin amach.

Oíche amháin bhí athair an fhir seo ag siúl thart agus tháinig na daoine beaga uilig roimhe agus scanraigh sé go mór nó thoisigh an fear seo a chaint agus d'iarr sé orthu gan labhairt leis nó go raibh sé iontach gur imigh a mhac agus nár phill sé ní ba mhó.

Dúirt na daoine beaga leis go raibh sé anseo agus nach bhfaigheadh sé é níos mó. Dúirt an t-athair "cinnte" a dúirt sé "shílfeá go mbeadh truaighe agat domh féin." Ins an deireadh lig sé leis é agus chuaigh sé chun an bhaile agus bhí lúcháir mhór ar a bhean roimhe agus ón lá sin amach níor imir sé aon chardaí ní ba mhó ó sin amach.

5.3 FEAR NA gCAORACH AGUS NA DAOINE BEAGA

Bhí fear ag cuartú a chuid caorach ag gabháil ó sholas tráthnóna amháin. Nuair a bhí sé ag gabháil fríd ghleann a bhí ann d'fhoscail binn a bhí ag a thaoibh agus tugadh isteach é.

Bhí seanbhean ina suí sa chlúdaigh agus í ag cleiteáil. Bhí fir agus mná ag ceol agus ag damhsa i bpáirt eile den teach. Dúirt an tseanbhean a bhí ag cleiteáil leis "ná hith aon rud dá bhfaighidh tú anseo nó beidh daor ort a choíche".

"Ar chuala tú iomrá ariamh" ar sise "ar na trí dheirfiúr a cailleadh ar Loch na Carraige?".

"Chuala mé cinnte" arsa an fear.

"Mise bean acu agus rinne na daoine beaga dhá sheanchailleach den mhuintir eile. Bhí muid ag gabháil chun bainise oíche siocáin geimhridh amháin agus chuir na daoine beaga ar seachrán muid. Ag gabháil chun an aithghiorra dúinn bhí siocán ar an loch agus chuaigh muid amach uirthi. Nuair a fuair siad amuigh muid thug siad isteach sa bhinn seo muid.

Tháinig bean as seomra chuig an fhear agus tae, arán agus im léithe. Dúirt sí leis gan samhnas a bheith air leis an im seo nó gur seo im Róise Ní Chearúil. Dúirt an fear nach raibh sé ach i ndiaidh a chuid a dhéanamh sa bhaile. Thug sé buíochas daoithe ar shon bídh a thairiscint dó.

Choinnigh siad istigh é dhá lá gan aon ghreim a ithe. Lig siad amach é ansin agus chuaigh sé chun an bhaile. D'inis sé daofa sa bhaile goidé a chonaic sé agus a dúradh leis. Bhuail na daoine beaga boc air agus ní thearna sé lá maith ní ba mhó go bhfuair sé bás.

5.4   AN CAILÍN AGUS NA SÍÓGA

Bhí bean ann aon uair amháin agus ní raibh aici ach iníon bheag amháin. Bhí trí chaora ag an bhean seo agus ba ghnách leis an ghirseach bheag a ghabháil amach an cnoc a dh'amharc orthu gach uile lá. Lá amháin nuair a bhí sí ag barr an chnoic tháinig cioth mór fearthanna uirthí. Rith sí an an méid a bhí ina corp anuas an cnoc. Nuair a bhí sí giota maith anuas an cnoc thit sí anuas leis na beanna agus briseadh a cois agus gearradh a cuid lámha.

Bhí sí ina luí ag bun na mbeann agus í ag caoineadh agus le sin go díreach tháinig dhá fhear bheaga bhána amach as na beanna agus d'iompar siad isteach ins na beanna í.

Bhí na daoine ar shiúl ar feadh seachtaine á cuartú. Fá dheireadh stad siad dá cuartú. Tuairim is mí ina dhiaidh sin bhí a máthair ina suí ag an tine lá agus í ag caoineadh nuair a tháinig girseach bheag isteach agus culaith shíoda agus bróga úra uirthi agus mála mór airgid léithe.

"Cad chuige a bhfuil tú ag caoineadh?" arsa sise lena máthair.

"Bhí girseach bheag agamsa anseo. D'imigh sí amach an cnoc a dh'amharc ar na caoirigh agus ní tháinig sí ó shin".

"Ná bí ag caoineadh" arsa an ghirseach léithe "nó is mise do iníon féin" Bhí lúcháir mhór uirthi agus mhair sí féin agus a hiníon go saibhir ní ba mhó.

5.5   ISTIGH SA BHINN

Bhí fear ina chónaí in Ard na gCeapairí uair amháin agus thug na daoine beaga leo isteach sna beanna é. Tháinig sé chuig a mhac agus d'iarr sé air a ghabháil go dtí a leithéid seo d'áit lá tharna mhárach agus nuair a tchífeadh sé na beathaigh bána é gaineamh a chaitheamh orthu agus go bhfaigheadh seisean amach. Chaith an mac an gaineamh ach níor bhuail sé na beathaigh agus ní bhfuair an t-athair amach ariamh.

5.6   NA DAOINE BEAGA

Bhí fear ann uair amháin agus an oíche seo bhí sé ag gabháil go dtí teach na comharsan. Mhothaigh sé na daoine beaga ag caint istigh i mbinn. Tháinig siad amach agus thug siad isteach é. Chonaic sé bó de chuid na comharsan istigh agus slabhraí óir fána muineál. D'iarr siad air gan trácht ar a dhath a chonaic sé istigh agus é pilleadh bliain ón oíche sin agus go ndéanfadh siadsan saibhir é.

Lig siad amach é ansin agus chuaigh sé chun an bhaile. D'inis sé go bhfaca sé an bhó istigh. Gan mhoill ina dhiaidh sin ghlac sé tinneas agus ní dhearna sé maith ní ba mhó go bhfuair sé bás.

5.7   AN BHEIRT DEIRFIÚR

Bhí beirt dheirfiúr ann uair amháin agus thug na daoine beaga leo bean acu. Lá amháin bhí an bhean eile amuigh sa chnoc ag baint fraoich. Bhí sí ag teacht chun an bhaile agus sheasaigh sí ag creig a dhéanamh scríste. Mhothaigh sí duine ag bogadh cliabháin agus ag ceol an amhráin seo:

A dheirfiúr dhílis is a dheirfiúr charthannaigh
Caith uait an t-ualach agus gearr an aithghiorra
Tá an fear fada de chóir agus scian in aice leis
Is a dheirfiúr dhílis is a dheirfiúr charthannaigh.

5.8   BÓ SHEÁIN MHIC AODHA

Bhí fear ina chónaí in Machaire Gáthlán darb ainm do Seán Mac Aodha. Bhí bó aige. Bhuail na daoine beaga bob uirthi. Chaill sé í. Bhí siad ar shiúl á cuartú. Nuair a bhí siad á cuartú bhí siad ag gabháil thart fá dtaobh daoithe agus ní raibh siad ábalta í a fheiceáil. Nuair a chonaic siad í bhí sí ina luí agus ní éireochadh sí daofa. Shíl siad go raibh sí ag fáil bháis ach nuair a chuaigh an mhuintir ar leo í a luí tháinig sí isteach chun an toighe. Ba ghnách le muintir an toighe na préataí a bheith faoin leabaidh acu. Tháinig an bhó aníos agus d'ith sí na préataí ach dá bhfeicfeadh aon duine í luighfeadh sí síos ar an urlár agus ní bhogfadh sí. Lá amháin shíl siad go raibh an bás aici. Chaith siad amuigh ag an chaiseal í ach tháinig sí isteach agus d'ith sí na préataí orthu. Nuair a bhí a sáith ite aici luigh sí thíos i gceann an toighe. Ní bhogfadh sí i rith an lae daofa. Chaith siad amuigh ag an Chaiseal arís í. Gheobhadh siad cuid mhór bainne uaithi. Sa deireadh fuair sí bás leis an aois. Deirtear go raibh na daoine beaga inti.

304

5.9 CAITHEAMH NA LUATHA

Bíonn na daoine beaga ina gcónaí istigh sna beanna, san uisce agus ins an talamh. Bíonn siad tuairim is trí troithe ar airde. Caitheann siad éadach dearg agus gorm, hataí a mbíonn cleití móra astu. Bíonn sparáin bheaga dhubha acu a mbíonn ceithre hadharca orthu. Coinníonn siad an t-airgead faoina clocha.

Bhí bean ann uair amháin agus maidin amháin tháinig duine beag isteach chuici agus d'iarr sé pigín mine uirthi. Thug an bhean dó é agus maidin lá tharna mhárach tháinig sé arís agus pigín na mine leis. Chuir sé ceist ar an mhnaoi an mbeadh siad ag cailleadh a gcuid eallaigh agus dúirt sise go mbeadh. Ansin arsa an duine beag - "Nuair a chaitheann sibh bhur gcuid luatha amach ar maidin bíonn sibh ag baint an dá shúil asainn agus sin an tuige a mbíonn sibh ag cailleadh bhur gcuid eallaigh. Nuair a bheas sibhse ag caitheamh amach bhur gcuid luatha feasta cuirigí gramhar inti".

5.10 AN FEAR NÁR LABHAIR

Bhí fear ann uair amháin agus tugadh isteach sna beanna é. Chuir na daoine beaga ceist air an raibh sé ábalta gréasaíocht a dhéanamh. Rinne seisean comhartha go raibh agus nuair a bheir an fear ar an chasúr d'imigh sé ina dhá leath. Choinnigh siad istigh ar feadh dtrí lá é agus ansin lig siad amach é. Arsa (siadsan) leis - "Go hádhúil duit nár labhair tú nó choinneochadh muid thú".

Nuair a tháinig sé amach ní raibh sé ábalta labhairt. Cha raibh caint ar bith aige ach 'Loch Lach".

5.11 NA DAOINE BEAGA

Bhí gasúr ann aon uair amháin agus ba ghnách leis a bheith ag buachailleacht ag taobh locha. Gach uile lá tchífeadh sé bean ag níochan, cóta dearg uirthi is scaifte páistí ag déanamh cuideachta thart uirthi. Ní raibh aigesean ach é féin agus bhí sé uaigneach.

Lá amháin chuaigh sé a fhad leo le cuideachtain a dhéanamh. Bheir siad air agus chuir siad amach sa loch é. Bhí cuid acu á bháthadh agus cuid eile á shábháil. Bheir siad air sa deireadh agus chaith siad aniar an caorán é. D'imigh sé lena chuid eallaigh agus ní theachaigh sé a fhad leo ní ba mhó.

5.12 MÁNAS PHAIDÍ RUAIDH AGUS NA SÍÓGAÍ

Oíche amháin i ndeireadh an Fhómhair bhí Mánas Phaidí Ruaidh as Áit an tSean Toighe i bparóiste Ghaoth Dobhair ag teacht anoir ag Bun an Leithéid i ndiaidh a bheith ag cuartú caorach agus chuaigh sé ar seachrán. Duine beag neamheaglach a bhí ann Mánas agus ní fhaca sé a dhath ansin a chuirfeadh an tóir air. Ach an oíche sin chonaiceas dó go raibh creathaidh uaignis air agus chuir sé suas port feadalaí le uchtach a thabhairt dó héin. Le sin baineadh stad as agus léim a chroí — goidé a bhí ann ar chor ar bith? Scaifte daoine beaga ag tarraingt air agus gan cuntas le déanamh orthu. D'amharc sé thart le bealach teithidh ach ní raibh sé le fáil aige mar go raibh an dream iontach ag cruinniú as gach árd. Bhí féasóg chrombhéil Mhánais ina seasamh mar a bheadh slatacha ann agus deora allais ar a eádan. Bhí siad chomh deas dó agus go raibh siad le feiceáil aige. Labhair fear beag rua leis agus dúirt "Siúil leat anseo a mhic Phaidí Ruaidh go bhfeice tú d'athair mór bocht a báitheadh i Loch-Loch fad ó shin." B'éigean do Mhánas a ghabháil leo. Bhí cuid á tharraingt isteach sa loch agus cuid a shábháil. Thug siad isteach fríd charraig é go dtáinig siad a fhad le seomra mór a bhí lán daoine. Tugadh anonn go dtí cathaoir mhór é, ina raibh fear mór féasógach ina shuí. D'aithin Mánas gur Micí Óg a bhí ann, a athair mór féin, a báitheadh i Loch-Loch oíche na gaoithe móire fada ó shin, "Maise, maise a Mhánais, an tusa an gasúr beag a chonaic mé sula bhfuair mé bás? Bhail, bhail. Goidé mar tá . . . ." ach ní bhfuair sé cead an dara focal a rá gur buaileadh le slat trasna an bhéil é agus dhún sé suas. Ceannfort beag rua a bhí ann agus thug sé leis Mánas go gcuirfí goiste air. Bhí argóint go leor ansin — cuid ag rá go mbáithfeadh siad é agus cuid ag gabháil á pholladh, ach sa deireadh lig siad ar shiúl é. Thaispeáin siad amach an doras é agus dhún an doras arís. Ní raibh san áit ach carraig anois. Seachtain a bhí Mánas san áit sin acu agus shíl sé féin nach raibh sé istigh ach uair a chloig. Bhí an duine bocht i bhfad fríd a chéile. Ní raibh sé ábalta labhairt ar feadh seachtaine. "Loch-Loch" an focal a bhí aige ar feadh na seachtaine.

TAIBHSÍ

6.1   TAIBHSÍ

Deir daoine nach bhfuil taibhsí ar bith ann agus deir daoine eile go bhfuil taibhsí ann. Tá sé fíor go bhfuil taibhsí ann. Seal maith bliantach ó shin bhí fear muinteartha domhsa ar fostódh amuigh ar an Lagán. Bhí sé amuigh sa pháirc le luí gréine tráthnóna amháin. Chonaic sé cailín ina seasamh ar ardán bheag i lár na páirce. Bhí sé fá choinne a ghabháil a chaint léithe ach bhí eagla air. Bhí sé cosúil le cnoc beag ar tús ach d'aithin sé ansin gur taibhse cailín a bhí sa teach ag na thaobh a bhí ann.

Scanraigh sé nuair a bhí a fhios aige gur taibhse duine saolta a bhí ann.

Rith sé isteach chun toighe go gasta agus d'inis sé don mhaighistir é. Chuir an maighistir ceist air cén bealach a raibh sí ag amharc. "Bhí sí ag amharc orm" arsa seisean. "Beidh saol fada agat" arsa an maighistir. "Má bhíonn taibhse ag amahrc ort sin saol fada agus má bhíonn cúl a chinn leat ní bheidh do shaol fada".

6.2   BEAN AN TÓRRAIMH

Bhí fear ann uair amháin agus bhí sé istigh i dteach faire. Bhí sé tamall beag sular imigh an tórramh. Bhí an fear seo ina shuí ag an doras agus tháinig bean isteach agus chuir sé iontas inti.

Nuair a bhí an tórramh ag imeacht tháinig an bhean seo amach agus bhí an fear seo ag coinneáil a shúil uirthi agus chonaic sé í ag gabháil amach suas agus de réir mar a bhí sí ag gabháil suas bhí sí ag éiri beag léithi agus ins an deireadh d'imigh sí léithi as amharc.

Chuir an fear seo ceist ar an fhear a bhí ag a thaobh an raibh a fhios aige cé a bhí ann agus dúirt sé nach bhfaca sé í ar chor ar bith. An bhean a bhí an fear seo a dhéanamh daoithe bhí sí marbh ar fhad seo ama agus d'inis sé cé a bhí ann agus níor creideadh é. Bhí an bhean seo marbh le cúig bliana agus bhí an bhean seo (a bhí) marbh muintreach daoithe. D'inis sé don tsagart go bhfaca sé í agus dúirt sé gurb í an bhean a bhí ann, a deirfiúr. Dúirt an sagart leis nach bhfeicfeadh sé í go brách.

6.3   AN FEAR BÁITE

Bhí fear ar an bhaile seo i bhfad ó shin agus i bhfad ó shin é. Bhí sé ina chónaí leis féin i dteach beag a chois na farraige. Oíche amháin bhí sé ag iascaireacht agus bhí sé ag tarraingt isteach eangaigh agus bhí sé ag amharc amach san fharraige. Chonaic sé fear báite ag teacht fán churach. Thug sé iarraidh é a tharraingt isteach ach nuair a bheir sé greim air bhí sé róthrom aige agus thit sé síos go híor na farraige agus báitheadh é. Is cosúil gur chuala duine dá chuid daoine muinteartha é agus chuaigh sé amach le curach agus thóg sé isteach sa churach é.

Lá an tórraimh nuair a bhíthear á chur thoisigh an clár a imeacht den chónair agus d'éirigh an fear amach agus lean sé iad. Scanraigh na daoine agus d'imigh siad chun an bhaile agus d'fhág siad an fear ansin. Nuair a tháinig siad chun an bhaile chuir a gcuid mná ceist orthu goidé a tháinig orthu. Dúirt siad gur éirigh an fear beo arís.

Ní raibh sé i bhfad ina dhiaidh seo go raibh fear eile marbh agus lá an tórraimh chonaic siad an fear seo. D'iarr sé orthu gan eagla ar bith a bheith orthu. D'iarr siad air a theacht aníos go dtí an tine agus a ghoradh a dhéanamh. Dúirt seisean go raibh sé chomh te le tine nó go raibh sé thíos in Ifreann le trí lá. Nuair a chuala na daoine seo bhí iontas orthu uilig agus thoisigh siad a chur ceist air goidé an cineál áite a bhí ann. Dúirt seisean go raibh sé chomh fuar le sioc agus chomh te le tine agus dúirt siad gur greannmhar an cineál áite a bhí ansin.

D'imigh an fear seo agus lá an tórraimh nuair a bhíthear ag cur an fhear seo sa roilig chonaic siad an fear beo agus d'iarr sé orthu gan eagla ar bith a bheith orthu.

Nuair a bhí an fear san uaigh thoisigh an fear eile a rá go raibh áit bhreá aige anois. Tháinig lucht an tórraimh chun an bhaile agus níor mhothaigh aon duine iomrá ní ba mhó air.

6.4 SCÉAL TAIBHSÍ

Bhí fear ann fadó. Bhí dúil aige ag imirt cardaí. Oíche amháin bhí imirt ar an bhaile. Bhí sé ag an imirt. Bhain sé gé an oíche seo. Bhí sé an trí a chlog ag teacht dó an oíche seo. Bhí giota maith aige le ghabháil chun an bhaile. Ag teacht aníos ag droichead a bí ag taobh an bhealaigh mhóir mhothaigh sé trup agus callán taobh amuigh den droichead. Tháinig an taibhse amach i lár an bhealaigh mhóir. Chuir sé ceist ar an fhear cá háit a raibh sé fán am seo oíche. Dúirt sé go raibh sé ag imirt cardaí. D'imigh sé trasna an bhealaigh mhóir arís.

D'imigh an fear an méid a bhí ina chnámha go dtí an teach. Bhí an doras druidte. Bhuail sé ag an doras agus d'iarr sé ar a bhean é a ligean isteach go gasta. D'éirigh an bhean go gasta agus lig sí isteach é agus chuir sí ceist air goidé a tháinig air. Dúirt sé go dtáinig taibhse air ag teacht chun an bhaile dó. D'iarr sí air gan a ghabháil ag imirt níos mó nó go dtiocfadh an taibhse céanna air achan oíche go dtí go stadfadh sé den imirt.

Agus ón lá sin go dtí an lá inniu ní dheachaigh sé chuig aon imirt.

SCÉALTA CRÁIFEACHA AGUS CREIDIMH

7.1   AN BHEAN AGUS A BEIRT MHAC

Bhí bean ann fada ó shin agus bhí beirt mhac aici. Bheadh fear acu i dtólamh breoite agus bhí an tsláinte go maith ag an fhear eile. Bhuail an bás an gasúr breoite agus fuair sé bás. D'imigh an mháthair chuig an tsagart agus d'inis sí goidé a tharlaigh. Tháinig an sagart agus bhí dhá aspal leis.

Chuaigh siad ar a nglúine ag taobh an áit a raibh an gasúr marbh agus thoisigh siad a dh'urnaí ach ní dheachaigh an sagart ar a ghlúine an t-am seo ar chor ar bith.

Bhí an dá aspal ar a nglúine ag urnaí ach ní raibh siad ábalta an gasúr a dhéanamh beo. Ach nuair ab fhaide leis an tsagart a bhí siad gan an gasúr a dhéanamh beo dúirt sé "a lucht an chreidimh lag, éirígí amach as seo". Agus d'éirigh.

Chuaigh an sagart é féin ar a ghlúine ansin agus rinne sé an gasúr beo. D'éirigh an gasúr ins an leabaidh agus é beo. D'imigh an sagart agus an dá aspal chun an bhaile. Bhí lúcháir mhór ar an mháthair nuair a chonaic sí an gasúr beo.

Tamall maith ina dhiaidh seo is cosúil go raibh an gasúr eile amuigh ar an bhealach mhór oíche amháin agus chuala sé drochfhocal. Chuaigh sé a gháirí faoi. Tháinig sé isteach chun an bhaile an oíche seo agus chuaigh sé a luí agus bhí sé marbh ar maidin.

D'imigh an mháthair chuig an tsagart ar ais agus d'iarr sí air a theacht go bhfuair an gasúr eile bás. Tháinig an sagart agus bhí an dá aspal leis. Bhí siad ag urnaí os cionn an ghasúir ach ní raibh siad ábalta é a dhéanamh beo. Dúirt an sagart go gcuirfeadh sé Aifreann leis.

Nuair a bhí an sagart ag toiseacht ar an Aifreann an Domhnach seo nocht an gasúr a fuair bás aníos ag bun na haltóra agus d'iarr sé ar an tsagart gan a bheith ag rá Aifreann ar bith leis nó go raibh sé thíos i bpiantaí Ifrinn.

Stad an sagart ansin.

7.2
AN FEAR A RABHTHAR AG GABHÁIL Á CHROCHADH

Bhí gasúr ann uair amháin agus ba ghnách leis an mháthair trí Ave Máiria a fhoghlaim dó sula bhfuair sí bás. Nuair a bhí sí ag fáil bháis d'iarr sí air na trí Ave Máiria a rá achan lá. Dúirt sé tamall iad ach nuair a d'fhás sé suas d'éirigh sé ina ghadaí agus beireadh air agus cuireadh isteach i bpríosún é.

Nuair a bhí sé istigh sa phríosún smaointigh sé ar na trí Ave Máiria a d'iarr a mháthair air a rá sula bhfuair sí bás. Nuair a bhí sé ag smaointeamh ar seo tháinig fear isteach agus dúirt sé leis dá stadfadh sé de rá na bhfocla sin nach gcrochfaí ar chor ar bith é. Dúirt an gasúr nach stadfadh. Is cosúil gurb é an diabhal a bhí ansin agus d'imigh sé ina bhladhaire tineadh.

309

Tháinig na gardaí fána choinne agus thug siad ar shiúl é go dtí an áit a rabhthar ag gabháil a chrochadh. Ar a mbealach chonaic siad teach pobail agus chuaigh sé isteach a dh'urnaí. Nuair a tháinig siad fhad leis an áit a rabhthar ag gabháil a chrochadh bhí scaifte mór daoine ansin roimhe. Go díreach nuair a bhíthear ag gabháil a chrochadh nocht an Mhaighdean Mhuire.

Scanraigh na daoine agus d'imigh siad. Lig siad chun an bhaile é agus bhí sé iontach maith ní ba mhó ina dhiaidh sin.

7.3   AN BHEAN A BHÍ AG GABHÁIL CHUN AN AONAIGH

Bhí bean ann fada ó shin agus d'éirigh sí roimh an lá fá choinne a ghabháil chun an aonaigh. Oíche spéir ghealaigh a bhí ann agus bhí sé níos luaithe ná shíl sí. Ní raibh clog ar bith aici nó ní raibh clog ar bith ann san am. Ba ghnách léithe an coileach a chur isteach faoin cliabh an oíche roimhe (sin) ach rinne sí dearmad an coileach a chur isteach faoin chliabh an oíche seo.

Dá gcuireadh, ghlaofadh an coileach agus bheadh a fhios ag an mhnaoi cén t-am a bheadh sé. D'ith sí a bricfeasta agus d'imigh sí léithe ag tarraingt ar an aonach.

Ní dheachaigh sí i bhfad gur casadh sagart uirthi. Scanraigh sí mar fuair an sagart bás tamall roimhe sin. Labhair sé léithe agus (d'iarr) sé uirthi gan eagla ar bith (a bheith) uirthi. Ansin thoisigh siad a chomhrá agus níorbh fhada ann iad go dteachaigh triúr marcach thart. Bhí mar a bheadh tine dhearg ag teacht amach as béal na gcapall agus toit ag éirí amach as a ndroim.

Labhair an sagart leis an mhnaoi agus dúirt sé gurb é an diabhal a bhí i nduine acu agus an bheirt fhear a bhí leis go raibh siad marbh i bhfad ó shin. Ansin chuaigh slua mór daoine thart agus páistí leo. Dúirt an sagart léithe a bheith ar shiúl ansin nó nach raibh a dhath le theacht uirthi ní ba mhó.

Ansin d'imigh sí léithe ag tarraingt ar an aonach. Nuair a bhí sí fá ghiota den aonach casadh bean uirthi agus bhí sí ina suí ag déanamh a scíste agus bhí mála léithe. Bhí an mála caite ar an chlaí ag a taobh. Bhí sí ag iarraidh á thógáil ach ní raibh sí ábalta. Chuir an bhean ceist uirthi cé a chuir an mála trom sin uirthi agus dúirt sí gur drochíde a thug sí do na leaschlann agus gur sin an rud a chur Dia uirthi agus nach mbainfeadh sé daoithe é go bhfiafróchadh duine inteacht daoithe é. Ansin d'imigh sí léithe agus ní fhacthas amharc ní ba mhó uirthi.

7.4 NAOMH BRÍD

Fada ó shin bhí Naomh Bríd ina girseach bheag ar fostódh ag Páganach. Bhí páistí bochta gaelacha na gcónaí in aice léithe. An t-arán a bhí ar fáil aici, chuirfeadh sí isteach ina naprún é go dtabharfadh sí do na páistí a bhí ag fanacht léithe ag an tobar é. D'inis máthair na bpáistí do bhean eile go bhfaigheadh a cuid páistí bás ón ocras ach gurb é an ghirseach seo. Chuala an maighistir é go raibh sí ag tabhairt aráin do na páistí. Chuaigh sé lá amháin i gcúl an chlaí go bhfeicfeadh sé Bríd ag teacht chun tobair. Agus bhí an t-arán léithe ina naprún. Chuir sé ceist uirthi goidé a bhí léithe ina naprún agus dúirt sise nach raibh dadamh. D'iarr sé uirthi a naprún a scaoileadh. Scaoil agus thit cnap fiodhach amach. Thiontaigh an t-arán isteach na fhiodhacha.

Chuaigh sí chuig an tsagart agus d'inis sí dó goidé a d'éirigh daoithe. Chuir seisean ceist an é cuid an mhaighistir a bhí sí a tabhairt do na páistí.

Dúirt sise nach b'é ach an fuílleach a bhí aici féin. Dúirt sé léithe gur Naomh a bhí inti agus chuaigh sise ins na mná rialta.

7.5 AN MHUINTIR A BHÍ ISTIGH SA BHINN

Lá amháin bhí fear ag siúl i roilig agus casadh chloigeann duine air. Bhuail sé cic ar an chloigeann agus labhair an cloigeann leis. "Bhí mise lá chomh maith leat féin". Chuaigh sé chuig an tsagart agus ní thiocfadh leis an tsagart maithiúnas a thabhairt dó. Chuir an sagart chuig an Easpag é agus ní thiocfadh leis an Easpag maithiúnas a thabhairt dó.

Chuir an tEaspag go dtí bun binne é a chur isteach a bhreithiúnais aithrí.

Bhí sé ann ar feadh cupla oíche ag urnaí. Oíche amháin d'fhoscail doras sa bhinn agus bhí solas breá istigh. Smaointigh sé go rachadh sé isteach ar an fhoscadh. Nuair a chuaigh sé isteach bhí seanbhean ina suí sa chlúdaigh. Bhí an seanduine ina shuí ag an tine agus bhí bean óg ghasta ag gabháil thart i lár an urláir agus tormán mór aici. Chuir sé ceist ar an tseanduine "nach suaimhneach an bhean atá sa chlúdaigh?", "Tá sí suaimhneach ar an tsaol seo agus bhí sí suaimhneach ar an tsaol eile. Ba í an chéad bhean a phós mise, an tseanbhean sin".

Sin an dara bean a phós mé. Ní thug sí suaimhneas domh ar an tsaol eile. Níl sí ag tabhairt suaimhneas ar bith domh féin nó do mo sheanmhnaoi ach oiread".

Dúirt an seanduine leis "An dochar ceist a chur ort goidé a thug anseo tú".

"Níl", ar seisean, "bhí mé istigh i roilig lá amháin agus bhuail mé cic ar chloigeann duine. Chuaigh mé chuig an tsagart agus ní thiocfadh leis maithiúnas a thabhairt domh. Chuaigh mé chuig an Easpag agus ní thiocfadh leis maithiúnas a thabhairt domh. Chuir an tEaspag go dtí bun na binne sin amuigh mé a dh'urnaí agus nuair a chonaic mé an solas tháinig mé isteach.

"Tchím", arsa an seanduine "agus nach doiligh domhsa maithiúnas a thabhairt duit agus gur mo chloigeann ar bhuail tú cic uirthi".Thug an seanduine maithiúnas dó ansin.

7.6 AN GAEL AGUS AN tALBANACH

Bhí Gael agus Albanach ann uair amháin. Lá amháin bhí siad ag siúl thart ag taobh roilig Ghaelach. Chuaigh an tAlbanach isteach sa roilig agus bhuail sé a chois in éadan blaosc cloigne. Nuair a chuaigh sé amach taobh amuigh den roilig d'éirigh a chois nimhneach.

Chuir sé ceist ar an Ghael goidé ba chiontaí leis seo. Dúirt seisean nach raibh a fhios aige. Thug sé chun an bhaile leis é. Ní raibh a fhios acu sin. Chuir siad fhad leis an tsagart é. Ní raibh a fhios aigesean. Chuir seisean fhad leis an easpag é. Ní raibh a fhios aigesean. Chuir seisean fhad leis an Chairdinéal é. Ní raibh a fhios aigesean. Chuir seisean fhad leis an Phápa é. Ní raibh a fhios aigesean.

Thug sé amach fhad leis an doras (é). Thaispeáin sé oiléan amuigh i lár na farraige dó. D'iarr sé air a ghabháil fhad leis an oileán sin. Chuaigh sé. Nuair a chuaigh sé isteach bhí seanduine agus seanbhean ina suí sa chlúdaigh. I lár na hoíche thoisigh sé a inse dó fána chois. Dúirt an tseanbhean gur a cloigeann a bhí ann. Thug sí maithiúnas dó agus d'imigh sé agus biseach ar a chois.

Chuir sí fhad leis an Phápa é. Chuir sise fhad leis an Chairdinéal é. Chuir an Cairdinéal fhad leis an Easpag é. Chuir an tEaspag fhad leis an tsagart é agus chuir an sagart chun an bhaile é.

7.7 SCÉAL MHAOISE

Fada go leor sula dtáinig Maoise chun tsaoil bhí a fhios go raibh a leithéid ag teacht agus go bhfaigheadh sé buaidh an rí. Rinne an rí dlíodh na gasúraí a thiocfadh chun tsaoil a bháthadh. Tháinig Maoise ar an tsaol agus choinnigh a mháthair i bhfolach é ar feadh ceithre mhí.

Ansin rinne sí réidh bascóid agus chuir sí an leanbh isteach inti agus d'fhág sí thíos san abhainn í. Bhí iníon ar fostódh ina banaltra ag bean an rí agus bhí a fhios aici cén t-am a rachadh sí síos a shiúl a chois na na habhanna agus casadh an bhascóid uirthi. Thug sí isteach an gasúr. Chuir sí an bhanaltra ar lorg bean a dhéanfadh fostódh léithi fá choinne an leanbh a oiliúint. Agus ní nach ionadh fuair an mháthair an posta agus gan fios ar bith ag bean an rí air.

Bhí Maoise ina bhuachaill agus lá amháin thit sé féin agus clann an rí amach le chéile. Ansin fuair an rí amach cé é féin agus b'éigean do Mhaoise teitheadh. Chuaigh sé a shréadaíocht. Lá amháin labhair Dia leis agus dúirt go gcaithfeadh sé féin agus a mhuintir cogadh a chur ar an rí agus é féin agus a chuid daoine imeacht as an tír. Thoisigh an cogadh. Bhí Maoise ag baint i dtólamh ó éirí gréine go luí gréine. Bhíodh sé ag cailleadh san oíche. Lá amháin bhí an taobh eile a chóir buailte aige. D'iarr sé ar an ghrian fanacht ar an spéir dhá uair ní b'fhaide go dtí go dtug sé bualadh maith don námhaid. Ansin d'imigh sé féin agus a chuid daoine. Lean an námhaid iad le arm mór eile. Leag Maoise a shlat ar an abhainn agus thriomaigh pasóid anonn. Nuair a bhí Maoise ar an taobh thall bhí an námhaid leath bealaigh trasna. Leag sé a shlat arís. Dhruid an t-uisce agus báitheadh iad. Aníos as an uisce tháinig pláighe lócast agus 'mowdies'. Chuaigh Maoise agus a dhream ar aghaidh go dtí go dtáinig siad go

312

dtí bun cnoic. Chuaigh sé suas go barr agus scríobh Dia na deich n-aithne dó ar lic chloiche, triúr acu do Dhia é féin agus an tseachtar eile do Mhaoise agus do na chuid comharsanach.

Ag teacht anuas dó bhí gamhain óir déanta ag na daoine ag bun an chnoic. Tháinig corraí mhillteanach ar Mhaoise Bhuail sé an dá lic in éadan an ghamhna agus rinne sé giotaí miona den iomlán. Chuaigh sé suas go barr an chnoic arís. D'fhan sé thuas dhá fhichid lá agus scríobh Dia na deich n-aithne arís dó.

Nuair a tháinig sé anuas chuaigh siad ar aghaidh leo. Ní raibh a dhath acu le hithe ach mana bán. Chaithfeadh siad oiread a phiocadh achan mhaidin agus a dhéanfadh go maidin lá tharna mhárach iad. Labhair Dia leo go gcaithfeadh siad a bheith ar seachrán fríd an fhásach dhá fhichid bliain, bliain os coinne achan lá a raibh Maoise ar bharr an chnoic.

Ní bhfuair aon duine den dream isteach sa tír a bhí geallta daofa ach beirt. Chaithfeadh siad a bheith faoi fhichid bliain. Lá amháin thug Dia leis Maoise go barr cnoic. Thaispeáin sé an tír uilig dó. Fuair Maoise bás agus ní raibh a fhios ag duine ar bith cén áit ar cuireadh é.

7.8 NA TRÍ PAIDREACHA

Bhí fear ann uair agus fuair a mháthair bás. Sul a bhfuair sí bás d'iarr sí ar a fear trí paidreacha agus trí ámáiria a rá achan oíche agus achan mhaidin fá choinne é a shábháil.

Lá amháin bhí sé féin agus fear eile a bhí ar meisce ag siúl an bealach mór agus chonaic siad taibhse agus thit an fear a bhí ar meisce isteach i ndíg agus d'imigh an fear nach raibh ar meisce chun an bhaile. Nuair a bhí sé sa bhaile chuaigh sé a luí agus nuair a bhí sé istigh (sa leabaidh) smaointigh sé nár dhúirt sé na trí paidreacha agus amáiria agus tháinig sé amach agus dúirt sé iad.

Nuair a bhí sé istigh sa leabaidh arís agus an t-éadach air tháinig an diabhal agus an fear meisce leis ina bhéal agus dúirt sé leis an fhear a bhí ina luí go hádhúil gur dhúirt tú na trí paidreacha agus na trí amáiria (nó) bheifeá liomsa anocht i gcuideachta an fhir seo.

7.9 GASÚR SRATH CAONACH

Bhí gasúr thoir i Srath Caonach agus ní raibh sé chomh cliste le duine eile. Ba ghnách lena mhuintir bheith ag troid lena gcomharsanaigh. Lá amháin bhí an gasúr beag seo ag buachailleacht amuigh sa chnoc agus tháinig bean fhad leis a raibh culaith gheal uirthi. Ní raibh aon deor bhainne ag an eallach agus d'iarr sí air nuair a rachadh sé chun an bhaile é a rá lena mháthair an bhó a bhlighe.

Nuair a chuaigh seisean chun an bhaile d'iarr sé seo ar a mháthair. Dúirt an mháthair leis goidé mar bhlighfeadh sí í agus gan aon deor aici. Leis an ghasúr a shásamh thug sí léithe canna agus chuaigh sí amach a bhlighe na bó. Fuair sí lán canna bainne aici agus ón lá sin amach bhí neart bainne acu.

D'iarr an bhean gheal air fosta a rá lena mháthair nuair a bheadh corraí uirthi an píopa a chaitheamh. Chuir an mháthair ceist air cé a d'iarr sin air agus dúirt seisean gurbh í an bhean gheal a tháinig chuige thuas ar an Droim Fhada. Achan uair ina dhiaidh sin nuair a thiocfadh fear na comharsan fhad leis an teach a chur troda uirthi bhéarfadh sise léithe an píopa. Cha dtearna sí lá troda ní ba mhó go bhfuair sí bás.

Ní raibh i bhfad i ndiaidh an gasúr an bhean gheal a fheiceáil go bfuair sé féin bás agus deirtear gurbh í an Mhaighdean Mhuire a chonaic sé.

7.10   EILÍS AN BHANRÍON

Bhí banríon ann uair amháin a raibh Eilís uirthi. Bhí sí iontach naofa agus fial. Bhí fear óg aici ag obair daoithe agus í ag tabhairt páighe dó. Bhí fearg ar chomrádái de a bhí ag an rí agus rinne sé scéala air. Bhí fearg ar an rí ansin agus chuir sé fá choinne fir a raibh áithe aoil aige. D'iarr sé air greim a fháil ar an fhear a chuirfeadh seisean chuige lá tharna mhárach ag cur ceiste air an dtearna sé an t-ordú a fuair sé agus é a chaitheamh isteach sa tine.

Ar maidin lá tharna mhárach chuir an rí an fear óg seo a bhí ag an bhanríon leis an scéala seo agus ar a bhealach chuaigh sé isteach go teach pobail. Bhí Aifreann ag toiseacht agus d'fhan sé gur éist sé é agus ceann eile lena chois. Nuair a bhí a athair ag fáil bháis d'iarr sé air gach Aifreann a éisteacht go deireadh. Ní raibh foighid ag an rí agus chuir sé an fear a rinne an scéala ar an chéad fhear go bhfeiceadh sé an dtearna fear na háithe an t-ordú a fuair sé agus cionn is gur eisean an chéad fhear a shroich an áit beireadh air agus caitheadh isteach sa tine é.

Nuair a bhí an tAifreann éistithe ag an chéad fhear chuaigh sé leis an ordú a fuair sé féin. Hinsíodh dó go dtearnadh an t-ordú a thug an rí. Phill seisean chuig an rí ansin agus bhí iontas ar an rí. Nuair a d'inis an fear seo goidé a tharla bhí a fhios ag gach duine goidé an chumhacht a bhí ag Dia.

7.11   COLMCILLE AGUS AN DÁ GHIRSEACH

Fada ó shin ba ghnách le Naomh Colmcille a theacht chun na paróiste seo ó am go ham. Bhí dúil mhór i bpáistí aige agus chaitheadh sé a chuid ama uilig ag súgradh leo agus ag cur ceisteannaí orthu agus d'inseochadh siad a gcuid trioblóidí beaga uilig dó.

Lá amháin d'éirigh dhá ghirseach bheaga as Machaire Gáthlán go luath ar maidin agus d'imigh siad chun an Bhun Bhig fá choinne aráin. Is é an fáth ar éirigh siad go luath nó bhí eagla orthu go gcasfaí Colmcille orthu agus go mbeadh sé ag iarraidh cuid den arán orthu agus bhí siad fá choinne corr bealaigh a dhéanamh air.

Tháinig siad aniar an tráigh agus nuair a bhí said ag gabháil thart ag Teach na Mná Mire ar a gcosán chun an bhaile cé a casadh orthu ach Colmcille. Chuir sé ceist orthu cá raibh siad agus d'inis siad dó agus ansin chuir sé ceist orthu an raibh arán ar bith leo agus dúirt siad nach raibh.

314

Níor dhúirt Colmcille dadaidh ach d'imigh sé leis.

Thoisigh na cailíní a chaint eatorthu féin ar an chleas a d'imir siad ar Cholm agus shéid na gáirí acu. Le sin féin mhothaigh siad na málaí ag éirí iontach trom agus thit an dá thoirtín amach ar an talamh agus i bpreabadh na súl rinneadh dhá chloich mhóra den dá thoirtín agus tá an dá chloich sin le feiceáil thíos ar thráigh Mhachaire Chlochair go fóill.

7.12   AN DÁ ALBANACH

Bhí fear agus bean ann uair amháin agus bhí beirt mhac acu agus bhí siad iontach cliste agus d'imigh siad fá choinne a bheith ina maighistrí. Nuair a d'imigh siad ar an traen tháinig gasúr eile ar an traen ina gcuideachta le bheith ina shagart. Chuir sé ceist ar an da ghasúr cá raibh siad ag gabháil. Dúirt siad leis go raibh siad ag gabháil go dtí an choláiste le bheith ina maighistrí agus dúirt seisean go raibh seisean le bheith ina shagart.

D'iarr sé ar an bheirt acu a bheith leis agus d'iarr an bheirt acusan ar an ghasúr a bheith leofa. Ansin dúirt siad go gcaithfeadh siad crainn. Dúirt an gasúr ''má thiteann sé ar mo chrannsa a ghabháil libhse, rachaidh mé agus má thiteann sé oraibhse a ghabháil, an rachaidh sibh?'' ''Rachaidh go cinnte''. Chaith siad na crainn agus thit sé ar na hAlbanaigh a ghabháil leis an Ghael.

Dúirt fear acu ''rachaidh mise''. Dúirt an fear eile. ''Ní rachaidh mise'' agus d'imigh siad leo. Nuair a tháinig an fear amach ina mhaighistir tháinig sé chun an bhaile agus bhí lúcháir mhór roimhe agus d'inis sé goidé mar a bhí agus cupla bliain ina dhiaidh sin fuair an sagart amach agus chuaigh sé leis an tsagart eile.

Chuaigh an maighistir a dh'amharc orthu agus thug siad cuireadh dó a theacht chuig féasta agus tháinig. Bhí feoil ar an tine agus is í an Aoine a bhí ann. Tháinig an sagart aníos go dtí an tine agus thóg sé an clár den phota agus bhí an diabhal istigh sa phota. Chuir sé ceist ar an mhac goidé a bhí ins an phota agus dúirt sé gur feoil a bhí ann. ''Gabh aníos go bhfeice tú'' agus tháinig. Thit sé i laige agus thoisigh sé a screadaigh agus tháinig siad aníos agus thóg siad í. Ansin d'amharc siad sa phota agus chonaic siad an diabhal céanna agus d'iarr an t-athair ar an mhaighistir é a chur ar shiúl agus ní raibh sé ábalta. Ansin chuir an sagart an ribín air agus d'iarr sé ar an fhear eile cuidiú leis agus ní raibh siad i bhfad ag léamh nó gur imigh sé. Ansin thiompaigh siad uilig ina gCaitlicigh.

7.13   TEACHTAIRE DÉ

Bhí fear ann uair amháin agus bhí sé ina chónaí ar chnoc. Bhí asal agus gabhar aige agus bhí an baile mór dhá fhichead míle ar shiúl uaidh agus bhíodh sé seacht lá ar an bhealach. Bheadh oiread leis chun an bhaile agus a dhéanfadh é go ceann míosa. Ní bheadh sé ag sagart ar chor ar bith agus bheadh sé ag urnaí nuair a bheadh sé ag coimheád a chuid caoirigh. Lá amháin d'éirigh sé tinn agus ní raibh sé ábalta a dhath a dhéanamh. Bhí sé ag tabhairt píosaí beaga aráin choirce don asal. Thoisigh an asal a bhúirthigh agus ní raibh sé ábalta ciall a chur inti. Bhí fear bocht ag siúl amuigh agus chuala sé an asal ag búirthigh agus chuaigh sé a chuartú asal. Ansin tháinig sé chun dorais agus d'fhoscail an doras agus isteach leis. "Go mbeannaí Dia anseo" arsa an fear siúil. "Dia is Muire duit" arsa an fear a bhí istigh. Tháinig sé aníos agus dúirt "an bhfuil tú tinn?". "Tá cinnte". "An bhfuil an bás agat?" "Ó, níl. Cad chuige a ndeir tú sin? Ní dheachaigh mise ar mo ghlúine ariamh nó chuir mé paidir le sagart a bheith agam ar uair mo bháis". "Bhail, mise teachtaire Dé" agus bhí lúcháir mhór ar an fhear agus d'éirigh sé ar a thóin sa leabaidh agus chuir an sagart an ola air. Fuair an fear bás sular fhág sé an teach agus chuaigh a anam isteach chun na bhFlaitheas.

7.14   PEADAR DUBH AGUS DÓNALL GORM

Bhí beirt deartháir Peadar Dubh agus Dónal Gorm in Éirinn in am na géarleanúna agus sagairt a bhí iontu. Bhí siad ar a seachnadh. Beireadh orthu. Bhíthear le iad a chur chun báis ach dá n-athróchadh siad a gcreideamh, gheobhadh siad cead a gcinn. Rinne fear amháin acu Dónall Gorm sin le heagla roimh an bhás. Bhí an sagart eile sa phríosún ag fanacht lena thriall.

An lá roimhe ré tháinig ministir isteach a dh'amharc air. Chuir sé ceist ansin air an raibh sé ag gabháil a athrú agus dúirt sé nach raibh. Chuir sé ceist ansin air an raibh a fhios aige duine ar bith a bhéarfadh focal ar a shon. Dúirt sé nach raibh (a fhios). Arsa an ministir ansin "beidh mise i dTeach na Cúirte. Beidh mé ar cheann na sraithe agus beidh ribín glas uaine ar mo hata. Cuirfear ceist ortsa an bhfuil aon duine le labhairt ar do shon. Sin thusa do mhéar ormsa".

Tharlaigh mar a dúirt sé. Tháinig an ministir chun tosaigh agus fuair sé cead labhairt. Chuir sé an scrúdú seo ar mhinistir eile a bhí in éadan an tsagairt:-

"Cé a rinne ministir duitse?"

"Rinne an tEaspag".

"Cé a rinne Easpag den Easpag?"

"Tá Easpag eile".

Ansin cheistigh sé an sagart:

"Cé a rinne sagart duitse?"

"Rinne an tEaspag".

"Cé a rinne an tEaspag?"
"Rinne an tArdEaspag".
"Cé a rinne an tArdEaspag?"
"Rinne an PríomhÁidh".
"Cé a rinne an PríomhÁidh?".
"Rinne an Cairnéalach".
"Cé a rinne an Cairnéalach?"
"Rinne an Pápa".
"Cé a rinne a Pápa?"
"Rinne béal Dé".

Thiompaigh sé ansin ar an bhreitheamh agus arsa seisean "Anois an fear atá déanta ó théal Dé, tá sibh a chur chun báis agus an fear nach bhfuil ach déanta ó Easpag go hEaspag, tá sibh á ligean beo". Fuair an sagart ar shiúl saor".

Rinneadh ministir de Dhónall Gorm. Bhí a dheartháir Peadar Dubh ina shagart paróiste sa pharóiste chéanna ina raibh sé. Chastaí ar a chéile iad go minic, an sagart ag gabháil a rá Aifrinn i dtoigh an phobail agus an ministir ag gabháil go dtí an Teampall Gallda. Arsa Dónall Gorm lá le Peadar Dubh "duine ag gabháil soir agus duine eile ag gabháil siar agus tchí an Rí más é is cóir". D'fhreagair an sagart "chan sin mar atá ach fear ag gabháil síos agus fear ag gabháil suas agus tchí an Rí más é an cóir".

Nuair a chuala a mháthair goidé a rinne Dónall Gorm bhí a croí cráite. Arsa sise:

"Till, Till a ruán, Till, a ruán ó
Mo bheannacht duit in mar bpillfidh
Ar ndóighe duine gan dóigh tú is d'imigh tú".

Phós Dónall Gorm agus bhí teaghlach aige. Nuair a bhí sé ag gabháil in aosdacht bhuail breoiteacht é agus bhí sé tamall fada ina luí tinn. Ba mhaith leis an tsagart a ghabháil a dh'amharc air ach bhí a fhios (aige) nach mbeadh an bhean agus an teaghlach sásta.

Nuair a bhí an Dónall ag gabháil sa déanach chuaigh an sagart lá amháin go dtí fuinneog sa tseomra a raibh an ministir ina luí ann. Labhair sé leis fríd an fhuinneog. D'iarr air a lámh a chur amach agus go dtabharfadh sé maithiúnas dó i ngach olc dá dtearna sé. Is é an freagra a thug Dónall air gur bocht an rud dó náire a thabhairt dá chlann i mBaile Átha Cliath. Nuair a bhí an sagart tuirseach ag díospóireacht leis, arsa seisean. "Tairgimsa mo chuid féin do dhiabhal Ifrinn duit" agus d'imigh leis. Fuair an ministir bás.

NA FIANNA

8.1 BRAN AGUS AN FATHACH

Lá amháin tháinig fathach mór go hÉirinn agus chuir sé troid ar na Fianna. Bhí cár aige chomh fada le claidheamh agus bhí craiceann air chomh cruaidh le hiarann. Chuir sé troid ar na Fianna. Thoisigh sé gur mharaigh sé céad go leith con agus céad go leith fear. Stróc sé lena chár fhada ghéar iad agus bhí cuma air go muirfeadh sé uilig iad.

Dá mbeifeá á bhualadh i rith an lae ní bhainfeá aon deor amháin fola as. Bhí dhá choin ag Fionn Mac Cumhaill darbh ainm Bran agus Sceolann. Bhí Sceolann maith ach bhí Bran ní b'fhearr. Ní raibh aon chú i nÉirinn a bhí chomh maith léithe.

Bhí na Fianna ag iarraidh ar Fhionn an cú a ligean amach go muirfeadh sí an fathach. Ní ligfeadh Fionn amach é ar eagla go muirfí é. Sa deireadh d'imigh sé síos gleann. Bhí sé ina sheasamh thíos ann ag fanacht le Bran a theacht go muirfeadh sé é.

Bhí ball bog amháin i gcúl a chluaise deise ag an fhathach. Sa deireadh lig Fionn ar shiúl an cú. Shín an cú í féin agus bhí a bolg chóir a bheith buailte ar an talamh. Nuair a tháinig an cú fhad leis an fhathach d'éirigh sí de léim amach ón talamh agus cá háit ar bhuail sí é ach sa bhall bhog a bhí i gcúl a chluaise deise. Mar bhí meas ag Fionn agus ag na Fianna ar an chú bhí a dhá oiread sin acu uirthi ina dhiaidh sin.

8.2 CLOCHÁN NA bhFÓMHÓRACH

Fada ó shin bhí fathach in Éirinn agus ceann eile in Albain. Bhí siad chomh mór is nach ligfí ar bhád iad nó dá mbuailfeadh an t-ocras iad d'íosfadh siad na daoine a bheadh ar bord. Bhí siad chomh láidir sa ghuth go dtiocfadh leo caint le chéile ó Aontraim go Stranrár. Uair amháin thit siad amach le chéile sa chomhrá. Chuir fathach na hÉireann troid ar fhathach na hAlban ach ní raibh a fhios acu goidé an dóigh a bhfaigheadh siad fhad le chéile.

Gheall gach duine acu a ghabháil leath bealaigh. Thoisigh achan fhear acu a dh'obair fear na hÉireann ag déanamh an chlocháin. D'oibir siad ar feadh tamaill ach ní dhearna siad ní ba mhó. Ta Clochán na bhFomhórach le feiceáil i gCondaidh Aontroma go fóill.

8.3   GOLL

Nuair a tháinig Goll ar an tsaol bhí sé trí lá agus trí oíche gan néal a chodladh ach ag caoineadh. Bhí a mhuintir scanraithe mar shíl siad gur an bás a bhí aige. Chuaigh siad chuig an rí agus chuir ceist air goidé a dhéanfaí leis. D'iarr seisean orthu beirt bhan a thabhairt chuige agus bainne a thabhairt dó. Rinne siad sin ach ní dhearna sin maith. D'iarr sé triúr ban a thabhirt chuige. Thug agus chodlaigh sé.

Bhí a fhios ag an rí ansin go mbeadh Goll iontach láidir nuair a thiocfadh ann agus bhí eagla air roimhe. Chuir sé amach a chuid saighdiúr le breith air ach thug a mhuintir leo Goll agus chuir siad in uamhach faoin talamh é agus é ceangailte le slabhraí. Ní raibh aithne aige ar aonduine ach an gasúr a rachadh lena chuid agus bhí scaifte gasúr ag iomáint taobh amuigh de theach na scoile. Bhuail siad an gasúr agus bhris siad an crúiscín a raibh cuid bídh Ghoill ann. Bhí Goll ag coimeád air seo agus bhris sé na slabhraí is siúd amach é gur mharaigh sé na gasúraí ach an méid acu a theith.

Chuaigh an t-iomrá amach ansin fá dtaobh de agus fuair an rí amach go raibh sé beo go fóill. Thug sé ordú dona chuid saighdiúr breith air ach d'imigh Goll anonn chun na Spáinne. Oíche amháin rinne sé brionglóideach go raibh an tóir ina dhiaidh agus go mb'fhearr dó pilleadh agus bás a fháil sa bhaile ná i lúb na gcoimhthíoch.

Phill sé chun an bhaile ar ais agus fuair an rí amch go dtáinig sé. Chuaigh sé ar a thóir ar ais agus d'imigh Goll isteach go raibh sé istigh ar chreig i lár na farraige. Bhí sé ansin agus ní raibh aon ghreim le hithe aige ach an méid den tsáile a d'ólfadh sé. Lá amháin chuaigh bean fhad leis agus d'iarr sí air bainne a ól uaithi ach dúirt sé léithe gur rud nach dtearna sé ariamh comhairle mná agus nach ndéanfadh sé é anois ach oiread.

"Comhairle mná ó thuaidh nó ó dheas
Ní thearnas agus ní dhéanfad".

(Tá leagan díreach cosúil leis seo a scríobh Ester Ní Fhearraigh ón fhear chéanna ar an 17.2.1938, Cóipleabhar 8 leathanaigh 22-26 ach go bhfuil an rann seo ann a dúirt Goll fán ocras a fuair sé ar an chreig:

Deich dtráth fhichead beo gan bhia
In áit nach raibh aon neach romham ariamh
Ar an Charraig Mhara taobh ó thuaidh
Ag ól an tsáile sheirbh chruaidh.)

8.4   OISÍN

Oisín an duine deireannach de na Fianna a bhí beo anseo. Bhí sé ina chónaí ag Naomh Pádraig. Bheadh sé féin agus cailín Naomh Pádraig ag troid is ní thiocfadh le duine ar bith a sháith a thabhairt le hithe dó. B'éigean do Naomh Pádraig amharc na súl a bhaint de.

Bhí cú aige agus bhí coileáin aici. D'iarr Oisín ar bhuachaill Naomh Pádraig na coileáin a thabhairt dó. Thug sé chuige iad is bhuail Oisín in éadan an bhalla iad. Níor ghreamaigh den bhalla acu ach ceann amháin. D'iarr sé ar an bhuachaill iad uilig a mharbhadh ach an coileán a ghreamaigh den bhalla. D'iarr sé air é sin a choinneáil.

Lá amháin nuair a bhí an coileán mór d'imigh Oisín agus buachaill Naomh Pádraig a sheilg. Nuair a bhí siad giota ar shiúl chonaic siad beathach mór is lean an cú é. Mharaigh sé é is tháinig sé go dtí na fir arís is a bhéal foscailte. Thóg Oisín cloch is d'iarr sé ar an bhuachaill inse dó cá raibh an cú anois nó go mairfeadh sé iad cionn is nach raibh a sháith seilge déanta aige. Chaith sé an chloch is chuir sé isteach i mbéal na con í agus amach ar a sceadamán agus mharaigh sé í.

Thug sé leis scian ansin agus thoisigh sé a bhaint an chroicinn den bheathach. Nuair a bhí an croiceann de ag Oisín thoisigh sé a ithe na feola fuaire. D'imigh an buachaill chun an bhaile le heagla roimh Oisín. Nuair a bhí a sháith ite aige thoisigh sé a shiúl agus ag déanamh amach a chosáin lena chuid lámh. Sa deireadh tháinig se go dtí nead éanlaith. Chuir sé a lámh isteach sa nid agus fuair sé fáinne ann. Chuir sé ar a mhéar é agus chomh luath agus a rinne sé sin fuair sé amharc na súl arís.

Tháinig sé chun an bhaile go dtí teach Naomh Pádraig is duilleog eidhinn agus giota de chaora sréana leis. Dúirt sé leis an chailín go raibh an duilleog eidhinn chomh mór le bonnóig aráin a rinne sí ariamh is go raibh an chaora sréana chomh mór le meascán ime a rinne sí ariamh. B'éigean do Naomh Pádraig an t-amharc a bhaint de arís.

8.5   FATHAIGH

Bhí fear de na Fianna a raibh Fathaigh air agus rinne an sagart coinnealbháthadh air agus chuir sé ar shiúl as an áit é. Is é an fáth a bhí ag an tsagart le é a chur ar shiúl bheadh sé ag inse rudaí do dhaoine roimh an am. D'imigh sé leis ar a sheachnadh. San áit a raibh sé ní raibh mórán toithe pobail. Bheadh na sagairt ag léamh an Aifrinn amuigh sna cuibhrinn.

Nuair tháinig an Domhnach bhí an Fathaigh ag gabháil a éisteacht leis an Aifreann. Bhí na daoine uilig cruinnithe thart ag fanacht leis an Aifreann. D'iarr sé giota tobac. Labhair an Fathaigh seo agus d'iarr sé air an tAifreann a rá. Arsan an Fathaigh leis an tsagart - "D'fhág bean Gleann Domhain ar maidin inniu agus nuair a bheas an tAifreann thart beidh an bhean thuas ansin".

Nuair a bhí an tAifreann ráite ag an tsagart chonaic sé an bhean ag tarraingt air. Shín sé giota tobac chuig an Fhathaigh. Rinne an Fathaigh dhá leath de agus thug sé giota don tsagart. Chuir an sagart ceist air goidé an cineál fir a bhí ann. Dúirt sé go dtearna an sagart coinnealbháthadh air. Dúirt an sagart leis a ghabháil chun an bhaile nó nach dtiocfadh leis é a choinnealbháthadh nó go raibh maithiúnas le fáil ar an méid a rinne sé. Dúirt an bhean gur sin an fáth a dtáinig sí ansin gur iarr an sagart uirthi a theacht agus an Fathaigh a thabhairt chun an bhaile.

D'imigh an bheirt leo suas an cnoc. D'amharc an fear thart sula gcaillfeadh sé amharc deireannach na háite agus tháinig na deora anuas leis. Chuir an bhean ceist air cad chuige a raibh sé ag sileadh deor nó nár mhiste leis-sean fá dtaobh den áit. Arsa an Fathaigh - "Tá na daoine sínte ansin agus tá mé buartha fá dtaobh daofa. Tiocfaidh an gearrán bán agus scabfaidh sé amach as an talamh iad. Tiocfaidh an coinín ansin agus pollfaidh sé an talamh''.

Bhí sin fíor. D'imigh an bheirt acu amach an cnoc ag tarraingt ar Ghleann Domhain. Chuaigh siad chun an bhaile agus bhí an bheirt beo i gcuideachta a chéile go bhfuair siad bás.

8.6 TÓRAÍOCHT DHIARMADA AGUS GHRÁINNE

Nuair a bhí Fionn Mac Cumhaill ar thóir Dhiarmada agus Ghráinne tháinig siad fhad le Gaoth Dobhair. Bheadh Diarmaid agus Gráinne i bhfolach thiar i gcuid Sheáin Uí Ghallchóir i Machaire An Chlochair agus thuas ag bun na hEargaile dara gach oíche. Nuair a bheadh siad ag gabháil suas go dtí an Eargail thabharfadh siad leo gaineamh agus bheadh siad ina luí air. Agus nuair a bheadh siad ag teacht anuas bheadh fraoch leo agus luighfeadh siad air.

Nuair a chuirfeadh Fionn a ordóg isteach ina bhéal tchífeadh sé Diarmaid agus Gráinne ina luí ar ghaineamh. Thiocfadh siad anuas go dtí an fharraige agus chuartóchadh siad thart fá dtaobh den fharraige ach ní bhfaigheadh siad iad. An oíche a bheadh siad abhus ag an fharraige chuirfeadh Fionn a mhéar ina bhéal agus tchífeadh sé iad ina luí ar fhraoch. Rachadh sé suas go dtí an Eargal agus chuartóchadh sé iad ach ní bheadh siad le fáil aige ach oiread. Sin mar a fuair Diarmaid agus Gráinne ar shiúl ó Fhionn fhad agus a bhí siad san áit seo.

Tá lorg cos fir de na Fianna thiar ar lic i Machaire An Chlochair. Thug sé léim ó Inis Cúil go dtí an áit sin agus d'fhág sé lorg a chuid cos ins an lic. Throid sé féin agus fear eile de na Fianna agus marbhadh eisean. Tá sé curtha giota ón áit ar marbhadh é.

8.7   AN DHÁ FHATHACH

Bhí fathach thall i nAlbain agus smaointigh sé go dtiocfadh sé anall go gcuirfeadh sé troid ar an fhathach a bhí abhus in Éirinn. Chuir sé scéala anall go raibh sé ag teacht anall. Bhí eagla ar an fhathach agus d'iarr a mháthair air gan eagla ar bith a bheith air.

Thug sí léithe é agus chuir sí ina luí sa chliabhán é. D'iarr sí air gan bogadh. Tháinig an fathach go dtí an doras agus tháinig sé isteach. Chuir sé ceist cá raibh na fir. Dúirt sise go raibh siad amuigh is go mbeadh siad istigh ar a bhomaite. Chuir sé ceist cé a bhí sa chliabhán. Dúirt sise gur an leanbh. Chuaigh sé go dtí and cliabhán agus chuir sé méar isteach i mbéal an linbh go bhfeicfeadh sé an raibh fiacla aige.

D'iarr sé ansin giota feola agus arán a thabhairt dó. Dúirt an bhean nach raibh a dhath feola istigh. D'iarr sí air a gabháil amach chun an chnoic agus bollóg a tabhairt isteach agus a rósadh. Chuaigh sé amach agus thug sé isteach í. Rósadh an bhollóg agus d'ith sé í agus d'ith sé bonnóg arán choirce fosta. Bhí tart air ansin. D'iarr sé deoch uisce uirthi. Dúirt an bhean nach raibh aon deor uisce istigh aici go raibh sruthán beag thuas ansin os cionn an toighe, is go bhfaigheadh sé deoch.

Chuaigh sé suas go dtí an sruthán agus nuair a bhí sé crom, bhí cipiní thuas ag barr an tsruthán agus leig sí ar shiúl iad agus shlog an fathach iad agus tachtadh é. Bhí an fathach a bhí sa chliabhán sábháilte agus d'ith na héanacha suas corp an fhir a tachtadh.

AN CHRAOBH RUA

9.1 SCÉAL CHÚCHULAINN

Lá amháin bhí an Chraobhruaidh amuigh ag seilg agus d'éirigh sé mall orthu agus ní raibh áit ar bith acu le ghabháil. Bhí siad i bhfad ar shiúl ón bhaile. Chonaic siad solas agus tharraing siad air. Nuair a tháinig siad fhad leis an doras bhuail siad agus d'fhoscail an t-athair an doras agus chuaigh siad isteach.

Bhí lúchair ar mhuintir an toighe uilig agus is é an tuige a raibh lúchair orthu - tháinig leanbh chun an tsaoil ann an oíche sin. Agus dúirt Conall Cearnach go gcaithfeadh sé féin é a fháil.Níor mhaith leo é a thabhairt daofa ach thug. Thug siad leo é. Nuair a chuaigh siad a luí an oíche sin chruinnigh a gcuid claidheamhacha agus rinne siad cnap i lár an urláir. D'éirigh Conall agus d'amharc sé ar na réalta agus dúirt sé an té a mbeadh sé ar a thaobh gurbh fhearr daofa é.

D'éirigh siad ar maidin agus thug siad leo é. Bhí sé acu tamall maith agus tugadh leanbhán Chonaill air.Am amháin fuair siad cuireadh chun na bainse toigh an ghabha. Agus ní thug siad leo an gasúr ar chor ar bith. D'imigh siad agus tháinig siad go teach Chulann Gabha agus shuigh siad agus lig Culann amach an cú. D'imigh an gasúr agus níor stad sé go raibh sé ag teach na bainse.

Nuair a tháinig sé go dtí an geafta tháinig an cú air agus bhí an camán agus an chnag leis agus chuir sé an chnag isteach ar a bhéal agus bhí sé ag tafann agus mhothaigh an mhuintir a bhí istigh é agus tháinig cuid acu amach agus bhí an cú marbh. Thoisigh Culann a chaoineadh ach dúirt Conall leis go dtabharfadh sé an gasúr dó le bheith ag cosaint an toighe dó. Thug agus bhí sé chomh maith le cú aige. Sin an tuige ar tugadh Cúchulainn air. Bhí sé aige níos mó ansin. Bhí sé ag gardáil an toighe do Chulann níos mó.

9.2 CONALL CEARNACH AGUS NA TRIÚR FATHACH

Bhí fear ina chónaí i mBaile Átha Cliath uair amháin agus bhí triúr fathach aige. Bhí Conall Cearnach ar cuairt ag an fhear seo. Oíche amháin nuair a chuaigh sé a luí tháinig an fathach isteach chuige agus dúirt sé go raibh an bás ag a uncal agus a ghabháil chuige.

D'éirigh Conall agus rinne sé réidh agus nuair a bhí sé ag teach a uncail, ní raibh a dhath contráilte lena uncal. Chruinnigh Conall Cearnach arm mór saighdiúirí agus chuaigh sé go dtí teach na bhfathach agus thoisigh siad orthu gur mharaigh siad iad. Nuair a d'éirigh fear an toighe lá tharna mhárach chuaigh sé isteach ag gabháil a mhuscail na bhfathach agus nuair a chonaic sé iad marbh, tháinig corraí air agus ní raibh a fhios aige goidé a dhéanfadh sé. Fuair sé amach gur Conall Cearnach a rinne é agus bhí sé ag gabháil a mharbhadh. Dúirt sé leis go ndíolfadh sé a luach. Throid sé leis agus b'éigean dó é a dhíol sa deireadh. Bhí sé ina namhaid ní ba mhó.

9.3 CÚ CHULAINN AGUS FATHACH THORAIGH

Ins an am a raibh Cú Chulainn anseo, bhí fathach ina chónaí istigh i dToraigh. Ní raibh duine ar bith ábalta é a chur síos. Smaointigh Cú Chulainn go gcuirfeadh sé féin síos é. Maidin amháin, d'fhág sé an baile agus thug sé a aghaidh ar Thoraigh. Ní raibh a dhath leis ach bior tineadh. Nuair a shroich sé Toraigh chuaigh sé go dtí an fathach. Chuir an fathach ceist air goidé a thug ansin é. Dúirt Cú Chulainn gur le eisean a chur síos. D'iarr sé air pilleadh chun an bhaile agus go dtiocfadh leis a theacht ar ais tráthnóna lá tharna mhárach. D'imigh Cú Chulainn agus rinne sé mar a d'iarr an fathach air. Ag pilleadh go Toraigh lá tharna mhárach dó, ní raibh an fathach le fáil. Ní raibh sé i bhfad go dtáinig sé. Chuaigh sé chun comhráidh le Cú Chulainn. Dúirt sé leis go mbeadh sé a fhad ar aghaidh dá bhfanfadh sé sa bhaile nó nach ndéanfadh sé maith ar bith dósan. Dúirt sé go raibh sé ábalta a theacht ó Thoraigh go tír mór ag siúl ar an fharraige. Bheadh cliabh leis agus an méid éisc a gheobhadh sé, chuirfeadh sé sa chliabh é. Dhearg Cú Chulainn an bior ins an tine agus sháith sé isteach ina shúile é. Thit an fathach marbh ar an talamh. Tháinig Cú Chulainn abhaile agus é sona sásta.

9.4   CONCHÚR MAC NEASA

Bhí rí i gCúige Uladh darbh ainm Conchúr Mac Neasa. Bhí na hUltaigh agus na Connachtaigh i gcogadh le chéile. Cuireadh piléar i gclár an éadain i gConchúr agus thit sé ina chnap ar pháirc an áir. Ina dhiaidh sin thug na hUltaigh aire mhaith don rí. Nuair a d'imíodh na laochraí chun catha d'fhanadh Conchúr sa bhaile go huaigneach. Chuaigh na bliantaí thart agus bhí an rí ag éirí tuirseach lagbhríoch.

Lá amháin bhí sé ina shuí leis féin agus ualach trom ar a chroí. Mar a bhuailfeá do dhá bhois ar a chéile d'éirigh an spéir dubh dorcha. I gceann tamaill d'éirigh an spéir geal arís. Tháinig an draoi isteach chuig Conchúr. "A dhraoi" arsa Conchúr, "goidé is ciall den rud iontach seo a tharlaigh inniu. Ar cuireadh fearg ar na déithe?" "A rí Uladh" arsa an draoi, "níl ann ach aon Dia amháin. Is é a chruthaigh neamh agus talamh agus gach uile bhall den domhan. Ins an domhan thoir a tháinig sé chun an tsaoil. Rugadh é i dtrátha an ama a rugadh tú féin, a rí. D'oibrigh sé go cruaidh ar son na ndaoine ó tháinig ann dó. Thug sé bia don ocrach agus deoch don tartach. Goidé an meas a fuair sé nó chruinnigh na slóite air agus chuir siad chun báis é".

Ní mó ná go raibh an focal deireannach as béal an draoi nuair a bhí Conchúr de léim ina sheasamh. Sciob sé an chlaideamh a bhí crochta ar thaobh an bhalla agus amach leis mar a bheadh fear mire ann. Thoisigh sé ar na crainn dá mbualadh agus ag gearradh géaga agus duilliúir daofa le buillí tréana, troma. "Dá mbeinnse ar Shliabh Cheallbharaí inniu sin mar steallfainn na cinn daofa" arsa seisean. "An drong mhallaithe, is maith dá gcnámha féin nach bhfuil rí Uladh ansin inniu. Bhuailfinn mar bhuail mé ariamh agus bhéarfainn mac Dé slán as a lámha".

Ar an bhomaite thit an piléar amach agus bhí sé marbh.

SCÉALTA PISREOGACHA

10.1   DROCHAMHARC AR BHÓ

Bhí fear ann fada ó shin agus bhí bó bhreá aige agus smaointigh sé go dtabharfadh sé chun an aonaigh í le díol. Bhí neart bainne aici agus bhí séala a codach go maith uirthi. Ar a bhealach chun an aonaigh casadh fear air agus bheannaigh sé dó agus dúirt sé gur deas an bhó (í). Bhí an bheirt ina seasamh ag comhrá ar feadh leathuaire agus bhí an bhó ina seasamh ag a dtaobh.

Ní thiocfadh leis an fhear seo deireadh iontais a dhéanamh den bhó a choíche.
Sheasaigh fear na bó tamall eile agus dá seasaíodh sé ansin ó shin sheasóchadh seisean fosta. Sa deireadh rinne an fear ar leis an bhó spreachadh imeacht ach ní raibh an bhó ábalta siúl. Phill an fear chun an bhaile agus nuair a bhí a bhean ag gabháil á bleán ní raibh deor ar bith bainne aici.

Chuir an bhean ceist ar an fhear goidé a tháinig ar an bhó agus dúirt seisean nach raibh a fhios aige. Dúirt sé nach dteachaigh sé ach giota den bhealach agus go raibh fear ina sheasamh ag caint leis agus d'inis daoithe goidé an t-iontas mór a rinne sé den bhó agus dúirt sí leis gur drochamharc a rinne an fear uirthi.

10.2   MARBHADH NA CIRCE

Bhí bean ann am amháin agus ní dhéanfadh gath ar bith maith daoithe go rachadh a fear amach a iascaireacht. An tráthnóna a bhí ann an lá seo agus d'imigh an t-athair agus a bheirt mhac amach a iascaireacht agus ní raibh istigh ach an bhean ag coimheád an toighe. Ní raibh siad i bhfad amuigh gur éirigh an fharraige iontach garbh agus d'éirigh an ghaoth mór.

Bhí an bhean istigh agus is é an áit a raibh na cearca aici thíos i gceann an toighe. I dtráthaibh an dó dhéag a chlog san oíche rinne an chearc scairt.
Thóg sise fód mónadh agus chnag sí an chearc leis agus mharaigh sí í.
Mhothaigh sí glór taobh amuigh den teach agus is é an rud a dúirt an glór "Cad chuige ar mharaigh tú an chearc. Dá mbeifeá gan í a mharbhadh go mbeadh an mhuintir a bhí ar an fharraige sábháilte".

Bhí a fhios aici ansin go dtearna sí contráilte é agus níor mharaigh sí cearc ar bith a bheadh ag scairtigh ó sin amach.

10.3 BEAN NA bPIONNAÍ LÁ BEALTAINE

Bhí bean amuigh ag tabhairt bia do na cearca maidin lá Bealtaine agus bhí trí nó ceathair de phionnaí ina gúna aici. Tháinig bean fhad léithe agus d'iarr cupla pionna uirthi agus fuair.

An lá seo chuaigh an bhean a bhualadh maistriú agus ní raibh sí ábalta a chruinniú. Bhí sí ag bualadh ó bhí am dinnéara go dtí an oíche agus ní raibh sé buailte agus d'fhág sí ansin é.

An chéad lá eile d'éirigh an cleas céanna daoithe. D'inis seanbhean daoithe dá níodh sí na soithigh le uisce a bheadh eadar dhá bhaile go dtiocfadh an t-im ar ais.

Rinne sí sin agus bhí an t-im aici an chéad lá eile.

10.4 SCÉAL PISREOGACH

Chuaigh fear amach soir chun an Chorrmhín maidin lá Bealtaine amháin a sheilg agus bhí cú mór leis. Nuair a bhí sé féin agus an cú ar shiúl giota fada chonaic siad giorria. Chuir an fear an cú ina dhiaidh.

Deireann na seandaoine go dtig leis na seanmhná giorria a dhéanamh daofa féin lá Bealtaine.

Bhí go maith agus ní raibh go holc. D'imigh an cú i ndiaidh an ghiorria.

Chuaigh an giorria síos ag tarraingt ar bhóitheach agus nuair a bhí sé ag gabháil isteach ar an lindéir bhain an cú plaic as. Bhí an fear tuirseach agus nuair a tháinig sé fhad leis an teach chuaigh sé isteach. Bhí seanbhean ins an chlúdaigh agus chonaic sé fuil ag gabháil síos an t-urlár. Bhí a fhios ag an fhear ansin nach giorria a bhí ann ach bean a raibh pisreogaí aici.

Séamus Mac Giolla Bhríde
(An Priomhoide, Scoil Dhún Lúiche)

Rugadh Séamas Mac Giolla Bhríde i mBaile An Droichid, An Bun Beag ar 13ú lá de mhí na bhFuílleach, 1889. Jimí Eoghain Ruaidh a thugadh muintir na háite air.

Fuair sé a chuid oideachais i scoil Chnoc an Stolaire. Bhí sé ina mhonaiteoir ann sa bhliain 1906. Chuaigh sé go Coláiste De La Salle, Port Láirge idir na blianta 1907-1909 le cáiliú mar mhúinteoir. Theagasc sé i nGabhla 1911 agus i mBun an Inbhir agus i gCnoc Fola idir 1913-1918. Chuaigh sé go Muineachán a theagasc idir 1924-1929. Bhíodh sé ag teagasc na Gaeilge i nDún Dealgan gach uile Shamhradh. Tháing sé go Dún Lúiche sa bhliain 1929 agus d'fhan ag teagasc ansin go dtí an bhliain 1957. Fuair sé bás ar an 3ú lá de mhí na bhFuílleach 1965. Tá sé curtha i nDún Lúiche. Pósadh é ar Áine Nic Giolla Bhríde as Srath Caonach sa bhliain 1913. Fuair sise bás i 1955. Bhí iníon amháin acu Méaraí atá ina cónaí i nDún Lúiche. Bhí dúil mhór aige i gcrainn, i dtoir agus i mblátha eile. Ba mhór a dhúil fosta sa Pheil Ghaelach agus théadh sé go Páirc an Chrócaigh gach uile bhliain chuig an chluiche ceannais. Théadh sé go Glasgow na hAlban fosta a dh'amharc ar Celtic ag imirt ina gcuid cluichí móra. Bhí suim mhór ag Séamas agus ag a mhuintir i stair Ghaoth Dobhair agus is cinnte gur fhág sé an rian sin ar na páistí a theagasc sé i nDún Lúiche.

Scoil Dhún Lúiche.

Séamus Mac Giolla Bhríghde.

Seán Ó Dúgáin, Gleann Tornáin
(John Chit).

Brian Ó Broin, Loch an Iuir.

Seán Mac Cumhaill, Seanchaí. (Seán Mhicí).

Seán Ó Broin, Seanchaí.

Micheál Mac Cumhaill, Mín na Cuinge, Micí Beag Mhicí/Micí Rua.

SCÉALTA GRINN

11.1 IM AR AN DÁ THAOBH

Bhí bean ag bualadh maistriú lá amháin agus tháinig gasúr beag isteach agus choimheád sé í ag baint an im den chuinneoig. Nuair a bhí an t-im bainte aici thug sí ceapaire don ghasúr. Níor dhúirt an gasúr a dhath ach chrom sé a cheann. Chuir an bhean ceist air goidé a bhí cearr. Dúirt an gasúr nach raibh a dhath cearr ach go gcuireann a mháthair im ar dhá thaoibh an aráin.

Dúirt an bhean gur furasta sin a leigheas agus chuir sí im ar an dá thaoibh.

Ansin chuir sí ceist air an raibh sé sásta. Dúirt an gasúr go raibh ach gur mór an truaighe nach raibh taobh eile air.

11.2 AN FEAR A BHÍ AG BAINT PHRÉATAÍ

Bhí fear ag baint phréataí ag taobh an bhealaigh mhóir lá amháin agus nuair a bheadh rud beag bainte aige chuireadh sé isteach i mála iad. Tháinig fear cliste thart agus chuir sé ceist air cá mhéad mála a bhí bainte aige agus dúirt seisean nach ag baint málaí a bhí sé ach ag baint phréataí.

11.3.1 AN GASÚR AMAIDEACH

Bhí gasúr ag faoisidin lá amháin agus nuair a bhí a chuid peacaí inste aige don tsagart chuir sé ceist air an raibh a dhath eile le hinse. Dúirt an gasúr go raibh ach go raibh eagla air go n-inseochadh an sagart air é. Dúirt an sagart go mbeadh sé peacúil aige (gan) é a inse. Dúirt an gasúr go raibh nead aige a raibh trí huibhe uirthi. Ar maidin lá tharna mhárach chuaigh an sagart ar an altóir agus rinne sé seanmóir fá dtaobh den ghasúr a dúirt go raibh nead aige a raibh trí huibhe uirthi. D'éirigh an gasúr in airde ar an tsuíochán agus scairt sé "A ghiolla an bhéil mhóir bhí a fhios agam go n-inseochá é".

11.3.2 AN GASÚR AMAIDEACH

Bhí gasúr ar faoisidin lá amháin agus nuair a bhí deireadh a pheacaí inste aige don tsagart chuir sé ceist air an raibh a dhath eile le hinse aige.

Dúirt an gasúr go raibh ach go raibh eagla air go n-inseadh an sagart do gach duine é. Dúirt an sagart go mbeadh sé peacúil aige (gan) é a inse. Dúirt an gasúr go raibh nead aige thíos i dtóin an ghárraidh agus trí huibhe uirthi.

Níor lig an sagart a dhath air féin.

Ar maidin lá tharna mhárach is é an sagart sin a rinne an tseanmóir fá dtaobh de dhaoine nach bhfoghlaimíonn rud inteacht dá gclann. Dúirt sé go raibh gasúr ar faoisidin aige agus dúirt sé go raibh nead aige a raibh trí huibhe uirthi.

D'éirigh an gasúr go hard in airde agus scairt sé "A ghiolla an bhéil mhóir bhí a fhios agam go n-inseochá é".

11.4 AN tSEANBHEAN BHOCHT

Bhí seanbhean agus a mac ina gcónaí i dteach leo féin agus ba ghnách le bean bhocht a bheith ag gabháil thart achan lá. Lá amháin chonaic an bhean seo í ag teacht. Chuaigh sí i bhfolach síos chun an tseomra agus d'iarr sí ar an tseanduine a rá go raibh sí ar shiúl bealach inteacht. Dúirt an seanduine go ndéarfadh seisean sin.

Nuair a tháinig an bhean bhocht isteach chuir sí ceist cá háit a raibh an bhean a bhí anseo. Dúirt an seanduine go bhfuair sí bás tá cupla lá ó shin agus gur iarr sí (ise) an túirne agus an t-éadach a bhí anseo a thabhairt léithi.

Bhí lúchair mhór ar an bhean bhocht nuair a mhothaigh sí seo agus dúirt sí: "Tá súil a fhios agam go bhfuil sí ins an tseomra is deise do na Flaithis".

Bhí an tseanbhean thíos ins an tseomra ag éisteacht leo. Tháinig sí aníos as an tseomra agus thoisigh sí a mhallachtaigh ar an bhean bhocht. D'imigh an bhean bhocht amach ár an doras agus níor phill sí ní ba mhó.

11.5 BROIGHNÍ OSAID, A MHÁTHAIR AGUS AN FIABHRAS

Bhí Broighní aon uair amháin ag gabháil thart (ag) taobh staisiúin agus ghoid sé céad mine agus mála plúir. Tháinig na Gardaí ina dhiaidh. Ní fhaca sé iad go raibh siad deas don teach. Bhí a fhios aige go mbeadh sé gaibhte.

Chuir sé trí chliabh mónadh ar an tine agus chuir sé a mháthair ina luí ar an urlár agus cupla mála garbh thart uirthi. Tháinig na Gardaí go dtí an doras agus nuair chonaic siad an teach toighe a bhí aige agus a mháthair ina luí i lár an toighe chuir siad ceist air goidé a bhí contráilte.

"Tá" arsa Broighní "tá an fiabhras ar mo mháthair".

Scanraigh na Gardaí mar bhí eagla orthu go dtiocfadh an fiabhras orthu féin agus d'imigh siad ina rith an méid a bhí ina gcorp agus ní tháinig siad a chóir Bhroighní ní ba mhó.

11.6　CRUACH NA bPÍSÍN

Bhí fear eile ina chónaí i mBun An Leaca agus bhí Pádraig na Scuab mar ainm leasainm air cionn is go mbíodh sé ag díol scuab. Bhí sé lá amháin ag teacht anoir an Charraic agus bhí fear darbh ainm dó Eoghan Beag Eoghain Anna ag déanamh cruaiche. Bheannaigh sé am an lae do Phádraig agus bheannaigh Pádraig dó.

"A Phádraig", arsa seisean "goidé an dóigh ab fhearr cruach fhodair a chur i gceann a chéile sa chruth nach ndéanann na luchógaí dochar daoithe?" "Bhail", arsa Pádraig "ní fheicimsa dóigh ar bith lena dhéanamh ach í a chur i gceann a chéile go dtí an scimeal le písíní".

Ba é an tuige ar dhúirt Pádraig an focal sin cionn is go raibh "An Pisín Bán" mar leasainm ar Athair Eoghain Bhig.

11.7　SCÉALTAÍ GRINN

Bhí mná as na Rosaibh ag teacht aniar chun an Bhun Bhig lá amháin agus casadh bean orthu. Chuir siad ceist uirthi cá mhéad a bhí ar na huibheacha agus goidé an t-am a bhí sé. Seo an freagra a thug sí orthu: "Half past nine, close to ten, seven pence and how do you do".

....

Bhí Eoghan Ó Cóill ag teacht isteach as Doire lá amháin. Casadh bean air. Bheadh an bhean seo ag caint Béarla i gcónaí agus gan í ábalta. "Is far is Derry is here?" arsa sise le Eoghan. "Is fearr Doire i bhfad" arsa Eoghan.

....

Bhí fear ag gabháil chuig an Easpag uair amháin. Chuir an tEaspag ceist air - "Cad is Dul Faoi Lámh Easpaig ann?"
"Ó, a Easpaig" arsa an fear "cha dtig liom sin inse duit nó b'fhéidir go mbuailfeá buille orm i gclár m'éadain"

11.8　AN FEAR MEÁNAOSTA AGUS AN PÉAS

Bhí fear meánaosta ann fada ó shin a raibh asal agus carr aige. Ba ghnách leis a ghabháil chun an bhaile mhóir achan tráthnóna ar an charr agus a ghabháil isteach i dteach a leanna le cupla deoch a fháil agus ansin philleadh sé chun an bhaile roimh an oíche. Tráthnóna ámháin ar a ghabháil isteach dó cé a casadh air ach seanchara a bhí in ndiaidh a theacht as Meiriceá. Bhí fáilte mhór acu dá chéile agus mura raibh giota comhráidh agus cainte ar an tseanam idir an bheirt ní lá go fóill é. Níor mhothaigh siad cupla uair ag gabháil thart agus nuair a d'amharc an fear meánaosta amach bhí an oíche ann. "Dar fia" ar seisean, "tá an t-am agamsa an baile a bhaint amach nó níl solas ar bith agam ar an chara agus má thig

333

na péas orm cáineochaidh siad mé." Ar scor ar bith chuaigh sé i gceann an bhealaigh agus bhí go maith go dtáinig sé fá dhá mhíle de bhaile agus goidé a chonaic sé ag tarraingt air ach péas. "Maise, scrios dearg orthu", arsa seisean leis féin, "tá mé gaibhte anois agat ach imreochaidh mé cleas ort." Scaoil sé an asal amach as an charr agus chuir sé isteach ar an charr í agus thosaigh sé féin ag tarraingt an charr ina dhiaidh. Ní raibh sé i bhfad gur casadh an péas air. "Cá bhfuil do sholas," arsa an péas leis. "Cuir ceist ar an tiománaí" arsa an fear leis. Rinne an péas gáire agus shiúil sé leis.

11.9   ASAL MHICHEÁIL EOIN ÓIG

Cúpla scór bliain ó shin ní raibh mórán beithigh agus carranna ag muintir Ghaoth Dobhair agus ba ghnách leo a gcuid mónadh uilig a tharraingt chun an bhaile le asal agus dhá chliabh orthu. Lá amháin bhí fear darbh ainm Micheál Eoin Óig ag tarraingt móin chun an bhaile. Bhí asal Mhicheáil iontach fallsa agus chaitheadh sé bata a bheith leis i gcónaí le tabhairt uirthi siúl. Ach an lá seo casadh an sagart Mac Pháidín air agus é ag bualadh achan bhuille ní ba láidre ná an ceann eile ar an asal. "Stad sin" arsa an sagart le Micheál go confach! "Nach bhfuil a fhios agat gur asal a d'iompar ár Slánaitheoir go Iarúsaileim." "Más é" arsa Micheál, "b'fhada a bheadh sí seo a thabhairt ann."

11.10   AN CHORÓIN MHUIRE

Tháinig gasúr beag isteach chuig a mháthair lá amháin agus coróin mhuire leis a fuair sé caillte cois na habhanna. "Amharc, a mháthair" ar seisean "an choróin mhuire a fuair mé thíos ag an abhainn agus níl Dia ar bith air." (Bhí an íomhaigh ar shiúl den chros). "Cá bhfuil Dia do bharúil?" ar seisean léithe. "Ó, níl a fhios agam" a d'fhreagair an mháthair nó bhí sí gnoitheach ag déanamh rud éigin eile. Níor labhair an gasúr ar feadh tamall maith. Bhí sé ina shuí agus é ag amharc isteach sa tine. Sa deireadh las an aghaidh suas aige agus dúirt sé "Ó, a mháthair, tá a fhios agam anois cá bhfuil Dia. Cuirfidh mé geall leat go bhfuil sé amuigh ag snámh."

11.11 DIN AIRTÍN AGUS AN PAIDRÍN FADA

Bhí seanduine sa pharóiste seo roinnt blianta ó shin darbh ainm Din Airtín. Bhí Din Airtín iontach maith ag urnaí agus nuair a bheadh faire in áit ar bith chuirfí fios air a theacht agus an paidrín a rá os cionn na marbh. Bhí sé de ghnás ag Din paidrín iontach fada a rá agus go minic ní bheadh an t-aos óg róshásta nó bheadh siadsan ag fanacht go cruaidh leis an tae a dhéanfaí i gcónaí i ndiaidh an phaidrín.

Óiche amháin bhí faire i nDoirí Beaga agus bhí Din Airtín ann mar dhuine. Chuir sé ceann ar an phaidrín agus dúirt sé cúig dheichniúr déag agus ina dhiaidh sin cha raibh aon duine a fuair bás sa pharóiste le fiche bliain roimhe sin nár chuir sé paidir leo. Bhí achan duine dubhthuirseach ar a nglúine agus gan a leath ag tabhairt freagra nuair a thoisigh Din ar "Theachtaireacht an Aingil". "Tháinig Aingeal an Tiarna le teachtaireacht chuig Muire" ar seisean. "Maise má tháinig féin, bhí an t-am sin aige" arsa an glór thíos ag an doras. Rinne a raibh istigh a sáith gáirí agus dúirt Din Airtín paidrín ní ba ghiorra ar an chéad fhaire eile.

EILE

12.1   NA CAIT FHIÁINE

Bhí fear ann aon uair amháin agus oíche amháin bhí sé ina luí sa leabaidh agus tháinig scaifte cait fhiáine isteach agus an maighistir é féin ar tús. Chuir na cait ceist ar an fhear an raibh a dhath aige fána gcoinne. Dúirt an fear go raibh mias bhainne thiar ar an dreisiúr.

D'iarr an maighistir ar na cait an mhias a thabhairt aniar agus thug. Chruinnigh siad uilig thart ar an mhias agus d'ól siad an bainne uilig.

Mí ina dhiaidh sin bhí an fear ina luí arís agus chonaic sé na cait ag teacht isteach agus an maighistir ar tús. Bhí leadhb feola leis na cait ionsair.

Chuir na cait ceist ar an fhear an raibh a dhath aige fá na gcoinne. Dúirt sé go raibh seanbheathach thíos i gceann an toighe. Chuaigh siad síos go ceann an toighe. Leag siad an beathach agus thug siad leo é. Chuir an fear síos an pota agus bhruith sé agus d'ith sé a sháith feola.

12.2   CAINT CHRANN NA SCIATHÓIGE

Fear nach gcreidfeadh Naomh Pádraig go mbainfeadh sé caint as crann na sciathóige. Seo an chaint a dúirt an crann.

"Sciatha roimhe Shamhain a chanas Laidin agus oideas dúinne an Ghlóir Shíorraí. Cé mhéad líne a tháinig romhainn le linn Pharthalán Mhic Searraigh a chaith seal i Sruth na Maoile? Bhí mé mo bhigsciathóig ag déanamh foscadh do dhaoine.

Lá dá raibh Fiontainn ins na coillte Chluadh Abhradh ghoid sé san abhaill mé, chaith sé sa talamh mé agus dar liom féin gur sin leabaidh shásta. D'fhás mé i mo chaolshlait Mhic Cuarta ar an lúrchnoc fá chléirín agus thigeadh catha Clanna na Sealg go fada seal m'fhéachaint".

12.3   MAC NA SEANLÁNÚINE

Bhí seanlánúin ann uair amháin agus bhí mac amháin acu. Lá amháin d'imigh an mac agus ní raibh a fhios acu cá háit a dteachaigh sé. Bhí iontas mór orthu cionn is nár inis sé daofa go raibh sé ag imeacht.

Lá tharna mhárach d'imigh an t-athair ar shiúl á chuartú agus ní raibh sé le fáil aige. Bhí siad iontach buartha i ndiaidh an mhic. Seachtain ina dhiaidh sin d'imigh an t-athair chun an chnoic a chuartú caorach agus nuair a bhí sé ag gabháil suas taobh an chnoic d'amharc sé anonn agus chonaic sé fear ag teacht anall fríd na bachtaí agus sheasaigh an fear a dh'amharc ar an fhear a bhí ag teacht anall agus nuair a bhí sé ag teacht deas dó, d'aithin an fear a bhí ag gabháil a chuartú na gcaoirigh, d'aithin sé gur a mhac féin a bhí ann. Agus nuair a tháinig sé fhad leis d'aithin sé gur a mhac a bhí ann. Chuir an t-athair ceist cá háit a raibh sé agus níor inis sé dó cá háit a raibh sé. D'iarr sé air a theacht leis chun an bhaile agus ní thiocfadh sé leis. Shuigh siad ansin cupla uair agus bhí sé ag teacht a chóir an ama don tseanduine bheith ag teacht chun an bhaile agus d'iarr sé ar an mhac a theacht leis agus tháinig sé leis.

Ar an bhealach daofa chonaic siad cupla ceann eallaigh agus mharaigh siad ceann acu agus bhí craiceann dubh ar an bhó seo. Chuir an mac air an craiceann agus d'imigh sé ina rith go dtí an baile.

Tháinig sé isteach chun an toighe agus an craiceann air. Shíl sé go mbeadh an mháthair istigh ach ní raibh. Chuaigh sé a luí agus chuir sé an t-éadach thart air féin. Nuair a tháinig an mháthair isteach d'amharc sí isteach ins an leabaidh agus chonaic goidé a bhí sa leabaidh d'imigh sí agus ní tháinig sí ní ba mhó a chóir an toighe.

12.4.1   MAOLMHUIRE AN BHATA BHUÍ

Bhí Maolmhuire ina chónaí istigh i dToraigh sa Gheimhreadh agus ina chónaí thoir sna Tuatha sa tSamhradh. Bhí Tarlach Óg Ó Baoill ina chónaí siar ar an Leithead agus ba ghnách leis an bheirt acu iascaireacht soir fána Tuatha. Bhí iníon agus mac ag Maolmhuire. Agus bhí am mór aici féin agus Tarlach. Bhí Maolmhuire i ndiaidh Tharlach le é a mharbhadh. Lá amháin tháinig Tarlach aniar an sliabh. Bhí Maolmuire thuas sa tseomra ard agus chonaic sé é ag teacht. Bhí toirtín caol d'arán choirce leis an tine. D'iarr sé ar Tharlach a theacht isteach. Nuair a tháinig Tarlach isteach chuir sé ceist air goidé a raibh sin cosúil leis. Dúirt Tarlach go raibh sé cosúil le toirtín caol aráin choirce.

"Ní headh" arsa Maolmhuire "ach tá sé cosúil le ceithearnach fuarbhruite a tháinig as an tsliabh agus ocras air." Fuair Maolmuire greim air ansin agus bhí sé le crochadh ar maidin lá tharna mhárach. Nuair a bhí cuid fear Mhaolnhuire ag gabháil a chrochadh Tharlaigh bhí iníon Mhaolmhuire thuas ar an tseomra ard. Nuair a bhí Tarlach ag fáil bháis chaith sí í féin síos agus maraíodh í. Cuireadh í féin agus Tarlach i gcuideachta a chéile. Ba mhaith le Maolmhuire cúiteamh a bhaint as a dhream. Chuir sé an bata buí faoina cheann agus fuair sé amach go raibh Feidhlimidh Cam muinteartha do Tharlach. Bhí scoil thoir ar an Luinnigh agus bhí mac Fheidhlimidh Chaim agus mac Mhaolmhuire ar an scoil. Tháinig Maolmhuire lá amháin go dtí an scoil agus thug sé leis a mhac féin agus mac Fheidhlimidh Chaim. Bhí sé le mac Fheidhlimidh Chaim a chrochadh ar maidin lá tharna mhárach. An lá goideadh mac Fheidhlimidh Chaim tháinig Feidhlimidh é féin amach go bhfeicfeadh sé goidé mar a bhí a mhac ag fáil ar aghaidh.

Sula dteachaigh sé go dtí an scoil chuaigh sé isteach go teach beag a bhí ag taobh na scoile. Ba ghnách leis an bheirt acu comhrá maith a bheith acu achan lá a mbeadh seisean amuigh ach níor dhúirt sí gath ar bith leis an lá seo. Chuir Feidhlimidh ceist uirthi goidé a bhí contráilte. Dúirt an bhean go dtug Maolmhuire leis a mhac féin agus mac Fheidhlimidh agus tá do mhacsa le crochadh ar maidin amárach. Tá a fhios agamsa anois goidé a dhéanfas tú. Nuair a bheas sé ag éirí dorcha tabhair leat bád agus gabh isteach go Toraigh agus tá scoil mhór fada ansin agus tá léar mór daoine ann le crochadh. Aithneochaidh tú do mhac ach nuair a bheidh tú ag gabháil suas an tráigh siúil ar chúl do chinn sa chruth go mbeidh na lorgacha ag gabháil síos go dtí an fharraige. Nuair a bhí sé

337

ag éirí dorcha thug Feidhlimidh leis bád agus chuaigh sé go Toraigh. D'fhan sé thíos sa chladach go dtí nach raibh solas ar bith ar an oileán.

Ansin shiúil sé suas ar chúl a chinn agus bhí na lorgacha uilig cosúil le mar bheadh duine ag siúl síos an tráigh. Ní raibh lorgacha ar bith ag teacht aníos an tráigh. Nuair a chuaigh sé isteach sa scoil bhí suas le dhá dhuisín duine ann le crochadh. Agus is é an dóigh a bhfuair sé amach a mhac - ní raibh ar cheann de chosa an mhic ach trí ladhar. Bhí mac Mhaolmhuire ina luí ag taobh mhac Fheidhlimidh. Thug Feidhlimidh leis a mhac féin agus mac Mhaolmhuire. Nuair a chuaigh siad go dtí an tráigh bhí ceithre lorg ag gabháil síos go dtí an tráigh agus ní raibh lorg ar bith ag teacht aníos.

Ar maidin lá tharna mhárach nuair a chuaigh Maolmhuire amach le mac Fheidhlimidh Chaim a chrochadh ach ní raibh sé le fáil nó a mhac féin ach oiread. Chuir Maolmhuire an bata buí faoina cheann agus fuair sé amach go raibh a mhac crochta ag Feidhlimidh istigh i nGabhla. An áit ar crochadh mac Mhaolmhuire is é an t-ainm atá baistithe air nó Cladach na Croiche.

D'imigh Maolmhuire agus foireann dúbailte leis - sin ochtar fear. Nuair a tháinig siad go Gabhla ní raibh duine ar bith ag Feidhlimidh Cam ach é féin agus a mhac. Chonaic siad bád ag teacht agus na naonúr fear uirthi, ochtar fear agus Maolmhuire agus bhí a fhios ag an bheirt acu go mairfidh iad mura dtéadh siad síos go dtí an tráigh agus iad a choinneáil amuigh leis na clocha.

Chuaigh an bheirt acu síos go dtí an áit a raibh na clocha. Nuair a bhí an bád fá chéad go leith slat den oileán thoisigh Feidhlimidh agus a mhac orthu leis na clocha go dtí gur bhuail Feidhlimidh Maolmhuire le urchar. D'iarr Maolmhuire ansin ar a chuid fear an bád a chur amach agus go rachadh siad siar chun na Céideadh agus go mairfeadh siad daoine muinteartha Tharlaigh thiar. Chuaigh siad siar agus mharaigh siad ocht gcloigne déag de na Baollaigh. Nuair a tháinig siad aniar arís bhí Feidhlimidh agus a mhac ar shiúl. Chuir Maolmhuire an bata buí faoina chloigeann agus fuair sé amach go raibh Feidhlimidh Cam ar a bhealach go cuan na Gaillimhe.

Bhí Maolmhuire ar shiúl ansin go cuan na Gaillimhe agus bhí Feidhlimidh Cam ag an chuan. Chonaic sé soitheach ag taobh na céabh. Chuaigh sé isteach uirthi. Thug sé airgead don chaiftín leis an tsoitheach a chur amach amach giota ón chéid. Rinne an caiftín mar a d'iarr Feidhlimidh air. Ní raibh sé i bhfad go dtáinig Maolmhuire agus é cóirithe in éideadh fir bhoicht agus mála ar a dhroim. Nuair a bhí sé ag teacht anuas an chéidh bhí a fhios ag Feidhlimidh Cam gur Maolmhuire a bhí ann. Nuair a bhí sé thíos ag bun na céabh scairt Feidhlimidh amach - "Dá mbeinnse amuigh agat chuirfinn déirce in do mhála".

"Há", a dúirt Maolmhuire "dá mbeinnse istigh agatsa bhéarfainn an mhiodóg duit".

Bhí a fhios ag Maolmhuire go raibh an t-am thuas. Nuair a bhí sé ag gabháil soir go Bun An Leaca bhí sé ag éirí dorcha. Chuaigh sé isteach i mbothóig bhig a raibh dhá bhean ann. Fuair sé a shuipéar agus d'iarr sé ar na mná gan iontas a chur i ngath ar bith a tchífeadh siad go maidin. D'iarr sé ar bhean acu a ghabháil go bhfeicfeadh sí goidé an cineál oíche a bhí ann. Tháinig an bhean isteach ansin agus dúirt sí go raibh léar mór néaltaí thoir ar mhullach Chnoc Fola. D'iarr sé uirthi a ghabháil amach arís. Chuaigh sí amach agus dúirt sí - "Na néaltaí a bhí thoir ar mhullach Chnoc Fola tá siad thuas os cionn na bothóige".

"Ó", arsa Maolmhuire "tá m'amsa thuas". Tamall ina dhiaidh sin tháinig beach go dtí an doras agus lig sé cúpla scread. Thiontaigh Maolmhuire ansin isteach ina bheach. Thoisigh an bheirt acu a throid taobh amuigh den doras. Nuair a chuala Feidhlimidh Cam go raibh Maolmhuire marbh phill sé chun an bhaile agus bhí am breá aige ó sin amach.

12.4.2   MAOL MUIRE AN BHATA BHUÍ

Bhí fear ina chónaí i dToraigh fadó agus bhí sé ina chléireach ag sagart a bheadh ag rá Aifrinn amuigh sna cnoic ar eagla go dtiocfadh na Sasanaigh air agus go mairfeadh siad é. Ba é an t-ainm a bhí ar an chléireach seo Maol Muire cionn is go raibh blagóid air agus gan é ach óg.

Maidin Domhnaigh amháin chonaic sé scaifte mór daoine thuas ar thaobh chnoic san áit ar ghnách leis an tsagart a bheith ag rá an Aifrinn. Rith Maol Muire go dtí an áit agus níor smaointigh sé culaith an chléirigh a chur air. Nuair a bhí an tAifreann thart thug an sagart bata deas buí dó agus dúirt sé "tabhair leat an bata seo agus thig leat ceist ar bith a chur air agus freagróchaidh sé duit í." Thug Maol Mhuire leis an bata agus ag gabháil chun an bhaile dó chonaic sé scaifte eile daoine agus sagart ina sheasamh istigh i lár. Chuaigh sé fhad leis an tsagart agus d'fhrioháil sé an tAifreann dó. Nuair a bhí an tAifreann thart, thaispeáin sé an bata don tsagart. D'iarr an sagart air an bata a chaitheamh uaidh nó gurb é an diabhal a thug dó é agus go raibh a anam ceaptha aige, fad is a bheadh an bata aige. Ach ní thug Maol Mhuire cluas ar bith dó agus choinnigh sé an bata. "Is é an t-ainm a tugadh air ní ba mhó Maol Muire an bhata bhuí."

Bhí cléireach eile i nOileán Ghabhla agus chuala sé go raibh an bata seo ag Maol Muire agus rinne sé amach go ngoidfeadh sé an bata. Ach d'inis an bata do Mhaol Muire go raibh Feilimí Cam, cléireach Ghabhla fá choinne é a thabhairt leis air. D'imigh Maol Muire i lár na hoíche ar churach agus tháinig sé go Gabhla. Chuaigh sé go dtí teach Fheilimí Chaim agus thus leis mac de Fheilimí agus d'imigh sé go Toraigh. Chuaigh Feilimí thart ar chloich mhóir naoi n-uaire roimh éirí gréine agus hinsíodh dó cá raibh a mhac. An oíche sin d'imigh Feilimí go Toraigh agus chuaigh sé isteach i dteach Mhaol Muire.

Chuaigh sé go dtí leabaidh agus bhí seisear gasúr ina gcodladh inti. D'amharc sé cé acu a raibh sé ladhra air mar ní raibh gasúr ar bith eile i nÉirinn a riabh sé ladhra air ach a mhac féin. Fuair sé é fá dheireadh agus mhuscail sé é. Thug sé leis gasúr eile agus thug sé iad go dtí Gabhla. Thug sé leis a mhac féin agus d'fhág sé sa bhaile é. Ansin thug sé leis mac Mhaol Muire agus chroch sé é de bhinn agus a chuid cos in airde. Níor tugadh ainm ar bith ar an áit ó shin ach Cladach na Croiche.

Chuaigh Maol Mhuire a chuartú a mhic ar maidin. Chuir sé a bhata faoin ascaill agus chuir sé air culaith fir bhoicht agus d'imigh sé go Gabhla. Ach bhí Feilimí róghasta aige agus bhí sé ar shiúl i mbád. Nuair a bhí sé giota ar shiúl scairt sé amach "A ghiolla bhoicht dá mbeinn istigh agat, chuirfinn déirce in do mhála." D'aithin Maol Muire é, agus dúirt sé "Dá mbeinnse amuigh agatsa chuirfinn déirce in do mhálasa le mo scian." Thug Maol Muire leis a bhád arís agus phill sé go Toraigh.

Cupla bliain ina dhiaidh sin rinne Maol Muire caisleán i gCloichcheannaola agus chónaigh sé féin ann go dtí go bhfuair sé bás. Chuir sé scéala chuig Fheilimí le é a chur ach d'ith na préacháin é sular cuireadh é.

12.5   GOID NA gCORP

Bhí fear ina chónaí i gCondaigh Dhoire agus ligeadh sé air féin gur amadán a bhí ann féin. San am sin ba ghnách le daoine a bheith ag gabháil thart ag tógáil coirp a chuirfí san uaigh.

Oíche amháin smaointigh an fear seo ar chleas le scanradh a bhaint as an mhuintir a bhí ag déanamh na hoibre seo. Fuair sé píosa iarainn agus sháith sé isteach sa tine é go raibh sé dearg te. Nuair a bhí sin déanta aige tharraing sé amach é agus d'imigh sé féin agus deichniúr eile fear go dtí an roilig.

Níorbh fhada a bhí siad ansin go dtáinig beirt fhear agus gur fhoscail siad na geaftaí. Chuaigh siad isteach agus thóg siad an corp agus chuir siad isteach i mála é. Thóg fear acu ar an fhear eile é agus d'imigh siad gur fhág siad i bhfolach é. Bhí an mhuintir eile ag coimheád cén áit ar fhág siad é. Nuair a phill siad ag druid na huaighe d'imigh an mhuintir eile go dtí an áit a raibh an corp.

"Goidé a dhéanfaidh muid leis an chorp?" arsa an fear seo.

"Tá" arsa an fear eile "gabh thusa isteach sa mhála".

Chuaigh sé isteach sa mhála agus nuair a tháinig an mhuintir a bhí ag druid na huaighe thóg fear acu ar an fhear eile é. Chuir sé siar a lámh.

Mhothaigh sé an corp te.

"Tá an corp seo te" arsa seisean leis an fhear eile.

"Tá sé mór agam gan a bheith te - fear ar bith atá thíos i dtine mhór Ifrinn le trí lá" ag sáthadh an phíce isteach i ndroim an fhir eile. Chaith an fear a bhí ag iompar an mhála síos an mála ar an talamh agus d'imigh sé ina rith.

Tháinig an fear a bhí istigh sa mhála amach as agus d'imigh sé chun an bhaile.

Nótaí

SEANSCÉALTA

Is faoin teideal 'Seanscéalta' atá na Märchen uile atá le fáil in S1065-S1069 as bailiúchán seacht Scoil Naisiúnta as paróiste Ghaoth Dobhair. Tugtar na leaganacha is fearr agus is foirfe de na scéalta sin agus déantar tagairt do leaganacha eile atá inchurtha leis an leagan atáthar a thabhairt mar théacs. Ní thugtar agus ní dhéantar tagairt do leagan ar bith a bhí róthruaillithe nó ró-easnamhach.

Tá mórán scéalta eile sa leabhar nach rabhthas ábalta iad a aicmiú ar bhonn Märchen, ach ar measadh mar sin féin ach saineolas a bheith ag duine, go raibh tréithe idirnaisiúnta ag baint leo.

Déantar na seanscéalta a chur i láthair de réir cineálacha (AT (= Aarne-thompson) + Uimhir agus Ainm an Scéil) agus leantar d'ord na gcineálacha atá in Antti Aarne agus Stith Thompson, The Types of the Folktake, Helsinki 1961 (FF Communications No. 184) agus in Seán Ó Súilleabháin agus Reidar Th. Christiansen, The Types of the Irish Folktale, Helsinki 1967 (FF Communications No. 188), a choimrítear mar TIF anseo síos feasta.

Cé gur na múinteoirí a scríobh síos go leor de na scéalta, is iad na daltaí féin a scríobh go leor acu isteach sa leabhar mhór. Tá mórán eile acu agus níl fáil orthu ach i gcóipleabhair bheaga na ndaltaí féin. Cloítear sa leabhar seo i gcónaí le leaganacha an dalta féin a scríobhadh isteach sna cóipleabhair bheaga. Déantar tagairt i gcónaí don méid sin agus tugtar tagairtí chomh cruinn agus atá ar fáil faoi aois na ndaltaí agus na seanchaithe, faoin áit ar as iad, faoi na dátaí ar scríobhadh na scéalta agus aon eolas eile a thug an dalta nó an príomhoide mar nóta nó a leithéid sin le scéal.

B'éigean dom ina lán cásanna ainmneacha a bhaisteadh ar scéalta nuair nach raibh ainm orthu ar mhaithe le ord a choinneáil orthu agus mar sin de. Tá trí chineál 'Seanscéal' mar sin sa chuid tosaigh den imleabhar seo: cinn a bhfuil AT leo, cinn a bhfuil TIF leo agus cinn nach bhfuil aicmithe.

1.1. *AT 1, The Theft of Fish.* S1068: 552-553 agus S1069: 29-31. Anna Nic Aodhcháin (14), An Chorrmhín a scríobh síos ó Chaitlín Nic Aodhcháin, aois 45 bliain, An Chorrmhín ar an 10.5.1938.

Cruinníodh 73 eiseamláir den scéal seo in Éirinn ar fad. Fuarthas ocht gcinn acu sin i mBailiúchán na Scol as Dún na nGall, an leagan atá anseo ina measc. Tá dhá leagan den scéal seo ar fáil ach gur ionann iad. Is amhlaidh a cuireadh an scéal isteach faoi dhó i dhá leabhrán éagsúla.

1.2. *AT 31, The Fox Climbs from the Pit on the Wolf's Back.* S1068: 414 Sábha Ní Bhaoill, Srath na Brúigh a scríobh isteach sa leabhrán oifigiúil é agus ba í Nuala Ní Bhaoill (76) a d'inis di é ar an. Ar Scoil na Luinnigh a bhí sí. Cruinníodh 45 leagan ar fad den scéal seo. Fuarthas dhá cheann díobh sin i mBailiúchán na Scol as Dún na nGall, an leagan seo ina measc.

1.3. *AT 33, The Fox Plays Dead and is Thrown out of the Pit and Escapes.*
S1066B: 24-27, Cóipleabhar 8, Scoil Bhun An Inbhir. Tomás Mac Gairbheith
a scríobh síos ó Phádraig Mac Giolla Chóill, An Ghlaisigh ar 22.7.1938.

Suas le 151 leagan den scéal seo a bailíodh ar fud na tíre. Fuarthas dhá cheann
acu sin i mBailiúchán na Scol as Dún na nGall. Níl tagairt ar bith don leagan
atá anseo againn in TIF.

1.4. *AT 33, Fox overeats, is caught,˙escapes to Island.* S1068: 552-553 agus
S1069: 29-31. Anna Nic Aodhcháin (14), An Chorrmhín a scríobh síos ó
Chaitlín Nic Aodhcháin, aois 45 bliain, An Chorrmhín ar an 10.5.1938. Seo
an leagan céanna agus atá luaite in *AT 1* thuas.

Trí leagan déag ar fad (13) den scéal a bailíodh ar fud na tíre. Is é an leagan
seo an t-aon cheann amháin atá luaite le Bailiúchán na Scol as Dún na nGall.

1.5. *CFAT 62, Peace among the Animals - The Fox and the Cock.* S1068:
531. Dónall Mac Giolla Easpaig, Srath na Brúigh (13) a scríobh síos é ó Aodh
Mac Giolla Easpaig (62), Sraith na Brúigh am éigin i 1938.

Daichead is a dó leagan (42) den scéal seo a fuarthas ar fud na tíre. Tá dhá
cheann díobh sin i mBailiúchán na Scol as Dún na nGall, an leagan seo ina
measc.

1.6. *AT 101, The Old Dog as Rescuer of the Child (Sheep).* S1066B: 35-40,
Cóipleabhar 19, Scoil Bhun An Inbhir. Anna Nic Amhlaigh a scríobh síos ar
an 18ú agus 21ú Feabhra, 1938. Ní thugann sí ainm an scéalaí.

Ceithre leagan déag (14) den scéal seo a fuarthas ar fud na tíre, leagan amháin
acu sin as Bailiúchán na Scol as Dún na nGall. Níl tagairt ar bith don leagan
atá anseo in TIF.

1.7.1. *AT 111, The Cat and the Mouse Converse.* S1066: 47-49, Scoil An
Toir. Nóra Nic Cumhaill a scríobh síos an leagan seo agus ba í Máire Nic
Cumhaill a d'inis an scéal di. Ní luaitear dáta ar bith. Tá na leathanaigh sa
lámhscríbhinn as ord rud a fhágann go bhfuil deireadh an scéil ar leathanach 37.

1.7.2. Seo leagan eile de Tíop *AT 111.* Tá sé le fáil i S1066: 46, Scoil an
Toir. Ba í Nóra Nic Cumhaill a scríobh síos an leagan seo fosta ó bhéalaithris
Mháire Nic Cumhaill. Ní luaitear cén baile as iad agus ní thugtar an dáta
ar scríobhadh an scéal.

Seacht leagan déag is fiche (37) den scéal seo a fuarthas ar fud na tíre. Ní
raibh i mBailiúchán na Scol as Dún na nGall ach an leagan atá tugtha anseo
againn.

1.8. *AT 118, The Lion Frightened by the Horse.* S1068: 511. Scoil na
Luinnigh. Máire Ní Bhaoill, aois 14, Srath na Brúigh a scríobh síos an scéal
ar 6ú agus ar 20ú Aibreán, 1938 agus ba í Nuala Ní Bhaoill, aois 72 bliain
a d'inis an scéal di. Chan fhuarthas ach trí leagan (3) ar fad den scéal seo
agus chan fhuil leagan ar bith de i mBailiúchán na Scol. Níl tagairt ar bith
don leagan atá anseo againn in TIF.
342

1.9. CFAT 130, The Animals in Night Quarters. S1066: 26-27, Scoil an Toir. Máire Ní Dhónaill a scríobh síos an scéal ó Chonall Ó Dónaill. Níl dáta ná seoladh baile luaite leo.

Ochtó is a sé (86) leagan den scéal seo a cruinníodh ar fud na tíre, ceithre cinn díobh ar foleaganacha iad a bhfuil (CF) leo i mBailiúchán na Scol. Is mar leagan (CF) atá an scéal atá anseo againn cláraithe fosta.

1.10. AT 214, Ass Tries to caress his Master like a Dog. S1068: 485. Scoil na Luinnigh. Máire Ní Bhaoill, aois 14, Srath na Brúigh a scríobh síos ó Nuala Ní Bhaoill, aois 72, Srath na Brúigh ar an 20.4.1938. Níl an aicme seo luaite in TIF maith nó olc. Níl mé cinnte nó gur mar *CFAT214* a ba cheart an scéal a aicmiú.

1.11.1. AT 219*, Miscellaneous Tales of Domestic Animals. S1066B: 14-16, Cóipleabhar 8, Scoil Bhun An Inbhir. Tomás Mac Gairbheith a scríobh síos ar 7.4.1938 agus ba é Séamas ó Cuireáin, An Ghlaisigh a d'inis dó é. Níl tagairt ar bith don aicme seo in TIF.

1.11.2.Mar 1.11.1. thuas. S1066B: 6-7, Cóipleabhar 7,. Scoil Bhun An Inbhir. Maighréad Nic Éidí a scríobh síos an scéal ach níl dáta ná údar luaite leis.

1.11.3. Mar 1.11.1. thuas. S1066B: Cóipleabhar 9, 3-5. Scoil Bhun An Inbhir. Sorcha Máirtín a scríobh síos ar 10.11.1938 agus ba é Tadhg Máirtín as Bun An Leaca a d'inis an scéal di. Tá cóip eile den scéal seo le fáil in S1066A: Cóipleabhar 16, 32-35. Scoil Bhun An Inbhir. Máire Nic Gamháin a scríobh síos an leagan deiridh seo ar 16.5.1938 ach níl údar luaite aici leis. Níl de dhifríocht idir an dá scéal ach gur báitheadh an chearc agus an coileach sa leagan atá i gCóipleabhar 16.

1.11.4. Mar 1.11.1. thuas. B'fhéidir gur cheart an scéal seo a aicmiú faoi *AT 1370A*, He who will not work, shall not eat* nó faoi AT 1560, Make believe eating; make believe work. Bríd Ní Ghallchóir a scríobh síos an scéal seo. Níl dáta ná seanchaí luaite leis. Tá sé le fáil in S1066B: Cóipleabhar 12, 3-4.

1.12. AT 222B*, The Sparrow and the Mouse. S1068: 506-507. Scoil na Luinnigh. Sadhbha Ní Bhaoill, Srath na Brúigh aois 12 a scríobh síos. Nuala Ní Bhaoill, aois 72 as an bhaile chéanna a d'inis an scéal di. Níl de dháta leis ach 1938. Is mór m'amhras nó go raibh tuilleadh ann. Déanaim tagairt don leagan breá den scéal seo a cuireadh i gcló sa leabhar CÚ NA gCLEAS agus scéalta eile. Idé Nic Néill agus Séamas Ó Searcaigh a chruinnigh na scéalta agus ba é Séamas Ó Searcaigh a rinne eagarthóireacht orthu. Dundalk: W. Tempest, Dundealgan Press, 1914 a d'fhoilsigh. Tá leagan eile den scéal seo in S1066A: Cóipleabhar 16, 15-16 as Scoil Bhun an Inbhir. Stadann an scéal deiridh seo nuair a mharaítear an luchóg. Máire Nic Gamháin a scríobh síos é ar 15.2.1938 agus ba í Máire Nic Aodha as Bun an Leaca a d'inis an scéal di.

Is faoi *AT 222, War of Birds and Quadruplets* a luaitear na sé leagan is daichead (46) den scéal seo a bailíodh in Eirinn. Ceann amháin acu sin a fuarthas i mBailiúchán na Scol. Níl tagairt don dá leagan seo againne (dá easnamhaí iad) in TIF.

1.13. *AT 298, Contest of Wind and Sun.* S1066A: Cóipleabhar 2, 49-50. Bríd Nic Gairbheith a scríobh síos an scéal ar 17.3.1938 ach níl seanchaí ar bith luaite leis. Leagan amháin den scéal seo atá luaite in TIF ach ní hé an leagan seo againne é.

1.14. *AT 300, The Dragon Slayer.* Fuarthas leaganacha éagsúla den scéal seo i mBailiúchán na Scol as Gaoth Dobhair.

Tá seacht gcinn luaite in TIF mar a leanas: S1066: (118-125); S1067: (30-); S1068: (120-128); (189-204) (+ *CFAT 303, The Twins or Blood Brothers)*, (536-540) agus dhá leagan a bhfuil CF leo: S1065: (270-276) (+ *AT 303, The Twins or Blood Brothers)* agus S1068: (425-428). Tá dhá leagan eile den scéal ar fáil mar a leanas: S1066: (86-93) (+ *CFAT 920, The Son of King (Soloman)* and of the Smith) agus S1066A: Cóipleabhar 10, 9-22, Scoil Bhun An Inbhir.

Is iad na leaganacha as S1066: (86-93) (+ *CFAT 920, The Son of King (Soloman) and of the Smith)* agus as S1068: (120-128) atáthar a thabhairt anseo. Tá an leagan as S1066: (118-125) le fáil faoi *AT 511/511A* níos faide siar sa leabhar seo. Tá an leagan as S1068: (189-205) le fáil faoi AT 303. Is minic a fhaightear an scéal seo mar chuid de scéalta eile agus tagraím an léitheoir chuig a bhfuil ráite faoi *AT 303, faoi AT 511,* faoi *AT 511A* agus faoi *AT 920.*

1.14.1. S1066: (86-93), Scoil Bhun An Inbhir. S1066A: Cóipleabhar 10, 9-22. Scoil Bhun An Inbhir. Éamonn Mac Giolla Chóill a scríobh síos ar 22.6.1938 agus arís ar 17/20.10.1938. Ní fios cé a d'inis.

1.14.2. S1068: 120-128, Scoil Chnoc An Stolaire.
Máire Ní Fhionnaile a dinis an scéal. Ní fios cé a scríobh isteach san leabhar mhór é.

S1065: 270-276. Micheál Mac Cumhail as Mín Na Cuinge a scríobh síos óna athair Seán Mac Cumhaill as an bhaile chéanna. Níl dáta ar bith leis.

S1068: 425-428. Máire Ní Dhuibhir, 'An Luinnigh (14) a scríobh agus ba é Éamann Mac Giolla Easpaig, (60), Doirí Beaga a d'inis. Scríobhadh síos an scéal ar 17.2.1938.

Seacht leagan is fiche (27) den scéal a fuarthas i mBailiúchán na Scol as Dún na nGall, ceithre cinn déag (14) díobh sin a bhfuil (CF) leo. Fuarthas 3 leagan den scéal i measc na leaganacha de *AT 511A* a scríobhadh ar Scoil Bhun An Inbhir S1066A/S1066B.

1.15. *CFAT 303, The Twins or Bloodbrothers. S1068 (68-72), (189-204) (+ AT 300, The Dragon Slayer));* S1065: 270-276 (+ *AT 300, The Dragon Slayer),* S1066A: Cóipleabhar 6, (64-66 (+ *AT 300, The Dragon Slayer)).* Cha dtugtar anseo ach na leaganacha as S1068. Níl an leagan as S1066A inchomórtais in ábhar ná i bhfad agus is scéal é nár críochnaíodh.

1.15.1. Ba í Nóra Ní Ghallchoir as an Mhachaire Loisce a scríobh an chéad leagan a thugtar anseo. I leabhar mór Scoil Chnoc an Stolaire atá an scéal le fáil ach ní fios cé a scríobh isteach ansin é murab é an príomhoide é.

1.15.2. As Scoil Mhín An Chladaigh an dara leagan den scéal. Seán Ó Dúgáin, Mín An Chladaigh, aois 72 a d'inis agus ba é an príomhoide Seán Mac Fhionnaile a scríobh síos uaidh é agus a scríobh isteach sa leabhar mhór é. Níl dáta ar bith leis.

Micheál Mac Cumhaill as Mín Na Cuinge a scríobh síos an leagan as S1065, Scoil Dhún Lúiche. Ba é a athair Seán Mac Cumhaill as an bhaile chéanna a d'inis an scéal. Níl dáta ar bith leis sa leabhar mhór agus níl cóipleabhar Mhicheáil ar fáil. Pádraig Mac Giolla Chóill a scríobh síos an leagan as S1066A, Scoil Bhun An Inbhir ar an 8ú agus ar an 9ú Samhain, 1938 ach ní thugtar ainm an tseanchaí in áit ar bith.

Trí chéad fiche is a seacht (327) leagan den scéal seo a fuarthas ar fud na tíre, sé cinn déag (16) acu sin i mBailiúchan na Scol as Dún na nGall. Luaitear (CF) le naoi (9) gcinn de na sé cinn déag, an dá leagan a thugtar anseo ina measc. Níl aon tagairt in TIF don leagan atá in S1066A.

1.16. *AT 311, Rescue by the Sister.* S1065: 227-228; S1068: 460-462, 468-471 agus S1069: 39-43. Is iad na leaganacha as S1065 agus as S1068 a thugtar anseo. Tá an leagan as S1069 díreach cosúil leis an leagan as S1068 (460-462) ó thaobh leanúnachais agus moitífeanna de. Is minic an scéal seo mar thús le scéalta de chineál eile agus fuarthas ceithre leagan den sórt sin sna cóipleabhair seo a leanas as S1066A: Cóipleabhar 3 (31-39 *(+ AT 554)*; Cóipleabhar 4 (20-26 *(+ AT 1000, + AT 1029);* Cóipleabhar 5 (19-23 *(+ AT 571)* agus Cóipleabhar 16 (19-23 *(+ AT 1525A)).* Is ceart don léitheoir tagairt do na tíopanna atá luaite díreach anois agam ar eagla na leaganacha áirithe sin a bheith tugtha nó tagairt ar leith a bheith déanta dóibh sna nótaí a ghabhann leo.

1.16.1. Seán Ó Dúgáin as Scoil Dhún Lúiche a scríobh síos an leagan seo óna mháthair mhór Maighréad Bean Mhic Aoidh aois 75-80. Is é Séan a scríobh isteach sa leabhar mhór an scéal agus tá sé ar leathanaigh 227-228.

1.16.2. Bríd Ní Cholla, aois 13, An Charraic a scríobh síos an leagan seo agus ba í Nóra Ní Cholla, aois 40, as an bhaile chéanna a d'inis an scéal di am éigin i mí Feabhra, 1938. Tá an scéal le fáil ar leathanaigh 468-471 de S1068, Scoil na Luinnigh.

1.16.3. Caitlín Ní Dhónaill, aois 13, An Luinnigh a scríobh síos an leagan seo agus ba í Máire Ní Dhónaill, aois 64, An Luinnigh a d'inis an scéal di ar 17.12.1937. Tá an scéal le fáil ar leathanaigh 460-462 de S1068, Scoil na Luinnigh.
Treasa Ní Cholla, aois 13, An Luinnigh a scríobh síos an ceathrú leagan nach bhfuil muid a thabhairt anseo agus ba é Tomás Ó Colla, aois 67, An Luinnigh a d'inis an scéal di. Níl dáta leis.

Ocht leagan is leithchéad (58) ar fad den scéal seo atá luaite in TIF agus is as Bailiúchán na Scol as Dún na nGall trí cinn (3) acu sin. Níl trácht ar bith in TIF ar na hocht leagan atá luaite thuas againn.

1.17. *AT 316, The Nix of the Mill Pond (+ AT 302, The Ogre's (Devil's) Heart in the Egg.)* S1066A: Cóipleabhar 12, 48-59. Máire Ní Ghallchóir as an Ghlaisigh a scríobh síos ar an 18.11.1938 (agus ina dhiaidh sin is dóiche nó is scéal fada é) agus deir sí gur óna hathair a fuair sí é ach ní thugann sí a ainm. Fuarthas dhá leagan eile de *AT 316* ón scoil chéanna agus tá siad le fáil in S1066B: Cóipleabhar 17, 5-7. Níl dáta ná údar ar bith luaite leo. Tá siad gairid agus níor cuireadh críoch ceart orthu. Céad seasca is a naoi (169) leagan de *AT 316* atá luaite in TIF agus as Bailiúchán na Scol as Dún na nGall péire acu sin. Níl an leagan atá anseo nó an dá leagan ghairide eile ar thagair mé dóibh thuas luaite in TIF. Scríobhadh síos suas le trí chéad is tríocha is a naoi (339) leagan de *AT 302* in Éirinn, ceithre cinn déag (14) acu sin as Bailiúchán na Scol as Dún na nGall. Níl an leagan atá tugtha anseo ina measc.

1.18..1 *AT 325, The Magician and His Pupil.* S1065: (241-253), Scoil Dún Lúiche. Micheál Mac Cumhaill, Mín na Cuinge a scríobh síos agus ba é Seán Mac Cumhaill a athair a d'inis an scéal dó. Níl dáta ar bith leis.

1.18.2. Mar atá thuas faoi 1.18.1. S1066A: Cóipleabhar 20, 17-35. Scoil Bhun An Inbhir. Nóra Ní Ghallchóir a scríobh síos ar 10/11.2.1938 agus ar dhátaí eile nó is scéal fada é. Óna máthair mhór ar An Charraig a fuair sí é ach ní thugann sí a hainm. Gach uile sheans gur as An Charraig í féin fosta.

Leagan corr le cois an dá chéad is fiche (221) den scéal seo atá ar tarrtháil dar le TIF. Fuarthas aon cheann déag acu sin i scoileanna Dhún na nGall, dhá cheann acu a bhfuil CF leo. Tá an chéad leagan anseo thuas ina gcuideachta sin nach bhfuil CF leo ach níl tagairt ar bith don dara leagan in TIF.

1.19. *AT 327, The Children and the Ogre.* S1066A: Cóipleabhar 2, (1-9). Bríd Nic Gairbheith a scríobh síos óna hathair ach ní thugann sí a ainm. Scríobhadh síos an scéal i dtús mhí Feabhra am éigin roimh an 18.2.1938. Tá dhá leagan eile den scéal seo le fáil i gCóipleabhar 13, 7-11 agus 30-35. Ba é Pádraig Mac Giolla Chóill as an Ghlaisigh a d'inis an dá leagan den scéal. Nábla Nic Giolla Chóill as An Ghlaisigh a scríobh síos iad ar an 26.8.1938 agus ar 22.11.1938 faoi seach.

Cruinníodh suas le céad is sé leagan déag (116) den scéal anseo in Éirinn agus fuarthas trí cinn acu sin i mBailiúchán na Scol as Dún na nGall. Níl tagairt ar bith in TIF don leagan a thugtar anseo ná don dá leagan eile de scéal gaolmhar ar thrácht muid orthu thuas.

1.20.1. *AT 330, The Smith Outwits the Devil.* S1068 (72-73). Antoin Mac Suibhne (74), Machaire Chlochair a d'inis an scéal. Fuair sé é a deir sé óna athair 60 bliain ó shin. Níl a fhios agam cé a scríobh isteach sa leabhar mhór é.

1.20.2. Mar atá faoi 1.20.1. thuas. S1068: 154-158, Scoil Chnoc An Stolaire. Doiminic Mac Suibhne, Machaire Loisce a d'inis agus ní fios cé a scríobh isteach sa leabhar mhór é. Tá an tríú leagan ar fáil ach nach bhfuiltear a thabhairt anseo mar nach bhfuil rud ar bith úr ann thar mar atá sa dá cheann sin thuas. Tá sé i S1068: 432-434, Scoil Na Luinnigh. Seán Ó Gallchóir (12) An Luinnigh a scríobh ó Shéamas Ó Gallchóir (84), Srath na Brúigh i dtús mhí Feabhra, 1938.

Fuarthas suas le cúig chéad seasca agus a dó (562) leagan den scéal seo in Éirinn dar le TIF. Bhí ocht gceann is fiche acu sin (28) le fáil i mBailliúchán na Scol as Dún na nGall, na trí cinn seo a bhfuil caint againn féin orthu ina measc.

1.21. *CFAT 332, Godfather Death*. S1068: 478-479. Scoil na Luinnigh. Anna Ní Bhaoill, aois 13, An Charraig a scríobh síos an scéal seo ar an 3.8.1938 agus ba é Brian Ó Baoill, aois 58, An Charraig a d'inis di é.

Cruinníodh corradh le dhá chéad leagan den scéal seo in Éirinn. Fuarthas sé cinn acu sin i mBailiúchán na Scol as Dún na nGall agus tá CF le dhá cheann acu, an ceann seo anseo ina measc.

1.22. *AT 333, The Glutton (Red Riding Hood)*. S1066A: Cóipleabhar 15, 12-14. Seán Ó Briain a scríobh síos an scéal seo ar an 1.6.1938 agus ní deir sé cé uaidh a bhfuair sé é.

Sé leagan is daichead (46) den scéal seo a fuarthas in Éirinn, ceann amháin acu sin as Bailiúchán na Scol as Dún na nGall. Níl tagairt ar bith don leagan atá anseo againn in TIF.

1.23.1. *AT 403, The Black and the White Bride*. S1068: 474-476, Scoil na Luinnigh. Anna Ní Bhaoill (13) An Charraig a scríobh síos agus Seosamh ó Colla, aois 45, An Charraic a d'inis ar 18.12.1938.

1.23.2. Mar 1.23.1. thuas. S1068: 493-494, Scoil na Luinnigh. Anna Nic Aodhcháin, aois 14, An Chorrmhín a scríobh síos agus Caitlín Nic Aodhcháin, aois 45, An Chorrmhín a d'inis am éigin i 1938. Níl dáta luaite sa leabhar mhór agus níl cóipleabhar Anna ar fáil.

1.23.3. Mar 1.23.1. thuas. S1066A: Cóipleabhar 9, 1-3. Pádraig Ó Fearraigh a scríobh síos ar 14.12.1937 ach ní deir sé cé a d'inis an scéal dó.

1.23.4. Mar atá 1.24.1. thuas. S1068: Cóipleabhar Róise Ní Dhochartaigh, 5-8, Scoil Mhín An Chladaigh. I féin a scríobh síos an scéal ar 26.1.1938 agus ba é Seán Ó Dúgáin, a hathair mór, aois 72 bliain a d'inis an scéal di. Tá dhá leagan den scéal seo againn ceann sa leabhar mhór a scríobh an príomhoide agus an ceann atá anseo a tógadh amach as cóipleabhar Róise. Tá difríochtaí eatarthu ach b'fhearr agus b'fhaide an leagan seo ná an ceann eile.

1.23.5. Mar atá faoi 1.24.1. thuas. S1068: 457-458, Scoil Na Luinnigh. Sorcha Nic Pháidín, An Chorrmhín a scríobh síos ó Eibhlín Nic Pháidín (50), An Chorrmhín. Níl dáta cinnte agam le cur leis.

Tá leagan eile den scéal seo le fáil i S1066A: Cóipleabhar 15, 3-5. Níl sé á thabhairt anseo mar nach bhfuil aon rud nua ann thar mar atá sna leaganacha thuas. Scríobhadh síos an scéal deiridh seo ar 4.5.1938 agus ba é Seán Ó Briain as Mín An Chladaigh a scríobh é. Níl seanchaí ar bith luaite leis.
Fuarthas céad agus sé leagan déag (116) den scéal seo in Éirinn. Leagan amháin a fuarthas i mBailiúchán na Scol as Dún na nGall. Níl ceann ar bith de na

sé leagan sin thuas luaite in TIF. Is ceart don léitheoir tagairt fosta do *AT 450, Little Brother and Little Sister* mar gur léir cuid de na moitífeanna a bhaineann leis an Tíop seo sna scéalta thuas fosta.

1.24   *AT 410, Sleeping Beauty.* S1067: Cóipleabhar 4, 25-28. Scoil na gCailíní, Doirí beaga. Síle Ní Fhríl, An Choiteann a scríobh ó bhéalaithris Phádraig Uí Cholla (76) Ard na gCeapairí. Níl dáta ar bith leis.

Deich (10) leagan ar fad den scéal seo atá i dtaisce i lámhscríbhinní an bhéaloidis dar le TIF. Leagan ar bith chan fhuarthas i scoileanna Dhún na nGall, más fíor. Ach ar ndóigh ní fíor sin ach oiread mar go bhfuil an leagan seo againn anois le cur ann.

1.25. *AT 425C, Beauty and the Beast.* S1068: 137-142, Scoil Chnoc an Stolaire. Máire Nic Fhionnaile as an Mhachaire Loisce a d'inis an scéal seo ach ní fios dom cé a scríobh isteach sa leabhar mhór é. Tá corrfhocal ann a mbeadh amhras ar dhuine fúthu agus is dóigh liom gur léir orthu go mb'fhéidir gur duine ar chanúint eile a scríobh iad, mar shampla *ionadh, in aghaidh* agus araile. D'fhág mé na focail sin mar a bhí nó is minic a mhaireann a leithéid i litríocht den sórt seo. Tá leagan eile den scéal atá gairid agus nach bhfuil inchurtha de thairbhe forbartha agus faid de leis an chéad leagan atá tugtha againn thuas. An Rós atá mar theideal ar an scéal deiridh seo. Ba í Bríd Nic Fhionnaile a scríobh síos an scéal agus ba é Brian Mac Fhionnaile as an Ghlaisigh a d'inis di é ar an 9ú agus ar 23.8.1938. Tá sé le fáil i S1066B, Cóipleabhar 13: 2-3.

Níl tagairt ar bith do *AT 425C* in TIF. Níl ann ach *AT 425, The Search for the Lost Husband.* Aon leagan déag (11) den scéal deiridh seo a fuarthas i mBailiúchán na Scol as Dún na nGall. Fuarthas 275 leagan ar fad in Éirinn. Is leaganacha CF seacht gcinn acu seo, an ceann seo anseo ina measc. Measaim féin gur leagan críochnúil é den Tíop *AT 425C* agus gur mar sin ab fhearr é a rangú.

1.26.1. *CFAT 444D*, The Cat Husband.* S1066A: Cóipleabhar 6, 3-6. Scoil Bhun An Inbhir. Pádraig Mac Giolla Chóill a scríobh síos ar 11.4.1938. Ní fios cé a d'inis.

1.26.2. Mar atá i 1.25.1. thuas. S1066B: Cóipleabhar 3, 23-26. Scoil Bhun An Inbhir. Máire Ní Ghallchóir a scríobh síos ar 18.10.1938 agus ba í Nóra Ní Ghallchóir as an Charraig a d'inis di é.

Seacht (7) leagan den scéal seo a fuarthas in Éirinn. Chan fhuarthas aon leagan acu sin i mBailiúchan na Scol as Dún na nGall. Cé nach bhfuil an dá scéal atá anseo againn ró-iomlán is léir iarsma de anáil an scéil seo orthu agus is mar leaganacha CF de is fearr iad a rangú.

1.27. *AT 449, The Tsar's Dog (Sidi Numan).* S1068: 205-226, Scoil Mhín An Chladaigh. Seán Ó Dúgáin, Aois 72, Mín An Chladaigh a d'inis an scéal agus ba é an príomhoide Seán Mac Fhionnaile a scríobh síos uaidh é agus a scríobh isteach sa leabhar mhór é. Cé go bhfuil an scéal aicmithe anseo anois faoi *AT 449* is leagan breá fosta é de "*Fios Fátha an Aoin Scéil agus an Claidheamh Solais*" a bhfuil tuairisc air in HIF 1, 596?

348

1.28.1. *AT 451, The Maiden who Seeks her Brothers.* S1066A: Cóipleabhar 20, 48-59. Scoil Bhun An Inbhir. Nóra Ní Ghallchóir a scríobh síos ar 24.6.1938 ach cha dtugann sí seanchaí ar bith mar údar leis.

1.28.2. Mar atá faoi 1.28.1. thuas. S1066B: Cóipleabhar 1, 34-36. Scoil Bhun An Inbhir. Séamas Mac Gairbheith a scríobh síos an scéal seo ar an 8.11.1938 agus ba é a dheartháir a d'inis an scéal dó ach char thug sé a ainm. Níl an leagan seo ar na gaobhair ag an chéad leagan thuas agus is é an t-aon chúis a bhfuiltear á thabhairt anseo go léirítear bealach éalaithe as an chruachás ann.

1.28.3. Mar atá faoi 1.28.1 thuas. S1068: 233-242, Scoil Mhín An Chladaigh. Séan Ó Dúgáin a d'inis an scéal agus ba é an príomhoide a scríobh síos uaidh é agus a scríobh isteach sa leabhar mhór é fosta ar 9.6.1938. Tá an scéal seo cineál éagsúil ó na cinn eile ó tharla gurb é an mac is óige a théann ar thóir na codach eile. Braithim mar sin féin gur leis an aicme seo a bhaineann sé.

Fuarthas trí leagan eile den scéal seo i mBailiúchán na Scol as Gaoth Dobhair. Is iad seo iad: S1066A: Cóipleabhar 19, 25-35. Scoil Bhun An Inbhir. Anna Nic Amhlaigh a scríobh síos an leagan acu seo ar 10.2.1938 ach ní luaitear aon údar leis. Is leagan breá é agus tá sé féadaim a rá inchurtha le 1.28.1. thuas. S1068: 458-459, Scoil na Luinnigh agus S1066A: Cóipleabhar 16, 10-11. Scoil Bhun An Inbhir. Níl an dá leagan dheireanacha seo den scéal ach gairid i gcomparáid leis an dá leagan fhada as S1066A: Cóipleabhair 19 agus 20. Is í Sorcha Nic Pháidín (14), An Chorrmhín a scríobh síos an leagan ata i S1068 ó bhéalaithris Eibhlín Nic Pháidín (60), An Chorrmhín.

Máire Ní Ghamháin a d'inis an leagan atá i S1066A: Cóipleabhar 16, 10-11 ach níl dáta ná seanchaí luaite leis.

Corradh beag le céad leagan (104) den scéal seo a fuarthas in Éirinn, ceithre cinn acu as Bailiúchán na Scol as Dún na nGall. Níl tagairt ar bith in TIF don dá leagan a thugtar anseo ná do na trí leagan eile a ndearna muid tagairt dóibh thuas.

1.29. *AT 470*, The Hero Visits the Land of the Immortals.* S1068: 245-249, Scoil Mhín An Chladaigh. Méabha Ní Bhriain (14) as Gleann hUalach a scríobh síos. Níl tuairisc ar bith cé uaidh a bhfuair sí é.
Fiche (20) leagan den scéal a fuarthas sa tír dar le TIF. Ní raibh leagan ar bith acu i mBailiúchán na Scol ach seo ceann anois le cur sa chuntas.

1.30. *AT 480, The Spinning Woman by the Spring.* S1066: 30-33, Scoil an Toir. Ba í Máire Nic Giolla Easpaig a scríobh síos an scéal seo agus Maighréad Nic Giolla Easpaig a d'inis an scéal. Ní thugtar dáta ar bith leis. Tá leagan breá eile den scéal seo le fáil i S1067A: Cóipleabhar 61. Tá sé inchurtha ar gach bealach leis an leagan thuas agus ba dhoiligh ceann acu a chur chun cinn ar an cheann eile. Ba í Caitlín Ní Ghallchóir, as An Mhachaire Loisce a scríobh síos an scéal ar an 27ú Aibreán, 1938 agus ba í Máire Ní Ghallchóir as an Mhachaire Loisce a d'inis an scéal di.

Céad agus sé (106) leagan den scéal seo a fuarthas in Éirinn, aon cheann déag (11) acu sin as Bailiúchán na Scol as Dún na nGall, an ceann as S1066 ina measc. Níl tagairt ar bith don leagan breá eile as S1067A in TIF.

1.31. *AT 500, The Name of the Helper.* S1068: 116-119, Scoil Chnoc An Stolaire. Máire Nic Fhionnaile, An Mhachaire Loisce a d'inis ach ní fios cé a scríobh síos uaithi é. (Tabhair faoi dear gur *bean tsí* atá sa scéal síos tríd.) Céad agus ceithre scór (180) leagan den scéal seo a cruinníodh in Éirinn. Ba as Bailiúchán na Scol as Dún na nGall cúig cinn acu sin, an ceann seo thuas ina measc.

1.32.1. *AT 501*, The Fairy Hill is on Fire.* S1068: (159-163) Scoil Chnoc an Stolaire agus S1068: 401, Scoil Na Luinnigh. Ba é Doiminic Mac Suibhne as An Mhachaire Loisce, An Bun Beag a d'inis an leagan atá anseo againn ach níl sé ráite in áit ar bith cé a scríobh síos é. Ní thugtar dáta leis ach an oiread. Tá tuairim agam gur duine ar chanúint eile leis an seanchaí a scríobh síos an scéal ó fhocail mar *dhún, ón dtaobh amuigh, sa chistin, tré thine* agus mar sin de, a bhí le fáil sa scéal. D'fhág mé *dún/dúnta* mar a bhí ach chuir mé an chuid eile i nGaeilge na háite.

1.32.2. Mar atá in 1.32.1. thuas. S1068: 401. Síle Nic Gairbheith as An Luinnigh (60) a d'inis an scéal ar an 1.1.1938 agus ba é an príomhoide a scríobh a scríobh síos sa leabhar mhór é. Séan Ó Gallchóir a scríobh síos an scéal an chéad lá riamh. Tá sé díreach cosúil leis an chéad leagan thuas ach go bhfuil adharca ar na mná sí a tháinig leis an ghréasán. Tá an tríú leagan den scéal ann. S1068: 116-119, agus tá sé ar fáil roimhe seo againn faoi *AT 500.*

Céad is seachtmó is a sé (176) leagan den scéal seo a fuarthas in Éirinn agus ba as Bailúchán na Scol as Dún na nGall ocht gcinn (8) acu, na trí cinn atá luaite anseo againn san áireamh.

1.33. *AT 503, The Gifts of the Little People.* S1066B: Cóipleabhar 1, 4-6. Scoil Bhun An Inbhir. Séamas Mac Gairbheith a scríobh síos ar 5.1.1938 ach cha dtugann sé ainm an tseanchaí áit ar bith. Fuarthas 6 leagan eile den scéal seo i measc an ábhair a cruinníodh i scoileanna Ghaoth Dobhair. Seo a leanas na háiteanna a bhfuil na leaganacha sin le fáil:

S1066A: Cóipleabhar 14, 23-26 agus 56-59. Ba í Eibhlín Nic Pháidín a scríobh síos an scéal seo faoi dhó. Is ionann an dá leagan nach mór ach deir sí gur óna dheartháir a fuair sí an chéad cheann ach gur óna máthair a fuair sí an dara leagan.

S1066A: Cóipleabhar 15, 1-2. Seán ó Briain scríobh síos an leagan seo ar an 1.5.1938 ach níl ainm an tseanchaí luaite aige.

S1066A: Cóipleabhar 17, 10-11. Scríobhadh síos an leagan seo ar 10/11.2.1938. Treasa Nic Aodha a scríobh an scéal ach char luaigh sí údar ar bith leis.

S1066B: Cóipleabhar 5, 9-11. Séamas Mac Gairbheith as Bun an Leaca a d'inis an leagan seo agus ba í Treasa Nic Aodha a scríobh síos uaidh é ar an 28.11.1938.

S1068: 512, Scoil na Luinnigh. Seán Ó Gallchóir (12), Srath Mairtín, a scríobh síos an leagan seo ó bhéalaithris Thomáis Uí Ghallchóir (87), An Luinnigh.

Cruinníodh trí chéad is ochtmhó trí (383) leagan den scéal seo in Éirinn. Fuarthas dhaichead (40) ceann díobh sin i mBailiúchán na Scol as Dún na nGall. As na seacht leagan atá luaite thuas agam ní dhéantar tagairt in TIF ach don leagan as S1068: 512.

1.34.1. *AT 505-508, The Grateful Dead. S1068: 11-20, (+ AT 513, The Helpers; + AT 329, Hiding from the Devil).* Ba é Aodh Ó Gallchóir iar-oide scoile as Machaire Chlochair a d'inis an scéal seo agus ba é an príomhoide ar Scoil Chnoc An Stolaire, Seosamh Ó Gallchóir a scríobh an scéal isteach sa leabhar mhór.

1.34.2. Mar atá thuas faoi 1.34.1. S1067, Cóipleabhar 8, 19-29. Scoil na gCailíní, Doirí Beaga. Ester Ní Fhearraigh as An tSeascann Bheag a scríobh síos ó bhéalaithris Shéamais Uí Bhaoill (74) as an bhaile chéanna ar 10.1.1938.

Fuarthas céad agus sé leagan déag (116) den scéal seo in Éirinn. Tá cúig cinn díobh seo i mBailiúchán na Scol as Dún na nGall, an chéad leagan seo againne ina measc. Níl trácht ar bith ar an dara leagan seo againn in TIF.

1.35. *CFAT 506A+B, The Princess Rescued.* S1068: 293-304, Scoil Mhín An Chladaigh. Nábla Ní Dhónaill, aois 92 bliain as Oileán Ghabhla a d'inis an scéal seo agus ba é an príomhoide Seán Mac Fhionnaile a scríobh isteach sa leabhar mhór é ar 12.8.1938. Ceithre leagan is leithchéad (54) den scéal seo a cruinníodh in Éirinn. Fuarthas trí cinn díobh sin i mBailiúchán na Scol as Dún na nGall agus tá CF le gach leagan acu, an ceann seo againne ina measc.

1.36.1. *AT 510A, Cinderella.* S1068: 150-153, Scoil Chnoc An Stolaire. Máire Nic Fhionnaile as an Mhachaire Loisce a d'inis an scéal seo ach ní fios cé a scríobh isteach sa leabhar mhór é.

1.36.2. Mar atá in 1.36.1. thuas (+ 511A). S1066A: Cóipleabhar 4, 8-15. Seán Ó Briain a scríobh síos an leagan seo ar 17.11.1938 agus ba í Méabha Nic Pháidin as Bun An Inbhir a d'inis an scéal dó. Tugaim an leagan seo mar gur annamh a fhaightear, *AT 511A, The Little Red Ox,* ceangailte go díreach le scéal Cinderalla cé go bhfuil gaol láidir eatarthu. Amharc a bhfuil le rá ag i mBéaloideas XX. Tá tagairt i TIF do thrí leagan eile den scéal seo mar a leanas: S1068: 419-421; CFS1068: (474-476), (493-494), Scoil na Luinnigh. Maidir lena bhfuil le fáil sa dá scéal dheireanacha seo tagair siar dá bhfuil ráite againn faoi *AT 403.* Ba í Nuala Ní Dhónaill (12), An Luinnigh a scríobh an leagan atá ar fáil i S1068: 419-421 agus ba é Doiminic Ó Fríl (63), An Luinnigh a d'inis an scéal di. Níl dáta ar bith leis.

Trí chéad agus dhá leagan (302) den scéal seo a fuarthas in Éirinn. Tá ocht leagan is fiche (28) acu sin i mBailiúchán na Scol as Dún na nGall ar tháinig trí cinn acu as Gaoth Dobhair. Níl tagairt ar bith in TIF don dá leagan atá muid a thabhairt thuas.

1.37.1. *AT 511/AT 511A, One-Eye, Two Eyes, Three Eyes/The Little Red Ox.* S1066B: Cóipleabhar 15, 7-12. Máire Ní Fhearraigh a scríobh síos ar 11.1.1938 ó bhéalaithris Phádraig Mhic Giolla Chóill as an Ghlaisigh.

351

1.37.2. *AT 511A (+ AT 300)*. S1066A: Cóipleabhar 8, 1-14. Nábla Nic Giolla Chóill, Bun An Inbhir a scríobh síos ar 14.12.1937 agus ar 18.1.1939 agus idir eatarthu. Pádraig Ó Gallchóir as an Ghlaisigh a d'inis an scéal.

1.37.3. Mar a bhí i 1.37.2. thuas. S1066B: Cóipleabhar 2, 28-34. Máire Ní Fhearraigh as Bun An Leaca a scríobh síos ar 27 Bealtaine, 1938 agus ba é Eoghan Ó Fearraigh as an bhaile chéanna a d'inis an scéal di. Tá trí leagan eile go fóill den scéal le fáil sna cóipleabhair a bhaineann le Scoil Bhun An Inbhir mar seo. Níl aon rud úr iontu nach bhfuil sna leaganacha sin thuas: S1066A: Cóipleabhar 2, 10-12. Bríd Nic Gairbheith a scríobh síos ach níl seanchaí ná dátaí ar bith luaite leis an scéal ach scríobhadh i dtús Mhí Feabhra 1938 é roimh 18.2.1938. S1066B: Cóipleabhar 1, 15-19. Séamas Mac Gairbheith scríobh an scéal seo síos óna athair ar 22.3.1938. Ní thugann sé ainm an athar. S1066B: Cóipleabhar 8, 32-39. Séamas Ó Cuireáin as an Ghlaisigh a d'inis an scéal seo agus ba é Tomás Mac Gairbheith a scríobh síos uaidh é ar 8.11.1938 Is faoi *AT 511, One-Eye, Two Eyes, Three Eyes* atá na leaganacha uile den scéal seo cláraithe in TIF.

Céad go leith leagan ach péire (148) den scéal a fuarthas sa tír seo. Thángthas ar naoi gcinn acu sin (9) i mBailiúchán na Scol as Dún na nGall. Níl tuairisc ar bith ar na sé (6) leagan a bhfuil cur síos orthu thuas, in TIF.

1.38. *AT 513A, Six Go Through the Whole World*: S1068: 11-20 *(+ CFAT 505-508, The Grateful Dead)*. Tagair dá bhfuil ráite faoi 1.34.1. thuas. Ceithre chéad ach ocht (392) leagan den scéal seo a cruinníodh in Eirinn. Fuarthas seacht gcinn deág (17) díobh sin i mBailiúchán na Scol as Dún na nGall, an ceann seo againne ina measc.

1.39. *CFAT 550, Search for the Golden Bird* S1068: 464-468, Scoil na Luinnigh. Caitlín Ní Dhónaill, aois 12, as an Luinnigh a scríobh síos an leagan seo den scéal agus ba é Aodh ó Gallchóir, aois 56, Bun An Leaca a d'inis ar 20.1.1938. Tá leagan breá eile den scéal seo le fáil i S1066A: Cóipleabhar 12, 5-12. Scoil Bhun An Inbhir. Máire Ní Ghallchóir a scríobh síos an scéal seo ar 14.12.1938 agus ba óna máthair mhór ar an Ghlaisigh (nach dtugann sí a hainm) a fuair sí é. Tá cosúlachtaí láidre idir an leagan seo agus a bhfuil le fáil in 1.39. thuas.

Dhá chéad is seasca is a seacht (267) leagan den scéal seo a cruinníodh ar fud na tíre. Tá dhá (2) cheann acu sin le fáil i mBailiúchán na Scol as Dún na nGall ach níl tagairt ar bith in TIF don dá leagan atá againn anseo thuas. Is fiú comparáid a dhéanamh idir na scéalta seo agus na leaganacha sin atá luaite faoi 1.40. thíos.

1.40.1. *AT 551, The Sons on a Quest for a Wonderful Remedy for their Father.* S1066A: Cóipleabhar 15, 37-48. Seán ó Briain a scríobh síos an scéal seo ar 13.7.1938. Cha dtugann sé ainm an scéalaí in áit ar bith.

1.40.2. Mar atá in 1.40.1. thuas. S1067, Cóipleabhar 7, 32-52. Scoil na gCailíní, Doirí Beaga. Anna Ní Fhearraigh as an tSeascann Bheag a scríobh síos ó Shéamas Ó Baoill as an bhaile chéanna ar 3.1.1938 (agus ina dhiaidh sin os scéal fada é).

352

Fuarthas leagan breá eile den scéal seo i S1066A: Cóipleabhar 20, 1-14, Scoil Bhun An Inbhir. Pádraig Mac Suibhne as an Ghlaisigh a d'inis an scéal ar an 5.1.1938 agus ba í Nóra Ní Ghallchóir a scríobh síos uaidh é. Chan fhuiltear a thabhairt anseo mar go bhfuil sé róchosúil le leagan 1.40.1. Fuarthas leagan eile in S1068: 472-474, Scoil na Luinnigh. Anna Ní Bhaoill, aois 13, An Charraig a scríobh síos. Maighréad Ní Bhaoill, aois 41 a d'inis ar 15.10.1938.

Ceithre scór go leith (90) leagan den scéal seo a fuarthas sa tír. Leagan ar bith de ní bhfuarthas i mBailiúchán na Scol as Dún na nGall dar le TIF. Thig linn na ceithre leagan seo againn féin a chur sa chuntas anois. Arís is ceart comparáid a dhéanamh idir an scéal seo agus na leaganacha faoi 1.38. thuas.

1.41.1. *AT 554, The Grateful Animals* S1068: 450-451, Scoil na Luinnigh. Máire Nic Pháidín, aois 13, as an Luinnigh a scríobh síos ar 12.2.1938 ó bhéalaithris Eibhlín Nic Pháidín, An Chorrmhín aois 50 bliain.

1.41.2. mar atá faoi 1.41.1. thuas *(+ AT 1000, Bargain not to become Angry)*: S1066A, Cóipleabhar 3, 31-39. Bríd Ní Fhríl a scríobh síos an scéal seo ar 18.3.1938 ó Dhónall ó Fríl, An Luinnigh.

Sé leagan déag agus trí fichid (76) den scéal seo a fuarthas ar fud na tíre. Leagan amháin acu sin atá i mBailiúchán na Scol as Dún na nGall. Níl tagairt do cheachtar den dá leagan seo thuas i TIF. Tá leaganach eile den scéal seo fite isteach faoi scéalta eile e.g. *AT 571.*

1.42. *AT 555, The Fisher and his Wife:* S1069: 48-50. Máire Nic Pháidín, aois 13, An Luinnigh a scríobh síos an scéal seo agus ba é Brian Ó Baoill, An Charraig, aois 58 bliain a d'inis ar 4.12.1938.

Sé leagan is daichead (46) den scéal seo a fuarthas in Éirinn, trí (3) cinn acu sin i mBailiúchán na Scol as Dún na nGall, an ceann seo againne ina measc.

1.43.1. *AT 555*, Greed is Punished:* S1068: 477-478, Scoil na Luinnigh. Anna Ní Bhaoill, An Charraic a scríobh síos an scéal seo ar 8.11.1937 ó bhéalaithris Bhriain Uí Bhaoill, An Charraic aois 58 bliain.

1.43.2. Mar a bhí faoi 1.43.1. thuas. S1066B: Cóipleabhar 2, 66-67. Scoil Bhun An Inbhir. Máire Ní Fhearraigh a scríobh síos an scéal ar 26.8.1938 ach ní fios cé uaidh ar scríobh sí síos é.

1.43.3. Mar a bhí faoi 1.43.1. thuas. S1066B, Cóipleabhar 6: 8-9. Scoil Bhun An Inbhir. Máire Nic Gamháin a scríobh síos an scéal seo ar 18.11.1938 agus ar 21.11.1938. Eoghan Ó Fearraigh, Bun An Leaca a d'inis an scéal di. Tá dhá leagan eile den scéal deiridh seo le fáil i mBailiúchán na Scol as Gaoth Dobhair, mar a leanas: S1066: (8): Scoil An Toir. Ba é Seosamh Ó Connacháin a scríobh síos an leagan seo agus ba é Pádraig Ó Connacháin a d'inis dó é. Tá an leagan seo an-ghairid. S1066A: Cóipleabhar 4: 1-2. Scoil Bhun An Inbhir. Séan ó Briain a scríobh síos an scéal seo ar 15.11.1938 agus ba í Méabha Nic Pháidín as Bun An Inbhir a d'inis an scéal dó.

Sé leagan is daichead (46) ar fad den scéal seo a fuarthas in Eirinn. Níl luaite in TIF as Bailiúchán na Scol as Dún na nGall ach leagan amháin díobh an ceann as Scoil an Toir. Can fhuil tagairt ar bith do na trí leagan atá muid a thabhairt anseo ná don leagan as S1066A: Cóipleabhar 4 in TIF.

1.44.1. *AT 563, The Table, the Ass and the Stick.* S1066A: Cóipleabhar 4, 37-43. Seán Ó Briain a scríobh síos an scéal seo ar 14.12.1938 agus ba í Méabha Nic Pháidín, as Bun An Inbhir a d'inis dó é.

1.44.2. Mar atá faoi 1.44.1. thuas. Is mar CFAT563 a dhéantar tagairt don leagan seo den scéal i TIF. Tá sé le fáil i S1068: 451-454, Scoil na Luinnigh. Máire Nic Pháidín, An Luinnigh, aois 13 a scríobh síos an scéal agus Eibhlín Nic Pháidín, An Chorrmhín aois 50 bliain a d'inis é ar 23.1.1938.

Fuarthas trí leagan eile den scéal seo sna cóipleabhair as Scoil Bhun An Inbhir. Tá péire díobh an-ghairid ach is leagan maith an tríú ceann. Níltear a dtabhairt anseo mar nach bhfuil aon rud úr iontu thar mar atá sna leaganacha atá tugtha cheana féin. Seo cuntas orthu. S1066B: Cóipleabhar 1, 1-3. Seamas Mac Gairbheith a scríobh síos an scéal seo ar 13.12.1937 ach níl ainm an scéalaí luaite in áit ar bith. S1066B: Cóipleabhar 8, 17-24. Pádraig Mac Giolla Chóill as an Ghlaisigh a d'inis an scéal seo agus ba é Tomás Mac Gairbheith a scríobh síos uaidh é ar 5.5.1938. S1066A: Cóipleabhar 16, 12-14. Eoghan ó Fearraigh as Bun An Leaca a d'inis an scéal seo ar an 10/11.2.1938 agus ba í Máire Nic Gamháin a scríobh síos uaidh é.
Trí chéad ach dhá leagan (298) den scéal seo a fuarthas sa tír. Ocht (8) gcinn acu sin atá luaite i TIF le Bailiúchán na Scol as Dún na nGall, ceithre cinn acu a bhfuil CF leo. De na cúig leagan a bhfuil cur síos againn orthu anseo níl tagairt i TIF ach don leagan as S1068: 451-454.

1.45. *CFAT 566, The Three Magic Objects and the Wonderful Fruits (Fortunatus).* S1068: 438-442, Scoil na Luinnigh. Treasa Ní Cholla, An Luinnigh, aois 13 a scríobh síos agus Bríd Nic Giolla Chóill, An tArd Donn, aois 63 bliain a d'inis ar 3.2.1938.
Céad agus seacht (107) leagan den scéal seo a cruinníodh sa tír. Fuarthas cúig cinn (5) acu sin i mBailiúchán na Scol as Dún na nGall. Leagan amháin díobh sin a raibh CF leis, an ceann seo atá muid a thabhairt anseo.

1.46.1. *AT 567, The Magic Bird-heart,* S1065: 254-269. Micheál Mac Cumhaill a scríobh síos an leagan seo den scéal óna athair Seán Mac Cumhaill as Mín Doire na nDamh. Níl dáta leis.

1.46.2. Mar atá thuas in 1.46.1. S1068: 517-519, Scoil na Luinnigh. Máire Ní Dhuibhir, aois 14, as an Luinnigh a scríobh síos an scéal seo agus ba é Niall Mac Pháidín (67) as an bhaile chéanna a d'inis an scéal di. Am éigin i 1938 a scríobhadh síos é.
Céad agus sé leagan déag ar fhichead den scéal seo a fuarthas in Éirinn. Tá cúig cinn acu sin i mBailiúchán na Scol as Dún na nGall, uimhir 1.46.1 ina measc. Níl tagairt ar bith don leagan eile atá anseo againn in TIF.

1.47 *CFAT 571, All Stick Together (+ AT 554 The Grateful Animals)*. S.1068: 49-52, Scoil Chnoc An Stolaire. Máire Ní Dhuibhir, aois 74 bliain, Oileán Ghabhla a d'inis an scéal seo. Fuair sí an scéal óna máthair trí scór bliain roimhe sin. Tá sé scríofa sa leabhar mhór agus gach seans gurb é an príomhoide a scríobh isteach ansin é.

Tá an dara leagan den scéal le fáil sna cóipleabhair a tháinig as Scoil Bhun An Inbhir mar a leanas. S1066A: Cóipleabhar 5, 19-23. Ní thugtar údar ar bith leis an scéal a scríobhadh síos ar 18.11.1938. Pádraig Mac Pháidín as an Charraig a scríobh síos an scéal.

Dhá chéad is tríocha is a seacht (237) leagan den scéal seo a fuarthas in Eirinn de réir TIF. Tá deich (10) gcinn acu sin i mBailiúchán na Scol as Dún na nGall. Bhí CF le trí cinn de na deich gcinn sin, an leagan atá á thabhairt anseo ina measc. Níl tagairt ar bith don leagan eile as Scoil Bhun An Inbhir in TIF.

1.48 *AT 580*, The Inexhaustible Purse*. S1068:547. Bríd Ní Cholla aois 13 as an Charraig a scríobh síos ó Sheosamh Ó Colla aois 50 as an bhaile chéanna ar 14.2.1938.

Seacht leagan is fiche (27) ar fad a fuarthas den scéal seo in Éirinn de réir TIF, ceann amháin acu sin as Bailiúchán na Scol as Dún na nGall. Níl an leagan seo thuas ar na seacht gcinn is fiche.

1.49 *AT 590, The Prince and the Arm Bands (+ AT 300 The Dragon Slayer)*. S1066:118-125, Scoil Bhun An Inbhir. Nábla Nic Giolla Chóill a scríobh agus Pádraig Mac Giolla Chóill a d'inis. Ar an 14.11.1938 a scríobhadh sa leabhar mhór é. Tá an scéal seo le fáil fosta i gcóipleabhar Nábla agus is é Pádraig Ó Gallchóir a luaitear mar sheanchaí. Níl de réiteach agamsa anseo ar an scéal ach an dá ainm a thabhairt.
Céad ceathracha is a seacht (147) leagan den scéal seo a fuarthas in Eirinn, sé cinn deag (16) acu i mBailiúchan na Scol as Dún na nGall agus an leagan seo thuas ina measc.

1.50 *AT 592, The Dance Among Thorns*. S1066A: Cóipleabhar 20, 35-45. Nóra Ní Ghallchóir a scríobh síos an scéal agus ba í a máthair mhór as an Charraig nach dtugann sí a hainm a d'inis an scéal di ar 26.4.1938.
Fuarthas trí leagan déag is ceithre fichid (93) den scéal seo ar fud na tíre. Dá cheann acu a bhí i mBailiúchán na Scol as Dún na nGall. Níl tagairt ar bith don leagan atá anseo againn in TIF.

1.51.1. *AT 613, The Two Travellers (Truth and Falsehood)*. S1068:252-257, Scoil Mhín an Chladaigh. Eibhlín Ní Bhriain aois 14 as Gleann hUalach a scríobh síos an leagan ach níl dáta leis. Ba é a hathair Pádraig Ó Briain aois 41 a d'inis an scéal di.

1.51.2. Mar atá thuas faoi 1.51.1. ach é a bheith níos giorra. S1068: 543-544, Scoil na Luinnigh. Bríd Ní Cholla aois 13 as an Charraig a scríobh síos ó bhéalaithris Bhríd Ní Fhríl, aois 16, An Luinnigh ar 16.4.1938.

Trí chéad agus seacht (307) leagan den scéal seo a cruinníodh ar fud na tíre. Tá deich gcinn (10) acu sin i mBailiúchán na Scol as Dún na nGall ach níl tagairt do cheachtar den dá leagan atá muid a thabhairt anseo in TIF.

1.52 *AT 650, Strong John*. S1068: 21-26, Scoil Chnoc An Stolaire. Antoin Mac Suibhne, aois 76, Machaire Chlochair, An Bun Beag a d'inis. Fuair sé an scéal óna athair trí scór bliain ó shin. Níl a fhios cé a scríobh isteach sa leabhar mhór é. Ceithre chéad agus seachtó is a cúig (475) leagan den scéal seo a fuarthas in Éirinn. Cruinníodh ocht gcinn déag acu (18) sna bunscoileanna i nDún na nGall, an ceann seo againne ina measc.

1.53.1. *AT 670, The Animal Languages (Including the Three Laughs of the Mermaid)*. S1066: 126-128, Scoil Bhun An Inbhir. Pádraig Ó Fearraigh as An Ghlaisigh a scríobh agus ba é Pádraig Mac Giolla Chóill a d'inis. Ar 17.11.1938 a scríobhadh síos sa leabhar mhór é.

1.53.2. Mar atá thuas faoi 1.53.1. S1068: 223-226, Scoil Mhín An Chladaigh. Seán Ó Cuiréain (70) as Machaire Gáthlán a d'inis agus ba é Seán Mac Fhionnaile an príomhoide a scríobh sa leabhar mhór. Níl dáta leis.

1.53.3. Mar atá thuas faoi 1.53.1. S1067, Cóipleabhar 5, 18-20. Scoil na gCailíní, Doirí Beaga. Máire Ní Bhaoill, Machaire Gáthlán a scríobh síos agus Séamas ó Cuiréain, Machaire Gáthlán a d'inis. Níl dáta leis.

Ocht leagan déag agus trí fichid (78) den scéal seo a fuarthas in Éirinn, ceithre cinn (4) acu sin as Bailiúchán na Scol as Dún na nGall. Tá an chéad dá leagan atá muid a thabhairt anseo thuas i measc na gceithre leagan sin ach níl tagairt ar bith don tríú leagan thuas in TIF.

1.54.1 *(CF)AT 700, Tom Thumb*. S1068: 42-44. Antoin Mac Suibhne, Machaire Chlochair, An Bun Beag aois 74 a d'inis an leagan seo den scéal agus ba é Seosamh ó Gallchóir, Príomh Oide Scoil Chnoc an Stolaire a scríobh isteach sa leabhar mhór é.

1.54.2 Mar atá faoi 1.54.1. thuas. S1066A: Cóipleabhar 7, 20-23, Scoil Bhun An Inbhir. Eibhlín Ní Chuireáin a scríobh síos an scéal ar an 10.2.1938 ach chan fhuil tuairisc ar bith ar cé a d'inis an scéal di. Tá an dá leagan seo éagsúil óna chéile go háirithe ina dtús agus mheas mé dá bhrí sin gur mhaith an rud an dá leagan a thabhairt. Is ceist an leagan (CF) a ba cheart a bheith sa dara leagan nó nach ea mar nach bhfuil mé lánsoiléir ar na slata tomhais is cóir a chur i bhfeidhm ina leithéid de rangú.

Ceithre scór (80) leagan ar fad den scéal a luaitear in TIF. Fuarthas naoi (9) gcinn acu sin i mBailiúchan na Scol as Dún na nGall agus tá (CF) le dhá cheann díobh, an chéad leagan anseo thuas ina measc. Níl tagairt ar bith don dara leagan in TIF.

1.55 *AT 709, Snow White*. S1066: 70-72, Scoil An Toir. Antoin Mac Suibhne a scríobh síos an scéal agus ba é Séamas Mac Suibhne a d'inis dó é. Ní luaitear dátaí ar bith.

Trí leagan is seasca (63) ar fad den scéal seo a cruinníodh ar fud na tíre de réir TIF. Ní raibh oiread is leagan amháin i mBailiúchán na Scol as Dún na nGall ach thig linn anois an leagan seo thuas a chur sa chuntas.

1.56 *AT 720, My Mother Slew Me, My Father Ate Me. The Juniper Tree.* S1066A: Cóipleabhar 4, 16-19. Scoil Bhun An Inbhir. Seán Ó Briain a scríobh síos ar 22.11.1938 agus ba í Méabha Nic Pháidín as Bun An Inbhir a d'inis. De réir TIF chan fhuarthas ach cúig (5) leagan ar fad den scéal seo in Eirinn agus sampla ar bith níl i mBailiúchán na Scol as Dún na nGall. Féadfaimid anois an leagan seo thuas againn féin a chur san áireamh.

1.57.1 *(CF)AT 726*, The Oldest on the Farm.* S1068: 33-34, Scoil Chnoc An Stolaire. Eoghan Mac Giolla Bhríde, Muine Dubh aois 75 a d'inis an scéal seo. Fuair sé an scéal óna athair Mícheál 62 bliain roimhe sin. Is é an príomh oide a scríobh isteach sa leabhar mhór é.

Fuarthas an dara leagan den scéal in S1068A: Cóipleabhar 2, 6-9. Eibhlín Ní Fhearraigh, Muine Dubh, An Bun Beag a scríobh síos an scéal ar 23 Márta, 1938 agus ba í Anna Ní Fhearraigh, Muine Dubh a d'inis di é. Níl an leagan seo á thabhairt anseo againn mar go bhfuil sé róchosúil le leagan 1.56.1.

Cúig (5) leagan ar fad den scéal seo a fuarthas sa tír de réir TIF. Níl tagairt ar bith go bfuarthas aon cheann de na leaganacha sin i mBailiúchán na Scol as Dún na nGall. Féadfar an dá leagan seo againn féin a chur sa chuntas anois.

1.58.1. *AT 750* Hospitality Blessed.* S1067: Scoil na gCailíní, Doirí Beaga. Tá an scéal seo le fáil i gCóipleabhar 1 (an dara ceann) agus ba í Peigí Nic Giolla Bhríde, Ard na gCeapairí a scríobh síos ar 18.2.1938 agus ba é Niall ó Dónaill aois 80 as an bhaile chéanna a d'inis di.

1.58.2. Mar atá faoi 1.58.1. thuas. S1067: Cóipleabhar Liam Uí Ghallchóir, Scoil na nGasúr, Doirí Beaga. Ba é Liam ó Gallchóir a scríobh síos an scéal agus ba é an maighistir Eogan Mac Giolla Chóill a d'inis an scéal dó.

Fuílleach beag le cois na gceithre scór go leith (91) de leaganacha den scéal seo atá luaite in TIF. San ábhar as scoileanna Dhún na nGall a fuarthas an leagan corr. Níl tagairt ar bith don da leagan seo againne in TIF agus tá sé chomh maith againn anois iad a chur san áireamh.

1.59.1 *AT 753, Christ and the Smith.* S1066: 111-115, Scoil Bhun An Inbhir. Pádraig ó Fearraigh a scríobh síos an scéal seo. Níl dáta leis. Ba é Pádraig Mac Giolla Chóill as an bhaile chéanna a d'inis dó é.

1.59.2 Mar atá in 1.59.1. thuas. S1068: 1-9, Scoil Chnoc an Stolaire. Aodh Ó Gallchóir iaroide scoile, Machaire Chlochair, An Bun Beag a d'inis an scéal agus ba é Seosamh ó Gallchóir príomhoide Scoil Chnoc an Stolaire a scríobh síos an scéal.

357

Fuarthas leagan breá eile den scéal i S1067A, Scoil na nGasúr, Doirí Beaga. Is i gcóipleabhar Liam Uí Ghallchóir, leathanaigh 49-58 atá an scéal le fáil agus is é féin a scríobh síos an scéal agus deir sé linn gur ó Dhónall ó Dúgáin, Mín An Iolair a fuair sé an scéal. Tá cuma air gur buachaill óg a bhí ag freastal ar an scoil an Dónall ó Dúgáin seo. Tá an leagan deiridh seo an-chosúil leis an dá cheann eile roimhe agus níltear á thabhairt anseo.

Céad agus ochtó is a naoi (189) leagan den scéal seo a bhfuil cur síos orthu in TIF. Ocht gcinn acu sin a fuarthas i mBailiúchán na Scol as Dún na nGall an dá cheann atáthar a thabhairt anseo ina measc. Níl tagairt ar bith in TIF don leagan as S1067A, 49-58.

1.60.1 *AT 756C*, Receipt from Hell* S1066A: Cóipleabhar 6, 16-23, Scoil Bhun An Inbhir. Pádraig Mac Giolla Chóill, An Ghlaisigh a scríobh síos an scéal ar 1.6.1938 agus ní fios cé a d'inis.

1.60.2 Foleagan de *AT 756C**. Rud coitianta i scéalta na hÉireann go dtugann sagart tiarna talaimh nó duine eile ar ais óna mairbh lena chruthú go bhfuil sé in Ifreann nó i bPurgadóir. S1068: 271-275, Scoil Mhín An Chladaigh. Aodh Ó Briain as Leath Cáite aois 13 a scríobh síos an scéal seo ar 2.1.1938 agus ba é Dónall Ó Cuiréain (20) a d'inis dó é.

Fuarthas foleagan eile den scéal seo mar a leanas: S1066A: Cóipleabhar 4, 46-49. Seán Ó Briain a scríobh síos ar 22.12.1938 agus ba í Méabha Nic Pháidín, Bun An Inbhir a d'inis an scéal. Níltear á thabhairt anseo mar go bhfuil sé díreach cosúil le 1.60.2 ó thaobh leagan amach de.

Seacht leagan is fiche (27) den scéal seo a bhfuil tagairt dóibh in TIF, dhá cheann acu i mBailiúchán na Scol as Dún na nGall. Tá (CF) leis an dá leagan chéanna. Níl tagairt ar bith do na trí leagan sin thuas againne in TIF.

1.61.1. *AT 759B, Holy Man Has his own Mass*, S1066: 129-133, Scoil Bhun An Inbhir. Pádraig Ó Fearraigh as an Ghlaisigh a scríobh síos an scéal seo agus Pádraig Mac Giolla Chóill as An Ghlaisigh a d'inis ar 18.11.1938.

1.61.2. Mar atá faoi 1.61.1. thuas. Tá an scéal le fáil i S1067: 40, Scoil na nGasúr, Doirí Beaga. Níl a fhios cé a scríobh síos nó a d'inis an scéal. Fuarthas leagan eile den scéal nach bhfuil críochnaithe i S1066A: Cóipleabhar 9, 39-41, Scoil Bhun An Inbhir. Pádraig ó Fearraigh as an Ghlaisigh a scríobh síos an leagan seo fosta ar an 17.11.1938. Cha luaitear údar ar bith leis an scéal. Tá gach seans gur seo an scéal céanna a bhfuil leagan críochnaithe de luaite faoi 1.61.1. thuas.

Cruinníodh céad agus seachtó is a naoi leagan (179) den scéal seo in Eirinn dar le TIF. Fuarthas ocht gcinn (8) acu sin i mBailiúchán na Scol as Dún na nGall, an leagan faoi 1.60.1 thuas ina measc. Níl tagairt ar bith don dara leagan atá muid a thabhairt anseo thuas in TIF.

1.62 *AT 759** How God's Wheel Turns*. Tá leagan den scéal seo le fáil níos faide siar sa leabhar seo faoin rangú HIF 639(91).

1.63 *AT 765B/765B*, The Father who Wanted to Kill his Children,* S1066A:
Cóipleabhar 13, 7-11 agus 30-35. Scoil Bhun An Inbhir. Nábla Nic Giolla
Chóill a scríobh síos ar 26.8.1938 gus ar 22.11.1938 ó Phádraig Mac Giolla
Chóill as An Ghlaisigh.

1.64 *AT 769*, A Dead Man Released from Purgatory,* S1066A: Cóipleabhar
6, 25-27. Scoil Bhun An Inbhir. Pádraig Mac Giolla Chóill a scríobh síos ar
30.6.1938. Níl a fhios cé a d'inis an scéal.

Ní bhfuarthas ach ceithe (4) leagan den scéal seo in Éirinn. Chan fhuarthas
leagan ar bith i mBailiúchán na Scoil as Dún na nGall dar le TIF. Thig linn
anois an leagan seo againn féin a chur san áireamh.

1.65. *AT 766 The Seven Sleepers,* S1065: Scoil Dhún Lúiche, 229-230. Seán
ó Dúgáin a scríobh síos an scéal. Ba í a mháthair mhór Maighréad Bean Mhic
Aoidh as Gleann Tornáin a d'inis dó é.

Tá leagan eile den scéal seo le fáil sna cóipleabhair atá le Scoil na Luinnigh.
Seán Ó Gallchóir, Srath Máirtín a scríobh síos an scéal seo ar an 14ú, 19ú
agus 21.12.1938 agus ba í Bríd Ní Fhearraigh, Dún Lúiche (86) bliain a d'inis
an scéal dó. Tá an scéal ina chóipleabhar féin ar leathanaigh 13-15.

Leagan agus leithchéad (51) den scéal a cruinníodh in Eirinn. Ní bhfuarthas
leagan ar bith i mBailiúchán na Scol as Dún na nGall de réir TIF. Féadfaidh
muid anois an dá leagan seo againn féin a chur sa chuntas.

1.66 *AT 782, Midas and the Ass's Hair* S1069: Leathanaigh 7-10, Scoil na
Luinnigh. Caitlín Ní Dhónaill (13) a scríobh síos an scéal agus ba í Caitlín
Ní Ghallchóir (40), An Charraig a d'inis. Níl sé ráite cén uair a scríobhadh é.

Fuarthas trí leagan eile den scéal sna cóipleabhair a tháinig as Scoil Bhun An
Inbhir mar a leanas:

S1066A: Cóipleabhar 14, 30-31 agus Cóipleabhar 11, 23-24. Ba í Eibhlín Nic
Pháidín a scríobh síos an dá leagan seo ar an 27.6.1938 agus ar an 21.12.1938
faoi seach. Deir sí gur óna máthair a fuair sí an chéad leagan ach cha dtugann
sí aon údar leis an dara leagan.

S1066A: Cóipleabhar 12, 25-26. Máire Ní Ghallchóir a scríobh síos an leagan
seo ar 8.6.1938 agus ba é Pádraig Mac Giolla Chóill as An Ghlaisigh a d'inis
di é. Tá na leaganacha sin uile chomh maith leis an leagan atá muid a thabhairt
faoi 1.66 thuas.

Céad agus leagan amháin (101) a cruinníodh in Eirinn agus fuarthas 6 cinn
acu sin i mBailiúchán na Scol as Dún na nGall, an leagan atá as S1069 thuas
ina measc. Níl trácht ar bith ar na trí leagan as Scoil Bhun An Inbhir in TIF
agus thig linn féin anois iad a chur san áireamh.

1.67 *AT 813, A Careless Word Summons the Devil.* S1069: 73-75, Scoil na Luinnigh. Caitlín Nic Giolla Chóill, (15) An Luinnigh a scríobh síos an scéal seo ar 17.8.1938 agus ba é Pádraig Ó Colla, aois 63 as An Luinnigh a d'inis di é.

Ceithre leagan is fiche (24) den scéal seo a fuarthas in Eirinn agus ní luaitear go dtáinig ceann ar bith acu as Bailiúchán na Scol as Dún na nGall. Féadfaimid an leagan seo againn féin a chur san áireamh anois.

1.68 *AT 816*, Devils Tempt the Pope.* S1068: 495-496, Scoil na Luinnigh. Anna Nic Aodhcháin, (14), An Chorrmhín a scríobh síos an scéal agus ba í Caitlín Nic Aodhcháin, aois 45, as an bhaile chéanna a d'inis di é i Mí na Samhna, 1939.

Trí leagan déag is fiche (33) den scéal seo atá luaite in TIF. Is é an leagan atá anseo againn an t-aon leagan a fuarthas i mBailiúchán na Scol as Dún na nGall.

1.69 *AT 836F*, The Miser and the Eye Ointment.* S1067, Cóipleabhar 1, 17-21. Scoil na gCailíní, Doirí Beaga. Peigí Nic Giolla Bhríde, Ard na gCeapairí a scríobh síos ar 6.12.1937 agus ba é Eoin Ó Dochartaigh as Ard na gCeapairí aois 66 bliain a d'inis di é.

Ocht gcinn déag (18) de leaganacha den scéal seo a fuarthas sa tír dar le TIF. Níl cuntas ar leagan ar bith a bheith i mBailiúchán na Scol as Dún na nGall. Thig linn anois an ceann seo againn féin a chur sa chuntas.

1.70 *AT 845, Old Man and Death.* S1066: 345, Scoil na gCailíní, Doirí Beaga. Bríd Ní Dhónaill as Carraig an tSeascainn a scríobh síos agus Séamas Mac Giolla Bhríde, aois 87, Carraig an tSeascainn a d'inis an scéal di. Scríobhadh síos é ar 29.3.1938 agus cé gur sa leabhar mhór atá sé is ina cuid scríbhneoireachta féin atá sé.

Cruinníodh seacht leagan is trí fichid (67) den scéal seo in Eirinn, sé cinn (6) acu sin as Bailiúchán na Scol as Dún na nGall, an ceann seo againne ina measc.

1.71.1 *AT 875 The Clever Peasant Girl (+ AT 875E, The Unjust Decision: the Oil Press Gives Birth to a Colt; + 926D, The Judge Appropriates the Object of Dispute; + CFAT 518*, Unjust Umpire Misappropriates Disputed Goods),* S1066A, Cóipleabhar 4, 27-36, Scoil Bhun An Inbhir. Séan Ó Briain, Mín An Chladaigh a scríobh síos ar 5.12.1938 agus ba í Méabha Nic Pháidín, Bun An Inbhir a d'inis an scéal dó.

1.71.2 Mar atá luaite in 1.71.1 thuas. Is é Pádraig Mac Pháidín as An Charraig a scríobh síos ar 12.5.1938. Ní thugann sé údar ar bith. Tá an leagan seo le fáil i S1066A, Cóipleabhar 1, 30-34. Scríobh an buachaill céanna dhá leagan eile den scéal seo i S1066A: Cóipleabhar 5, 1-4 agus 33-34 faoi seach. Scríobhadh an chéad leagan ó Thomás Mac Giolla Bhríde as An Charraig am éigin roimh 14.11.1938 agus scríobhadh an dara leagan nach bhfuil údar luaite leis ar 4.1.1939. Níl thugtar ceachtar den dá leagan deiridh seo sa leabhar

360

seo mar nach bhfuil a dhath iontu nach bhfuil sa leagan a bhfuil an uimhir 1.71.2 air.

Sé chéad is ochtó is a ceathair (684) leagan den scéal seo a cruinníodh ar fud na tíre agus tá sé cinn déag (16) acu sin le fáil i mBailiúchán na Scol as Dún na nGall. Níl tagairt do cheann ar bith de na ceithre leagan sin thuas in TIF.

1.72 *AT 910B, The Servant's Good Counsels,* S1066A: Cóipleabhar 3, 1-10, Scoil Bhun An Inbhir. Bríd Ní Fhríl a scríobh síos ar 8.2.1938 ó bhéalaithris Anna Ní Cholla, An Luinnigh. Seo an leagan is faide agus is foirfe de na leaganacha ar fad atá le fáil as scoileanna Ghaoth Dobhair. Fuarthas cuid mhaith leaganacha eile den scéal sa paróiste fosta. Seo a leanas cur síos ar na cinn is fearr acu: S1066: 134-137, Scoil Bhun An Inbhir. Máire Ní Fhearraigh a scríobh síos an leagan seo agus ba é Seán Ó Fearraigh as An Ghlaisigh a d'inis di é ar 22.11.38. Is ar an 5.12.1938 a scríobh sí síos sa leabhar mhór é. Is leagan breá é seo fosta den scéal. Is ionann é dar liom agus an chéad leagan eile a bhfuil tuairisc air thíos. S1066B: Cóipleabhar 15, 61-66. Seán Ó Fearraigh, An Ghlaisigh a d'inis an scéal ar an 22.11.1938 agus ba í Máire Ní Fhearraigh scríobh síos é.

S1068: 462-464 agus 563-565, Scoil na Luinnigh. Ba í Bríd Ní Cholla, An Charraig a scríobh an chéad leagan ó Chaitlín Ní Ghallchóir (40) An Charraig ar 12.1.1938. Máire Nic Pháidin, An Luinnigh a scríobh síos an dara leagan ó Bhríd Ní Fhríl (15) An Luinnigh am éigin i Mí Bealtaine, 1938.

S1068: Cóipleabhar (4), 6-8, Scoil Mhín An Chladaigh. Liam Ó Píopalaigh a scríobh síos ar 20.1.1938 ó bhéalaithris Sheáin Uí Bhriain, aois 69 as an bhaile chéanna.

Trí chéad agus dhá leagan déag (312) den scéal seo a fuarthas in Éirinn, ceann is fiche (21) acu sin i mBailiúchán na Scol as Dún na nGall. Déantar tagairt in TIF do na leaganacha seo: S1066: 134-137; S1068: 462-464 agus 563-565. Níl tuairisc ar bith faoi na trí leagan eile in TIF.

1.73 *AT 910E, Father's Counsel: Where Treasure Is,* S1068, 535-536, Scoil Na Luinnigh. Dónall Mac Giolla Easpaig aois 13 a scríobh síos an scéal agus ba í Bríd Nic Giolla Easpaig aois 50 as Sraith na Brúigh a d'inis dó é ar 8ú agus ar 13ú Meitheamh, 1938. Cé gurb é an leagan seo atáimid a thabhairt anseo tá leaganacha eile atá lán chomh maith leis le fáil sna cóipleabhair a tháinig as Scoil Mhín An Chladaigh. Seo tuairisc ar na leaganacha eile sin.

S1068: Cóipleabhar 1, 1-2. Dónall Mac Giolla Easpaig, Mín An Chladaigh a scríobh síos ar 11.1.1938 ach ní fios cé uaidh.
S1068: Cóipleabhar 2, 1. Seán Mac Giolla Chóill, Mín An Chladaigh a scríobh síos ar 2.1.1939 agus ba í Bríd Nic Giolla Chóill, aois 60 as Mín An Chladaigh a d'inis dó é.
S1068: Cóipleabhar 3, 1-2. Róise Ní Chuireáin, Port Uí Chuireáin a scríobh síos ar 11.1.1938 agus ba é a hathair Seán ó Cuireáin aois 40 bliain as an bhaile chéanna a d'inis di é.
S1068: Cóipleabhar 4, 1-2. Liam ó Píopalaigh, Mín An Chladaigh a scríobh

síos ó bheálaithris Sheáin Uí Bhriain, Mín An Chladaigh, aois 69 ar 11.1.1938.
S1068: Cóipleabhar 5, 1-2. Maighréad Ní Dhubhchain, Mín An Chladaigh a scríobh síos ó bheálaithris Dhónaill Uí Bhaoill, Mín An Chladaigh, aois 74 ar 11.1.1938.
S1068: Cóipleabhar 6, 1-2. Eibhlín Ní Bhriain, Gleann hUalach, Mín An Chladaigh a scríobh síos ó bheálaithris Phádraig Uí Bhriain, Mín An Chladaigh, aois 41 ar 25.12.1938.
S1068: Cóipleabhar 7, 1-2. Máire Ní Bhriain as Mín An Chladaigh a scríobh síos agus ba é Seán Ó Briain a d'inis di é ar 11.1.1938.
S1068: Cóipleabhar 8, 1-2. Róise Ní Dhochartaigh, Mín An Chladaigh a scríobh síos ó bhéalaithris Sheáin Uí Dhúgáin a hathair mór, aois 72 ar an 11.1.1938.
S1068: Cóipleabhar 9, 1-2. Cáit Ní Bhriain (Seán) a scríobh síos ar 11.1.1938 agus ba í Máire Ní Bhriain (Seán) aois 48 a dinis an scéal di.
S1068: Cóipleabhar 10, 1-2. Aodh ó Briain, Leath Cáite a scríobh síos ó Anna Ní Fhearraigh, Glais An Chú, aois 60 ar 2.1.1938.
S1068: Cóipleabhar 11, 1-2. Méadhbha Ní Bhriain, Gleann hUalach, Mín An Chladaigh a scríobh sios agus ba í Sorcha Ní Bhriain, Mín An Chladaigh, aois 56 a d'inis an scéal ar 11.1.1938.

Trí leagan déag (13) den scéal a fuarthas sa tír de réir TIF. Tá dhá cheann i mBailiúchán na Scol as Dún na nGall an ceann seo atá muid a thabhairt anseo ina measc. Níl caint ar bith ar na leagan déag eile (11) as Scoil Mhín An Chladaigh in TIF. Tá uimhir na leaganacha dúbailte anois againn féadaim a rá.

1.74 *AT 915A, The Misunderstood Precepts.* Amharc faoi *AT 1833.*

1.75.1 *AT 920, The Son of the King (Soloman) and of the Smith.* S1068: 548-550, Scoil na Luinnigh. Anna Nic Aodhcháin, aois 14 An Chorrmhín a scríobh síos. Eibhlín Nic Pháidín aois 50 as An Chorrmhín a d'inis an scéal di ar 17.7.1938.

1.75.2   Mar a bhí thuas. S1068, 105-112, Scoil Chnoc an Stolaire. Máire Nic Fhionnaile, Machaire Loisce a d'inis ach níl a fhios cé a scríobh síos é sa leabhar mhór.

Naoi leagan is daichead (49) den scéal seo a cruinníodh ar fud na tíre. Cha raibh oiread is ceann amháin acu sin i mBailiúchán na Scol as Dún na nGall dar le TIF. Féadfaimid an leagan seo againn féin a chur sa chuntas anois.

1.76 *CFAT 922, The Shepherd Substituting for the Priest answers the King's Questions.* S1068: 165-167, Scoil Mhín An Chladaigh. Seán Ó Dúgáin, Mín An Chladaigh aois 72 a d'inis an scéal seo agus ba é Seán Mac Fhionnaile príomhoide na scoile a scríobh isteach sa leabhar mhór é.

Cruinníodh suas le dhá chéad leagan den scéal seo in Éirinn agus tá naoi gcinn acu sin le fáil i mBailiúchán na Scol as Dún na nGall, an ceann seo ina measc. Tá cosúlacht ag an leagan áirithe seo chomh maith le *AT 921A, The Four Coins. (Focus).*
362

1.77 *AT 930/930A, The Predestined Wife.* S1067: Cóipleabhar 1, Scoil na gCailíní, Doirí Beaga. Peigí Nic Giolla Bhríde, Ard na gCeapaire a scríobh síos ar 3.1.1938. Séamas Mac Aodha. aois 72 bliain Mín An Iolair a d'inis an scéal di.

Níl tagairt don chineál seo scéal per se in TIF. Tá sé luaite faoin teideal *The Prophecy.* Cruinníodh suas le leithchéad leagan (50) den scéal seo in Éirinn agus fuarthas ceann amháin a bhfuil CF leis as an ábhar i scoileanna Dhún na nGall. Níl tagairt ar bith don leagan seo againne in TIF faoi aon teideal ach tá sé inluaite anois ann.

1.78 *AT 930-949, Tales of Fate.* S1067: Cóipleabhar 2, 65-67. Scoil na gCailíní, Doirí Beaga. Máire Ní Chuiréain a scríobh síos an scéal seo ó Eoin Ó Cuireáin ar 28.2.1938. Ba as Machaire Gáthlán é.

Cruinníodh corradh le sé scór go leith (131) leagan den scéal seo in Eirinn de réir thuairisc TIF. Dhá leagan acu sin a fuarthas i mBailiúchán na Scol as Dún na nGall ach níl an leagan seo againne orthu sin. Bíodh sé leo feasta.

1.79 *AT 934, The Prince and the Storm.* S1068, 527-528, Scoil na Luinnigh. Máire Nic Pháidín, aois 13, An Luinnigh a scríobh síos ó bhéalaithris Anna Nic Aodhcháin, aois 14 as An Chorrmhín am éigin i 1938. Níl dáta cruinn ar fáil.

Corradh le sé scór leagan den scéal seo a fuarthas in Eirinn dar le TIF. Bhí sé cinn acu sin i mBailiúchán na Scol as Dún na nGall an ceann seo againn féin ina measc.

1.80.1 *AT 950, Rhampsinitus.* S1067: 80-94, Scoil na nGasúr, Doirí Beaga. Feidhlimidh Ó Cuireáin, Machaire Gáthlán a scríobh síos an scéal ó Shéamas Ó Cuireáin as Machaire Gáthlán. Scríobh Liam Mac Giolla Chóill, príomhoide Scoil na nGasúr an méid seo faoin scéal: "Buachaill a d'fhág an scoil i mbliana Feidhlimidh Ó Cuireáin a fuair an scéal seo ó Shéamas Ó Cuireáin as Machaire Gáthlán. Tá eagla orm nach bhfuil sé leis mar is ceart, go bhfuil giotaí fágtha amuigh agus giotaí nach bhfuil i ndiaidh a chéile."
Tá leagan breá eile den scéal seo le fáil sna cóipleabhair a bhaineann le Scoil na gCailíní, Doirí Beaga. Tá sé beagnach focal ar fhocal leis an scéal seo thuas agus chan iontas sin ó tharla gur ón duine céanna Séamas ; Cuireáin a tógadh síos an scéal. Ba í Máire Ní Chuiréain, Machaire Gáthlán a scríobh síos an leagan eile seo ar 11.1.1938. Tá sé ar fáil i gcóipleabhar Mháire féin leathanaigh 26-41.

1.80.2 Mar atá thuas. S1065: 231-240. Micheál Mac Cumhaill a scríobh síos an scéal agus ba é Seán Mac Cumhaill as Mín na Cuinge a d'inis dó é. Níl sé le fáil ach sa leabhar mór.

1.80.3 Mar atá thuas. S1066: 138-145. Scoil Bhun An Inbhir. Ba é Pádraig Mac Pháidín, An Charraig a scríobh síos an scéal. Aodh Ó Gallchóir an seanchaí.

1.80.4 Mar atá thuas faoi 1.80.1. S1066: 94-100. Scoil Bhun An Inbhir. Bríd Nic Fhionnaile a scríobh síos ó Brian Ó Gallachóir. Níl dáta leis. Ba as An Ghlaisigh an bheirt.

Cruinníodh suas le dha chéad go leith (245) leagan den scéal seo ar fud na tíre. Fuarthas cúig cinn déag (15) acu i mBailiúchán na Scol as Dún na nGall agus bhí CF le 8 gcinn acu sin. Tá na ceithre cinn seo againn féin luaite in TIF. Níl trácht ar bith in TIF ar an leagan breá sin as S1067: Cóipleabhar Mháire Ní Chuireáin, 26-41.

1.81 *AT 953, The Old Robber Relates Three Adventures (+ AT 1137, The Ogre Blinded)*.S1067: Cóipleabhar 6, 22-29. Scoil na gCailíní, Doirí Beaga. Caitlín Nic Giolla Bhríde as Ard na gCeapairí a scríobh síos ó Niall Ó Dónaill (80) as an bhaile chéanna ar 3.1.1938.

Corradh le dhá chéad (211) leagan den scéal seo atá ar cuntas in TIF, cúig cinn (5) acu sin i mBailiúchán na Scol as Dún na nGall. Níl an leagan seo againne luaite sna cúig cinn sin ach féadfar é a chur leo anois.

1.82 *AT 956B, The Clever Maiden Alone at Home Kills the Robbers.* S1066B: Cóipleabhar 4, 31-38. Scoil Bhun An Inbhir. Peadar Ó Gallchóir as An Ghlaisigh a scríobh síos ar 31.10.1938 agus arís ar 3.1.1939. Aodh Ó Cuireáin as An Ghlaisigh a d'inis an scéal dó. Tá dhá leagan bhreátha eile den scéal sna cóipleabhair seo a leanas as an scoil chéanna. Tá siad lán-ionchurtha leis an leagan sin thuas ach ó tharla gan aon rud úr iontu níltear á dtabhairt anseo. Seo cuntas ar an dá leagan:
S1066A: Cóipleabhar 2, 17-22. Bríd Nic Gairbheith a scríobh síos an scéal agus ba é Pádraig ó Colla, An Ghlaisigh a d'inis an scéal di. Ní luaitear dáta ar bith leis.
S1066B: Cóipleabhar 1, 9-15. Séamas Mac Gairbheith a scríobh síos an scéal ar 2.2.1938 ó bhéalaithris Thaidhg Mhic Pháidín. Níl sé ráite in áit ar bith cár as an seanchaí.

Cruinníodh suas le céad is daichead leagan (140) den scéal seo in Éirinn. Bhí cúig cinn acu sin i mBailiúchán na Scol as Dún na nGall. Mar sin féin níl ceann ar bith de na trí leaganacha sin thuas luaite in TIF.

1.83 *AT 956B* Robber and Chest Lid.* Is ceart don léitheoir tagairt siar don méid atá ráite faoi *AT 875 The Clever Peasant Girl* mar is beag leagan den scéal deiridh seo nach bhfuil an moitíf faoi chlár an chófra thiar ina dheireadh. Tagraíodh sé fosta do *AT 1536A, The Woman in the Chest.*

1.84 *CFAT 974, The Homecoming Husband.* S1066b: Cóipleabhar 2, 4-8. Scoil Bhun An Inbhir. Máire Ní Fhearraigh a scríobh ar 5.1.1938. Gach seans gur ó bhéalaithris Bhríd Nic Gairbheith a scríobh sí síos an scéal.

Trí leagan (3) den scéal seo a fuarthas in Éirinn dar le TIF agus chan fhuarthas ceann ar bith i mBailiúchán na Scol as Dún na nGall. Níl tagairt ar bith don leagan thuas in TIF.

1.85.1 *AT 990*, Dumb Girl Rescued from Coffin,* S1068, 63-67, Scoil Chnoc An Stolaire. Máire Nic Fhionnaile, Machaire Loisce a d'inis an scéal. Níl dáta leis. Chuala sí an scéal ag Gráinne Nic Gairbheith, An Mhachaire Loisce leathchéad bliain ó shin.

1.85.2 Mar atá thuas. S1068, 227-232, Scoil Mhín An Chladaigh. Seán Ó Dúgáin, Mín An Chladaigh aois 72 a d'inis an scéal agus ba é an príomhoide Seán Mac Fhionnaile a scríobh síos sa leabhar mhór é. Níl dáta luaite leis. Fuarthas leagan maith eile den scéal as Scoil An Toir. S1066: 28-29. Máire Ní Dhónaill a scríobh síos agus ba é Conall Ó Dónaill a d'inis. Níl dáta leis. Níltear á thabhairt anseo mar nach bhfuil rud ar bith úr ann nach bhfuil sna leagnacha sin thuas. Tá dhá leagan eile den scéal sna cóipleabhair as Gaoth Dobhair ach is iarrachtaí laga iad agus níltear á dtabhairt anseo. Seo na háiteanna a bhfuil siad le fáil:
S1066B, Cóipleabhar 14, 17-18. Pádraig ó Cuireáin, An Ghlaisigh a d'inis an scéal ar 4.3.1938 agus ba é Séamas ó Cuireáin as an bhaile chéanna a scríobh síos uaidh é.
S1068, 491-492, Scoil na Luinnigh.

Deich leagan is fiche (30) den scéal seo a fuarthas ar fud Eireann, ceann amháin acu sin i mBailiúchán na Scol as Dún na nGall. Níl tagairt ar bith in TIF do cheann ar bith de na leaganacha sin thuas. Féadfaimid na tri leagan mhaithe seo againn féin a chur leis na deich gcinñ fhichead úd.

1.86.1 *AT 1000, Bargain not to become Angry (+AT 554, The Grateful Animals),* S1067: 72-78, Scoil na nGasúr, Doirí Beaga. Deir Liam Mac Giolla Chóill, príomhoide na scoile an méid seo faoin scéal: Seo scéal a bhí ag Liam Ó Gallchóir as an tSlitheán a inse dom. Bheadh sé scríofa aige i dtráthaibh na Samhna seo chugainn. Scríobh mé féin é agus tá sé i rang a cúig. Sin a bhfuil d'eolas againn faoin scéal.

1.86.2. Mar atá faoi 1.86.1 thuas *(+ AT 1029, Woman as Cuckoo in Tree),* S1069: 70-72. Anna Ní Bhaoill aois 13, An Charraig a scríobh síos agus Maighréad Ní Bhaoill, An Charraig aois 43 bliain a d'inis. Is faoi CF atá an scéal seo luaite in TIF.

1.86.3. Mar atá faoi 1.86.1 thuas *(+ AT 650, Strong John; + AT1006, Casting Eyes; + AT 1029, Woman as Cuckoo in Tree),* S1066A: Cóipleabhar 4, 20-26, Scoil Bhun An Inbhir. Seán Ó Briain as Mín An Chladaigh a scríobh síos ar 22.11.1938 ó bhéalaithris Mhéabha Nic Pháidín as Bun An Inbhir.

Cruinníodh corradh le céad leagan den scéal seo in Éirinn, seacht gcinn acu sin i mBailiúchán na Scol as Dún na nGall, an chéad dá leagan a thug muid thuas ina measc. Níl tagairt ar bith in TIF don tríú leagan a bhfuil uimhir 1.85.3. air thuas.

1.87 *AT 1004, Hogs in the Mud; Sheep in the Air (+ AT 1005-1008,*
(+ AT 1005-1008, Building a Bridge or Road; Casting Eyes; Other Means
of Killing or Maiming Live Stock).
AT 1060, Squeezing the (Supposed) Stone; + AT 1115, Attempted Murder
with Hatchet). Dónall Mac Giolla Easpaig a scríobh síos an scéal seo ina
chóipleabhar ar leathanaigh 10-18 é Scríobhadh an scéal ar na laethanta seo:
10ú/15ú/21ú/23ú/28ú agus 30ú Márta, 1938. Bríd Nic Giolla Easpaig aois 50
bliain, Sraith na Brúigh a thug an scéal uaithi. Tá leagan eile de le fáil sa leabhar
mhór as Scoil na Luinnigh ag tosú ar leathanach 486. Tá an dá leagan éagsúil
óna chéile agus táthar ag tabhairt an bhunleagain a scríobh Dónall isteach ina
chóipleabhar anseo.

Ní bhfuarthas ach naoi (9) leagan den scéal seo in Éirinn más fíor do TIF.
Is é an ceann seo againne an t-aon leagan de a fuarthas i mBailiúchán na Scol
as Dún na nGall.

1.88 *AT 1029, The Woman as Cuckoo in the tree.* Tagair do AT 1000 agus
an leagan atá faoi 1.86.3.

1.89 *AT 1045, Pulling the Lake Together (+ AT 1115, Attempted Murder*
with Hatchet; + CFAT 1062 Throwing the Stone; + AT 1063B, Throwing
Contest; + AT 1640, The Brave Tailor), S1068: 533-535, Scoil na Luinnigh.
Maighréad Ní Dhúgáin, Carraig an tSeascainn a d'inis agus ba é Seán Ó
Gallchóir, Srath Máirtín aois 13 a scríobh síos am éigin i 1938.

Cruinníodh corradh beag le céad leagan den scéal seo in Éirinn. Ceann amháin
acu, an ceann seo againne, atá i mBailiúchán na Scol as Dún na nGall.

1.90 *AT 1061, Biting the Stone.* Tá an moitíf seo le fáil fairsing go leor sna
scéalta a bhaineann leis an dream ón Norbhuaidh a thagann le troid a chur
ar na Fianna in Éirinn. Tá na scéalta sin eagraithe sa chnuasach seo faoi *AT
1149, Children Desire Ogre's Flesh.* Is ceart don léitheoir tagairt siar anois
dá bhfuil ráite ansin.

1.91 *AT 1063B, Throwing Contest (+ AT 1115 Attempted Murder with*
Hatchet), S1066A, Cóipleabhar 12, 41-46, Scoil Bhun An Inbhir. Máire Ní
Ghallchóir a scríobh síos an leagan seo ó Phádraig Mac Giolla Chóill as an
Ghlaisigh ar 2.11.1938. Déanadh an léitheoir tagairt fosta do *AT 1045* thuas
áit a bhfuil an moitíf seo le fáil mar chuid de scéal eile.

Céad agus seachtó (170) leagan den scéal seo a fuarthas in Éirinn agus ba as
Bailiúchán na Scol as Dún na nGall ceithre cinn acu sin. Níl ach tagairt amháin
in TIF don scéal seo agus is faoi *AT 1045 thuas atá an tagairt sin. Níl tagairt
ar bith don leagan seo as Scoil Bhun An Inbhir in TIF.*

1.92.1 *AT 1088, Eating Contest (+ CFAT 1121, Ogre's Wife burnt in his*
Own Oven; + AT 1640, The Brave Tailor), S1068: 265-269, Scoil Mhín An
Chladaigh. Máire Ní Bhriain a scríobh síos an scéal seo ach níl a fhios cé uaidh.
Ba é an príomhoide Seán Mac Fhionnaile a scríobh isteach sa leabhar mhór
é ar 30.6.1938.

1.92.2 Mar atá in 1.92.1 ach gan tagairt ar bith do *AT 1640* a bheith sa scéal. Tá an leagan seo suimiúil sa mhéid go bhfuil cur síos ann ar eachtraí éagsúla a tharla do laoch an scéil. Tá an leagan seo le fáil i S1066: 146-148, Scoil Bhun An Inbhir. Ba é Eoghan Mac Pháidín an príomhoide a scríobh isteach sa leabhar mór é. Fuair sé an scéal ó Phádraig Mac Éidí as an Ghlaisigh agus fuair seisean an scéal ó Einrí Ó Briain as an Ghlaisigh ach ar as Mín An Chladaigh ó dhúchas é. Fuarthas dhá leagan bhreátha eile den scéal seo mar a leanas:

S1068, Cóipleabhar Liam Uí Phíopalaigh, leathanaigh 27-30, Scoil Mhín An Chladaigh. Tá an leagan seo iontach cosúil leis an leagan atá againn faoi 1.92.1 thuas agus sin an fáth nach bhfuiltear á thabhairt anseo. Tá na moitífeanna atá in *AT 1121* agus in *AT 1640* le fáil sa leagan seo den scéal fosta. Ba é Seán Ó Briain aois 69 as Mín An Chladaigh a d'inis an scéal ar an 6.4.1938.

S1068, 434-435, Scoil Na Luinnigh. Ba é Seán Ó Gallchóir, An Luinnigh a scríobh síos an leagan seo ó Mhicheál Ó Gallchóir (42), An Luinnigh ar 11.2.1938 agus tá sé an-chosúil le leagan 1.92.2 thuas. Ní deir sé cé a thug an scéal dó. Is suimiúil an ní fosta gurb é an t-ainm Éamann Mac Fhionnaile a thugtar go minic ar an laoch sna scéalta seo as Gaoth Dobhair. Tá an t-ainm sin luaite le gach uile cheann de na ceithre leagan sin thuas.

Corradh beag le dhá chéad agus seachtó leagan den scéal seo a cruinníodh in Eirinn, ocht gcinn acu as Bailiúchán na Scol as Dún na nGall, an dá cheann atá muid a thabhairt anseo san áireamh. Níl tagairt ar bith in TIF don dá leagan eile a bhfuil cur síos againn orthu thuas.

1.93 *AT 1115, Attempted Murder with Hatchet.* Tá moitífeanna an scéil seo le fáil mar chodanna de scéalta eile. Déan tagairt siar dá bhfuil ráite faoi AT 1004, *AT 1045* agus do *AT 1060* againn cheana féin.

1.94 *AT 1119, The Ogre Kills his Own Children.* Tagair do 1.87 agus *AT 327.*

1.95 *AT 1121, Ogre's Wife Burned in his Own Oven.* Tá tagairt do na leaganacha den scéal seo faoi *AT 1088* thuas.

1.96.1 *AT 1149, Children Desire Ogre's Flesh.* S1068: 480-481, Scoil Na Luinnigh. Máire Ní Bhaoill, Srath na Brúigh (14) a scríobh síos ó Nuala Ní Bhaoill (72) as an bhaile chéanna. Níl dáta leis.
1.96.2 Mar atá thuas. S1066: 343-344, Scoil na gCailíní, Doirí Beaga. Cáit Ní Dhónaill, Na Machaireacha a scríobh isteach sa leabhar mhór an scéal ar 24.3.1938 agus ba í Nábla Ní Ghallchóir, Na Machaireacha a d'inis an scéal di. Fuarthas leaganacha eile den scéal seo as Gaoth Dobhair mar a leanas. S1068: Cóipleabhar 2, 15-17. Séan Mac Giolla Chóill, Scoil Mhín An Chladaigh a scríobh síos agus ba é Seán Mac Íomhair as Mín An Chladaigh (20) a d'inis an scéal dó. Tá leagan eile den scéal seo sa leabhar mhór ach is giorra go mór é ná an leagan atá sa chóipleabhar. Níl ceachtar acu á dtabhairt anseo nó tá siad díreach cosúil leis na leaganacha atá faoi 1.96.1/.2 thuas.
De réir TIF fuarthas suas le céad agus dhá leagan déag (112) den scéal seo in Éirinn. Trí cinn déag acu sin atá i mBailiúchán na Scol as Dún na

nGall, an ceann atá faoi 1.96.1 thuas san áireamh. Níl tagairt ar bith do na leaganacha eile atá muid a thabhairt in TIF. Thig iad a chur san áireamh anois.

1.97 *AT 1180, Cathching Water in a Sieve.* S1066B: Cóipleabhar 19, 54-60, Scoil Bhun An Inbhir. Anna Nic Amhlaigh a scríobh síos idir an 18.3.1938 agus 7.4.1938. Cha dtugann sí féin dáta cruinn agus níl ainm an scéalaí le fáil ach oiread.

Chan fhuarthas ach dhá leagan déag ar fhichead (32) den scéal de réir TIF, Dheamhan oiread is ceann amháin a fuarthas i mBailiúchán na Scol as Dún na nGall. Caithfear sin a chur ina cheart anois ó tharla an leagan suimiúil seo againn as cóipleabhair Scoil Bhun An Inbhir.

1.98. *AT 1210, The Cow is Taken to the Roof to Graze,* S1068: 115. Scoil na Luinnigh. Sádhbha Ní Bhaoill a scríobh agus Máire Ní Bhaoill, aois 43, as Srath na Brúigh a d'inis am éigin i 1938.

Mar atá thuas in 1.98. Tháinig mé ar mhórán leaganacha den mhoitíf atá sa scéal seo i measc na gcóipleabhar as Scoil Bhun An Inbhir. Is ceart don léitheoir tagairt do *AT 1384, The Husband Hunts Three people as Stupid as his Wife.*

áit a bhfeicfidh sé a bhfuil mé a mhaíomh. Tá ocht (8) leagan de *AT 1384* ar fáil as cóipleabhair Scoil Bhun An Inbhir agus tá an moitíf seo ag cur na bó suas ar an díon le fáil i sé cinn (6) acu. Bá cheart na leaganacha deiridh seo a áireamh chomh maith anois mar leaganacha de AT 1210.

Corradh le dhá chéad leagan (209) den scéal seo a fuarthas in Éirinn dar le TIF, ceann is fiche (21) acu luaite le Bailiúchán na Scol as Dún na nGall. Tugtar le fios go bhfuarthas trí leagan den scéal in S1068 arbh as Scoil Na Luinnigh ar fad iad. Tá earráid éigin ar an rangú seo, mar an dá leagan le cois an chinn seo thuas a luaitear in TIF, cha bhaineann siad ar chor ar bith le *AT 1210*. Tosaíonn an dá leagan atá rangaithe go mícheart ar leathanaigh (442) agus (451) de S1068 agus chan fheicim tagairt ar bith do bhó a bheith ar mhullach an tí iontu. Is ceart an botún seo a chur ina cheart má bhítear ag déanamh leagan eile den TIF. Ba cheart na sé leagan sa bharraíocht as Scoil Bhun An Inbhir a chur san áireamh anois fosta.

1.99   *AT 1200-1335, Numskull Stories.* S1066A, Cóipleabhar 16. 28-29. Máire Nic Gamháin a scríobh. ar 8.6.1938. Níl a fhios cé a d'inis an scéal di.

1.100.   *AT 1211, The Peasant Woman Thinks the Cow Chewing the Cud is Mimicking Her.*

Tá cosúlacht láidir idir an moitíf seo agus a bhfuil tuairiscithe faoi AT 1384 agus ba cheart don léitheoir tagairt dá bhfuil ráite ansin.

368

1.101 *AT 1240, Man Siting on Branch of Tree Cuts it off, (+AT 1313A, The Man Takes Seriously the Prediction of Death),* S1068: 430-431, Scoil na Luinnigh. Seán Ó Gallchóir aois 13 a scríobh síos agus ba é Séamas ó Gallchóir, Srath Na Brúigh, aois 84, a d'inis an scéal dó ar 2.2.1938.

Char cruinníodh ach sé leagan déag (16) den scéal seo in Eirinn dar le TIF, ceann amháin acu sin as Bailiúchán na Scol as Dún na nGall - an ceann seo atá muid féin a thabhairt thuas.

1.102 *AT 1281A, Getting Rid of Man-Eating Calf,* S1066A: Cóipleabhar 18, 14-20, Scoil Bhun An Inbhir. Bríd Nic Fhionnaile as An Ghlaisigh a scríobh síos an scéal seo ar 17.5.1938 agus ba é Brian Mac Fhionnaile as An Ghlaisigh a d'inis an scéal di. Tá leagan eile den scéal ach atá níos giorra ná an leagan thuas le fáil i S1066B, Cóipleabhar 13. 7-9. Nuala Nic Pháidín a scríobh síos an leagan seo agus ba í Bríd Nic Fhionnaile a d'inis di é ar an 10.11.1938. Níltear á thabhairt anseo.

Dhaichead (40) leagan den scéal seo a cruinníodh in Eirinn de réir TIF, ceann amháin acu sin as Bailiúchán na Scol as Dún na nGall. Níl tagairt ar bith don dá leagan seo againne in TIF.

1.103 *AT 1290B*, Sleeping on a Feather,* S1068, 418, Scoil na Luinnigh.
        Nuala Ní Dhónaill (12), An Luinnigh a scríobh síos an scéal seo agus ba é Liam Ó Fearraigh (60) An Luinnigh a d'inis di é.
Ba léir gur scéal coitianta é seo sa cheantar nó tá sé leagan eile de againn as cóipleabhair Scoil Bhun An Inbhir. Tá na cinn as Scoil Bhun An Inbhir lán-inchurtha leis an leagan sin thuas agus cé nach bhfuiltear á dtabhairt anseo is ceart cuntas a thabhairt orthu sin a chruinnigh agus a d'inis.
S1066A: Cóipleabhar 11, 6-7. Eibhlín Nic Pháidín a scríobh síos ar 24.11.1938 agus ba í a máthair a d'inis an scéal. Ní thugann sí a hainm.
S1066A: Cóipleabhr 14, 32-33. Eibhlín Nic Pháidín arís a scríobh síos ar 4.7.1938. Deir sí gur sa bhaile a fuair sí é ach cha ndeir sí cé uaidh.
S1066A: Cóipleabhar 19, 52-54. Anna Nic Amhlaigh a scríobh ar 18.3.1938 ach ní luaitear cé uaidh a bhfuarthas é.
S1066B: Cóipleabhar 2, 62-63. Máire Ní Fhearraigh a scríobh síos ar 24.8.1938. Níl seanchaí ar bith luaite leis.
S1066B: Cóipleabhar 4, 7-8. Peadar Ó Gallchóir a scríobh síos ar 24.1.1938 ó bhéalithris Shéamais Uí Ghallchóir ar An Ghlaisigh.
S1066B: Cóipleabhar 13, 5-6. Nuala Nic Pháidín a scríobh síos ar 25.10.1938. Níl seanchaí ar bith luaite aici leis.
        Seacht leagan déag den scéal seo a fuarthas sa tír dar le TIF. Fuarthas dhá cheann acu sin i mBailiúchán na Scol as Dún na nGall an chéad cheann seo againne ina measc. Níl trácht ar bith ar na sé leagan eile as Scoil Bhun An Inbhir in TIF.

1.104   *AT 1313A, The Man Takes Seriously the Prediction of Death.* S1068: 430-431, Scoil Na Luinnigh. Níl an scéal seo le fáil in TIF ar chor ar bith ach is léir óna bhfuil sa scéal faoi *AT 1240* thuas de thairbhe moitífeanna de, go bhfuil leagan den scéal *AT 1313A* againn anseo. Is ceart don léitheoir a bhfuil ráite faoi *AT 1240* a léamh anois le theacht ar na sonraí ar fad.

1.105.1   *CFAT 1313C, The Man Takes Seriously the Prediction of Death*, S1066A: Cóipleabhar 11, 8-9 agus arís i gcóipleabhar 14, 21-22, Scoil Bhun An Inbhir. Eibhlín Nic Pháidín a scríobh síos an dá leagan ar an 24.11.1938 agus ar 5.4.1938 faoi seach. Deir sí gurb é Dónall Mac Pháidín a d'inis leagan 24.11.1938 agus atá muid a thabhairt anseo di. Déir sí gur óna hathair a fuair sí an dara leagan ach char luaigh sí a ainm. Tá an dá leagan cosúil lena chéile agus seans gurb é Dónall Mac Pháidín a hathair cé nach bhfuil cinnteacht air sin.

Is faoi *The Man Who Thought Himself Dead* atá an cineál seo scéalta luaite in TIF. Ní bhfuarthas ach leagan amháin de in Éirinn dar leis an leabhar chéanna ach tá comrádaí aige anois sa leagan seo thuas.

1.105.2   Mar a bhí thuas. S1069: 38-40. Treasa Ní Cholla (13) An Luinnigh a scríobh síos ó Thomás Ó Colla (67) as an bhaile chéanna ar 17.10.1938.

1.106   *AT 1319, Pumpkin Sold as an Ass's Egg.* S1068: Scoil na Luinnigh. Máire Nic Pháidín a scríobh síos an scéal seo ar 14.12.1938 agus ba é Micheál Ó Gallchóir (42) as Srath Máirtín a d'inis an scéal di i Mí Iúil, 1938. Tá an scéal le fáil ina cóipleabhar féin ar leathanaigh 15-17. Leagan agus trí scór go leith (71) den scéal a cruinníodh in Éirinn dar le TIF, cúig leagan acu sin as Bailiúchán na Scol as Dún na nGall. Níl tagairt ar bith don leagan áirithe seo againn féin in TIF agus tá sé anois le cur san áireamh.

1.107.1   AT 1321, Fools Frightened. S1068: Cóipleabhar 15, 62-64. Seán Ó Briain a scríobh síos an scéal seo ar 24.8.1938. Cha dtugann sé ainm an té a d'inis an scéal dó.

1.107.2   Mar atá thuas. S1066A: Cóipleabhar 4, 6-7. Scoil Bhun An Inbhir. Seán Ó Briain a scríobh síos an scéal ar 17.11.1938 agus ba í Méabha Nic Pháidín as Bun An Inbhir a d'inis an scéal dó.

Fuarthas corradh le ceithre chéad leagan den scéal seo in Éirinn (429), trí cinn déag acu sin as Bailiúchán na Scol as Dún na nGall. Níl ceann ar bith de na trí leagan seo luaite in TIF.

1.108   *AT 1323, The Windmill is Thought to be a Holy Cross.* S1066B: Cóipleabhar 12, 8-9. Bríd Ní Ghallchóir a scríobh síos an scéal agus ba é Pádraig Ó Gallchóir as An Ghlaisigh a d'inis an scéal di. Níl dáta ar bith luaite leis.

Tá leagan eile den scéal le fáil in S1066A: Cóipleabhar 12, 1-2. Ba é Pádraig Mac Giolla Chóill as An Ghlaisigh a d'inis an leagan seo ach níl dáta ar bith leis. Máire Ní Ghallchóir a scríobh síos é.

Tá an leagan deiridh seo inchurtha leis an leagan atá muid a thabhairt ach níorbh fhiú dhá leagan chomh cosúil lena chéile a chur i gcló. Ceithre leagan déag (14) den scéal seo a fuarthas in Éirinn dar le TIF, trí cinn acu as Bailiúchán na Scol as Dún na nGall. Níl ceachtar den dá leagan seo thuas luaite in TIF.

1.109 *AT 1325A, The Fireplace Gives too Much Heat.* Is ceart don léitheoir tagairt siar anois do AT 1384 áit a bhfeicfidh sé go bhfuil na moitífeanna a bhaineann leis an scéal seo le fáil ann.

I S1066B, Cóipleabhar 3, 16-20 Scoil Bhun An Inbhir atá an leagan atá i gcló anseo againn le fáil. Máire Ní Ghallchóir a scríobh síos an scéal ach nach bhfuil dáta ar bith leis. Ba í Nóra Ní Ghallchóir as An Charraig a d'inis an scéal di. Tháinig mé ar dhá leagan eile den scéal chéanna sa dá leagan seo a leanas de *AT 1384* as cóipleabhair Scoil Bhun An Inbhir. Seo cuntas orthu.

S1066A, Cóipleabhar 12, 20-24. Scoil Bhun An Inbhir. Máire Ní Ghallchóir a scríobh síos an leagan seo óna máthair nach dtugann sí a hainm. Níl dáta ar bith leis an scéal ach is idir Mí Mhárta agus Mí Mheáin an tSamhraidh 1938 a scríobhadh síos é.

S1066B, Cóipleabhar 15, 31-33. Scoil Bhun An Inbhir. Máire Ní Fhearraigh a scríobh síos ar 1.5.1938 agus ba í Anna Ní Fhearraigh a d'inis an scéal di.

Ocht leagan (8) den scéal seo a fuarthas in Éirinn dar le TIF. Ní bhfuarthas ceann ar bith acu i mBailiúchán na Scol as Dún na nGall. Féadfar na cinn seo againne a chur sa chuntas anois.

1.110 *AT 1325C, Moving a House to Prevent Wind from Blowing through the Door.* Arís eile is ceart don léitheoir a ghabháil siar go dtí *AT 1384* áit a bhfeicfidh sé go bhfuil moitífeanna an scéil seo le fáil ann. Tá tuairisc thuas agam cheana féin (faoi *AT 1325A*) ar an té a scríobh agus a d'inis an scéal seo. Tháinig mé ar chúig leagan eile den scéal seo i leaganacha de scéal *AT 1384* sna cóipleabhair seo a leanas ar as Scoil Bhun An Inbhir ar fad iad. S1066A: Cóipleabhar 2, 6, 12 agus 14.

Leagan beag amháin den scéal seo a fuarthas in Éirinn de réir TIF, agus chan i mBailiúchán na Scol atá sé. Níl tagairt ar bith do na leaganacha seo againne agus caithfear anois iad a chur sa chuntas.

1.111 *AT 1339C, Woman unacquainted with Tea.* S1066: 1-3. Scoil An Toir. Ruairí Mac Suibhne a scríobh an scéal seo agus ba í Maighréad Nic Suibhne a d'inis an scéal dó. Níl dáta ar bith leis. Tá leaganacha eile den scéal seo le fáil sna cóipleabhair seo a leanas as Scoil na gCailíní, Doirí Beaga. Tá siad lán chomh maith leis an leagan thuas ach ó tharla iad a bheith chomh cosúil sin leis níltear á dtabhairt anseo.

S1066: Scoil Dhoirí Beaga. Scoil na gCailíní. Cóipleabhar Mháire Nic Giolla Bhríde, leathanach 37. Roíse Ní Chearúil (70), Ard na gCeapairí, Doirí Beaga a d'inis ar 28.2.1938.

S1066: Scoil Dhoirí Beaga, Scoil na gCailíní. Cóipleabhar 5, leathanaigh 57-58. Máire Ní Bhaoill, Machaire Gáthlán a scríobh agus Peadar Ó Baoill, Machaire Gáthlán a d'inis ar 4.3.1938.

Suas le trí fichid leagan (57) den scéal seo a fuarthas sa tír dar le TIF, ceann amháin acu sin (an ceann seo againne) as Bailiúchán na Scol as Dún na nGall. Níl trácht ar bith in TIF ar na leaganacha eile atá luaite thuas againn.

1.112.1 *AT 1349*, Miscelleaneous Numskull Tales.* S1068: 29-30, Scoil na Luinnigh. Máire Ní Dhuibhir (74) as Oileán Ghabhla a d'inis an scéal agus ba óna máthair mhór a chuala sí é trí scór bliain roimhe sin. Ba é an príomhoide a scríobh isteach sa leabhar mhór é agus níl dáta ar bith leis.

1.112.2 Mar atá thuas. S1068, Cóipleabhar Dhónaill Mhic Giolla Easpaig, Scoil na Luinnigh. Scríobhadh síos an scéal ar 30.3.1938 agus ba é Dónall Ó Fearraigh as Srath na Brúigh (60) a d'inis an scéal.

1.112.3. Mar atá thuas. S1068, Cóipleabhar Sheáin Uí Ghallchóir, Scoil na Luinnigh. Séamas Ó Gallchóir, Srath na Brúigh, aois 87 bliain, a d'inis an scéal ar 30.11.1938.

1.112.4 Mar a bhí thuas. S1068, Cóipleabhar Sheáin Uí Ghallchóir, Scoil na Luinnigh. Micheál Ó Gallchóir, aois 43 bliain as Srath Máirtín a d'inis an scéal ar 16.11.1938. Tá dhá leagan den scéal seo sa chóipleabhar. Seo an leagan is fearr faoi bheagán.

1.112.5 S1068, Cóipleabhar Mhéabha Ní Bhriain, Scoil Mhín An Chladaigh. Donnchadh Ó Briain aois 70 bliain as Mín An Chladaigh a d'inis an scéal ar 26.1.1938.

Corradh le céad go leith leagan (158) den scéal seo a cruinníodh ar fud na tíre a deir TIF linn. Fuarthas dhá cheann déag (12) acu sin i mBailiúchán na Scol as Dún na nGall an chéad cheann ansin thuas ina measc. Níl trácht ar bith ar na cúig leagan eile in TIF.

1.113.1 *AT 1358C, Trickster Discovers Adultery: Food Goes to Husband instead of Paramour (+ CFAT 1358A, Hidden Paramour Buys Freedom from Discoverer)*, S1066B, Cóipleabhar 14, 22-28, Scoil Bhun An Inbhir. Séamas ó Cuireáin a scríobh síos ar 1.5.1938 agus ba é Pádraig Mac Giolla Chóill as An Ghlaisigh a d'inis dó é.

1.113.2 Mar atá thuas. S1066A: Cóipleabhar 17, 16-20. Treasa Nic Aodha as Scoil Bhun An Inbhir a scríobh síos ar 22.3.1938. Níl seanchaí ar bith eile luaite leis.

Leagan amháin den scéal seo a fuarthas in Éirinn de réir TIF, agus chan i mBailiúchán na Scol atá sé. Níl tagairt ar bith do na leaganacha seo againne agus caithfear anois iad a chur sa chuntas.

1.114 *CFAT 1360B, Flight of the Woman and her Lover from the Stable*, S1068, 287-288, Scoil Mhín An Chladaigh. Máire Ní Oireachtaigh, aois 14 as Glais An Chú a scríobh síos an scéal beag seo. Cha ndeirtear in áit ar bith cé a d'inis an scéal. Is é an príomhoide Seán Mac Fhionnaile a scríobh isteach sa leabhar mhór é. Tá leagan eile, atá chomh beacht agus chomh cruinn céanna agus beagán níos faide, le fáil i gcóipleabhar Róise Ní Chuireáin, as Port Uí Chuireáin. Tá an scéal ar leathanaigh 5-6 den chóipleabhar. Scríobhadh síos é ar 26.1.1938 agus ba é Seán Ó Cuireáin, as Port Uí Chuireáin aois 40 bliain a d'inis an scéal.

Corradh le céad go leith leagan (155) den scéal seo a cruinníodh sa tír dar le TIF. Tá naoi gcinn (9) acu sin le fáil i mBailiúchán na Scol as Dún na nGall an chéad leagn seo againne ina measc. Níl tuairisc ar bith ar an dara leagan thuas in TIF.
372

1.115 *AT 1361, The Flood*, S1065, 277-291, Scoil Dhún Lúiche. Séan Mac Cumhaill, Mín Na Cuinge a d'inis agus ba é Micheál Mac Cumhaill a mhac a scríobh an scéal. Níl dáta ar bith leis. Tá leagan eile den scéal seo nach bhfuil chomh breá ná chomh fada leis an leagan sin thuas le fáil in S1068, 561-563, Scoil na Luinnigh. Tá érim an scéil go hiomlán ann mar sin féin. Ba í Máire Nic Pháidín aois 13 a scríobh síos an leagan deiridh seo agus ba í Bríd Nic Giolla Chóill as An Ard Donn a d'inis é ar 3.8.1938. Is suimiúil gur as an cheantar céanna an dá sheanchaí ó tá Mín Na Cuinge agus An tArd Donn buailte ar a chéile.

Fuarthas naoi leagan is fiche (29) den scéal seo sa tír dar le TIF, dhá cheann acu sin as Bailiúchán Na Scol as Dún na nGall an leagan atá muid a thabhairt anseo ina measc. Níl tagairt ar bith don dara leagan as Scoil Na Luinnigh in TIF.

1.116 *AT 1376A*, Storyteller Interrupted by Woman*, S1066, Scoil na gCailíní, Na Doirí Beaga.

Máire Ní Chuireáin. Machaire Gáthlán, Doirí Beaga, a scríobh síos 22-8-1938. Eoin Ó Chuireáin, Machaire Gáthlán, Paróiste Ghaoth Dobhair, a d'inis an scéal S1066, Scóil na gCailíní, Doirí Beaga .

Deich leagan is fiche (30) den scéal a fuarthas in Éirinn de réir TIF. Tá dhá cheann acu sin i mBailiúchán na Scol as Dún Na nGall an ceann seo againne ar cheann acu.

1.117 *AT 1381E, Old Man Sent to School*, S1068, Cóipleabhar 6, 4-5, Scoil Mhín An Cladaigh. Eibhlín Ní Bhriain, Gleann hUalach, Mín An Chladaigh a scríobh síos an scéal seo ar 25.12.1938 agus ba é a hathair Pádraig Ó Briain, aois 41, Gleann hUalach a d'inis an scéal di. Fuarthas leagan eile den scéal nach bhfuil chomh maith leis an leagan thuas i S1066, 42, Scoil An Toir. Tá sé an-ghairid agus níltear á thabhairt anseo.

Eoghan Mac Cumhaill a scríobh síos agus Seán Ó Dúgáin a d'inis. Níl dáta ar bith leis.

Suas le céad leagan (97) den scéal a cruinníodh sa tír, naoi (9) gcinn acu i mBailiúchán na Scol as Dún na nGall, an dara leagan atá luaite thuas againn ina measc. Níl trácht ar bith ar an leagan as Scoil Mhín An Chladaigh in TIF.

1.118 *AT 1384, The Husband Hunts Three Persons as Stupid as his Wife (+ AT 1210, The Cow is Taken to the Roof to Graze, + AT 1325A, The Fireplace Gives too Much Heat, + 1325C, Moving a House to Prevent Wind from Blowing Through the Door).* S1066B, Cóipleabhar 3, 16-20. Scoil Bhun An Inbhir. Máire Ní Ghallchóir a scríobh síos agus Nóra Ní Ghallchóir as An Charraig a d'inis an scéal di. Níl dáta ar bith leis an scéal. Tá ocht leagan (8) eile den scéal seo le fáil san ábhar a tháinig as bunscoileanna Ghaoth Dobhair. Fuarthas seacht gcinn acu sin i gcóipleabhair as Scoil Bhun An Inbhir agus ceann eile as Cóipleabhar 3, Scoil Chnoc An Stolaire. Seo cuntas níos iomláine orthu.

S1066A, Cóipleabhar 2, 42-44. Scoil Bhun An Inbhir. Bríd Nic Gairbheith a scríobh síos an leagan seo ar 2.8.1938. Níl údar ar bith luaite aici leis.

S1066A, Cóipleabhar 6, 39-43. Scoil Bhun An Inbhir. Pádraig Mac Giolla Chóill as An Ghlaisigh a scríobh síos an leagan seo ar an 2/3 Lúnasa, 1938. Cha ndeir sé cá háit a bhfuair sé an scéal.

S1066A, Cóipleabhar 11, 18-21. Scoil Bhun An Inbhir. Eibhlín Nic Pháidín a scríobh síos am éigin i Mí na Nollag, 1938. Cha dtugtar údar ar bith leis an scéal.

S1066A, Cóipleabhar 12, 20-24. Scoil Bhun An Inbhir. Máire Ní Ghallchóir a scríobh síos an leagan seo óna máthair nach dtugann sí a hainm. Níl dáta ar bith leis an scéal ach is idir Mí Mhárta agus Mí Mheáin an tSamhraidh 1938 a scríobhadh síos é.

S1066A, Cóipleabhar 14, 1-6, Scoil Bhun An Inbhir. Eibhlín Nic Pháidín a scríobh an leagan seo fosta (Amharc S1066A, Cóipleabhar 11 thuas). Tá an leagan deiridh seo níos faide ná an ceann atá luaite thuas agus tá roinnt moitífeanna breise le fáil ann. Ar an 13.12.1938 a scríobhadh an leagan deiridh seo agus níl údar ar bith luaite leis.

S1066A, Cóipleabhar 19, 41-45. Scoil Bhun An Inbhir. Anna Nic Amhlaigh a scríobh síos an leagan seo ar 22.2.1938 . Níl seanchaí ar bith luaite leis an scéal.

S1066B, Cóipleabhar 15, 31-33. Scoil Bhun An Inbhir. Máire Ní Fhearraigh a scríobh síos ar 1.5.1938 agus ba í Anna Ní Fhearraigh a d'inis an scéal di.

S1067, Cóipleabhar 3, 32-36. Scoil Chnoc An Stolaire. Méabha Nic Giolla Cheara a scríobh síos an scéal óna máthair. Ní thugann sí a hainm agus níl dáta leis an scéal. Tagair fosta do *AT 1450*.

Céad tríocha is a cúig (135) leagan den scéal seo a cruinníodh sa tír dar le TIF, deich gcinn acu sin a bhfuil CF leo i mBailiúchán na Scol as Dún na nGall. Níl trácht ar bith ar na naoi (9) leagan seo againne in TIF agus tá sé in am anois iad a chur san áireamh. Tá na leaganacha ar fad a bhfuil tagairt dóibh thuas féadaim a rá ar chomhchéim ach nach bhfuil an leagan as S1066A, Cóipleabhar 19 chomh foirfe leis na cinn eile. Measaim gurb é an leagan atá muid a thabhairt anseo an leagan is foirfe ar fad orthu.

1.119 *AT 1386, Meat as Food for Cabbage (+ AT 1541, For The Long Winter; + AT 1653, Guarding the Door)*. Is ceart don léitheoir tagairt don scéal atá againn faoi *AT 1541* sa dóigh go bhfeicfidh sé féin na móitífeanna a bhaineann le *AT 1386* ina lár istigh. Tá tuairisc ar na leaganacha eile den scéal a fuarthas i nGaoth Dobhair faoi *AT 1541*.

1.120 *AT 1408, The Man Who Does his Wife's Work*. S1068, 76-78, Scoil Chnoc An Stolaire. Máire Nic Fhionnaile as An Mhachaire Loisce a d'inis an scéal seo. Dúirt sí go bhfuair sí ó Liam Mac Gairbheith tá 55 bliain ó shin é. Is dóiche gurb é an príomhoide a scríobh isteach sa leabhar mhór é.

Fuarthas leagan eile den scéal in S1066A, Cóipleabhar 17, 22-25. Scoil Bhun An Inbhir. Ba í Treasa Nic Aodha a scríobh síos an scéal ar 2.5.1938 ach cha dtugann sí údar ar bith leis. Tá sé inchurtha leis an leagan thuas ach ó tharla na cosúlachtaí a bheith chomh láidir sin eatarthu níltear á thabhairt anseo.
374